IRÉNÉE DE LYON
CONTRE LES HÉRÉSIES

SOURCES CHRÉTIENNES

Fondateurs : H. de Lubac, s.j. et † J. Daniélou, s.j.
Directeur : C. Mondésert, s.j.

N° 263

IRÉNÉE DE LYON

CONTRE LES HÉRÉSIES

LIVRE I

ÉDITION CRITIQUE

PAR

Adelin ROUSSEAU

Moine de l'abbaye d'Orval

ET

Louis DOUTRELEAU, s.j.

TOME I

INTRODUCTION, NOTES JUSTIFICATIVES, TABLES

*Cet ouvrage est publié avec le concours
du Centre National de la Recherche Scientifique*

LES ÉDITIONS DU CERF, 29 Bd DE LA TOUR-MAUBOURG, PARIS
1979

*La publication de cet ouvrage a été préparée avec le concours
de l'Institut des Sources Chrétiennes
(E.R.A. 645 du Centre National de la Recherche Scientifique)*

INTRODUCTION

CHAPITRE PREMIER

LA TRADITION LATINE

Rappelons pour mémoire que le texte latin ici établi
repose sur les manuscrits des deux familles CV et AQS,
ainsi que sur l'édition princeps d'Érasme (1526) — que
nous désignons par ε — dans la mesure où elle témoigne
de trois manuscrits perdus de la seconde famille. Nos
principes d'édition étant les mêmes que dans les volumes
précédents, *SC* 100, 152, 210, nous n'y reviendrons pas.
Nous voudrions seulement, dans cette Introduction, faire
quelques remarques sur le latin du traducteur (sans aborder
la syntaxe proprement dite) et grouper diverses observations paléographiques et critiques sur la transmission
du texte.

I. GRAMMATICA

Notre propos s'adresse d'abord au lecteur qui n'est pas familiarisé avec le latin tardif, non littéraire, couramment appelé vulgaire ou populaire selon les auteurs. Aborder le latin du traducteur d'Irénée avec la grammaire du latin classique et des critères de puriste conduirait à des erreurs certaines et laisserait, pour le moins, planer dans l'esprit un doute sur la validité de formes anormales qui sont pourtant légitimes sous la plume de notre auteur[1]. Nous avons en effet, plus peut-être qu'au cours des autres Livres de l'*Aduersus haereses*, préservé dans le texte même du Livre I, et non plus dans l'apparat, les témoignages de ce latin, quand ils étaient authentiques. Ils apparaissent surtout dans le *Claromontanus* (C), qui a été moins retouché du fait de sa date (ixe siècle) et en a ainsi conservé le plus grand nombre. L'*Arundelianus* (A), xiie siècle, en a beaucoup moins, moins encore le *Vossianus* (V). Quant au *Vaticanus* (Q) et au *Salmanticensis* (S), ils ont été trop normalisés pour en fournir encore avec certitude ; s'il s'y en rencontre quelques-uns de particuliers, on a tout lieu de

---

1. On recourra, pour une première approche des aspects du latin tardif, au petit livre de A. BLAISE, *Manuel du latin chrétien*, 1955. Les spécialistes connaissent sur ce sujet de nombreux travaux, dont Blaise, du reste, donne à sa date une bonne bibliographie, qu'il faudrait largement accroître aujourd'hui. Pour le latin de S. Irénée, consulter, en particulier : S. LUNDSTRÖM, *Studien zur lateinischen Irenäusübersetzung*, Lund 1943 et *Neue Studien zur lateinischen Irenäusübersetzung*, Lund 1948 ; ces deux ouvrages apportent avec justesse un grand nombre d'amendements au texte des éditeurs anciens. De S. LUNDSTRÖM encore : *Übersetzungstechnische Untersuchungen auf dem Gebiete des Christlichen Latinität*, Lund 1955. Ce livre, élargissant la recherche à d'autres auteurs chrétiens, aide à déceler et à comprendre les irrégularités et les inconséquences textuelles du traducteur d'Irénée.

croire qu'il s'agit de modalités archaïsantes, chères à la Renaissance.

MORPHOLOGIE.

Comme nous avons affaire, dans le Livre I — mais aussi dans le Livre II —, à un grand nombre de mots, appellations d'Éons surtout, issus du grec, que le traducteur a simplement transposés en latin, il faut nous attendre à des déclinaisons capricieuses, empruntant leurs formes tantôt au grec et tantôt au latin.

Déclinaison. Voici d'abord, sans nous restreindre au Livre I qui ne donne pas toutes les formes d'un mot, des sortes de paradigmes qui feront apparaître au premier coup d'œil l'inconstance du traducteur dans la morphologie.

Sur les tableaux qui suivent, le chiffre entre parenthèses indique le nombre d'occurrences pour le Livre I quand celles-ci sont trop nombreuses pour être référenciées. Dans les relevés qui sont au delà, on a séparé par le signe + les occurrences du Livre I de celles des autres Livres. Le lexique de Reynders[1] permet de retrouver toutes les références, la transposition Hv/SC ou SC/Hv se faisant immédiatement par la double numérotation de nos marges. Les références du Livre II sont empruntées à l'édition SC à venir, déjà fixée dans la numérotation des lignes du texte latin.

---

1. B. Reynders, *Lexique comparé du texte grec et des versions latine, arménienne et syriaque de l'« Aduersus haereses » de Saint Irénée*, 2 vol., *CSCO* 141 et 142, Louvain 1954.

N. Alethia **1**, 20 ; **12**, 36 ; **14**, 119

G. Alethiae **12**, 7 ; **29**, 29

D. Alethiae **1**, 32

Ac. { Alethiam **12**, 10 ; **29**, 28
Alethian **2**, 20 ; **9**, 42 ; **11**, 10 ; **15**, 94

Ac. pl. Alethias **2**, 90

N. Zoe **9**, 70 (6)

G. Zoes **14**, 112 ; **15**, 72
D. Zoae **1**, 33
Ab. Zoe **1**, 24 (8)
Ac. Zoen **1**, 22 (8)

Ac. pl. Zoas **2**, 90

N. Aeon **2**, 18 ; **3**, 20 ; **4**, 33 ; **16**, 42
G. Aeonis **2**, 68 (5)

D. Aeoni II **18**, 85.92.126

Ab. Aeone **21**, 59 ; **30**, 203

Ac. { Aeonem **1**, 2 (9)
Aeona **14**, 40 ; **29**, 48

N. Autogenes **29**, 41

G. Autogenus **29**, 29

D. Autogeni **29**, 31
Ab. Autogene **29**, 45
Ac. Autogenen **29**, 25

N. Ennoea **12**, 13

G. { Ennoeae **12**, 12.13
Ennoiae **29**, 21
Ennoias **12**, 6.10
D. Ennoeae **1**, 30
Ab. Ennoea **12**, 30
Ac. { Ennoeam **12**, 3 ; **23**, 47 ;
29, 9 ; **30**, 4
Ennoiam **1**, 8 ; **23**, 40

N. Nus **1**, 20 ; **2**, 4.24 ; **24**, 75 ; **29**, 20.22
G. Noos II **13**, 11.158
D. No **2**, 2
Ab. { No II **13**, 34
Nu II **13**, 9.164 ; **17**, 48. 151.164.174
Ac. Nun **1**, 14 (13)
Ac. pl. Noas **2**, 89

N. Aeones **8**, 89 (6)

G. { Aeonum **1**, 52 (15)
Aeonon **13**, 114
D. Aeonis II **24**, 47
Ab. { Aeonibus **4**, 91
Aeonis II **7**, 121 ; **14**, 172.177
Ac. { Aeones **1**, 34 ; **11**, 18
Aeonas **1**, 59 (19)

N. Monogenes **1**, 40 ; **9**, 70 ; **10**, 54
G. { Monogenus **9**, 35 ; II **17**, 203
Monogenis **12**, 7
D. Monogeni **2**, 2 ; **29**, 52
Ab. Monogene II **12**, 108
Ac. Monogenen **2**, 57.73.81 ; **8**, 185.187 ; **9**, 31.41

Les mots en -*as* : *Monas* (6+1), *Tetras* (3+2), *Ebdomas* (11+2), *Ogdoas* (22+15), *Decas* (12+7), *Duodecas* (18+7), *Triacontas* (7+4), ont régulièrement le génitif en -*adis*. C'est à l'ablatif et à l'accusatif que la déclinaison est flottante.

Ab. { Monade **16**, 4.5
       { Monada **11**, 53

Ac.   Monada **11**, 53
Ac. pl. Monadas **15**, 38
D. pl. Monasin V **90**, 8

Ab.   Ebdomade **5**, 79 ; **14**, 141 ;
         30, 169.170

Ac. { Ebdomadam **5**, 35
      { Ebdomadem **30**, 174

Ab.   Duodecade **2**, 17 ; **16**, 16
      { Duodecadem **16**, 9.12 (8)
Ac. { Duodecada **1**, 49
      { Duodecadam **15**, 132

Ac. { Tetradam **8**, 171
      { Tetradem II **14**, 115

Ac.   Dyadem II **14**, 115

Ab.   Decade II **21**, 14
      { Decadem **15**, 34 ; **18**, 39.
Ac. { 72.85
      { Decada **1**, 49
      { Decadam **16**, 6
Ac. pl. Decadas **15**, 39

Ab.   Ogdoade **8**, 186 ; **9**, 43.61

      { Ogdoadem **8**, 131 (7)
Ac. { Ogdoada **5**, 36
      { Ogdoadam **3**, 58 ; **5**, 55 ;
      { **16**, 27

Ab.   Triacontade II **12**, 1
Ac.   Triacontadem **16**, 30.37 ;
         18, 27.105

Ac. pl. Hecatontadecadas **15**, 39

Ac.   Pentadem II **14**, 115

Au sujet de tous ces mots, dont quelques-uns avaient déjà passé dans le latin et dont les autres relevaient de la déclinaison de mots analogues alors en usage, on conviendra que le traducteur ne s'est pas soucié d'harmoniser les formes de leurs cas. Peut-être sentira-t-on au début du Livre une certaine préférence donnée aux terminaisons grecques, sans que soient ignorées les latines, tandis que vers la fin, les mots étant devenus familiers, on trouvera le traducteur plus attaché aux formes latines. Ainsi le génitif grec *Ennoias* laisse la place à *Ennoeae* ou

Ennoiae après **12,** 10 ; l'accusatif singulier en -*dem* des
mots en -*as* l'emporte à la fin du Livre sur la forme en -*da*
du début ; l'accusatif *Bython* (3) qui alterne avec
Bythum (4) disparaît après **12,** 2 et n'apparaît pas dans
le Livre II, où *Bythum* est pourtant employé 16 fois ;
le mot *Anthropos*, encore, devient *Anthropus* dans les
dernières pages, au chap. **30,** 94.95 ; l'accusatif grec
Propatora disparaît au profit de *Propatorem* après **14,** 68.

Mots grecs.   Quoi qu'il en soit, tout au long du
Livre I, dont les exposés sont bourrés
de noms propres, le traducteur a trouvé plus commode
et plus exact de maintenir le mot grec en le latinisant
aussi peu que possible.

En deux ou trois circonstances, il a été obligé de laisser
parler le grec en grec[1]. C'est ainsi que l'on rencontre dans
la notice qui concerne Marc le Mage, aux chapitres 14-16,
plusieurs lettres de l'alphabet grec et des mots entiers qui
ont été simplement recopiés du grec pour que le lecteur
latin, engagé dans les subtilités de l'arithmologie marco-

---

1. On peut se demander quel état originel, dans le manuscrit
même du traducteur latin, recouvrent des phénomènes comme
ceux-ci, à ajouter à ceux des ch. 14-16 dont nous parlons : en **11,** 53,
monada est écrit, dans C, *monoda* avec un *n* non point latin mais
grec, tel qu'on en trouve dans les manuscrits en minuscule (ɲ) ;
en **17,** 15 et 33 le mot *zodiacus* est écrit, dans CAQ, *zoziacus* (graphie
du type ζ = *di* : *zabulus*/*diabolus*) ; en **11,** 52, C et V écrivent *noethen*
(pour grec NOHTHN) ; en **1,** 45, *macariothes* (pour grec MAKA-
PIOTHS). On a l'impression que le manuscrit original latin a dû
porter en écriture grecque beaucoup plus de mots (noms propres
surtout) que nous n'en trouvons maintenant. Remis à la discrétion
des copistes ultérieurs (qui n'étaient plus bilingues comme notre
traducteur), ces mots ont passé vaille que vaille dans le latin, certains
d'entre eux gardant des traces de leur état antérieur. On en a un
exemple dans le mot περιστεράν **15,** 24, que Feuardent a rétabli en
grec. A le prendre tel que le présentent les mss (cf. l'apparat), on
peut dire qu'il est en pleine mutation : au ixe siècle, le codex C est
en train de l'« arracher » au grec.

sienne, ait la possibilité de suivre le fil des calculs. Ailleurs,
il se peut que le traducteur n'ait pas trouvé l'équivalent
latin du mot donné par Irénée, et il a tout bonnement
écrit en grec ἀποτελεστικῶς II **28**, 85[1]. Cette transmission
du grec en grec dans des manuscrits latins a, par la suite,
donné lieu, comme presque toujours en pareil cas, à une
importante cacographie[2], qu'à défaut de fac-similé, nous
avons reproduite au mieux (cf. par ex. **14**, 78-83) dans le
style propre de l'apparat critique.

Mais la plupart du temps, notre traducteur s'est contenté
de transcrire en lettres latines le vocable grec et, souvent,
de suivre la déclinaison sous la forme que le texte grec
lui offrait[3].

---

1. Les éditeurs ont latinisé ce terme ; Érasme et Feuardent l'ont
fait sous la forme d'*apotelestos*. — Un autre exemple de grec laissé
dans le manuscrit — toute une ligne — se trouve en II, **21**, 39 (Hv,
p. 325), où l'on remarque un doublet dans la traduction latine.

2. Noter que les lettres grecques sont ordinairement des capitales.
Notre apparat fait état de la différence entre capitales et minuscules,
selon l'emploi des mss latins.

3. Voici une liste de mots dont la déclinaison n'a pas offert de
difficulté ; la plupart viennent du vocabulaire de la magie ; à défaut
de les trouver dans le dictionnaire latin, on ira les chercher dans un
répertoire grec : **20**, 84 *agogima*, pl. n. (ἀγώγιμος, ος, ον) ; — **25**, 31
charitesia, pl. n. (τὰ χαριτήσια). Massuet, qui consentait à ce mot,
lui préférait à tort χαριστήρια... ; — **23**, 25 *oniropompi*, nom. pl.,
et **25**, 31 *oniropompos*, acc. pl. (ὀνειροπομπός, ός, όν) ; — **13**, 34
paredrum, acc. sing. ; **23**, 85 *paredri*, nom. pl., et **25**, 31 *paredros*,
acc. pl. (ὁ/ἡ πάρεδρος) ; — **23**, 86 *perierga*, nom. pl. n. (περίεργος,
ος, ον) ; — **24**, 97 *periergia*, abl. sing. (ἡ περιεργία) ; — **25**, 31
philtra pl. n., class. (τὸ φίλτρον). — Relevons encore un nom à forme
grecque que l'on apparente à τὰς ἀρητάς : **30**, 71 *Areothas* acc. pl. ;
— une forme qui est due au grec αἱρέσεων : **28**, 2 *haereseum*, que les
éditeurs n'avaient pas acceptée jusqu'ici ; — un hapax qui est une
pure et simple traduction du verbe μετενσωματοῦσθαι : **25**, 76
transcorporatus.

Mots grecs latinisés. Il ne faut donc pas s'étonner de trouver dans les mots de la 1re déclinaison, des génitifs en -*as* à côté de génitifs en -*ae*, ainsi que des accusatifs en -*an* à côté d'acc. en -*am*.

On rencontre de la sorte, outre gén. *Ennoias* cité plus haut, gén. *Aphtarsias* **29,** 21, mais gén. *Authadiae* **29,** 68 ; acc. *Sophian* **24,** 44 ; II **14,** 180, mais partout ailleurs (31+15 emplois de *Sophia* dans l'*Adu. haer.*) *Sophiam* ; acc. *Kakian* **29,** 69, *Epithymian* **29,** 70, *Norean* **30,** 67, *Hysteran* **31,** 13, *analogian* **14,** 136, *pithanalogian* II **14,** 165, *etymologian* II **14,** 197.

Les lettres de l'alphabet grec se déclinent selon la 1re déclinaison :

abl. *alpha* **16,** 28.46 ; gén. *deltae* **14,** 63 ; acc. *hetam* **3,** 29 ; nom. *iota* **7,** 32 ; gén. *iotae* **14,** 172 ; acc. *iotam* **3,** 29.30 ; abl. pl. *labdis* **16,** 56 ; gén. *alphabetae* **15,** 99 (mais acc. *alphabetum* **15,** 130 et gén. *alphabeti* II **Pr.** 11).

Les mots en -η, gén. -ης, latin -*e*, gén. -*es* ou -*ae*, — à part *Zoe* (26+11) et *Sige* (15+7) qui présentent tous les cas de la déclinaison — n'apparaissent qu'au nominatif -*e* ou à l'accusatif -*en*. Ils ne sont pas nombreux.

On a : *Proarche* (7+3) **11,** 44 ; *Proarchen* **1,** 3 ; **12,** 56 ; *Archen* (2) **11,** 52.89 ; *Agape* (1+3) **1,** 44 ; II **24,** 121.207 ; *Agapen* II **14,** 178 ; *Hedone* **1,** 39 ; *Daphnen* **24,** 2 ; *proprocylindomene* **11,** 70.

Un assez grand nombre de mots en -ος, gén. -ου, latin nom. -*os*, gén. -*i*, abl. -*o*, acc. -*on* apparaissent, transcrits directement du grec. Mais quelques-uns ont aussi bien le nominatif en -*us* et l'accusatif en -*um* :

nom. *Anthropos* (25+7) **12,** 37 ; *Anthropus* **30,** 94.95 ; acc. *Anthropon* **1,** 28 ; **9,** 42 ; **12,** 32 ; *Anthropum* **14,** 116 ; acc. pl. *Anthropos* **2,** 89.

nom. *Bythus* (jamais *Bythos*) (19+42) **1,** 19 ; **19,** 22 ; acc. *Bython* **1,** 3.27 ; **12,** 2 ; *Bythum* **1,** 10 ; **11,** 17.94 ; **22,** 37.

nom. *Horos* (15+9) **19,** 172 ; *Horus* III **25,** 72 ; acc. toujours *Horon.*

nom. *Prunicos* (7+2) **30,** 114.153 ; acc. *Prunicon* **30,** 30 et *Prunicum* **29,** 54 ; **30,** 125.208.

nom. *Theletos* (3+3) **1,** 45 ; acc. *Theleton* II **14,** 179 et *Theletum* II **12,** 54.

Les autres noms ou adjectifs en *-os* ne font pour la plupart qu'une ou deux apparitions dans tout l'*Aduersus haereses*. Seul, le mot *Logos, -i, -o, -on* apparaît 33 fois dans le Livre I, 45 fois dans le Livre II et une fois pour les autres Livres. Relevons :

Acatalempton **11,** 90 ; *Acinetos* **1,** 40 ; *Agenneton* **11,** 52.92 ; *Ageratos* **11,** 52.88 ; *-to* **11,** 91 ; *archegonos*[1] II **12,** 8 ; **15,** 13 ; *-non* **11,** 85 ; *Arr(h)eton* **11,** 88 ; **15,** 93 ; *-to* **11,** 91 ; *Ecclesiasticos* **1,** 45 (mais acc. *-cum* II **14,** 179 et acc. pl. *-cos* III **15,** 33) ; *endiathetos* II **12,** 92 ; *-ton* ibid. ; *-to* id. 93 ; *hylicon* **6,** 19 (mais *hylicum* **6,** 18) ; *Metricos* **1,** 44 ; *-on* II **14,** 178 ; *noetos*, qui n'apparaît que sous la forme *noeten* (νοητήν) **11,** 52 ; *Patricos* **1,** 44 ; *-on* II **14,** 178 ; *Phthonon* **29,** 69[2] ; *proanennoetos* **11,** 47.61.70 ; *-ton* **12,** 57 ; *proanhypostatos* **12,** 50.

Des noms comme acc. *Lytroten* **2,** 60, *Carpisten* **2,** 61, *Horotheten* **2,** 61 supposent un nominatif grec en *-ης* et un génitif en *-ου*. Tous les éditeurs, à la suite d'Érasme, ont écrit — pourquoi ? — au génitif : *Carpistae, Horothetae,* mais le traducteur latin, fidèle à la méthode d'équivalence *-ου* grec/*-i* latin, a écrit au génitif : *Carpisti* **3,** 5, *Horotheti* **3,** 5. Dans le même groupe de mots, se trouvait en grec un accusatif Μεταγωγέα (nom. *-γεύς*), qui a donné sans changement *Metagogea* **2,** 61 ; mais quand il a fallu en venir au génitif (*-έως* en grec), le traducteur a passé outre à une terminaison en *-eos*, qui, cependant, ne lui est pas

---

1. Remarquer qu'*archegonos* fém. est employé concurremment avec sa traduction latine *primogenita* **9,** 69 ; *-tam* **1,** 18.25 ; *-tae* **5,** 36 ; **7,** 27. Mais pour *postgenitum* **12,** 50, le traducteur, avisé, n'a pas risqué le néologisme facile qu'aurait pu être ' *apogonon* ', du grec ἀπόγονον.

2. A côté de *Phthonon*, il faut lire avec tous les mss et Érasme *Zelum*, et non *Zelon* comme ont fait les éditeurs.

étrangère (v. *infra*), et il a écrit, dans la foulée des génitifs en *-i*, *Metagogei* **3,** 5, que tous les manuscrits attestent. — En III **21,** 47, *Artaxersis* est un génitif (-ου en grec chez Eusèbe). — *Prophetes* IV **5,** 34 ; **20,** 345 est un nominatif employé concurremment avec *propheta* beaucoup plus fréquent.

Seul de son espèce, le nom d'*Autophyes* **1,** 39 n'apparaît qu'au nominatif, répondant à l'adjectif grec αὐτοφυής, -οῦς. Les manuscrits, Érasme y compris, l'ont écrit avec un *-e* final (*-ae* C) ; Feuardent l'a rétabli dans la forme voulue.

Les noms propres grecs en *-ης*, appartenant à l'histoire et reçus depuis longtemps chez les latins, ont unanimement leur accusatif en *-en* : *Palameden* **15,** 105 ; *Achillen* **12,** 19 ; *Herculen* **9,** 85.

Les mots en *-or*, *-oris*, faciles à décliner en latin, présentent pourtant, quand ils décalquent un mot grec, l'accusatif en *-a* aussi bien que l'accusatif en *-em*, sans qu'on puisse trouver la raison d'un emploi plutôt que d'un autre.

Propator, le plus employé (11+25), est le type de ce genre : acc. *Propatora* **1,** 3 ; **14,** 68 ; *Propatorem* **1,** 29 ; **2,** 1.93 ; **12,** 56 ; **14,** 179 ; dans le Livre II, onze fois *Propatorem*, jamais *Propatora*. — Autres emplois : *Apatorem* (1) **5,** 16 ; *Autogenitora* (1) **14,** 88 (*-ram !* codd.) ; *Cosmocratorem* (5) **5,** 71.73.74.79 ; **27,** 19 ; *Metropatorem* (1) **5,** 15 ; *Patrodotora* (1) **14,** 89.

Dans cette catégorie, *Soter* (4+9) fournit aussi le double accusatif : *Soterem* **3,** 8 ; *Sotera* **9,** 64 ; **29,** 36 ; II **12,** 127 ; **14,** 188[1].

Trois mots particuliers, *Monotes*, *Henotes*, *Macariotes*, devraient s'en tenir, selon la déclinaison grecque, à l'accusatif en *-oteta*. Ainsi fait *Macariotes* **11,** 7 ; *Macarioteta* II **14,** 179. Mais nous relevons : *Monotes* (5) **11,** 50.55 ; acc. *Monotetam* **11,** 48 et *Monoteta* **11,** 61 ; abl. *-oteta*[2] **11,** 61 ; *Henotes* (3) **11,** 50.55 ; acc. *Henotetam* **11,** 50.63.

---

1. Mais des mots comme *Saluator*, *Creator*, *Fabricator*, etc. qui appartiennent à la langue latine n'empruntent rien à la déclinaison grecque.

2. Cf. *supra*, les emplois de acc. *Monada*, abl. *Monada*.

Sauf pour l'accusatif *Monoteta*, les éditeurs, à la suite d'Érasme, ont normalisé *Monotetem* et *Henotetem* à l'accusatif en dépit des indications très nettes des manuscrits.

Mots en *-is* : *Elpis* (2) I, 44 a son accusatif grec *Elpida* II 14, 178. Les autres mots relèvent d'une déclinaison dont le génitif est en *-eos* et l'accusatif en *-in/-im*. Le génitif en *-eos* apparaît une dizaine de fois environ, la construction du texte n'y donnant pas lieu plus souvent :

Thelesis (4) : *-eos* 12, 6 ; *Enthymesis* (7+30) : *-eos* 4, 61 ; II 18, 115 ; 20, 77.91 ; *Genesis* (8+15) : *-eos* II 2, 75 ; V 29, 69 ; *exomologesis* (2+4) : *-eos* IV 27, 39. L'accusatif en *-im* est rare (c'est V et Feuardent qui en ont multiplié les formes), sauf pour *Genesis* où il est employé sans exception : 6 fois dans le Livre I, 10 fois dans les autres (jamais *Genesin*). Nous relevons : *Thelesim* 12, 3 ; *exomologesim* 13, 131 ; III 4, 53.55 (jamais *-sin*) ; *Apocalypsis* (1+13) : *-im* V 30, 95. La fréquence de l'accusatif en *-in* est remarquable : *antiphrasin* (1) II 14, 134 ; *Apocalypsin* 26, 29 (*-im*, supra) ; *apocatastasin* (1) 17, 28 ; *Charin* (3) 1, 8 ; 9, 41 ; 29, 34 ; *Dynamis* (2) : *-in* 24, 44 ; *ecstasin* 4, 48 ; *Enthymesis* (7+30) : *-in* 4, 2 ; 5, 19 ; 10, 84 ; 14, 170 ; 30, 109 ; 5 fois dans les autres Livres ; *Erin*[1] 29, 69 ; *Gnosin* (1) 29, 51 ; *Pistis* (2) : *-in* II 14, 178 ; *Phronesin* (3) 24, 44 ; 29, 34.37 ; *Prognosis* (3) : *-in* 29, 10 ; *Synesis* (4) : *-in* 29, 34.38 ; II 14, 179 ; *Thelesis* (4) : *-in* 29, 34.36 (*-im*, supra).

Mots hébreux en -as.
Leur accusatif est tantôt en *-am*, tantôt en *-an*.

-an : *Helian* 30, 196 ; *Ionan* 30, 195 ; *Zacharian* 30, 197

-am : *Esaiam* 30, 197 ; *Hesdram* 30, 200 ; *Hieremiam* 30, 198 ; *Michaeam* 30, 196.199 ; *Sophoniam* 30, 200 ; *Tobiam* 30, 198 ; *Ananiam* IV 20, 285 ; *Azariam* id.

Autres catégories : *Daniel* (3+16) ou *Danihel* 19, 28 : acc. *Danihelum* 19, 24, *Daniel* 30, 198 et *Danielem* V 25, 37.112 ; 26, 53. Pour 30, 198, il faut remarquer la proximité du mot *Ezechiel* qui a pu entraîner la forme *Daniel*

---

1. Les manuscrits portent *erinin* C AQ (*erinim* V), faute de dittographie évidente, que les éditeurs, à la suite d'Érasme, ont accentuée en écrivant *erinnyn*.

à l'accusatif au lieu de l'une des deux autres. Pour 19, 24, les éditeurs ont accrédité à tort la forme *Danielem*.

Moyses a toujours l'accusatif en *-en*.

Nous ne prétendons pas avoir, dans ce qui précède, relevé toutes les anomalies morphologiques de l'*Aduersus haereses* ni même du L. I seulement. Du moins avons-nous fait apparaître l'inconstance du traducteur dans le choix des formes quand il s'agissait de mots venant du grec.

Doublets gréco-latins. On pourrait aller plus loin dans l'investigation des moyens que se donne notre auteur pour sa traduction. On constaterait une inconstance analogue dans le choix des noms, car s'il a employé six fois le mot grec *synzygia*, il a bien plus souvent encore utilisé le mot *coniugatio* (21+13) qui a la même signification :

Il appelle quatre fois du nom de *Silentium* le même Éon qu'il appelle *Sige* 14 fois, dans le Livre I ; il nomme *Charis* en **1**, 8 ; **9**, 41 ; **29**, 34, mais il traduit ce nom en *Gratia*, au ch. 13, § 2-3, quand il s'agit de l'Éon de Marc le Mage, loin du contexte du Prologue johannique (ch. 8, § 5) où une telle traduction se comprend, mise en parallèle avec les mots latins de *Vita*, *Veritas*, *Lumen* ; il a employé indifféremment *Ogdoas* (22+15) et *Octonatio* (20+10) ; de même, mais avec prépondérance pour le terme latin, *Tetras* (3+2) et *Quaternatio* (31+4) ; il a, du moins au début, désigné à quatre lignes de distance le même Éon du nom d'*Anthropos* **1**, 33 et d'*Homo* **1**, 37 ; il a introduit le nom d'*Arche* en **11**, 52, mais au début, **1**, 10.16, c'est celui d'*Initium*, ailleurs de *Principium* **8**, 149 ; **9**, 33..., qu'il a préféré pour désigner la même entité gnostique ; l'*Enthymesis*, dont il est question si souvent (7+38), ne porte pas toujours son nom grec, mais s'appelle *Intentio* au début en **2**, 37.63 et *Concupiscentia* en **2**, 65, et plus tard encore *Intentio* en **8**, 106, après que le mot à sonorité grecque ait apparu en **4**, 2.61 ; **5**, 19... — En **9**, 33.34.35, Irlat. donne successivement le mot grec et sa traduction latine *Soter*, *Logos*, *Monogenes* : *Saluator*, *Verbum*, *Vnigenitus*[1].

---

1. On peut se demander, à propos de ces doublets, si l'état originel du manuscrit du traducteur (cf. *supra*, p. 14) ne comportait pas

Bref, on le voit, en face de sa tâche, pour laquelle il semble ne pas avoir eu de préparation particulière malgré son étendue et son importance, notre auteur n'avait pas bien envisagé au départ les difficultés du vocabulaire spécial auquel il allait être confronté. Selon nos exigences modernes, il lui aurait fallu adopter un principe ferme en vertu duquel il devait toujours rendre le même mot grec par le même mot latin (latin ou latinisé) et toujours dans un même cadre de déclinaison. Il possédait assurément quelque chose de ce principe — toute la traduction le montre —, mais mis en présence des appellations gnostiques inattendues, il n'a pas su tenir sa résolution et a cédé, dans les quelques cas que nous avons évoqués, à la pente du latin là où il aurait pu rester fidèle au grec originel. Il a été plus à l'aise avec les mots et les concepts chrétiens qu'avec les inventions et les arguties gnostiques : la traduction des derniers livres de l'*Aduersus haereses*, plus heureuse du point de vue du vocabulaire et des formes que celle des premiers, le montre bien.

ACCORD.

L'influence du grec, évidente dans les questions de morphologie, s'est également fait sentir dans la syntaxe d'accord. Nous ne voulons pas en relever tous les cas — certains, du reste, prêtent à discussion —, mais par quelques exemples choisis, fournir au lecteur les raisons de ne plus s'étonner devant les flagrantes anomalies qu'il rencontrera. Il suffit presque toujours, pour être à l'aise, de faire le détour par le grec en pensant à l'inconstance inévitable d'un traducteur qui n'a pas été spécialisé pour sa tâche. Souvent tout est à souhait, mais en quelques

beaucoup plus de mots écrits en grec qu'il n'en reste aujourd'hui. Ce ne serait que plus tard, à une époque ou dans un lieu moins hellénisés, qu'on aurait donné à ces mots leur forme ou leur traduction latines.

circonstances, il semble que le mot grec, une fois traduit,
soit resté suspendu à la plume du traducteur et ait ainsi
commandé l'accord avec le ou les mots suivants au
détriment des droits du latin[1].

Ainsi *caelum* au singulier est neutre en latin, mais
notre traducteur, tout imprégné du grec οὐρανός qui est
masculin, écrit en **17, 20** *caelum qui ... adgrauat*, en **14, 70**
caelum ... post illum, en **24,** 56 *caelum ... qui a nobis
uidetur* ; dans ce dernier cas, l'anomalie a paru si manifeste
que les éditeurs, depuis Feuardent, ont écrit *quod*, ce
qu'aucun manuscrit ni Érasme n'avaient fait.

Quand on rencontrera, notamment au cours des chap. 14 et 15, des
irrégularités dans les accords régis par le mot féminin *littera*, on ne
manquera pas de se souvenir qu'il traduit le mot neutre γράμμα.
Ainsi lira-t-on en **3,** 31 *per iotam litteram, quod praecedit* ; en **15,** 16
litteras ... quae composita in se ... adimpleuerunt ; en **15,** 50 *littera-
rum ... quae composita ... ostenderunt* ; en **14,** 106 *haec igitur quae
apud uos sunt* xxiiii *litterae emanationes esse intellege* (grec : ταῦτα) :
ici, depuis Feuardent, les éditeurs, hormis Stieren, ont corrigé *haec*
en *has* ; nous reprenons *haec*. Un autre cas paraît assez scabreux à
écrire en latin : **14,** 56 *unamquamque ex his* xxx *litteris in semetipso
habere alias litteras*. Le grec offre ἓν ἕκαστον τῶν τριάκοντα γραμμάτων ἐν ἑαυτῷ ἔχειν. Avec tous les mss latins, Érasme n'a pas
craint de reproduire *in semetipso* (ἐν ἑαυτῷ). Nous y revenons :
notre lecteur, mis en garde par les cas fournis plus haut, n'aura pas
de surprise et comprendra pourquoi admettre *in textu* cette anomalie.

Toujours pris au Livre I, voici d'autres exemples :

Dans celui-ci, il s'agit des passions d'Achamoth (en latin *passiones*,
fém. ; en grec τὰ πάθη, neutre) : **4,** 101 *nec enim erat possibile eas
exterminari* (eas = passiones)... *eo quod iam habilia et possibilia
essent* (= τὰ πάθη). — Ici, maintenant, il s'agit des eaux (en latin
aquae fém. ; en grec τὰ ὕδατα, neutre) : **4,** 69 *sunt in mari salsas*
(= aquas), *adinuenio non omnia a lacrimis eius emissa* (= τὰ ὕδατα)[2].

1. Nos exemples, ici encore, sont empruntés au Livre I. On les
retrouvera et on en trouvera d'autres, avec des justifications plus
détaillées, dans les livres cités plus haut de S. Lundström.

2. Comme nous lisons aussi un peu plus haut, **4,** 71 : *aquae haec*
selon CV S, plutôt que *aquae hae* selon AQε et les edd., il ne faut pas

— Voici « l'heure, qui est la douzième partie du jour » : **17,** 31 *horam dicunt, quod est duodecimum diei, ex triginta partibus adornatam.* Il serait normal d'avoir traduit : *quae est duodecima pars diei,* mais le grec porte, sans proposition relative selon son usage, τὸ δωδέκατον [s.-e. μέρος], au neutre. — En **9,** 109 *regulam ueritatis ... habet, quem per baptismum accepit* (quem = τὸν κανόνα ... ὅν). — **14,** 96 *contemptibilem* (CV) *putasti esse uerbum quod ...* Quand le mot *Verbum* désigne une personne, les mots qui dépendent de lui s'accordent en genre avec la personne ; c'était une règle admise. Ici, *uerbum* n'est qu'un substantif neutre, mais il est clair que son origine grecque, ὁ λόγος, a pesé sur le masculin *contemptibilem* transmis par CV. Par contre, le neutre des mss AQSε, cohérent avec *quod,* est sans doute une normalisation ancienne ; nous l'avons préférée pour le lecteur moderne[1]. — Dans le cas de **13,** 114, *pro Aeonon,* il semble bien que le traducteur, pris sous le magnétisme du grec plus qu'à l'ordinaire, ait simplement transcrit, sans la traduire, l'expression πρὸ Αἰώνων que lui donnait son modèle[2], car *pro* ne peut tenir la place de *ante.*

Mais nous sortons ici de la syntaxe d'accord, et il n'est pas dans notre propos de relever tous les hellénismes[3]

penser qu'il s'agit alors de la rémanence du grec, mais de l'indistinction des formes *haec/hae,* avec prédominance, semble-t-il, de *haec* au nominatif féminin pluriel, en époque tardive (cf. *TLL,* s.v.). De la même façon, on trouve en **11,** 78 *haec uirtutes* CV S : il est évident que le traducteur n'a pas eu affaire ici à un neutre grec. Mais en **11,** 50, *haec Henotes et Monotes cum sint,* il faut considérer *haec* comme un féminin singulier, cf. le grec αὕτη.

1. Pour nous permettre de manifester une fois de plus l'irrésolution ou, si l'on veut, la pluralité des solutions grammaticales adoptées par notre auteur, relevons ces quelques passages concernant le mot *Verbum* employé pour une personne : **9,** 58 *Verbum Patris qui descendit* ; **10,** 69 *Verbum ... passus est* ; **14,** 14 *protulit Verbum simile sibi, quod ...* ; **15,** 119 *Verbum simile esse ei qui eum emisit.* Le magnétisme du grec ne joue pas tout le temps.

2. Nos manuscrits, plus récents, portant πρὸ Αἰῶνος, sont fautifs. Voir à l'apparat du grec.

3. L'un de ces hellénismes, plus caractéristique, est de nature à intéresser : le génitif absolu. Or on a compté plus de 300 ablatifs absolus chez Irénée-latin *(1Ls44),* dont beaucoup, évidemment, recouvrent des génitifs absolus grecs. Mais il est arrivé — très rarement — que notre traducteur, embarqué dans le génitif par sa

que le texte présente. Beaucoup d'entre eux apparaîtront à la simple lecture du latin et le lecteur sera aidé à en reconnaître plusieurs et à résoudre les problèmes qu'ils posent, par les notes justificatives de A. Rousseau qui accompagnent la traduction française. Nous voulions seulement, par ces pages d'initiation, prévenir le lecteur contre les tendances normalisantes des éditions antérieures et justifier par avance les anomalies et les irrégularités qu'il pourrait être tenté de rejeter.

II. ORTHOGRAPHICA

Venons-en aux questions d'orthographe.

Comme dans le Livre III, nous avons refusé de suivre le principe d'« une normalisation systématique, destructrice de toute science » (Sagnard). D'autre part, nos cinq manuscrits, relevant de trois époques différentes (ixe, xiie, xve siècles), offrent par le fait même, malgré le soin que les scribes devaient accorder à la copie, des phéno- mènes orthographiques différents. Il ne pouvait être

---

méthode littérale de traduction, puis embarrassé pour le lier au reste de la phrase, ait laissé là son génitif sans le corriger en ablatif absolu. S. Lundström relève l'exemple certain de **31,** 44-48 *Quemad- modum bestiae alicuius in silua absconditae ..., qui ... denudat siluam et ad uisionem perduxit ipsam feram ...*, et celui, qu'on peut à notre avis estimer moins certain, de **15,** 43-44 : *Primae Quaternationis secundum progressionem numeri in semetipsam compositae,* x *apparuit numerus* ; par la virgule, nous l'avons confirmé en génitif absolu, mais il n'est pas exclu que, dans la pensée du traducteur, ce génitif ait été le complément de *numerus* en latin, comme d'ἀριθμός en grec. Il n'est pas sûr non plus que les traces d'un autre génitif absolu apparaissent en **4,** 90 *Patris* codd. La place du mot après *uirtutem* comme son appartenance aux *nomina sacra* qui fait qu'on l'abrège ont pu, très tôt, entraîner une erreur de copiste. A cause de cette possibilité, nous avons préféré laisser *Patris* dans l'apparat — où pourra le ' repêcher ' qui voudra !

question de relever dans l'apparat critique cette poussière d'éléments qui n'ont, d'ordinaire, aucune influence sur le sens et n'ont d'intérêt que pour les spécialistes. Mais il nous fallait rectifier l'orthographe des éditeurs précédents, spécialement celle de Harvey, le plus consulté. C'est pourquoi nous nous en sommes tenu aux règles suivantes.

Normalisations. — normaliser en -*e* ou -*ae*, suivant les cas, la graphie *e*/*ę*/*ae*. (A n'emploie pas *ę*, tandis que C l'emploie aussi bien pour *e* ...)[1].

— harmoniser l'orthographe des pronoms *is*, *hic*, *idem*, qui, suivant les manuscrits, prennent ou perdent *h* et redoublent ou non leur *i* aux cas indirects.

— pratiquer l'assimilation dans les mots en *coll*-, *comm*-, *imm*-, *ill*-. Garder les formes non assimilées des mots en *adf*-, *adg*-, *adl*-, *adn*-, *ads*-, *adt*-.

— normaliser en -*tio* (*nuntio*..., *negotiatio*..., etc.) la finale qui prend éventuellement la forme -*cio* dans les mss.

— pour quelques mots que voici, quelles que soient les formes des manuscrits, adopter l'orthographe suivante : *apud, inquit, quattuor, lacrima, littera, femina, character.*

• *apud* et *inquit* se présentent ordinairement sous cette forme dans les mss ; *aput* et *inquid* se trouvent de loin en loin dans C et dans A, exceptionnellement dans les autres mss. Dans C, œuvre de plusieurs copistes, la fréquence de la variante semble dépendre aussi du copiste qui est à l'œuvre[2].

• *quattuor* est l'orthographe ordinaire de C. *Quatuor* est celle des autres mss et d'Érasme, elle a passé dans les éditions. Au reste, dans les mss, le mot est souvent désigné par des chiffres, IIII ou IIII^or.

• *lacrima* et *littera* sont devenus, depuis Érasme jusqu'à Harvey,

---

1. Q, aussi, est fantaisiste dans l'usage de ę : **6,** 73 *synthygygę*, génitif, et plus loin **8,** 2 *prophete*, nominatif pluriel.

2. On trouvera plus souvent au Livre II, dans C et A, les graphies indiquées ici, auxquelles il faut ajouter semblablement : *illut, aliut, it(id), set.*

lacryma (*-chry-* Érasme) et *litera*. Les mss CA écrivent ordinairement *lacrima* et *littera*, les codd. du xve siècle abrègent *littera* en *tra*.

• *femina* apparaît sous les trois formes : *fe-* V AQS, *fae-* C, *foe-* Érasme et les éditeurs.

• *character* apparaît 9 fois dans le Livre I, mais il a chaque fois et dans chaque groupe, voire dans chacun des mss, une orthographe différente, *h* disparaissant ou étant repoussée anormalement après le *t* ou le second *c*.

Pour tous les cas qui viennent d'être dits, on ne trouvera pas d'indications orthographiques à l'apparat critique. Si ces mots, toutefois, y apparaissent (ordinairement avec l'orthographe de leur témoin), on comprendra que c'est pour d'autres raisons textuelles.

Nous avons également normalisé un certain nombre de mots dont la forme donnée par les mss n'est ni assurée ni constante, mais alors, l'apparat critique garde en réserve, pour le spécialiste qui la préférerait, l'orthographe que nous n'avons pas retenue dans le texte :

calumniantes (*-umpn-* **9,** 2) ; — *Daphnen* (*-af-* **24,** 2) ; — *elementa* (*eli-* **4,** 65) ; — *homericus* (*omer-* **9,** 80 ; **13,** 123) ; — *hyacintho* (*iacyn-* **18,** 48) ; — *ogdoadem* (*octo-* **16,** 94 ; **17,** 1 ; **18,** 66) ; — *phronesin* (*fro-* **29,** 34.39) ; — *Scriptura* (*scribt-,* 5 fois sur 11 vers la fin du Livre I, effet d'un des copistes de C)...

Rectifications. Pour les noms propres et quelques mots dérivés du grec, qui ont donné lieu à de multiples variantes dans les mss, nous avons quelquefois rectifié, mais le plus souvent adopté, l'orthographe des éditeurs. L'apparat critique, sauf les trois exceptions que nous indiquons pour *Aeon, Anthropos, Sophia,* rend compte des variantes orthographiques des noms propres. Voici quelques observations :

Abrasax **24,** 123 ; Ἀϐράξας chez les éditeurs depuis Érasme. Le mot existait sous la forme en *-sax* chez les hérésiologues anciens.

Aeon (79) ; ce mot, très fréquent, a été, maintes fois par A, constamment par V, incorrectement transcrit en *aon, aones,* etc. ; presque toujours une seconde main, de la même époque que

la première, a discrètement ajouté la lettre *e* qui manquait.
L'apparat n'en fait pas état.

Anthropos (25), que V et Q mutilent de son *h* ; V² répare le malheur,
mais il n'y a pas de Q² pour faire de même. L'apparat ne s'en
soucie pas.

apocryphum **20,** 34 ; *apocryphon* est un hellénisme des éditeurs.

Armozel **29,** 36.44 ; *Harmogenes* et *Harmoge* chez les éditeurs. Cet
Éon-Luminaire est nommé dans plusieurs des Livres de
Nag-Hammadi concernant Barbélo : cf. notamment cod. II, 1,
Apocryphon de Jean 8, 5 ; 9, 2.

Bythus (19), presque constamment déformé par certains mss. Voir
l'apparat.

Colarbasus **14,** 2 ; depuis Grabe avait pris la forme *Colorbasus*.

Ennoea (14). La forme *ennoia*, rare, n'est utilisée que sur indication
des manuscrits. Voir *supra* la déclinaison.

Ialdabaoth 15 fois à partir de **30,** 67 ; massacré par les copistes.

Iao **4,** 25, extraordinaires variantes du mot dans les mss.

idolothytum **26,** 31 ; *idolothyton* est un hellénisme des éditeurs depuis
Feuardent.

logium **18,** 90 ; *logion* est un hellénisme des éditeurs depuis Grabe.

Phoenicae **23,** 36 ; *Phoenices* chez les éditeurs depuis Feuardent.

Ptolomaeus **Pr.** 44 ; **8,** 189 ; **12,** 1 ; *Ptolemaeus* chez les éditeurs
depuis Érasme.

Sophia (30) ; souvent écrit, dans AVS, *sophya*. L'apparat ne l'indique
pas.

synzygia (6) ; *syzygia* chez les éditeurs depuis Érasme.

Formes populaires. La liste des mots qui suivent veut
appeler l'attention sur une ortho-
graphe qui n'est pas classique, mais qui se justifie par
les recherches des grammairiens sur le latin populaire.
Tous les mss ne donnent pas cette orthographe, puisque
ceux du xve siècle ont ordinairement normalisé les formes,
mais les mss les plus anciens, A, et surtout C, ainsi qu'on
le verra en consultant l'apparat, invitent à s'y rallier
comme orthographe de notre manuscrit archétype. Il
arrive que la tradition autorise deux formes différentes
d'un même mot ; c'est le cas de *dextra*, *idolatria*, *sursum*,
uti...

absortum, -ta **2,** 31 ; **30,** 36 ; — *arreton, -to* **11,** 88.92 ; **15,** 93 ; —

baiulare **18,** 39 et *baiolant* **30,** 158 ; — *consparsionem* **8,** 93 ; — *dextra* (6) et *dextera* (3)[1] ; — *diriuatione* **24,** 47.49 ; *diriuauit* **2,** 20 ; — *dragma* **8,** 105 ; **16,** 19.20 ; — *ebdomas* (11) ; — *exomologesi* **13,** 99.131 ; — *finctio* **9,** 3 ; **11,** 58 ; *confinctionem* **31,** 9 ; *transfinctio* **9,** 23 ; — *grauidinem* **30,** 40 ; — *harena* **8,** 5 ; — *idololatria* **22,** 25 et *idolatria* **30,** 171 ; — *labdis* (class. *lambd-*) **16,** 56 ; — *luxoriatam* **16,** 15 ; *luxoriosam* **25,** 43 ; — *obsetricasse* **12,** 31 ; — *porpura* **18,** 48 ; *porpureum* **13,** 14 ; *circumporpuratae* **13,** 38[2] ; — *rodanenses* **13,** 128 ; — *scemata* **15,** 124 ; — *scola* **Pr.** 45 ; **30,** 279 ; — *umeros* **14,** 79 ; — *umida* **4,** 41.62 ; — *uulpicula* **8,** 18.26 ; **31,** 41 ; — *uti* (33) et *ut* (5) ; *uti* est surtout employé par C, *ut* par A, mais C comporte 9 *ut* et A 5 *uti*.

Dans cet ordre de latinité, d'autres formes ou emplois pourront surprendre. Nous les signalons :

solo, solae, datif de *solus,* **2,** 1 ; **14,** 10 ; **24,** 88.
haec, nom. fém. pl., **4,** 72 ; **11,** 78 ; apparat en **11,** 54 ; **13,** 90. Cf. *1Ls56.*
insigno, ablatif, **14,** 162, et *insignis,* nomin. **14,** 154.
magnanimes, nom. pl., **30,** 158, et *magnanimus* **10,** 58.
perperum gén. pl. fém. 3e décl. de *perperus, -a, -um* **20,** 2.
accipisse **2,** 50 ; **5,** 63, pour *accepisse.*
suscipisse **1,** 13, pour *suscepisse.*
redimisset **23,** 37, pour *redemisset.*
respondit **21,** 58, au présent pour *respondet.*
auges **Pr.** 63, au futur pour *augebis.*
fient **29,** 21, au présent pour *fiunt.*
unguent **21,** 63.71, au présent pour *ungunt.*
cum quando **3,** 94, forme redondante de *cum.*

Les chiffres. Quelques considérations sur les chiffres termineront cette revue des particularités orthographiques du Livre I.

Quand on consulte Harvey ou Massuet, on ne sait pas pourquoi ils ont écrit les nombres tantôt en toutes lettres

1. *dextra* **5,** 12.16.31 ; **6,** 4 ; **11,** 40 ; **21,** 26 ; — *dextera* **16,** 59 ; **25,** 97 ; **30,** 264.
2. *porpura* est une graphie de C, constante à travers l'*Aduersus haereses.* La graphie fautive du scribe de C, *purporam* (sic) en III **14,** 110, relevée en son lieu dans l'apparat avec exactitude, le confirme à sa manière.

tantôt en chiffres. La plupart du temps, c'est Érasme qui
a interprété à sa façon la manière d'écrire les nombres :
les éditeurs ont suivi. Érasme a agi très librement, ne
s'attachant pas, semble-t-il, à reproduire systématiquement
la manière de ses manuscrits ; il a pratiqué souvent l'écriture en toutes lettres et, de préférence mais pas toujours,
pour les nombres de la première dizaine. — Qu'avait
donc fait à l'origine le traducteur latin ? Un coup d'œil
rapide montre que les mss grecs (Épiphane, Hippolyte)
ont transmis presque tous les nombres en les écrivant en
toutes lettres. Mais la traduction latine, si nous nous
reportons aux manuscrits qui nous sont restés, semble
avoir pris le parti contraire, car, si l'on met ensemble les
deux familles, les chiffres latins prédominent, et de beaucoup, dans l'emploi des nombres. Irlat. a donc dû faciliter
sa tâche par ce mode d'écriture, qui lui procurait à la fois
gain de place et gain de temps et répondait peut-être
mieux à ses habitudes de calcul.

Qu'allions-nous donc faire ? Les indications de chaque
manuscrit pris en particulier ne sont pas cohérentes et
la critique stemmatique conduit à un résultat où chiffres
et mots sont mêlés sans logique apparente, avec prédominance des chiffres. Nous avons donc essayé de nous
conformer à la tradition latine, acceptant les chiffres
quand une base manuscrite suffisante s'y prêtait[1]. En cela,
il y a une grande différence entre les éditions antérieures
et la nôtre. Toutefois, pour éviter les confusions, nous
avons écrit en toutes lettres les nombres ordinaux, les
manuscrits ne le faisant pas toujours. Mais on trouvera
les chiffres fidèlement rapportés selon leur forme dans
l'apparat critique, comme on y trouvera aussi les variantes

---

1. On trouvera cependant quelques exceptions à ce principe,
spécialement dans le cas des petits nombres organisés en séquence
(p. ex. **15,** 5 ; **16,** 9), pour en rendre l'écriture plus homogène comme
la lecture plus aisée.

concernant tout signe numérique, y compris celle-ci, plus curieuse qu'inexplicable, où le chiffre vi CV, écrit *sex* par la famille AQS, doit se lire en réalité « *vi* » (**16,** 65).

A ces remarques déjà bien longues de morphologie, d'accord et d'orthographe chez Irlat., nous n'ajouterons pas celles qui pourraient être faites sur le reste de la syntaxe. Ce serait pénétrer dans un autre domaine, celui-là même que requiert l'interprétation du texte et que le traducteur français de cette édition, le P. A. Rousseau, n'a pas manqué de parcourir dans ses notes justificatives toutes les fois que c'était nécessaire, la traduction conduisant d'elle-même dans les autres cas à la solution des difficultés ordinaires.

III. PALAEOGRAPHICA

Il nous faut encore parler, dans le cadre de ce Livre I, des manuscrits eux-mêmes.

La tabula. On constate que les mss C et V ne comportent pas de *Tabula capitulorum*, ce qui laisse penser que leur archétype avait déjà perdu la sienne. Cet accident, survenu probablement dans la vieillesse du manuscrit, mais à une époque impossible à fixer, ne doit pas étonner si l'on songe avec quelle facilité se détériore puis se détache la première page d'un vieux livre. Il n'a donc pas la signification que pouvait avoir la mutilation voulue de la fin du Livre V dans la famille A Q S ε (cf. *SC* 152, p. 30).

Mais un autre problème se pose à l'intérieur même de cette seconde famille. Le cod. A est en désordre par rapport à ses semblables Q S ε : ceux-ci ont comme début la *tabula* elle-même, précédée d'un titre qui l'annonce : *incipiunt capitula...*, et suivie de la *Praefatio* d'Irénée. L'*Arundelianus* intervertit l'ordre : d'abord la *Praefatio*, ensuite la *Tabula*.

Quel est l'ordre authentique? De toute évidence, celui de Q S ε, puisque, aux autres Livres, la *Tabula* précède toujours la *Praefatio*, et cela aussi bien dans la famille CV que dans l'autre.

Pourquoi donc cette interversion dans A?

Remarquons d'abord que celui-ci débute — et lui seul dans l'état de nos documents — par le Prologue de Florus[1] (titre : *Prologus*), sans attribution, sans les divisions marquées par Pitra et par Harvey[2] qui l'ont édité. Mais cette page d'introduction à l'ouvrage d'Irénée n'aurait pas dû troubler l'ordre de ce qui suit, pas plus qu'elle ne l'a fait lorsque le copiste de Q, la rencontrant dans son modèle de la Grande Chartreuse, l'a laissée de côté et a mis le reste dans l'ordre exact. Il y a donc eu un accident particulier en A.

Retenons pour le moment ces deux points :

a) l'ancêtre de la branche CV a perdu sa première page ;

b) l'ancêtre commun au rameau A et au rameau QSε dans l'autre branche a été coiffé du prologue de Florus.

Le titre. A cet accident et à cette interversion, nous devons peut-être[3] d'avoir perdu, en tête des manuscrits, le titre authentique pour désigner en latin l'ouvrage d'Irénée, titre qu'Eusèbe de Césarée, Sévère d'Antioche, Jean Damascène, Anastase

---

1. Rapports Florus-Irénée, cf. *SC* 152, p. 48, n. 3. — Le manuscrit perdu de la Grande Chartreuse, père de Q, comportait aussi le Prologue de Florus, cf. *SC* 100, p. 24 s.

2. Pitra : *Spicil. Solesm.* I, 1852, p. 8. Harvey : I, 1857, p. clxxvii. — Migne a repris le Prologue, *PG* 7, 431-432, avec les divisions de Pitra. Stieren le donne, p. xv-xvi, d'un seul tenant. — Le texte de Pitra est celui qui se rapproche le plus de celui de l'*Arundelianus* ; les autres ont bien des fautes.

3. « Peut-être », car on sait que l'emplacement du titre dans les manuscrits très anciens pouvait être en tête ou dans un colophon.

le Sinaïte, Photius[1] et d'autres nous ont conservé en grec :
Ἔλεγχος καὶ ἀνατροπὴ τῆς ψευδωνύμου γνώσεως[2]. On
remarquera en effet, à l'apparat, que le titre des manuscrits
les moins touchés dans leurs premières pages, Q S ε, n'est
qu'un titre partiel, annonce d'un élément de l'ouvrage :
Incipiunt capitula librorum Irenaei, titre qui se retrouve,
avec un meilleur ajustement au Livre I, dans A, après
la *Praefatio* : *Incipiunt capitula libri primi* ; mais cette
variante même laisse supposer que ces titres, ainsi que
les mots annexes qui leur sont apposés (cf. l'apparat des
titres) ont été forgés pour les besoins de la tradition latine,
besoins de librairie et relativement tardifs. C'est pourquoi
l'on trouve sous la plume du « titulateur », quand il s'agit
de désigner l'ouvrage tout entier, ces formules artificielles,
qui ne sont qu'un raccourci commode, d'ailleurs spontanément employées par les grecs eux-mêmes en leur langue[3] :

1. Eusèbe, *H.E.* V, 7, Schwartz I, p. 440. Sévère, Cod. *Vatopédi*
236, f. 31ʳ, cf. M. Richard, « Le florilège du Cod. Vatopédi 236 »,
dans *Le Muséon*, 86, 3-4, 1973, p. 264 et *SC* 211, p. 434. Jean
Damascène, *Sacra Parallela*, cf. K. Holl, *Fragmenta ... aus den
S. Parall.*, Leipzig 1899, *TU* 20, p. 58-84. Anastase, *Question* 44
dans le cod. *Barocc.* 206, f 105ʳ (manque le mot ἀνατροπή). Photius,
Bibliothèque, 120, éd. R. Henry, II, p. 94.
2. Il faut croire qu'aux grecs eux-mêmes ce titre paraissait bien
long. Nous venons de citer Anastase le Sin. qui l'a raccourci.
André de Césarée, dont nous avons cité un fragment irénéen au
Livre V, l'annonçait ainsi ... τοῦ ἐλέγχου τῆς ψευδωνύμου γνώσεως
(*PG* 106, 273 C), et Maxime le Confesseur allait plus loin encore
dans le raccourci : ... τῶν κατὰ τῆς ψευδωνύμου γνώσεως (*in epist.
VII Dionys. PG* 4, 536 D).
3. V. g. Eusèbe, *H.E.* III, 20, 23, etc. (Schwartz, p. 236, 25 ;
332, 2 ; 390, 5 ; 438, 4), toujours πρὸς τὰς αἱρέσεις. Basile de
Césarée, *Sur le Saint-Esprit*, 29, 72 : πρὸς τὰς αἱρ. (*SC* 17 bis,
p. 506). Cyrille de Jérusalem, *Cat. Ill.* XVI, 6 : πρὸς τὰς αἱρ.
Théodoret, *Eranistès* (cf. les lemmes des fragments grecs, *SC* 100,
p. 418 ; *SC* 211, p. 128, 348, 364) : εἰς τὰς αἱρ. Anastase le Sinaïte :
κατὰ αἱρέσεων (*SC* 153, p. 454). Victor d'Antioche (?) : κατὰ τῶν
αἱρέσεων (*SC* 210, p. 121). Photius, *Bibliothèque*, 120 : κατὰ
αἱρέσεων.

Contra hereticos A
Aduersus haereses S (*Contra* S[b])
Contra haereses ε (*Aduersus* ε in fine)
Contra omnes haereses C V[var]
Contra omnes hereticos V

Q n'a rien mis à ce sujet, mais le catalogue de la Grande-
Chartreuse du xv[e] siècle qui mentionne le manuscrit
d'Irénée, père de Q, écrit *De haeresibus*[1]. Quant au
catalogue de Corbie du xi[e] siècle, on comprend qu'il
écrive *Contra omnes haereses*[2], puisqu'on ne doute plus
aujourd'hui qu'il s'agisse du *Claromontanus* lui-même[3].
Toute possibilité de saisir la forme longue de l'intitulé
dans les manuscrits n'est pourtant pas exclue, car il se
trouve qu'au début du Livre II et du Livre IV, les copistes
(ou le traducteur?) ont repris le titre long en annonçant
le contenu du livre. Mais le mot qui traduit ἔλεγχος n'est
pas le même d'un livre à l'autre, *redargutio* (L. II), *expro-
bratio* (L. IV). Et si nous allons au texte lui-même, aux
endroits où Irénée cite son propre ouvrage, nous trouvons
encore les mots de *detectio* II **Pr.** 32 et de *traductio* III
Pr. 8 ; V **Pr.** 17. La polysémie d'ἔλεγχος est telle qu'elle
autorise toutes ces traductions. Celle d'ἀνατροπή, à côté
d'*eversio*, autorise également *destructio* III **Pr.** 8. Massuet,
qui dissertait déjà de la formulation latine du titre long,
optait, et ses raisons tirées du retour plus fréquent des

---

1. F. Loofs, *Die Handschriften ... des Irenaeus*, p. 90. E. Koster-
mann, « Neue Beiträge zur Geschichte der lateinischen Handschriften
des Irenäus », dans *ZNTW* 36, 1937, p. 17.
2. Becker, 55, 6°. — Si prévaut à notre époque le titre court
Aduersus haereses, la raison en est dans le choix qu'en a fait le dernier
éditeur, Harvey. A travers les âges, historiens et éditeurs se sont
partagés entre *aduersus* et *contra* : S. Jérôme, *De vir. ill.* 35, *aduersus* ;
des Gallards 1570, Grynée 1571, Feuardent 1575, *aduersus* ; Grabe
1702, *contra omnes* ; Massuet 1710, *contra* ; Stieren 1853, *contra
omnes* ; Harvey 1857, *aduersus*.
3. E. Köstermann, *l.c.* p. 1 s.

mots chez Irlat. valent encore[1], optait pour *detectio et euersio*.

Mais si le titre ne se trouve pas en tête des manuscrits, on nous dira d'aller le chercher à la fin, dans le colophon. Soit ! mais n'oublions pas que l'œuvre d'Irénée a joué de malheur. C a perdu ses trois derniers feuillets, 24 pages, et AQSε sont les victimes d'un retranchement ancien portant sur plusieurs chapitres (cf. *SC* 152, p. 28). Quant à V, seul à aller jusqu'au bout, il semble fait pour nous décevoir, car il ne porte que l'explicit banal : *Expliciunt libri beati Irenaei Martyris numero quinque* (*SC* 153, p. 466). Après la perte du texte grec, devant cette formule passe-partout du latin, il serait permis de douter de l'existence d'un colophon réel, porteur de titre, dans la tradition grecque. Mais ici, une fois encore, la version arménienne vient à notre secours. Elle porte bel et bien le colophon que nous attendons, *Irenaei libri quinque exprobationis et euersionis falsi-nominis cognitionis* (trad. Mercier, *SC* 153, p. 466) et permet même de dire que le *Vossianus* en a gardé des traces qui nous paraissent authentiques. Car dans les trois mots assez communs de *libri ... Irenaei ... quinque*, il n'est pas interdit de reconnaître ceux-là mêmes qu'emploie l'arménien. Pour le reste, la tradition latine a agi librement, à sa façon, omettant le titre proprement dit, mais gonflant les mérites de l'auteur : *beati Irenaei Martyris*, et s'appliquant à justifier

---

1. *Dissertatio* II, art. II, 46. *PG* 7, 221-222. On trouvera là, groupés, les principaux textes auxquels nous faisons allusion. Voici les deux Livres intitulés des Livres II et IV qui restent comme témoins du titre long. Livre II : *Incipit liber secundus. Haec insunt in secundo libro radargutionis et euersionis falso cognominatae* (*cognomine* Qε) *agnitionis*. La formule, aux variantes orthographiques près, est la même dans CV AQSε. Livre IV : *Incipit liber quartus* CVAQSε ‖ *Haec sunt in quarto libro exprobrationis et euersionis falsae agnitionis* C AQS *Hae sunt exprobrationes et euersiones falsae agnitionis* ε *Et primo tabula ipsius* V.

le compte : *numero quinque*. Cependant ces deux derniers mots ne sont pas sans fleurer la tradition, car ce ne doit pas être un hasard qu'ils se retrouvent dans le titre initial partiel de deux de nos manuscrits de branche différente, V et S, les moins prisés peut-être, mais auxquels cela précisément vient apporter quelque raison d'estime de plus.

Le colophon arménien, terminant une traduction dont nous avons assez dit qu'elle était la littéralité et la fidélité mêmes, garantit à nos yeux que le titre long se trouvait placé sur les manuscrits grecs d'Irénée et qu'il en authentifiait bien le contenu. La rétroversion, qui l'a restitué en grec, n'a pu qu'aboutir à la formule gardée par la tradition indirecte : Εἰρηναίου βίβλοι πέντε ἐλέγχου καὶ ἀνατροπῆς τῆς ψευδωνύμου γνώσεως (*SC* 153, p. 467).

Les capitula dans la tabula. Du titre, maintenant établi avec les traces manuscrites qui nous en restent, descendons à la liste des *capitula* du Livre I, qui ne se trouve, rappelons-le, que dans le groupe AQSε. Nous ne redirons pas ce qui a été dit en général au sujet des *capitula* dans les livres précédents (*SC* 100, p. 186-191 ; *SC* 210, p. 47-48). Il est bon de s'y reporter.

La liste du Livre I, traduite du grec, comporte au nᵒ III une première anomalie, qui vient de la tradition latine et non du traducteur : *de ea quae est in fide*. La préposition *in* a été ajoutée machinalement par un copiste, très anciennement puisqu'elle se trouve dans les deux familles de mss (cf. le *titulus* inséré dans le texte). La lecture correcte : *de ea quae est fide* correspond à la manière ordinaire du traducteur. Il est donc normal et conforme au sens d'exclure *in*.

Au nᵒ VIII, nous avons cru devoir transformer *Colorbaseorum* des éditions précédentes en *Colarbas<i> [eorum]*, selon les indications de nos manuscrits. Nous nous trouvons en présence de ce gnostique mythique auquel fait allusion

H.-Ch. Puech, qui l'appelle « Colarbas »[1]. Sous la forme
grecque, il porte le nom de Κολάρβασος ou, plus fréquemment, Κολόρβασος[2], cette seconde forme paraissant
une déformation de la première. Latinisé, le nom devient
Colarbasus — c'est celui d'Irlat. — ou *Colorbasus*[3]. Le
génitif pluriel *eorum* est à exclure comme une terminaison
abusive engendrée dans l'esprit d'un copiste par la série
des pluriels précédents.

Au n° xii, nous avons apporté une double correction :
d'abord *conditionem*, au lieu de *conuersationem* qui ne
peut pas procurer de sens acceptable et qui s'avère être
une déformation de copiste. D'ailleurs, le mot *conditionem*
se trouve précisément dans le texte de l'*Aduersus haereses*
à l'endroit que le *capitulum* devrait occuper (17, 2 ; v.
tableau, p. 42, et tome II, p. 264). L'autre correction concerne le relatif du membre de phrase *eius
quod apud eos est Pleroma*. Les éditeurs avaient
jusqu'ici respecté le *qui* masculin. Il nous a paru,
après avoir constaté que le codex V avait une variante au
féminin *(quae)*, qu'il s'agissait d'une mélecture ancienne
d'un *quod* abrégé et nous n'avons pas hésité à replacer
celui-ci dans le texte.

Au n° xxiv, l'adjectif *omnia* est embarrassant. Les
éditeurs et commentateurs ont eu recours à trois solutions.
La première suggère de faire accorder *omnia* à un neutre
grec ἔργα, sous-jacent à *operationes* ; mais c'est πράξεις
et non ἔργα qui convient ici. Nous repoussons la suggestion.
Une deuxième solution serait de transformer *omnia* en

---

1. H.-Ch. Puech, *En quête de la Gnose*. T. 1 *La Gnose et le temps*,
Paris 1978, p. 159. — Diverses explications dans *DTC* 3, 2, col. 378.
2. Κολάρβασος : Hipp. *Elench.* IV, 13 ; VI, 5.55, *GCS* 26
(Wendland) p. 45.134.189. — Κολόρβασος : Epiph. *Panar.* Haer. 35,
GCS 31 (Holl), p. 39. Theodor. *Haer. fab.* 1.12, *PG* 83, 361.
J. Damasc. *Haer.* 35, *PG* 94, 700 B.
3. *Colarbasus* : Ps. Tert. *de Praescr.* 50, PL 2, 70. — *Colorbasus* :
Filast. *Haer.* 43, *CC* 9, 235. Aug. *Haer.* 15, *CC* 46, 297.

un génitif pluriel, *omnium*, accordé à *eorum*. Solution de Harvey et de Feuardent dans sa liste[1]. Mais *omnium* ne s'impose pas ; l'idée qu'il représente est ici hors de cause. En définitive, nous adoptons la troisième solution, celle de Feuardent dans son texte et celle qui semble avoir eu la faveur de Massuet quand il a recopié Feuardent, d'exclure le mot. Celui-ci reste là entre crochets, comme témoin d'une adjonction malheureuse et inexplicable.

Au n° xxxv, nous remarquons le mot et l'orthographe (app. crit.) *ofitarum* ; l'orthographe est signe de grande ancienneté ; quant au mot, il ne se trouve pas chez Irénée. Il confirme par sa présence les préoccupations hérésiologiques de celui qui a dressé la *Tabula*.

En dehors des variantes textuelles, il y a, dans la liste des *capitula*, des variantes de numérotation. La première question qu'elles posent est celle du nombre des *capitula*. En effet, le cod. A s'arrête à xxxv, mais il en a une trente-sixième, dont il a incomplètement gratté le chiffre, car il dépassait, sans doute, celui de son modèle. Q termine avec xxxiv, S avec xxxv, mais ne met pas de numéro à son trente-sixième. Érasme, qui a pris le temps de mettre de l'ordre, termine avec le n° 35. Le relevé des numéros a donné de la tablature à Loofs[2], qui s'est attaché à n'omettre aucun accident de copie. En fait, il y a 35 énoncés de *capitula* dans la liste de chacun des manuscrits du groupe AQSε, comme il y en a également 35 insérés à l'intérieur du texte des mss des deux groupes. Les erreurs viennent de ce que les chiffres ont été posés après coup par le rubricateur. Celui-ci, aussi bien dans A que dans Q et dans S, a été peu vigilant. Il n'a pas pris la peine de repérer exactement sur la colonne de la page la fin de chaque

---

1. Grabe, qui propose *omnium*, propose aussi *in omni uita* pour faire écho à **25,** 51.

2. F. Loofs, *Die Handschriften ... des Irenaeus*, p. 245. Le point de vue où nous nous plaçons dans l'étude qui va suivre suppose, mais prolonge, les réflexions que Loofs avait déjà faites.

capitulum et s'est par conséquent trompé. On peut ainsi retrouver la cause des erreurs.

Dans A, il y a eu changement de rubricateur après le nº XVIII. Le nouveau rubricateur a mal posé le nº XIX, si bien qu'il s'est trouvé en avance d'un numéro. Parvenu au nº XXVIII, il s'aperçoit de son erreur, fait alors rétrograder quelques numéros en les grattant, se trompe encore dans cette opération, laisse le désordre ainsi obtenu et poursuit jusqu'à la fin, où il arrive malgré tout en avance d'une unité sur son modèle. Le dernier numéro, XXXVI, étant de trop, il en gratte les deux derniers éléments et laisse subsister un moignon de chiffre, témoignage de ses erreurs et de son incapacité à redresser la situation.

Dans S, le cas est presque le même, mais part du début, où le scribe, gêné par le rétrécissement de la colonne dû à la lettrine, n'a pu mieux faire que d'inscrire côte à côte les chiffres I et II à hauteur du premier *capitulum*. Toute la série est donc en avance d'un numéro, mais comme le modèle impose de ne pas dépasser XXXV, S qui entretemps a redoublé le nº XXVII mais sauté le nº XXVIII, « triche » à la fin en omettant le chiffre du dernier *capitulum*.

L'accident survenu à Q, qui ne compte que XXXIV *capitula*, est également dû au rubricateur. Celui-ci a sauté l'énoncé d'un *capitulum* à cause de la disposition trop serrée des lignes au bas de la colonne ; il a posé au sommet de la colonne suivante le nº XVII à la place de XVIII et s'est trouvé ainsi en retard d'un chiffre jusqu'à la fin, où il termine, sans avoir l'air d'en prendre souci, par le nº XXXIV.

Tous ces accidents n'ont pas grande signification, car ils sont, chacun, propre à un manuscrit et sans répercussion sur les autres. Plus significative pour les relations entre manuscrits est l'interversion du contenu des nºˢ XXV et XXVI (Cérinthe, Ébionites) par Q et S à la fois. Il faut retenir, entre les deux manuscrits, cette affinité qui les distingue de A.

Ainsi établie à trente-cinq numéros, la *Tabula* paraît en ordre, car elle suit exactement l'ordre des *capitula* insérés dans le texte. Il est plus normal de dire que ce sont ces derniers qui suivent l'ordre de la *Tabula*, car celle-ci a précédé le texte lors de la copie. Nous savons d'autre part qu'elle vient de la tradition grecque, où elle se trouvait en tête du Livre[1]. C'est donc elle qui commande l'ordre des *capitula* pour l'insertion, et non l'inverse.

Que vaut cet ordre? Nous l'avons mis à l'épreuve du texte et il nous est apparu troublé en trois endroits : 1º Le nº ix devrait être placé entre vi et vii et, ainsi, repousser d'une unité vii et viii. 2º Les nos xxii et xxiii devraient être intervertis. 3º Le nº xxxiii devrait remonter, prendre la place de xxx et repousser d'une unité les nos xxx, xxxi et xxxii.

D'où vient le désordre? Comme il serait impensable que la négligence d'un scribe aux prises avec une courte et simple *Tabula* ait provoqué un bouleversement affectant 9 numéros sur 35, il faut l'imputer à la tradition grecque[2]. Le traducteur latin a donc tout naturellement transféré

---

1. On se rappellera que la version arménienne porte, elle aussi, au début du Livre IV la même liste que la traduction latine, ce qui assure, sans hésitation possible, que la *Tabula* se trouvait déjà dans le grec, cf. *SC* 100, p. 186 s.

2. Il faudrait alors expliquer le désordre qui vient du grec. Nous ne nous y risquerons pas, mais nous ferons remarquer qu'il est plus facile d'en comprendre l'existence dans la tradition grecque que dans la tradition latine. Celle-ci en effet, au point où nous nous plaçons, ne fait que commencer, tandis que la grecque a déjà derrière elle plus de cent cinquante ans d'activité, pendant lesquels elle a pu multiplier les manuscrits — et, avec eux, les causes d'erreur. — Si l'on veut se situer dans la tradition latine, on se rappellera que Loofs (p. 63), suivi par Köstermann (p. 12), place l'existence de l'archétype de la famille CV à l'époque mérovingienne. L'archétype des deux familles et, au delà, son ancêtre et son aïeul (requis par les démonstrations des deux auteurs précités) se rapprochent donc sensiblement de l'époque du traducteur latin, que quelques indices nous ont fait situer vers la fin du ive siècle (cf. *SC* 100, p. 283-285).

en latin le désordre de la *Tabula* grecque. Plus tard, un scribe, un rubricateur, a fait passer les *capitula* de la *Tabula* dans le texte. C'est son travail que nous nous proposons d'analyser maintenant.

Les capitula dans le texte. Nous avons indiqué dans la *Tabula* par une référence entre crochets l'endroit précis où chaque *capitulum* est inséré. L'apparat critique le rappelle en son lieu au cours du texte. Cet endroit ne varie pas d'un manuscrit à l'autre, ce qui ne doit pas étonner, car, en général, une fois établi le lieu d'un titre avec sa rubrique, ses blancs et son initiale plus forte, il ne bouge pas de copie en copie, à moins que le scribe n'ait une raison positive et impérieuse de contrevenir à l'ordre de son modèle.

Dans les deux familles de manuscrits.

Irlat., qui a traduit la *Tabula*, ne peut pas, à notre avis, avoir lui-même introduit les chapitres dans le texte. Il l'eût fait avec discernement et n'aurait pas toléré les désaccords inadmissibles que nous constatons aujourd'hui entre beaucoup de titres et leur contenu. Quoi qu'il en soit, c'est très tôt, avant la séparation des familles de mss, avant la suppression de la finale millénariste, que furent insérés les *capitula*[1].

---

1. Il n'est pas exclu que les *capitula* se soient trouvés à l'intérieur du texte dès la tradition grecque. Un fragment arménien du Livre III, parmi les nouveaux que l'on vient de trouver, porte à son début le texte même du *capitulum* qui le concerne (*SC* 211, p. 12, arg. ix). S'il était donc avéré que les mss grecs portaient déjà une capitulation « insérée », il faudrait reconnaître que notre traducteur latin n'a fait que reproduire littéralement les divisions qu'il a rencontrées, sans rétablir — peut-être même sans reconnaître — l'ordre troublé, sans chercher à y changer quoi que ce soit. — Pour le fragm. arménien, voir C. Renoux, *Irénée de Lyon. Nouveaux fragments arméniens* (*P.O.* 39, n° 178, p. 41), fragm. 10.

Leur distribution dans le texte ne résulte pas de leur place véritable. Le scribe qui en prit l'initiative ou qui en eut la charge — le rubricateur — s'est laissé guider par deux principes : suivre l'ordre de la *Tabula*, ce qui allait de soi, et se servir des noms propres comme points de repère. Subsidiairement, là où ne figuraient pas les noms propres, il lui était facile de lire le texte pour trouver la coïncidence. En procédant de la sorte, il pouvait se croire assuré d'aboutir à une bonne division du texte.

Le résultat est pitoyable, car au désordre de la *Tabula* le rubricateur a ajouté l'incohérence des emplacements. Voici ce que l'on constate : les six premiers *capitula* ont été correctement situés ; à partir du n° VII, où commence un premier dérangement de la *Tabula*, jusqu'au n° XIX, les *capitula* semblent avoir été placés « au petit bonheur », encore qu'une observation plus attentive permettrait de découvrir les raisons fallacieuses de leur emplacement toujours en avance ; à partir du n° XX jusqu'à XXXII incl., coïncidence parfaite — sauf deux accidents : interversion des n°s XXII-XXIII et anticipation du n° XXX — des intitulés et du texte à cause de la présence des noms propres ; à partir du n° XXXII jusqu'à la fin, nouveau décalage, en retard cette fois.

Le tableau de la page suivante permet de se rendre compte de l'incohérence actuelle des emplacements, tout comme du désordre de la *Tabula*, l'une brochant sur l'autre.

CONCORDANCE DES CAPITULA

Nº du capitulum dans la Tabula	Emplacement dans les mss (Chap. et lignes SC)	Emplacement requis	Décalage en lignes SC	Chap.	Pages chez Harvey	Emplac.
I	1,1	1,1	0	I	8	1,1
II	10,1	10,1	0	II	90	10,1
III	10,24	10,32	8	III	92	10,24
IV	10,49	10,49	0	IV	94	10,49
V	11,1	11,1	0	V	98	11,1
VI	12,1	11,97	— 6	VI a	109	12,1
VII	12,42	13,102 ⎫2	121	VII b	114	13,1
VIII	13,1	14,1 ⎬3	137	VI b	109	12,1
IX	13,12	13,1 ⎭1	12	VII a	114	13,1
X	14,1	14,16	16	VIII	127	14,1
XI	14,182	16,1	183	IX	157	16,1
XII	15,1	17,1	254	X	164	17,1
XIII	16,1	18,1	147	XI	169	18,1
XIV	17,1	19,1	158	XII	175	19,1
XV	18,1	20,1	136	XIII	177	20,1
XVI	19,1	21,1	81	XIV a	180	21,1
XVII	20,1	21,7	58	XIV b	180	21,1
XVIII	21,7	21,33	26	XIV c	180	21,1

N° du capitulum dans la Tabula	Emplacement dans les mss (Chap. et lignes SC)	Emplacement requis		Décalage en lignes SC	Chap.	Pages chez Harvey	Emplac.
XIX	22,1	22,22		21	XV	188	22,1
XX	23,1	23,1		0	XVI	190	23,1
XXI	23,93	23,93		0	XVII	195	23,93
XXII	24,1	24,40	⎱ 2	40	XVIII[1]	196	24,1
XXIII	24,40	24,1	⎰ 1	—40	XIX[1]	198	24,40
XXIV	25,1	25,1		0	XX	204	25,1
XXV	26,1	26,1		0	XXI	211	26,1
XXVI	26,16	26,16		0	XXII	212	26,16
XXVII	26,26	26,26		0	XXIII	214	26,26
XXVIII	27,1	27,1		0	XXIV	214	27,1
XXIX	27,9	27,9		0	XXV	216	27,9
XXX	27,59	28,8	⎧ 2	19	XXVI a	219	28,1
XXXI	28,16	28,16	⎪ 3	0	XXVI b	219	28,1
XXXII	28,27	28,27	⎨ 4	0	XXVI c	219	28,1
XXXIII	29,1	27,59	⎩ 1	—45	XXIX	243	31,24
XXXIV	30,1	29,1		—75	XXVII	221	29,1
XXXV	31,1	30,1		—286	XXVIII	226	30,1

1. Harvey a interverti les noms propres d'un titre à l'autre.

On comprendra que nous n'ayons pas voulu, dans ces conditions, demeurer fidèle à une tradition latine qui ne remonte qu'à un scribe, bien intentionné sans doute, mais passablement borné... On ne trouvera pas, fût-ce en tout petit caractère, les *capitula* à l'intérieur de notre texte. Mais on les trouvera dans la *Tabula*, où le traducteur les avait posés dans l'ordre reçu du grec. Le tableau fera comprendre par ailleurs les efforts de Harvey : celui-ci a voulu remettre en ordre les *capitula* et retrouver leur place exacte dans le texte. Il a donc dérogé à l'ordre transmis par les mss et établi ses propres chapitres[1]. Nous ne le lui reprocherions pas aujourd'hui s'il s'était agi de véritables chapitres. Mais les divisions de Harvey, réplique corrigée des *capitula*, sont sans portée logique. Ce ne sont que des rubriques disséminées dans le texte, sans efficacité pour faire comprendre le développement de la pensée.

Dans la famille CV.

A ce bouleversement général dont nous venons de parler et qui affecte tous les mss, la famille CV a ajouté quelques accidents particuliers dont il est résulté plus de brouillage encore. C et V ont, notamment, omis d'inscrire le n° XXXI à côté de sa rubrique, si bien que l'on passe de XXX à XXXII : rupture de nombre mais non de rubrique. Rupture à imputer à l'ancêtre commun de CV. Celui-ci, comme le

---

1. Il n'a pas toujours retrouvé l'emplacement voulu. Avoir regroupé les n°s VI et VIII (VI Hv), IX et VII (VII Hv), XVI-XVII-XVIII (XIV Hv), le dispensait d'un découpage trop fréquent ou imprécis : c'était une méthode. Mais VIII, chez lui, est mal à sa place : en **12,** 1 au lieu de **14,** 1. Nous pourrions aussi le chicaner sur les places de XVIII, XIX, XXX, XXXIII (XVIII. **21,** 33 [**21,** 1 Hv] — XIX. **22,** 22 [**22,** 1 Hv] — XXX. **28,** 8 [**28,** 1 Hv] — XXXIII. **27,** 59 [**31,** 24 Hv]). Il a, également, interverti les noms de Basilide et de Saturnin, sans intervertir toute la rubrique, ce qui contrevient au texte où le mot ὑποτίθεμαι (= *ostendo*, employé deux fois à propos de Saturnin, **24,** 6 et 39), appelle ὑπόθεσις (= *argumentatio*).

suggère l'observation du texte, a dû être averti par un
signe — un blanc peut-être — qu'il fallait apposer une
rubrique. Or celle qui se présentait dans sa liste, celle de
« Tatien », devait être réservée à la place suivante. Il a donc
retenu le n° xxxi, quitte à l'inscrire ensuite avec la
rubrique appropriée. Mais celle-ci ne lui a pas été fournie,
car elle avait été déjà apposée incorrectement à une
place précédente. Tenu par le repère de « Tatien », le
rubricateur a continué son travail en sautant un numéro.
C'est pourquoi le codex C termine la suite de ses *capitula*
avec un numéro d'avance sur AQSε, tandis que V, qui n'a
pas voulu dépasser le chiffre terminal de la *Tabula*, a clos
la sienne en redoublant le n° xxxv.

Pour corser le désordre dans ce même canton du texte,
C et V présentent de plus une interversion des *capitula*
xxxii et xxxiii (chez eux xxxiii et xxxiv), qu'il faut
encore imputer à leur ancêtre commun. La raison de
l'interversion n'apparaît pas clairement. On soupçonne,
chez le rubricateur, une tentative de remise en ordre
plutôt qu'une distraction. L'impuissance de remédier au
désordre n'a fait qu'accroître celui-ci. Cependant le
rubricateur de C, fidèle à l'interversion de son modèle,
a dû être repris par quelque correcteur choqué de l'irré-
gularité, car il s'en est justifié par deux réflexions, inscrites
dans le blanc laissé par les titres, la première à hauteur
du n° xxxii (xxxiii chez lui ; f. 32ᵛ) : *hic minium inferius
sequitur*, la seconde six lignes plus bas, à hauteur du
n° xxxiii (xxxiv chez lui) : *hic non superiori minio*. Nous
les interprétons comme une confirmation que le modèle
de C comportait bien, déjà, l'interversion.

A rester fidèle à l'idée que ces rubriques seraient de
véritables chapitres, ne tolérant pas de trop importants
déplacements, on se heurte à une réelle difficulté pour
retrouver les points de coïncidence entre les titres et les
textes. Harvey a essayé, nous l'avons dit, de remédier au
désordre. Ici, il n'a pas été heureux : du n° xxxiii, il a fait

son dernier chapitre, le xxixᵉ chez lui ; il l'a décalé de 384 lignes vers le bas, mais c'est de 425 vers le haut qu'il faut maintenant le remonter si l'on veut faire coïncider texte et intitulé.

Hormis ces bouleversements importants, sur lesquels nous nous sommes étendu parce qu'ils témoignent de la vie mouvementée de la tradition manuscrite, on notera que C et V omettent encore tous deux le n⁰ xi (non le titre) et qu'à hauteur du titre de xvii, C omet le numéro, tandis qu'au même endroit V inscrit le n⁰ xxvii. Accidents mineurs, propres à la branche.

Dans la famille AQS.

La branche AQS en tant que telle ne comporte pas de ces sortes d'accident. Ceux que l'on peut noter sont propres à chaque manuscrit pris en particulier.

On remarquera, dans A, l'omission des n⁰ˢ xviii et xix (non des titres) et le changement de rubricateur à partir du n⁰ xx. Le nouveau rubricateur met les numéros dans la marge, ce que ne faisait pas son prédécesseur. Coïncidence intéressante : c'est aussi au n⁰ xix qu'intervient, dans la *Tabula*, le changement de rubricateur (v. *supra*, p. 38).

Dans le manuscrit Q, jusqu'au n⁰ xii incl., les titres sont inscrits en capitale et sans numéro ; à partir de xiii, écriture courante et présence des numéros.

Le texte de S, nous l'avons dit[1], a été désarticulé à un stade antérieur au manuscrit, ce qui a entraîné la perte de nombreux *capitula*. On ne s'étonnera donc pas de ne trouver, en ce qui concerne les chiffres seulement, que les numéros suivants : ii, iii, iv, xii, xiii, xv, xix, xxxv. Les numéros xii et xiii ont été inscrits en marge et correspondent à xi et xii des autres mss. En ce qui

---

1. Cf. *SC* 210, p. 12 s.

concerne les titres, ceux-ci sont laissés en blanc de IX
à XIV incl. Le cod. S en texte continu manque à partir
de XIV (**17,** 13 *SC*) ; au delà, les nos XV, XIX et XXXV sont
attestés, avec leur titre, par les fragments.

Si ces *capitula* nous ont retenu, c'est qu'ils nous ont
permis de remonter haut dans le passé de la tradition
latine. En nous en tenant aux seules constatations que nous
venons de faire à propos du Livre I, leur présence en tête
du Livre d'abord, leur entrée ensuite dans le texte selon
l'ordre de la *Tabula*, mais non point à leur place, puis
le désordre qui a suivi pour l'ancêtre de CV, marquent
autant d'étapes dans la succession des manuscrits qui
mènent à C, notre témoin le plus ancien. Ce retour à un
passé lointain, qui nous aide à comprendre les transforma-
tions d'un texte, est peut-être le profit essentiel que nous
tirons de l'existence actuelle des *capitula*. Car, pour
le reste, ceux-ci ne sauraient éclairer l'œuvre d'Irénée,
ne pouvant prétendre à marquer les articulations de sa
pensée. Massuet et Stieren l'ont bien compris : ils les ont
évacués de leur édition.

IV. CRITICA

Plusieurs des remarques faites plus haut à propos des
« *grammatica* » ressortissaient déjà aux « *critica* ». Avec
l'étude, encore nécessaire, de S, nous entrons pleinement
dans la critique.

Regards sur S. Le manuscrit de Salamanque, S,
ne fournit pour le Livre I que les
deux tiers du texte. Il cesse à **17,** 13 et ne donne ensuite
que les trois passages **18,** 1-5 ; **22,** 1-38 ; **31,** 38-64. Selon
la reconstitution que nous avons tentée de ce manuscrit
brouillé (*SC* 210, p. 12 s.), les trois passages ont été
initialement copiés par le « lettré » qui composa le premier

dossier. On croit comprendre par là qu'il s'est intéressé à la réfutation d'Irénée plus qu'à la mise en lumière des hérésies, bien qu'il n'ait pas recopié lui-même le chapitre 10. Il a laissé à son copiste le soin de reproduire le reste, dans lequel se trouvait le contenu de la grande lacune due à la disparition de 8 folios.

Que nous enseigne le texte de S pris dans le Livre I ?

Il confirme évidemment l'appartenance de S à la seconde famille. Ainsi a-t-il en commun avec AQε huit omissions longues qui lui font perdre 63 mots, et la plupart de ses variantes font cause commune avec AQε[1].

Il précise d'autre part sa place dans les relations avec les autres mss de sa famille et marque une affinité plus grande avec Q, puis avec Qε, qu'avec A.

1º *Avec Q* : S et Q sont seuls à intervertir, dans la *Tabula*, comme nous l'avons dit plus haut (p. 38), les *Capitula* xxv et xxvi, concernant Cérinthe et les Ébionites.

S et Q, qui ont chacun beaucoup d'omissions particulières (S, dix ; Q, onze pour la même longueur de texte), en ont trois communes[2], l'une de 12 mots, l'autre de 13,

---

1. Omissions communes à AQSε : **Pr.** 16 ; **4**, 30 ; **8**, 82 ; **11**, 71.74 ; **12**, 53 ; **14**, 35.146. S ayant cessé, omissions communes à AQε : **21**, 2.92 ; **25**, 56 ; **29**, 32 ; **30**, 122. Total : 103 mots perdus par AQε.
2. Omissions de QS (30 mots) : **1**, 14 ; **7**, 81 ; **12**, 23. Omissions de S (75 mots) : **Pr.** 38 ; **2**, 11 ; **7**, 76.81 ; **11**, 95 ; **12**, 23.46 ; **13**, 104 ; **14**, 51. Omissions de Q (142 mots) : **2**, 5 ; **5**, 18.93 ; **8**, 27 ; **13**, 118 ; **14**, 47 ; **16**, 43.76 ; (au delà de la cessation de S) **21**, 18 ; **23**, 77 ; **30**, 270. Aucune omission n'est comblée après coup. — En comparaison, A n'a que deux omissions propres (34 mots) : **8**, 168 ; **11**, 67. Les mss CV ont en commun 10 omissions (57 mots) : **8**, 78 ; **9**, 10.13 ; **10**, 21 ; **13**, 1 ; **14**, 108 ; **16**, 35 ; **18**, 93 ; **30**, 113.122. C seul a trois omissions (38 mots) : **8**, 84 ; **10**, 43 ; **15**, 121, dont les deux dernières (26 mots) sont comblées en marge par C². V seul a neuf omissions (90 mots) : **3**, 68 ; **9**, 31 ; **10**, 60 ; **16**, 44 ; **18**, 68.90 ; **23**, 40 ; **24**, 22 ; **30**, 181 ; toutes ont été comblées en marge par V². — Sur les 59 omissions comptées dans le Livre I, 45 au moins sont dues à un homoiotéleute.

la troisième de 5. Bien qu'elles puissent s'expliquer par
un saut du même au même, l'homoiotéleute de celle de
13 mots (**7,** 81-82 *si meliora, similia*) est assez caractéristique pour être probant, compte tenu du reste, dans
le rapprochement SQ.

S et Q montrent leur affinité par plusieurs variantes
communes qu'ils sont seuls à avoir :

Pr. 13   uerborum artem CV : bonorum mortem A bonorum
         morem ε bonum mortem QS
    27   commixtum CV Aε : mixtum QS
1, 12   uulua CV Aε : uuluam QS
2, 2   no CV : nus Aε nu QS
4, 14   odorationem CV Aε : adorationem QS
5, 3   erat CV Aε : *om.* QS
9, 33.64.70   sother *écrit avec h par* QS *seuls*
10, 60   edisserere CV Aε : edissere QS
12, 13   ennoea CV Aε : ennoeae QS
13, 55   omnia CV Aε : oha S *om.* Q
    55   audaciter CV Aε : audacter QS
    73   habent CV Aε : habeant QS
14, 126   uenientia CV Aε : uenientium QS
    131   innominabilis QS : inenarrabilis C A innumerabilis Vε
15, 114   sigen CV Aε : segen QS
    123   syllabarum : aliquando QS
    123   iiii CVAε : xxiiii QS

Entre toutes, **15,** 123 suffirait à marquer le rapprochement.

2° *Avec* Qε : S forme avec eux un groupe qui s'oppose
à A :

1, 50   xxx CV triginta A : (et) per xxx QSε
2, 1   cognosci CV A : cognitum QSε
    32   fuisse QSε : fuisset CV A
    38   acciderat QSε : accederat CV A (-ci-A²)
4, 96   adcucurrisse C A : adcurrisse QSε adcurrisset V
    105   in incorporalem CV A : in corporalem QSε
6, 11   autem CV A : *om.* QSε

Tout cela, mis ensemble, permet de confirmer que Q
et S ont un ancêtre commun, dont ε dépend aussi en
partie. Bref, le stemma proposé précédemment dans le
Livre III (*SC* 210, p. 21) n'est pas remis en cause.

Pour le reste, S est semblable à lui-même : beaucoup
de petites omissions, des mélectures de son modèle en
quantité, des interversions, réduction de *huiusmodi* à
huius, allergie à la présence simultanée de *et* avec *autem*,
orthographe *spiritualis*, etc.[1].

D'autre part, relevons une dizaine de bonnes leçons
que S est seul à porter parmi les autres manuscrits.
Sont-elles dues à une correction tardive, comme leur
nature peut le laisser penser, nous laissons le lecteur en
juger sur pièces :

3, 79	interpretantur S : interpretatur *cett.*	
109	passibilis S : passibile *cett.*	
9, 117	ostendet S : ostendit *cett.*	
10, 63	deus S : dei *cett.*	
91	habeat S : habeant *cett.*	
14, 13	inenarrabile S : inenarrabilem *cett.*	
	narrabile S : narrabilem *cett.*	
56	unamquamque S : unaquaeque *cett.*	
16, 27	litteram S : littera *cett.*	
15, 31	decuplam S : decuplum *cett.*	

On ne peut que déplorer l'état malheureux dans lequel a été
fixé le texte de ce manuscrit de Salamanque pour le
Livre I. Quand nous aurons publié le Livre II, on aura
le droit de se faire une idée définitive de l'apport qu'il
représente pour l'établissement du texte latin de l'*Aduersus
haereses*.

---

1. Par manière de contrôle, nous avons relevé, jusqu'à **17,** 13 (fin du
L. I chez S), 19 emplois de *et ... autem* ; six ont trouvé grâce devant S :
3, 30.58 ; **4,** 91 ; **6,** 18 ; **8,** 123 ; **11,** 30 *et iesum autem* ; six ont été
mutilés de *autem* : **8,** 51.59.69.122 ; **11,** 91 ; **14,** 15 ; sept mutilés de
et : **7,** 88 ; **8,** 81.125.166 ; **11,** 19, 35.41. — Mélectures relevées dans
la seule *Praefatio*, 13 *simpliciores* : *supplitiores* S ; 37 *portentuosissime* :
potentissime S ; 45 *compendiose* : *copiose* S ; 58 *didicimus* : *didicimus*
S ; 63 *auges* : *legens* S ; 67 *relata* : *relicta* S. — Petites omissions
dans la seule *Praefatio* : 15 *et* ; 19 *autem* ; 61 *et*$_2$; 65 *in multum* ; *a.* —
Que le lecteur ne dédaigne pas la lecture attentive de l'apparat
critique pour s'édifier sur le reste !

Regards sur l'édition de Mannucci. Parmi nos devanciers, nous n'avons pas tenu compte de Mannucci[1]. Celui-ci a réédité les Livres I et II d'Irénée, mais de telle manière que son texte, pour nous, est superflu. Il n'a en effet utilisé que les manuscrits du Vatican[2], dont l'archétype propre est Q, que nous utilisons nous-même. Il en a tiré quelquefois, dit-il, d'heureuses lectures pour améliorer le texte de Massuet quand Stieren et Harvey ne l'avaient pas fait[3]. Collationné de près, le texte de Mannucci ne nous a pas paru s'écarter grandement de celui de Harvey. Matériellement, Mannucci est parti d'un exemplaire de Harvey[4], sur lequel il a reporté ses corrections ; ce à quoi il n'y aurait rien à redire, si Harvey n'était resté la perceptible toile de fond qui colore le texte tout entier : la ponctuation, d'une manière générale, est celle de Harvey ; le report des nombres par lettres ou par chiffres est identique à celui de Harvey ; l'adoption de plusieurs suggestions est due

---

1. U. Mannucci, *Irenaei Lugdunensis Episcopi Adversus haereses Libri quinque* (Bibliotheca Sanctorum Patrum et Scriptorum ecclesiasticorum, Series secunda, vol. III, pars I), Rome 1907. Livres I et II. 476 p. Les Livres III-V n'ont jamais paru.

2. Mannucci désigne les quatre mss du Vatican avec les sigles suivants : Vat[1] = *Vat. 187*, celui que nous appelons Q ; Vat[2] = *Vat. 188* (R) ; Ottob[1] = *Ottob. 1154* (P) ; Ottob[2] = *Ottob. 752* (O). Voir *SC* 100, p. 23 s. ; mais pour les rapports de dépendance entre ces mss, cf. J. Ruysschaert, « Le manuscrit *Romae descriptum* de l'édition érasmienne d'Irénée de Lyon », dans *Scrinium erasmianum*, I, p. 263-276, Leiden 1969.

3. Mannucci dit lui-même dans un « monitum » à l'adresse de son lecteur, p. 70 : *Textum latinum Massueti damus ; ita tamen uti in nonnullis litteram Harvey vel Stieren praeferamus : ac etiam quae a quattuor codicibus Vaticanis (hos enim tantum inspicere licuit) feliciter nonnunquam servatur.*

4. La preuve s'en trouve dans cette ligne entière de Harvey, de marge à marge (I Hv, p. 366, 13 *et — assumtionem*), qui a été oubliée par saut du même au même chez Mannucci, p. 451, 17, au milieu d'une phrase.

aux parenthèses de Harvey, la division en chapitres est
à la fois celle de Massuet (chiffre principal) et celle de
Harvey (chiffre entre crochets) ; celle de Harvey est
accompagnée des titres, donnés en capitales, mais ceux-ci
ont été redécoupés en éléments quand Harvey les avait
groupés en un seul chapitre.

Et si l'on va au texte, on s'aperçoit qu'il est très
éclectique, ouvert aux suggestions des éditeurs et pas
seulement à celles de Harvey, incorporant même des
éléments qui ne font pas partie de la tradition manuscrite,
corrigeant librement le traducteur latin[1]. Comme, d'autre
part, Mannucci ne connaît les manuscrits CV A que
par ses prédécesseurs, il était bien inutile que nous ayons
recours à lui pour assurer notre texte. Quant aux *Vaticani*
nous ne sommes pas bien sûr que Mannucci les ait toujours
lus correctement : les photographies que nous avons de Q
ne donnent pas toujours raison à ses lectures[2].

L'apparat critique. C'est donc avec celui des autres
éditeurs que devra se comparer notre
texte. Il apportera d'abord un apparat critique complet

---

1. V. g. **6,** 10 *fabricatum*+*esse* sans justification ; **6,** 21 *homines*+
spiritales sans justif. ; **6,** 48 *idolorum* chez les edd. devenu *deorum*
à la suggestion de Harvey ; **8,** 51 *Achamoth*+*(Moysen fecisse mani-*
festum dum uelamen imposuit) — d'après le grec ; **15,** 63 *dictum*
remplacé par *electum* sans justif. ; **18,** 66 *ogdoadem*+*salutarem* à la
suggestion de Hv ; **15,** 87 *unitus est*+*ei* sans justif. ; **2,** 58 corrige
librement *masculo-femina* en *-am* ; **16,** 31 *per numeros* devient
numerum à la suggestion de Hv ; **25,** 14 *poenam* au lieu de *poenis*
sans just. (sugg. de Hv : *poenam*) ; II 2, 63 *supercaelestibus*+*inuisi-*
bilibus sans justif. ; II 19, 98 *emissum* devenu *emissus* sans just. ;
II 27, 48 *ab eo* om. sans just.

2. **9,** 82 *ex illa extemporali* Q selon Man. : *ex illa temporali* Q
m°film. ; **3,** 69 *diuidit et scindit* Q selon Man. : *diuidi uidit* Q m°film. ;
15, 138 *fictus* Q selon Man. : *ficto* Q m°film. ; **13,** 57 *quae sit* Q selon
Man. : *quasi* Q m°film. ; **30,** 71 *archotas* les Vat. selon Man. : *areothas*
Q m°film ; II 24, 177 *in quod diuiditur* Q selon Man. : *in duas diuiditur*
Q m°film.

et continu de tout le Livre I, à la manière des autres volumes de *SC* que nous avons consacrés à l'*Aduersus haereses*. On n'y trouvera pas seulement les variantes significatives des manuscrits, mais aussi toutes les autres, ces bévues, mélectures, oublis, distractions des copistes qui donnent à un manuscrit sa physionomie et permettent de déterminer sa place et sa qualité au sein de ses pareils. Beaucoup de détails semblent alourdir l'apparat, comme aussi la place faite aux éditeurs, mais il faut considérer que ce matériel textuel n'avait jamais encore été présenté en synthèse et qu'il correspond ainsi à la demande des chercheurs.

Les majuscules. On s'apercevra ensuite que nous avons accordé une particulière attention aux initiales majuscules. C'était nécessaire. Dans les systèmes gnostiques, tout Éon est une entité personnelle qui mérite dignité. D'autre part, la majuscule sert à le distinguer des abstractions dont, souvent, il porte le nom. Harvey et Massuet, pour ne parler que d'eux, ont fait de louables efforts pour habiller leur texte des majuscules requises. Mais il reste chez eux bien des inconséquences. Pourquoi, par exemple, Harvey donne-t-il une majuscule aux psychiques, aux hyliques (p. 42) ou au zodiaque (p. 167), et une minuscule au contraire, à l'Hebdomade (p. 48... 239)? Pourquoi Massuet a-t-il écrit l'adjectif *hebraica* (21 § 3) avec une majuscule, et les Éons qui ont nom *Kakia, Zelum, Phthonos*, etc. (29 § 4), avec une minuscule? Nous avons essayé d'être plus logique et, par le fait, de mieux éclairer le lecteur du latin.

La ponctuation. Un autre de nos soins a été celui de la ponctuation. Harvey multiplie les virgules, et cela, souvent, pour des relatives qui ne sont que le rendu d'un adjectif ou d'un participe grec. Ces relatives déterminatives n'ont pas besoin de virgule. D'autres fois, ayant affaire à une suite de propositions juxtaposées ou coordonnées, Harvey en a coupé la longueur avec deux points, ce qui ne correspond pas à nos habitudes françaises ; la virgule suffit pour percevoir la distinction des idées dans des cas pareils. D'autres fois encore, le point survient sans raison ou même à contresens... Bref, tout en se voulant aussi plus exacte, notre ponctuation, plus sobre, donne une tout autre ampleur à la phrase latine, ampleur qui nous semble mieux respecter, quand on remonte au grec, la phrase irénéenne.

Nouvelles lectures. En dehors des modifications d'orthographe (dont nous avons parlé plus haut), de majuscules et de ponctuation, ces dernières ayant en valeur, comme en nombre, une réelle importance, le texte de Harvey a reçu un très grand nombre d'amendements divers, auxquels la lecture des manuscrits latins conjuguée avec l'utilisation du grec et les critères de la philologie nous a conduit.

Pour donner une idée d'ensemble, nous sommes intervenu d'une manière sensible plus de 250 fois sur ce texte de près de 2 800 lignes de l'édition Harvey[1], une fois en moyenne toutes les onze lignes.

Il a fallu redresser une trentaine d'interversions de mots, héritage de la tradition imprimée, dont trois viennent de toute la famille AQSε, la plupart d'Érasme seul et trois autres de Feuardent ou de Grabe[2].

Il a fallu débarrasser le texte de Harvey de ses parenthèses et de ses crochets, dont la signification, ambiguë, apparaissait mal au lecteur ordinaire. Ainsi les mêmes

---

1. Dans l'édition Harvey, l'*Aduersus haereses* comporte 15618 lignes (I : 2789, 17,86 % ; II : 3303, 21,15 % ; III : 2996, 19,18 % ; IV : 3933, 25,18 % ; V : 2597, 16,63 %). Les deux premiers livres, à eux seuls, représentent 39,01 % du tout.

2. P. ex. **2,** 12.75 ; **3,** 86 ; **4,** 81 ; **5,** 20 ; **6,** 8.9 ; **7,** 70... ; **16,** 73, etc. = Hv p. 13, 13 ; 21, 2 ; 30, 12 ; 37, 15 ; 42, 15 ; 52, 3.4 ; 64, 6... ; 163, 1, etc.

crochets ont pour fonction, chez Harvey, d'inclure, d'exclure ou de proposer une conjecture ; parfois ils s'accompagnent de *l.* ou de *f.l.* *(forte legendum)*, on comprend alors qu'il s'agit de conjectures ; mais il y a des conjectures sans cet avertissement. Toutes les conjectures ainsi proposées par Harvey ne peuvent pas être retenues. Nous en avons éliminé beaucoup, une cinquantaine pour le moins[1]. A certaines pourtant nous avons fait droit, car, appuyées sur le grec ou sur le sens avisé de Harvey, elles allaient dans le sens de notre propre critique[2]. Plusieurs avaient été déjà proposées par des éditeurs précédents ; l'apparat le rappelle quand il y a lieu.

Le reste de nos interventions va à redresser des mélectures de manuscrits ou à apporter des choix différents. Il serait inutile de les passer tous en revue : on en trouvera pourtant quelques-uns en note[3]. C'est le texte en lecture continue qui fera comprendre la purification dont il a été l'objet.

---

1. Premier chiffre : SC, chap., ligne ; deuxième chiffre : Harvey, page, ligne. **8,** 85 ; 72, 7 [*suppl.* Id autem] ‖ **8,** 135 ; 76, 2 [*leg.* emisit] ‖ **10,** 1 ; 90, 1 [et quidem] ‖ **10,** 2 ; 90, 2 [dis]seminata ‖ **10,** 77 ; 97, 2 [*l.* fatus] ‖ **11,** 7 ; 99, 2 [aliud] ‖ **11,** 17 ; 100, 8 [*suppl.* reliquum] ‖ **11,** 66 ; 105, 9 [*adj.* antea] ‖ **11,** 95.97 ; 107, 8-9 [*l.* uiri]... [ueri] ‖ **11,** 101 ; 108, 4 [genus] ‖ **13,** 5 ; 114, 7 [et perfectissimum] pour excl. ‖ **13,** 22 ; 117, 3 [fecit] ‖ **14,** 3 ; 128, 1 [*f.l.* postremitatis] ‖ **16,** 31 ; 159, 10 [per numeros] [*l.* numerum] ‖ **18,** 66 ; 172, 13 [*adj.* salutarem] ‖ **20,** 12 ; 178, 4 [*l.* typo] ‖ **24,** 118 ; 203, 3 [pertinere] ‖ **25,** 14 ; 205, 3 [*l.* poenas] ‖ etc.

2. P. ex. : **4,** 113 ; 41, 5 [conceptu] ‖ **7,** 57 ; 63, 7 <a> Saluatore *nos* : [a] Saluatore[m] *sic* Hv dont les crochets incluent et excluent ‖ **8,** 27 ; 68, 7 [adsuentes] ‖ **8,** 30 ; 68, 9 [quae] ‖ **8,** 43 ; 69, 4 [parte] ‖ **8,** 62 ; 70, 11 [sic] ‖ **9,** 24 ; 82, 5 [*l.* omnipotentem] ‖ **9,** 31 ; 82, 10 [uerisimile] ‖ **9,** 71 ; 85, 7 [et] pour excl. ‖ **10,** 62 ; 95, 8 [deus] pour incl. ‖ **21,** 40 ; 183, 11 [in] pour incl. ‖ **25,** 16 ; 205, 4 [*l.* eam] ‖ etc.

3. **3,** 28 per praecedentes : praecedentes Hv 26, 3 ‖ **3,** 30 manifestari : manifestare Hv 26, 4 ‖ **3,** 50 substantiam : substantiam suam Hv 28, 1 ‖ **4,** 4 umbrae : umbra 31, 11 ‖ **4,** 25 cum : et cum Hv 34, 1 ‖ **4,** 71 manifestum est : manifestum Hv 37, 7 ‖ **5,** 22

Nouvelles conjectures. A tout cela, il faut ajouter nos propres conjectures, celles que suggéraient le grec sans que soit déformé le texte authentique du traducteur latin[1] et celles qui, à la suite d'une lecture attentive, semblaient être exigées par la logique de la pensée et du style aussi bien que par les habitudes du traducteur latin. De ces conjectures, les unes sont entrées dans le texte — on les repérera facilement en se reportant à l'apparat critique ; parmi elles, certaines avaient été déjà proposées dans les notes de nos devanciers —, les autres restent à la porte. Nous aurions pu les faire entrer ; elles ont été, pour la plupart, dénichées par l'acribie du P. A. Rousseau ; sans elles, sa traduction française n'aurait pu avoir sa limpidité. On verra par la liste suivante qu'elles n'ont rien d'audacieux, que beaucoup découlent naturellement des principes de traduction de notre traducteur latin et du maniement correct de sa langue. D'autres ne sont, à l'évidence, que la restitution d'une forme corrompue au cours de la transmission. Ce ne serait certainement pas un sacrilège philologique que de les intégrer à un texte qui les réclame. Mais comme les corrections reçues des éditeurs anciens et celles que nous nous étions déjà accordées étaient nombreuses et que la logique nous aurait entraîné à un bien plus grand nombre d'interventions encore, nous avons préféré, comme les autres fois, rester dans de prudentes limites. Cela nous expose aux regrets de certains lecteurs. Regrets qui devraient être atténués autant par la présence de la

---

imaginem : in imagine Hv 43, 1 ‖ **5,** 90 effusibili : effusili Hv 49, 4 ‖ **10,** 77 et non dilecta : et dilecta Hv 97, 3 ‖ **12,** 36 ergo : autem Hv 112, 4 ‖ **14,** 153 regenerationem : generationem Hv 140, 10 ‖ **14,** 169 inimitabilium : imitabilium Hv 142, 4 ‖ **24,** 104 Caulacau. Eum igitur : Caulacau. Igitur Hv 202, 2 ‖ etc.

1. Sur les principes qui doivent servir pour établir le latin à partir d'une autre langue (grec ou arménien), voir *SC* 100, p. 45-50, *SC* 152, p. 16-18 et 34-43, *SC* 210, p. 41-44.

conjecture dans l'apparat critique[1] que par sa défense, quand il en est besoin, dans les notes justificatives. Ces dernières, au reste, en contiennent encore d'autres qu'on découvrira au fur et à mesure de la lecture des notes. Elles ont besoin de trop d'explications pour qu'on puisse les accueillir dans l'apparat.

Voici donc, comme nous l'avons fait pour les autres Livres de l'*Aduersus haereses* (*RechSR* 53, 1965, p. 596-599 ; *SC* 152, p. 44-45 ; *SC* 210, p. 41-45), une liste qui regroupe des conjectures pour le Livre I.

		codd.	*conjecture*
Pr.	13	illi	*delendum propter ditt., cf. gr.*
	68	quaerenti tibi	quaerente te, *cf. gr.*
2,	21	demutatam	demutatum, *id.*
	99	et$_1$	*delendum, id.*
3,	19	ipsos denique	*delendum, id.*
4,	9	formam	formationem, *id.*
	13	per	propter, *id.*
	57	dicunt	haec sunt, *id.*
5,	77	caelestis	supercaelestis, *id.*
6,	65	per	propter, *id.*
7,	55	docentes	uolentes, *id.*
	68	cessisse	accessisse, *id.*
8,	13	ex$_2$	*delendum, id.*
	15	imaginem bonam fabricatam	imagine bona fabricata, *id.*
	31	de	*delendum, id.*
	39	eliberauit	excitauit, *id.*
	71	noluisse	nolentem, *id.*
	81	dicunt	docent, *id.*
	142	in	*delendum, id.*
	172	docens	dicens, *id.*
	174	dicens	dicit, *id.*
10,	89	a	*delendum, id.*

---

1. Dans l'apparat, la conjecture se présente précédée de *forte legendum*. Mais il faut lire *forte* plutôt comme une expression de modestie académique que comme un doute dans l'esprit de ceux qui la proposent.

		codd.	*conjecture*
11,	25	sub	cum, *id.*
	47	quidem	quaedam, *id., cf.* **11,** 69
	51	nihil	non, *id., cf.* **11,** 74
	63	manifestum	manifestissime, *cf. gr.*
	101	donant	donantes, *id.*
13,	4	seducens	seduxit
	56	calefacta	<a uacuo> calefacta, *id.*
14,	139	similitudinem	similitudine, *id.*
15,	87	est	<autem> ei, *id.*
	130	numeros	numerum, *id.*
16,	20	reliquos	relictos, *id.*
	70	in eos	eorum, *id.*
18,	23	eos	eum, *id.*
	52	qua	quae, *id.*
	102	propter	per, *id.*
	105	ostendunt adseuerationes	ostendere adseuerant, *id.*
19,	20	Factore	<et> Factore, *id.*
20,	9	prior	prius, *id.*
21,	113	nodos	nodum, *id.*
22,	23	haereses	haeretici, *cf.* **22,** 24-25
24,	47	autem	Angelos, *cf. Hv, p. 199, n. 3*
25,	44	impiam	impiam <habentes>
26,	18	non	*delendum, e sensu*
27,	68	disperdentes	dispergentes
30,	259	dicunt	dicentes
	279	enim	autem
31,	24	matribus	*delendum, cf. not. justif.*
	48	uidentes	uidens
	49	ipsis	ipsi

On remarquera le rôle que le grec joue dans l'élaboration de ces conjectures. Il aide à retrouver la forme, le mot, l'expression que la phrase latine et la pensée font attendre. Pour autant, il ne fait pas dévier le latin de ce qu'il fut, il le remet dans sa voie. Il ne « classicise » pas un latin tardif, pas plus qu'il n'introduit d'hellénismes au gré d'une reconstitution fantaisiste. Il joue seulement, en quelque sorte, le rôle d'un guérisseur. Au long de son histoire, le texte latin a reçu plaies et bosses. Ce sont elles qu'on soigne et qu'on fait disparaître par la comparaison avec le grec :

ainsi ce latin retrouve sa santé, son authenticité. Et surtout le traducteur latin, cet anonyme qui passait jusqu'ici aux yeux de trop de lecteurs pour avoir engendré des monstres, est lavé de bien des reproches qu'il ne méritait pas. Il a, en traduisant Irénée, fait un honnête travail. Nous en avons dit les limites, la littéralité, mais il ne nous est jamais venu à l'esprit que la langue dans laquelle il a coulé la pensée d'Irénée ait été, pour parler comme aujourd'hui, une langue « sauvage », une langue où fleurit le barbarisme. Il n'a ni l'aisance ni l'élégance de Rufin ou de Saint Jérôme, mais il n'a pas non plus leur désinvolture en face d'un texte qui n'est pas le sien. A tout prendre, sa fidélité sert mieux les intérêts posthumes de saint Irénée. Il faut lui en savoir gré.

L. D.

CHAPITRE II

LES FRAGMENTS GRECS

I. VUE D'ENSEMBLE

Relativement clairsemés pour les trois derniers Livres de l'*Aduersus haereses* (11 % pour le Livre III, 7 % pour le Livre IV et 17 % pour le Livre V), les fragments grecs couvrent, en revanche, la plus grande partie du Livre I (exactement 2395 lignes sur les 3207 que compte le texte latin de la présente édition, soit 74 %).

En ce qui concerne les Livres III, IV et V, la quasi-totalité des fragments provenait des florilèges dogmatiques et des chaînes : rien de plus normal, étant donné qu'Irénée avait conçu les trois derniers Livres de son grand ouvrage comme une « démonstration », fondée essentiellement sur l'Écriture, de la « vérité » qu'enseignait l'Église et que déformait l'hérésie. Avec le Livre I, les perspectives se modifient du tout au tout, car, mis à part les chapitres 10 et 22, ce Livre est tout entier consacré à un exposé précis des divers systèmes hérétiques. Comme on peut s'y attendre, c'est avant tout par les hérésiologues postérieurs qu'il sera mis à contribution. Il le sera même d'une manière massive, et c'est cette sorte de pillage de l'œuvre irénéenne par les anciens historiens des hérésies qui nous vaudra la bonne fortune de posséder, pour le Livre I, la quantité considérable de texte grec qu'on vient de dire.

Cette utilisation du texte d'Irénée s'est faite d'abord sous la forme de citations explicites et littérales, comme il était naturel. Mais il s'en faut de beaucoup que les passages d'Irénée cités de la sorte soient les seuls qui se retrouvent sous la plume des hérésiologues. Un examen tant soit peu attentif de leurs ouvrages montre que la totalité du Livre I a été exploitée par eux d'une manière ou d'une autre. Certes, le degré de dépendance de ces auteurs, voire des développements d'un même auteur, à l'égard d'Irénée peut varier considérablement. Souvent la pensée de celui-ci est amplifiée ou résumée avec beaucoup de liberté. Mais il arrive aussi que, sans le dire, les hérésiologues démarquent purement et simplement des phrases, voire des pages entières d'Irénée : ce sont là des citations véritables, encore qu'implicites, que la version latine permet de repérer aisément et en toute certitude. Citations explicites et citations implicites constituent l'ensemble de nos fragments irénéens.

Au premier rang des auteurs qui nous les ont conservés, il faut mettre Épiphane et Hippolyte : non seulement nous leur devons les fragments les plus étendus — deux citations explicites d'Épiphane, doublées en partie par Hippolyte, totalisent à elles seules 2156 lignes —, mais c'est d'eux que, en fin de compte, provient la quasi-totalité des fragments que nous possédons. De Théodoret, qui a décrit les mêmes hérésies qu'Irénée, mais en utilisant son texte avec une extrême liberté, seule une brève citation peut être retenue. Eusèbe, dans son *Histoire ecclésiastique*, nous a également conservé quelques passages du Livre I. Enfin, il n'est pas jusqu'à l'Éphrem grec où l'on ne trouve une citation d'une trentaine de lignes[1].

---

1. Tertullien ne peut passer, il va de soi, pour un témoin du texte grec. Cependant son *Aduersus Valentinianos*, utilisé avec toute la prudence qui s'impose, apporte d'intéressantes confirmations à des leçons déjà attestées par ailleurs ; il se trouve même un cas où nous avons cru devoir opter, contre la leçon d'Épiphane, en faveur d'un mot grec inséré tel quel par Tertullien dans son propre texte (cf. *infra*, p. 195, *note justif. P. 81, n. 1*).

Tout cet ensemble se répartit comme suit : quatorze fragments provenant d'Hippolyte, onze d'Épiphane, quatre d'Eusèbe, un du Pseudo-Éphrem et un de Théodoret, soit un total de trente et un fragments. Cependant, comme un certain nombre d'entre eux se recouvrent en tout ou en partie, le total des fragments réellement distincts, tels que nous en ferons état dans le présent ouvrage, n'est que de vingt et un. Le tableau des p. 64-65 fournit sur eux toutes les indications utiles.

Comme nous venons de le dire, la plus grande partie du Livre I est recouverte par des fragments grecs ; de très larges secteurs le sont même d'une façon continue. Or — et ceci détermine une situation nouvelle par rapport aux fragments des autres Livres — tous les fragments grecs du Livre I, à la seule exception du bref fragment 17, qui est de Théodoret, ont fait l'objet d'excellentes éditions critiques dans le Corpus de Berlin. Un tel fait nous a paru de nature à justifier un traitement particulier de ces fragments. C'est pourquoi l'on ne trouvera pas dans le présent ouvrage, à l'inverse des autres volumes de la collection consacrés à Irénée, une édition proprement dite des fragments grecs, qui n'aurait pu que reproduire tels quels les résultats acquis par nos prédécesseurs. On y trouvera plutôt une utilisation des textes du Corpus de Berlin qui ira de pair avec la traduction française, elle-même soucieuse de rejoindre par-delà le latin, autant que faire se peut, la pensée d'Irénée lui-même. Tout en rapportant avec précision les textes d'Épiphane, d'Hippolyte et d'Eusèbe tels qu'ils se présentent dans les manuscrits qui les transmettent — l'apparat fournira toutes les indications nécessaires à leur exacte connaissance —, nous tenterons délibérément de retrouver à travers eux et, au besoin par-delà eux, *le texte authentique d'Irénée*. A cette fin, appliquant à une situation en partie nouvelle des principes déjà posés ailleurs (cf. *SC* 100, p. 173-177, et *SC* 152,

TABLEAU DES FRAGMENTS GRECS

	ORIGINE	ÉDITEURS	ADV. HAER.	PAGES		Hv I
				T. I	T. II	
1	Épiphane, *Panarion*, 31, 9-32	Holl, *GCS* 25, 1915, p. 398-435	Pr., 1 - 11, 38	83	18-171	1-101
	Ps.-Éphrem grec, *De uirtute*, 8	Assemani, *G.*I, 1732, p. 224	8, 1-29	78	112	66-68
2	Épiphane, *Panarion* 32, 1	Holl, p. 439	11, 39-43	85	171	101-102
	Hippolyte, *Elenchos*, VI, 38	Wendland, *GCS* 26, 1916, p. 168				
3	Épiphane, *Panarion* 32, 5	Holl, p. 445	11, 44-56	86	173	102-104
	Hippolyte, *Elenchos* VI, 38	Wendland, p. 168				
4	Épiphane, *Panarion* 32, 6	Holl, p. 445	11, 57-69	86	175	105
5	Épiphane, *Panarion*, 32, 7	id., p. 446	11, 85-103	87	178	106-108
	Hippolyte, *Elenchos*, VI, 38	Wendland, p. 169				
6	Épiphane, *Panarion*, 33, 1	Holl, p. 448	12, 1-16	88	181	109-110
	Hippolyte, *Elenchos*, VI, 38	Wendland, p. 169				
7	Épiphane, *Panarion*, 33, 2	Holl, p. 450	12, 20-26	90	183	111
8	Épiphane, *Panarion*, 35, 1	Holl, *GCS* 31, 1922, p. 40	12, 27-60	90	185	111-114

9	Épiphane, *Panarion*, 34, 1 Hippolyte, *Elenchos*, VI, 39 Eusèbe, *H.E.*, IV, 11, 4	id., p. 5 Wendland, p. 170 Schwartz, *GCS* 9, 1, 1903, p. 322	13, 1-10	91	189	114
10	Épiphane, *Panarion*, 34, 2-20 Hippolyte, *Elenchos*, VI, 42-54 Eusèbe, *H.E.*, IV, 11, 5	Holl, p. 6-37 Wendland p. 173-189 Schwartz, p. 322	13, 12 - 21, 86 14, 4 - 17, 52 21, 33-43	92 94 78	191-304 206-271 298	115-186 128-168 183
11	Épiphane, *Panarion*, 36, 3	Holl, p. 46	21, 96-115	96	305	187-188
12	Hippolyte, *Elenchos*, VI, 19	Wendland, p. 145	23, 54-57	96	316	192
13	Hippolyte, *Elenchos*, VI, 19	id., p. 146	23, 62-74	96	317	193
14	Hippolyte, *Elenchos*, VII, 28	id., p. 208	24, 6-39	97	321	196-198
15	Hippolyte, *Elenchos*, VII, 32	id., p. 218	25, 1-41	98	332	204-207
16	Hippolyte, *Elenchos*, VII, 32	id., p. 220	25, 78-85	98	340	209
17	Théodoret, *Haer. fab.* I, 5	Schulze, 1772 (*PG* 83, 352 C)	25, 86-95	98	341	209-210
18	Hippolyte, *Elenchos*, VII, 32	Wendland, p. 220	25, 96-98	98	343	210
19	Hippolyte { *Elenchos*, VII, 33-34 *Elenchos*, X, 21-22	id., p. 220 id., p. 281	26, 1-19	99	344	211-212
20	Hippolyte, *Elenchos*, VII, 37 Eusèbe, *H.E.*, IV, 11, 2	id., p. 223 Schwartz, p. 322	27, 1-10	100	348	214-216
21	Eusèbe, *H.E.*, IV, 29, 2-3	id., p. 390	28, 8-26	100	354	220

p. 19-26), nous utiliserons largement, encore qu'en toute prudence, les indications de la version latine et les ressources de la critique interne. En bref, c'est une reconstitution du texte présumé d'Irénée lui-même que nous ferons à partir du donné brut des fragments, mais elle différera de la rétroversion des Livres III, IV et V en ce que le tissu du texte, au lieu d'être le fruit d'une conjecture prolongée, sera un donné de la tradition et ne s'en écartera, pour rejoindre Irénée, que sur des points précis extrêmement limités, déterminés par l'inauthenticité reconnue des éléments transmis. Des notes justificatives donneront, toutes les fois qu'il y aura lieu, les raisons de nos options ou de nos hésitations éventuelles.

Notre objectif étant ainsi précisé, nous pouvons revenir aux différents témoins du texte irénéen.

II. LES SOURCES

1. Le Panarion d'Épiphane.

Lorsque Massuet eut à se servir du *Panarion* pour son édition d'Irénée, le texte d'Épiphane était lu dans l'édition qu'en avait donnée Denys Petau un peu moins d'un siècle auparavant. Pour cette édition (1622), Petau avait utilisé le *Parisinus gr. 833/835*, qu'il avait sur place, et le *Vaticanus 503*, qu'il connaissait à travers des relevés de variantes que lui avaient fournis Sirmond et A. Schott. Ce texte de Petau, Massuet ne put se résoudre à le prendre pour argent comptant. Il collationna à nouveau les passages du *Parisinus* contenant des citations d'Irénée et put ainsi redresser quelques lectures erronées de Petau. Jugeant le *Parisinus* bien corrompu, il aurait voulu qu'on relût pour lui à Rome le *Vaticanus*, mais ne put obtenir ce service d'aucun de ses collègues. Il amenda tout de même le texte de Petau et, surtout, l'enrichit, dans ses notes, de nombreuses conjectures venant soit de lui-même, soit de Grabe, de Billy ou de Fronton du Duc.

Il y avait beaucoup à prendre parmi ces conjectures, et c'est ce que ne manqua pas de faire Harvey dans sa propre édition d'Irénée (1857) : Harvey ne dit nulle part dans quelle édition il a puisé le texte d'Épiphane, mais, par ses notes, il laisse entendre qu'il se situe dans le sillage de Grabe, de Massuet et de Stieren.

C'est vers ce moment que l'on découvrit, à Venise, le manuscrit qui allait permettre d'améliorer substantiellement le texte épiphanien, le *Marcianus 125*. Parurent alors simultanément les éditions de F. Oehler (1859-1861) et de W. Dindorf (1859-1862). Avec elles on entrait dans l'ère de la connaissance définitive de la tradition d'Épiphane.

L'étude de K. Holl dans les *TU* (1910), puis son édition dans les *GCS* (1915-1933), devaient mettre en quelque sorte le point final à cette recherche.

K. Holl a recensé tous les manuscrits existants d'Épiphane, au nombre d'une douzaine, et a démontré que, à l'exception du *Marcianus 125*, tous dépendent d'un seul, en notre possession, le *Vaticanus gr. 503*. Pour établir le texte d'Épiphane, il suffit donc — sauf là où V est lacuneux, mais cela n'a lieu dans aucun des passages où Épiphane cite Irénée — de se servir du *Vaticanus* et du *Marcianus*.

Le *Vaticanus gr. 503* (V) date du ixe siècle. Il est écrit dans une vieille minuscule vraiment magnifique (Holl), mais son texte est malheureusement grevé d'évidentes altérations. Celles-ci sont en partie compensées par de nombreuses corrections, souvent heureuses, faites par une main contemporaine du copiste. Nous reviendrons plus loin sur ces corrections.

Le *Marcianus 125* (M) date de l'an 1057. Il appartint à Bessarion qui en fit don à la Marcienne le 14 mai 1468. Ce manuscrit a le même ancêtre que V : mêmes fautes caractéristiques et mêmes omissions en de nombreux endroits. Mais le jeu des omissions dans l'un et l'autre montre que M ne peut descendre de V : il en est indépendant.

Pour juger de la valeur respective des deux manuscrits, les passages où se trouvent cités les textes d'Irénée, déjà connus par la version latine, offrent un terrain privilégié. Cette version date en effet de la seconde moitié du IVe siècle au plus tard. Elle reflète de la sorte un état du texte irénéen antérieur de cinq siècles à celui dont témoigne le *Vaticanus gr. 503* ; autrement dit, nous rejoignons à travers elle, un texte grec exactement contemporain de celui qu'Épiphane avait sous les yeux quand il le transcrivait dans son *Panarion*.

Si donc nous confrontons les deux témoins d'Épiphane à la version latine d'Irénée, nous sommes amenés à faire les constatations suivantes :

1. Quoique le *Vaticanus* l'emporte considérablement en valeur sur le *Marcianus*, trop souvent déparé par des altérations et des omissions qu'un peu d'attention eût permis au copiste d'éviter, le manuscrit vénitien n'en apporte pas moins un lot appréciable d'excellentes leçons dont le latin permet de vérifier à coup sûr le bien-fondé. Il se trouve, de la sorte, que bon nombre de corrections conjecturales proposées jadis par Massuet, Stieren et Harvey à partir du texte latin d'Irénée se voient confirmées par les leçons propres à M. Dans d'autres cas, c'est aux hésitations des éditeurs d'Irénée que M est susceptible de mettre fin par les leçons nouvelles qu'il apporte. Donnons quelques exemples :

Pr., 31 ἐπιβολὴν M (= superindumentum) : ἐπιβουλὴν V.
4, 91 δὲ ὁμοίως M (= autem similiter) : δεόμενος V.
5, 14 μετ' αὐτὸν M (= post ipsum) : κατ' αὐτὸν V.
5, 79 κοσμοκράτορα M (= Cosmocratorem) : παντοκράτορα V. Ici, l'apparat de K. Holl (*GCS* 25, p. 415) est

erroné : ce n'est pas M, mais V, qui a la leçon παντοκράτορα (cf. *TU* 36, 2, p. 36).

10, 8 τὴν ἔλευσιν M (= aduentum) : τὰς ἐλεύσεις V. Variante importante pour le sens. Massuet penchait pour la leçon du latin, Harvey optait pour celle de V. Le latin — auquel s'ajoute le témoignage de deux fragments arméniens indépendants l'un de l'autre — confirme le bien-fondé de la leçon de M.

20, 5 παιδὸς ὄντος καὶ μανθάνοντος τὰ γράμματα M (= cum puer esset et disceret litteras) : om. V.

2. On a dit plus haut qu'une particularité de V consistait dans les nombreuses corrections apportées à son texte. Ces corrections remontent à l'époque même où le manuscrit fut copié, ainsi que K. Holl l'a démontré. On constate qu'un grand nombre de ces corrections aboutissent à procurer un texte grec conforme à celui que suppose la version latine d'Irénée. Parfois le texte ainsi corrigé se trouve identique à celui de M, mais plus souvent il en diffère. Quelle origine assigner à ces corrections faites sur le *Vaticanus*? Certaines pourraient, à la rigueur, n'être que d'heureuses conjectures d'un réviseur intelligent. D'autres pourraient provenir d'un manuscrit émanant de l'ancêtre commun à V et à M. Mais il en est toute une série d'autres, Holl l'a montré de façon convaincante, qui ne peuvent s'expliquer autrement que par le recours à un manuscrit, actuellement perdu, ayant appartenu à une famille distincte de celle de VM : dans cette famille se seraient conservés indemnes des éléments du texte primitif irrémédiablement contaminés dans le prototype de VM. Privilégié est, à cet égard, le cas des lacunes communes à V en son état premier et à M et très correctement comblées, en marge, par le correcteur de V. Donnons les deux exemples suivants à titre de simple illustration — nous mettons entre crochets les mots manquants dans V

en son état premier et dans M et ajoutés dans la marge
de V — :

4, 37 Ταύτην σύστασιν <καὶ οὐσίαν τῆς ὕλης γεγενῆσθαι
λέγουσιν>, ἐξ ἧς ὅδε ὁ κόσμος συνέστηκεν (= Eam collectionem *et substantiam fuisse materiae dicunt*, ex qua hic
mundus constat).

9, 101 Τίς οὐκ ἂν ... νομίσειεν οὕτως αὐτὰ ῞Ομηρον ἐπὶ
ταύτης τῆς ὑποθέσεως <πεποιηκέναι ; ῾Ο δ' ἔμπειρος τῆς
῾Ομηρικῆς ὑποθέσεως> ἐπιγνώσεται ... (= Quis non...
putet sic illos Homerum in hoc argumento *fecisse? Qui
autem scit homerica* cognoscet...).

3. Les corrections dont il a été question jusqu'ici ont
pour résultat de redresser des erreurs et de faire retrouver
le texte primitif. Mais il s'en faut de beaucoup que toutes
les corrections figurant dans V aboutissent à ce résultat.
La confrontation avec la version latine d'Irénée montre
que, plus d'une fois, la leçon primitive est celle qui peut
encore se lire ou s'entrevoir sous la correction, soit que
cette leçon coïncide avec celle de M, soit qu'elle en diffère.
Quelques exemples :

4, 20 ἀοράτως Vᵃᶜ M (= inuisibiliter) : ἀοράτου Vᵖᶜ.

5, 69 λύπης Vᵃᶜ M (= tristitia) : λοιπῆς Vᵖᶜ.

8, 14 φαντασίᾳ VᵃᶜM (= phantasmati) : σοφίᾳ Vᵖᶜ.

12, 45 δι' αὐτοῦ δοξάσαι τὸν Πατέρα Vᵃᶜ (= per eum
glorificare Patrem) : cancell. Vᵖᶜ om. M.

14, 2 Σιγῆς Vᵃᶜ (= Silentii) : εἰσηγήσατο VᵖᶜM.

15, 153 δι' ἀγγελικῆς δυνάμεως Vᵃᶜ (= per angelicam
uirtutem) : add. ἐγχειρήματα Vᵖᶜ M.

20, 29 εἶναι Vᵃᶜ (= esse) : δεῖν Vᵖᶜ M.

Après ces quelques brèves notations relatives aux
deux manuscrits sur lesquels K. Holl a basé son édition
du *Panarion*, voyons maintenant de quelle manière il
s'est servi de ces manuscrits dans le traitement des citations
irénéennes. Holl ne précise nulle part l'objectif qui fut

le sien dans l'édition de ces sections du *Panarion*, mais
tout indique que son but était de retrouver, sinon le texte
d'Irénée lui-même, du moins un texte qui s'en rapprochât
autant qu'il était possible. Pour se diriger dans ce travail,
il avait à sa disposition la version latine de l'*Aduersus
haereses*, guide tout indiqué[1]. Il utilise donc cette version
pour s'orienter, d'une manière à la fois sûre et aisée, dans
le dédale des variantes. Mais il l'utilise aussi, et de la façon
la plus large, pour corriger le texte des manuscrits toutes
les fois qu'il juge celui-ci corrompu : ces corrections, tantôt
il les introduit dans le texte même qu'il établit, tantôt
il se contente de les faire figurer dans l'apparat. A l'utilisation de la version latine d'Irénée, Holl joint celle
d'Hippolyte, de Tertullien et, d'une manière générale,
de tous les parallèles qui lui paraissent susceptibles de
l'orienter dans la restitution du texte irénéen primitif.

Holl a fourni de la sorte, un labeur considérable dont
témoignent les dimensions de son apparat. Quiconque a
examiné le texte de près ne peut reprocher à Holl le
travail qu'il a fait. On sera quelquefois d'un autre avis
que le sien pour le détail des options concrètes, mais, pour
ce qui est de la méthode à suivre lorsque l'on a affaire à un
texte déficient auquel une ancienne version permet de
porter remède dans une mesure plus ou moins grande, on
ne pourra, croyons-nous, que donner raison à Holl. Aux
non-spécialistes, son apparat paraîtra peut-être lourd et

---

1. Dans l'Introduction à son édition du *Panarion* (*GCS* 25,
p. viii), Holl regrette que G. Ficker, en raison d'une surcharge de
travail, n'ait pas été en mesure de collationner pour lui les manuscrits
d'Irénée. Mais, chose curieuse, il ne paraît pas s'être soucié de lire
le texte latin dans une autre édition que celle de Harvey, car, s'il
avait consulté Massuet ou Stieren, il aurait vu que, en I, 15, 2
(Hv 148, 11), la leçon « filius » n'est pas celle de tous les manuscrits
latins, C ayant la leçon « filiis », et il se serait sans doute abstenu de
corriger τοῖς υἱοῖς, leçon de VM, en τὸν Υἱόν. Cf. *infra*, p. 254, *note
justif.*, P. 241, n. 2.

compliquè. L'introduction des variantes du latin, la comparaison avec les textes parallèles d'Hippolyte et de Tertullien, l'attribution nominale à qui de droit des conjectures retenues ou même, parfois, simplement suggérées, le soin minutieux apporté à relever et à caractériser les phénomènes paléographiques, tout cela donne une ampleur exceptionnelle à l'apparat de Holl. Mais pouvait-il y renoncer dans une *edilio maior*?

Notre travail se situe dans le prolongement de celui de Holl et s'appuie constamment sur lui, mais sans que, pour autant, nous ayons à reproduire tels quels le texte et l'apparat de notre prédécesseur.

En ce qui concerne le texte, il arrive plus d'une fois que nous ne croyons pas pouvoir faire nôtres les options de Holl. Parfois nous faisons confiance à l'un des manuscrits là où Holl fait confiance à l'autre. Plus souvent nous nous écartons de Holl dans le domaine des corrections, soit que nous corrigions là où Holl, trop peu logique avec lui-même, semble avoir hésité à le faire, soit que telle conjecture de Holl nous paraisse inutile et que nous nous en tenions à la leçon des manuscrits. A vrai dire, dans l'établissement de son texte, Holl paraît attiré tour à tour dans des directions opposées, selon que prédomine chez lui la volonté de donner le texte même d'Irénée ou la crainte de s'écarter du texte des manuscrits. Pour notre part, visant d'une façon plus délibérée à rejoindre le texte d'Irénée, nous tentons d'unir à la décision la prudence, ainsi que nous l'avons déjà dit, et des notes détaillées renseignent le lecteur, toutes les fois qu'il est utile, sur le degré plus ou moins grand de certitude du texte qui lui est proposé.

Quant à notre apparat, il reprend celui de Holl, mais en le simplifiant considérablement. Nous n'y mentionnons naturellement pas les variantes du latin, puisque le latin se trouve sous les yeux du lecteur qui peut s'y référer constamment. Par souci de simplification, nous mettons de même sous le nom de Holl tout ce qu'entérine son édition en fait de corrections ou d'hypothèses antérieures, qu'elles viennent des éditeurs d'Irénée ou d'Épiphane, ou de Jülicher, que Holl se plaît à citer, ou d'autres encore. Nous laissons aussi de côté les parallèles. En somme, nous nous bornons à rapporter de façon précise la teneur des deux manuscrits V et M, en distinguant comme il s'impose les leçons primitives de V de celles de son correcteur. Et même ainsi nous croyons superflu, dans notre perspective, de nous encombrer des phénomènes d'orthographe, d'iotacisme, d'alternance de voyelles homophones, lorsque cela ne mène à aucune conséquence significative. Bien entendu, notre apparat enregistre, quand le texte établi le demande, toute intervention étrangère au texte des manuscrits, qu'elle vienne de nos prédécesseurs ou qu'elle soit notre fait.

2. L'Elenchos d'Hippolyte.

Quels que soient les problèmes d'attribution que puisse poser à la sagacité des critiques la comparaison des ouvrages sûrement authentiques d'Hippolyte avec le Κατὰ πασῶν αἱρέσεων ἔλεγχος, dont les Livres VI, VII et X contiennent un précieux lot de citations irénéennes, nous plaçons cet ouvrage, pour la commodité, sous le nom d'Hippolyte, puisque les références que nous avons à fournir relèvent bibliographiquement de son nom[1].

_____

1. On sait les controverses qu'a suscitées l'attribution de l'Elenchos à Hippolyte. Indépendamment du fait que le Livre I, publié dès le début du xviiie siècle, était attribué à Origène par les quatre manuscrits — tardifs — qui le transmettent, attribution réfutée, avant même l'édition, par Huet dans ses *Origeniana*, l'authenticité hippolytienne de l'ensemble de l'*Elenchos*, admise communément — mais non universellement — depuis les éditions du xixe siècle, a été fortement remise en question, il y a 20 ans, par P. Nautin. Voir, de cet auteur : *Hippolyte et Josipe. Contribution à l'histoire*

De tous les éditeurs d'Irénée qui nous précèdent, Harvey est le seul à avoir pu faire état du texte grec d'Hippolyte. Découvert au Mont Athos par Mynoïde Mynas, le manuscrit contenant les Livres IV-X de l'*Elenchos* avait été expédié par ses soins à Paris et déposé à la Bibliothèque Royale en 1842. Quelques années plus tard, en 1851, E. Miller faisait paraître, mais en l'attribuant à Origène, l'ensemble des Livres I et IV-X de l'*Elenchos*. C'est dans cette édition que Harvey put lire l'œuvre d'Hippolyte : car il faut ajouter que, entre 1851, date de l'édition de Miller, et 1857, date de celle de Harvey, la critique s'était largement prononcée pour l'attribution de l'*Elenchos* à Hippolyte, si bien que Harvey n'eut qu'à se ranger à l'avis général[1].

L'édition de Miller procurait une bonne lecture du manuscrit. Miller l'avait munie d'un apparat critique où il pensa d'abord consigner les corrections qu'appelait le texte du manuscrit ; mais, devant la quantité d'aberrations de toute sorte dont ce texte était émaillé et qui eussent fait reculer le premier helléniste venu, il s'était vu contraint d'introduire de nombreuses corrections dans le texte lui-même, sauf à mentionner dans l'apparat les leçons fautives du manuscrit[2]. Par contre, il s'était prudemment borné à consigner dans l'apparat des amendements dont le caractère demeurait plus conjectural et qui pouvaient prêter à discussion.

Harvey s'efforcera de tirer le meilleur parti du texte

---

de la littérature chrétienne du IIIe siècle, Paris, 1947. Du même : *Hippolyte. Contre les hérésies (fragment). Étude et édition critique*, Paris, 1949.

1. Stieren, dont l'Épître dédicatoire est datée de novembre 1852, a connu trop tard l'ouvrage de Miller pour pouvoir l'utiliser dans son édition d'Irénée (cf. sa Préface, p. ix).

2. Comme le disait Miller lui-même : « necessariam scripturam cunctanter in textu posuimus, inferius indicata codicis lectione » (Préface à son édition, in *PG* 16, 3011).

d'Hippolyte qui lui est ainsi offert. Lorsque le texte d'Hippolyte est le seul texte grec existant, nul problème : Harvey le donne tel quel. Lorsque le texte d'Hippolyte coïncide plus ou moins entièrement avec celui d'Épiphane, Harvey se contente d'insérer dans le texte du second les variantes du premier, en les plaçant entre des crochets droits et en les faisant précéder d'un H majuscule. Enfin, lorsque les textes d'Épiphane et d'Hippolyte divergent au point qu'il soit impossible de les fondre en un texte unique, Harvey les dispose en deux colonnes parallèles. Mais il ne se borne pas à reproduire de la sorte le texte de Miller : il entend mentionner les leçons fautives du manuscrit que Miller a reléguées dans son apparat critique et apporter, de surcroît, ses propres conjectures faites à partir de la version latine d'Irénée. Tout cela se trouve inséré dans le texte même, entre des crochets droits. Il faut bien avouer qu'une telle disposition est peu heureuse, car la double finalité de ces crochets fait naître dans l'esprit, ainsi que nous l'avons déjà fait remarquer pour le texte latin de Harvey, un trouble qu'un long moment de recherche n'est souvent pas de trop pour dissiper.

Ce n'est d'ailleurs ni à Miller, ni à Harvey — pas plus qu'à Duncker et à Cruice, dont les éditions sont de peu postérieures — que nous avons à nous reporter pour établir le texte d'Hippolyte, mais à Wendland, qui l'a excellemment édité dans le Corpus de Berlin en 1916 (*GCS* 26).

Pour ce qui est des Livres IV-X de l'*Elenchos*, c'est-à-dire de la partie de l'ouvrage renfermant les extraits irénéens, l'édition de Wendland ne pouvait que reposer sur l'unique manuscrit existant, le *Paris. suppl. gr. 464* (P), s. XIV, celui-là même que découvrit Mynas au Mont Athos. Wendland et d'autres l'ont longuement décrit : nous n'avons pas à y revenir. Ce manuscrit est d'une lecture exceptionnellement difficile. Pour notre part, sur la base de l'édition de Wendland et de son apparat, nous avons tenu à relire tous les passages irénéens du manuscrit. On comprend à cette lecture, tant le copiste a serré les mots, tant il a multiplié les abréviations et tant, en maint endroit, l'encre est devenue évanescente sur le bombycin, que des disputes aient pu naître entre philologues sur la présence ou l'absence d'une syllabe, d'une finale, d'un tout petit mot... Ces difficultés n'ont heureusement pas découragé les chercheurs, et l'on peut dire qu'aujourd'hui, grâce aux efforts conjugués des éditeurs successifs, tous — ou presque tous — les problèmes de déchiffrement se trouvent résolus. Wendland, pour sa part, a fait une bonne lecture, dans laquelle il n'y a vraiment que peu à reprendre[1].

Pour l'établissement du texte, là où l'*Elenchos* cite Irénée, Wendland fait sien, en principe, l'objectif qui était celui des éditeurs et des critiques antérieurs : comme eux, il vise à retrouver le texte même d'Irénée, en s'appuyant sur la version latine, ainsi que sur Épiphane ou d'autres témoins éventuels, pour redresser les innombrables erreurs et bévues du manuscrit. Sans doute, dans le cas d'Hippolyte, qui ne cite jamais Irénée autrement que d'une manière implicite, un tel principe réclame une application nuancée, et Wendland n'a garde d'excéder les bornes de la prudence. Deux cas différents peuvent en effet se présenter. Parfois passe dans le texte une citation manifestement littérale, encore qu'implicite, d'Irénée : si cette citation apparaît déformée, en tel ou tel de ses points, par suite de l'incurie des copistes, il est naturel — ne serait-ce que pour être fidèle au texte même de l'*Elenchos* — de la rétablir d'après les autres éléments de connaissance que nous en avons. Mais il arrive aussi que l'auteur de l'*Elenchos* intervienne

---

1. Le *Parisinus suppl. gr. 464* a fait l'objet d'une nouvelle lecture intégrale et extrêmement attentive de la part de M. Marcovich, qui en a livré les résultats dans son article « Textkritisches I zu Hippolyt Refutatio B. III-X », dans *Rheinisches Museum* 107 (1964), p. 139-158 et 305-315. En ce qui concerne les passages d'Irénée cités par Hippolyte, les lectures de Marcovich ne modifient que très peu celles de Wendland. Nous en tiendrons compte dans notre apparat.

lui-même dans la citation, soit qu'il coupe et résume, soit qu'il ajoute et amplifie : il s'agit alors de modifications apportées de façon délibérée au texte cité, et Wendland, qui édite l'*Elenchos*, ne peut que les reproduire telles quelles dans son texte. Pour nous, sans cesser d'avoir pour base de départ le texte établi par Wendland, nous viserons plus strictement que lui à rejoindre le texte d'Irénée. N'ayant pas les mêmes raisons que lui de conserver tel quel un texte interpolé ou modifié de quelque autre manière, nous n'hésiterons pas à faire descendre interpolations et modifications dans l'apparat critique, en sorte qu'apparaisse le texte d'Irénée en sa teneur première.

L'apparat de Wendland sépare, plus nettement que celui de Holl, les sources et les parallèles, d'une part, et les variantes, les corrections et les conjectures, d'autre part. On trouve donc, dans le registre supérieur de l'apparat, presque tous les éléments extérieurs capables de conforter ou d'interpréter le texte de l'*Elenchos*. Wendland y cite Irénée d'après l'édition de Harvey et Épiphane d'après celle de Dindorf, d'où quelques légères différences de lecture entre ces auteurs et nous. Dans l'apparat critique proprement dit, Wendland a consigné, avec les leçons fautives du manuscrit, non seulement ses propres lectures et conjectures, mais aussi celles de ses trois prédécesseurs, Miller, Duncker et Cruice, ainsi que celles d'autres philologues qui, au cours des soixante années écoulées depuis la découverte, avaient tenté d'améliorer un texte difficile et criblé d'erreurs. Tout en adoptant cet apparat de Wendland, nous le simplifierons de la même manière que nous le faisons pour celui de Holl : c'est ainsi que, par exemple, nous citerons sous le nom de Wendland tout ce que celui-ci a entériné en fait de conjectures venant de ses prédécesseurs. Quant aux multiples parallèles relevés par Wendland, mais s'éloignant par trop de la lettre du texte d'Irénée pour contribuer à son établissement, nous n'en ferons pas état.

3. L'Histoire ecclésiastique d'Eusèbe.

Cet ouvrage contient trois citations explicites du Livre I
de l'*Aduersus haereses* :

A.H. **21**, 33-43 = H.E. IV, 11, 5 (Schw. 322).
A.H. **27**, 1-10 = H.E. IV, 11, 2 (Schw. 322).
A.H. **28**, 8-26 = H.E. IV, 29, 2-3 (Schw. 390).

Nous nous référons au Tome I de l'édition de l'*Histoire
ecclésiastique* publiée par E. Schwartz dans le Corpus de
Berlin (*GCS* 9, 1903).

Rappelons que, sur les 24 manuscrits connus de l'*Histoire
ecclésiastique*, Schwartz n'en a retenu que sept pour établir
le texte. Il les divise en deux groupes :

B *Paris. gr. 1431*, s. XI-XII.
D *Paris. gr. 1433*, s. XI-XII.
M *Venet. Marc. 338*, s. XII in.

A *Paris. 1430*, s. XI.
T *Laur. 70, 7*, s. X-XI.
E *Laur. 70, 20*, s. X.
R *Mosq. 50*, s. XII.

D'une manière générale, Schwartz accorde la prépondérance au premier groupe.

4. Le Περὶ τῆς ἀρετῆς du Ps.-Éphrem.

Sur presque toute l'étendue de *Adu. haer.*, I, 8, 1, la
citation d'Épiphane est doublée par une autre citation
figurant dans un écrit de langue grecque que la tradition
manuscrite attribue à Éphrem, le diacre d'Édesse. Ce petit
traité est intitulé Περὶ τῆς ἀρετῆς. Il est précédé d'une
préface et comporte dix chapitres traitant de matières
diverses, telles que gouvernement monastique, humilité
et patience nécessaires au moine, travail des mains,
avantage de l'obéissance et de la vie commune, etc. Le

chapitre 8 exhorte à la fuite des hérétiques et insiste sur
le danger qu'il y a à les fréquenter. C'est là que, pour
donner plus de poids à sa parole, l'auteur fait appel à Irénée
— sans mentionner son nom — et cite la page bien connue
en laquelle celui-ci développe la comparaison de la
mosaïque : « C'est ce que l'un des saints a excellemment
et vigoureusement fait voir, en enseignant de cette manière.
Il dit : , Telle est leur doctrine... ' »[1].

Le premier à faire connaître cette citation fut Grabe,
qui en fit état dans son édition d'Irénée (1702). Il avait
découvert le traité Περὶ τῆς ἀρετῆς, encore inédit à ce
moment, dans le *Bodl. Laud. C 97*, et il en signala les
variantes les plus notables. Massuet repéra ce même traité
dans un *Colbertinus « optimae notae »* dont il ne nous donne
pas le numéro[2]. Il en reproduisit les variantes dans sa
propre édition d'Irénée (1710), en même temps que celles
que Grabe avait données de son côté.

En 1732 parut le Tome I de l'Éphrem grec d'Assemani.
Notre traité y était publié pour la première fois (p. 216-
229). Selon ce qu'Assemani atteste dans son Introduction,
le texte était établi d'après huit manuscrits[3].

1. Καλῶς καὶ μεγάλως ἀπεφήνατό τις τῶν ἁγίων, οὕτως διδάξας,
καί φησιν · « Τοιαύτης δὲ τῆς ὑποθέσεως ... ».

2. Ce manuscrit, si l'on consulte le catalogue d'Omont, devrait
être l'un des trois suivants : *Paris. gr. 593* (olim *Colbert. 2545*),
s. XI, f. 234 ss. ; *Paris. gr. 596* (olim *Colbert. 625*), s. XIII, f. 1 ss. ;
Paris. gr. 920 (olim *Colbert. 834*), s. XI, f. 36 ss.

3. *Vat. gr. 439*, s. XI, f. 78-89. *Vat. gr. 440*, s. XI-XII (mais le
traité est interrompu au chap. VI par la perte de quelques folios
après le f. 117. Le texte d'Irénée ne figure donc pas dans ce manuscrit).
Vat. gr. 441, s. XIV, f. 216-229. *Vat. gr. 442*, s. XI, f. 29-43. *Vat.
gr. 443*, s. XIII, f. 16-25. *Vat. Reg. gr. 16* (ap. Assem. *Alex. 16*),
s. XIII, f. 11 ss. *Vat. Reg. gr. 42* (ap. Assem. *Alex. 42*), a. 1339,
f. 228 ss. *Vat. Clementinus 51* (inter *Codices Massadi 3*), p. 26 =
Vat. Ottob. gr. 457, a. 1039. Assemani désigne encore trois autres
mss qu'il n'a pas eus en main : *Bodl. Laud. C 97*, utilisé pour
l'édition d'Oxford de 1709, p. 150 (c'est le ms. de Grabe), *Coislin. 59*
(s. XIV, f. 14-24) et *60* (a. 1344, f. 39-55). — Avec le catalogue

C'est avec cette édition d'Assemani que Stieren, d'abord, et Harvey, ensuite, confrontèrent le texte grec d'Épiphane tel qu'ils pouvaient le lire. Harvey relevait cinq variantes, Stieren davantage, car il ajoutait les variantes de Grabe et de Massuet à celles que lui offrait le texte d'Assemani.

Pour notre part, nous nous contenterons, à la suite de Holl, de confronter le texte d'Épiphane avec celui que donne Assemani. Les quelques variantes ainsi relevées sont peu significatives et confirment la valeur du texte d'Épiphane.

Nous ne pouvons naturellement nous engager dans le problème complexe que pose l'attribution de notre traité à saint Éphrem. Disons seulement que D. Hemmerdinger-Iliadou, dans la remarquable monographie qu'elle a consacrée naguère à l'« Éphrem grec », n'hésite pas à ranger notre Περὶ τῆς ἀρετῆς parmi les « compositions et remaniements de basse époque mis sous le nom d'Éphrem »[1]. Il n'est peut-être pas impossible que quelque bribe d'inspiration éphrémienne se dissimule dans ce traité, mais l'ensemble reflète une doctrine spirituelle relevant de l'Orient grec. De plus, la citation irénéenne qui y figure exclut l'éventualité d'une traduction préalable en syriaque et d'une retraduction en grec : le passage par le syriaque n'aurait pas manqué de faire naître des variantes autrement significatives que celles qu'on relève. C'est pourquoi, sans prétendre rien décider quant à la date de notre traité ou quant à son auteur — aussi bien ces questions sont pour nous sans réelle importance —, nous citerons seulement un « Pseudo-Éphrem ».

---

d'Omont, on peut encore citer, en dehors des trois *Colbertini* de la note précédente, les actuels *Parisini graeci 595*, s. XI, f. 17 ss. ; *599*, s. XIV, f. 22 ss. ; *1172*, s. XI, f. 28 ss. ; *1198*, s. XI, f. 24 ss.

1. D. Hemmerdinger - Iliadou, art. « Éphrem grec », dans *Dict. de Spiritualité*, t. IV, col. 811.

5. L'Haereticarum fabularum compendium de Théodoret.

Un bref passage du Livre I (25, 86-95) a été cité, de façon explicite, par Théodoret, dans son Αἱρετικῆς κακομυθίας ἐπιτομή. Cet ouvrage, à l'inverse de ceux d'Épiphane, d'Hippolyte et d'Eusèbe dont il a été question plus haut, n'a point encore fait l'objet d'une édition critique. Pour avoir le dernier état du texte édité, il faut recourir à Migne (*PG* 83, 335-356), et Migne ne fait que reproduire le texte édité par J. L. Schulze à Halle en 1772. Schulze déclare s'être écarté quelquefois de l'édition antérieure de Sirmond (1642)[1], mais, dans l'ensemble, il reproduit, à peu de chose près, le texte de son prédécesseur.

Ce texte demande à être révisé sur les manuscrits que nous pouvons atteindre aujourd'hui. Sirmond et Schulze ont pris pour base l'*Editio Romana* (1547) de Camille Peruschus et n'ont consulté, en fait de manuscrits, que le *Vaticanus gr. 624*, s. XIII, ou l'*Ottobonianus 39*, s. XVI, sa copie, préparée elle-même pour l'édition de Peruschus[2] ! Pour nous, nous aurons recours aux manuscrits dont la lecture nous a été rendue possible par les microfilms de l'IRHT de Paris, à savoir :

A *Vaticanus gr. 2210*, cᵃ a. 886.

B *Mosquensis Syn. 368 (Vlad. 240)*, s. XIV.

M *Monacensis gr. 130*, s. XVI.

R *Vaticanus Rossianus 688*, s. XVI.

Nous ne prétendons pas, par là, épuiser la tradition grecque de l'*Haereticarum fabularum compendium*. Il y faudrait un long travail, qui est encore à faire. Mais, selon la perspective où nous nous plaçons dans ce livre — car nous n'entendons pas éditer Théodoret pour lui-même,

1. Voir ce qui en a déjà été dit dans *SC* 100, p. 60.
2. Cf. *SC* 100, p. 60-61.

mais seulement retrouver le texte d'Irénée sous celui de
Théodoret —, il nous suffira d'avoir les leçons des quatre
manuscrits susdits pour confirmer ou amender les lectures
de Schulze et donner à notre texte la solidité requise.

Abstraction faite de la citation explicite que nous venons
de dire, il est clair que l'*Haerelicarum fabularum compendium* garde bien des traces de l'influence de l'œuvre
irénéenne. De toute évidence, Théodoret a sous les yeux
les principales notices d'Irénée, dont il reproduit le contenu
et, souvent, jusqu'à la suite des idées. Mais il ne cesse de
résumer le texte d'Irénée et de le réexprimer dans son
langage à lui, si bien qu'il est impossible d'extraire, de
ce nouvel exposé, un seul véritable parallèle textuel ;
tout au plus peut-on relever de-ci de-là, entre Irénée et
son utilisateur, de fugitives rencontres de mots ou
d'expressions.

Il faut toutefois mettre à part les deux chapitres que
Théodoret a consacrés respectivement aux Barbéliotes
(I, 13) et aux Ophites (I, 14), car, outre que ces chapitres
résument fort bien le texte irénéen correspondant (*Adu.
haer.* I, 29 et 30), ils constituent pratiquement le seul texte
grec d'auteurs anciens que nous puissions rapprocher de
la version latine d'Irénée à cet endroit. Ces deux chapitres
de Théodoret, Harvey les a presque entièrement reproduits
en regard du texte latin. Quant à nous, puisque ces chapitres
ne peuvent absolument pas passer pour être le texte même
d'Irénée, mais qu'ils peuvent néanmoins être de quelque
utilité pour l'intelligence de sa pensée, nous prenons le parti
de les donner en appendice.

III. REMARQUES COMPLÉMENTAIRES

Après cet aperçu sur les sources d'où proviennent nos fragments irénéens, nous voudrions revenir brièvement sur chacun de ceux-ci, soit pour signaler certains problèmes plus particuliers que soulève l'établissement de leur texte, soit pour apporter un complément d'information utile à leur intelligence.

Fragment 1.

Ce fragment est constitué par une citation explicite d'Épiphane. C'est le plus long du Livre I : il couvre à lui seul 1193 lignes du texte latin. C'est aussi le plus précieux, car, outre le chap. 10, remarquable condensé de l'unique foi de l'Église face à la multiplicité des gnoses hérétiques, il nous livre l'intégralité de la « Grande Notice » (chap. 1-9), description détaillée du système ptoléméen, en lequel Irénée voit comme une récapitulation de toutes les hérésies antérieures et sur lequel il concentrera ultérieurement le principal effort de sa réfutation.

Il vaut la peine de considérer de plus près la manière dont Épiphane a inséré dans son ouvrage le texte irénéen en question. Nous sommes, en effet, en présence d'une anomalie évidente : alors qu'Irénée distingue le système propre à Ptolémée et à ses disciples (I, 1-9) de la doctrine propre à Valentin (I, 11, 1), Épiphane fait de tout cela un bloc unique, qu'il introduit, tel quel, dans la section du *Panarion* consacrée à l'exposé et à la réfutation de l'hérésie de Valentin. Voici en quels termes, après un premier aperçu des thèses valentiniennes, Épiphane introduit sa longue citation :

« Telle est leur fable. A vrai dire, elle contient bien plus encore que ce que je viens de dire, mais j'ai exposé

seulement ce qu'il m'a paru indispensable de produire
au grand jour, dans la mesure où j'ai pu en avoir connaissance, à savoir d'où Valentin est originaire, à quelle époque
il a vécu, de qui il a reçu les principes de sa doctrine, quel
a été son enseignement, en compagnie de quels hommes
il a propagé le mal dans le monde. C'est de façon partielle,
comme je l'ai dit, que j'ai reproduit sa doctrine. Pour ce
qui est du restant de ses inepties, je n'ai pas voulu les
exposer par moi-même, dès lors que j'ai trouvé l'ouvrage
composé contre cet hérétique par le très saint Irénée, cet
homme vénérable. Après les brèves explications que j'ai
données jusqu'ici, je vais donc, dans ce qui suit, citer
intégralement (ὁλοσχερῶς) les paroles du serviteur de
Dieu susdit, je veux dire d'Irénée. Ces paroles les voici... »
(*Panarion, haer.* 31, 8. Holl, p. 398, 6-17).

Le propos d'Épiphane est clair. Il entend consacrer
à la doctrine de Valentin un chapitre en rapport avec
l'importance indiscutée de cet hérésiarque. Il réserve
à Ptolémée un chapitre ultérieur, beaucoup plus bref,
pour l'illustration duquel il dispose déjà d'une *Lettre de
Ptolémée à Flora*, qu'il citera intégralement (*Panarion,
haer.* 33. Holl, p. 448-464). Trop heureux de disposer,
avec les onze premiers chapitres du Livre I de l'*Aduersus
haereses*, d'un très important morceau de portée anti-
valentinienne — car, après tout, Ptolémée était un disciple
de Valentin, et le système du disciple n'était pas sans
présenter plus d'un point commun avec celui du maître —,
Épiphane n'hésite pas à reproduire ce morceau tout entier,
d'un seul tenant, au milieu du chapitre qu'il consacre
à Valentin.

Cependant, une difficulté attend le citateur, à laquelle
il n'échappera qu'au prix d'une infidélité au texte qu'il
cite. En effet, comme en témoigne la version latine, Irénée
a mentionné de façon expresse le nom de Ptolémée à la
dernière ligne de I, 8, 5 : « Et Ptolomaeus quidem ita ».
Mention d'importance : non seulement ces mots attribuent

formellement à Ptolémée la page citée par Irénée tout au
long de I, 8, 5, mais, formant avec la mention de Ptolémée
en I, Pr., 2 une sorte d'inclusion, ils confirment que tout
l'entre-deux, c'est-à-dire la « Grande Notice » tout entière,
est bien l'exposé du système propre à Ptolémée et à son
école. La mention de Ptolémée à la dernière ligne de I, 8, 5
ne peut évidemment que gêner Épiphane. Pour résoudre
la difficulté, il passe délibérément sous silence la petite
phrase indésirable. Le long morceau irénéen peut alors,
avec quelque apparence de raison, passer pour refléter
les thèses de Valentin et figurer dans la section du *Panarion*
traitant de cet hérésiarque.

Nous touchons du doigt un procédé de composition
de l'auteur du *Panarion*. La version latine nous permet,
dans le cas présent, de déceler sans peine la relative
infidélité du citateur. Nous nous garderons d'en faire un
crime à l'évêque de Salamine, d'autant plus que la liberté
ici signalée est la seule, semble-t-il, qu'il se soit permise
de propos délibéré au cours de cette longue citation. Car
toutes les autres divergences que l'on relève entre le
grec et le latin — divergences plutôt mineures, dans
l'ensemble — peuvent s'expliquer par les défaillances
habituelles aux copistes. Il en sera traité en détail, toutes
les fois qu'il y aura lieu, dans les notes justificatives.

Avant de quitter ce premier fragment, rappelons qu'il
est doublé, en I, 8, 1, par une citation du Pseudo-Éphrem,
qui, à défaut d'apporter des éléments nouveaux, confirme
du moins la valeur du texte épiphanien.

Fragment 2.

Ce fragment contient les quelques lignes consacrées
par Irénée à Secundus (I, 11, 2). Il est le résultat d'une
reconstitution faite à partir d'un passage d'Épiphane
(*Panarion, haer.* 32, 1. Holl, p. 439, 7-14) et d'un passage
d'Hippolyte (*Elenchos*, VI, 38. Wendland, p. 168, 7-11).

Le latin permet de retrouver la quasi-totalité du texte irénéen primitif à travers l'utilisation plus ou moins libre qu'en ont faite les deux hérésiologues.

Fragment 3.

Ce fragment recouvre entièrement I, 11, 3. Irénée y expose la doctrine d'un « maître réputé » (ἐπιφανὴς διδάσκαλος) dont il ne nous donne pas le nom. Comme le précédent, ce fragment résulte des apports complémentaires d'un passage d'Épiphane (*Panarion*, *haer*. 32, 5. Holl, p. 445, 6-15) et d'un passage d'Hippolyte (*Elenchos*, VI, 38. Wendland, p. 168, 11 - 169, 2). Les deux auteurs y utilisent, mais sans le dire, le texte d'Irénée. Ils modifient plus ou moins, chacun à sa manière, les deux premières lignes, que le latin permet de rétablir en toute sécurité. Pour l'exposé proprement dit du système hérétique, qui vient ensuite, la citation d'Épiphane est d'une littéralité stricte, tandis que celle d'Hippolyte est plus libre. Ici encore, c'est la version latine qui permet de s'orienter, de façon sûre, parmi les leçons divergentes des deux témoins grecs, voire de corriger, le cas échéant, leurs leçons fautives.

Fragment 4.

Ce fragment contient la première moitié de I, 11, 4. Il s'agit d'une douzaine de lignes en lesquelles Irénée donne libre cours à sa verve sarcastique : 'Ιοῦ ἰοῦ, καὶ φεῦ φεῦ ... Cette citation ne se rencontre que chez Épiphane (*Panarion*, *haer*. 32, 6. Holl, p. 445, 20 - 446, 11), car, ainsi qu'on peut l'observer d'un bout à l'autre des fragments, Hippolyte, si attentif aux passages en lesquels Irénée expose les élucubrations gnostiques, néglige invariablement ceux en lesquels il les réfute ou les ridiculise.

C'est de façon explicite que la présente citation est donnée par Épiphane comme texte irénéen. Il écrit en effet

à la suite de la citation précédente (= notre fragment 3) :
« D'excellents écrivains... ont réfuté ces propos dans leurs
ouvrages, notamment... l'admirable Irénée, qui, pour se
moquer d'eux, après l'exposé de leur erreur, pousse cette
exclamation tragique : Ἰοῦ ἰοῦ, καὶ φεῦ φεῦ ... »

Cependant, une confrontation du grec d'Épiphane avec
le passage correspondant de la version latine montre que,
pour explicite qu'elle soit, la présente citation n'est pas
de tout point conforme à l'original irénéen. Sans doute
le latin contient-il quelques altérations et trahit-il quelques
mauvaises lectures du grec ; mais, cela reconnu, il faut
convenir que, dans l'ensemble, il offre un texte plus nerveux
et plus cohérent que ce qui se lit dans nos manuscrits
d'Épiphane, et nous n'avons pas hésité à introduire dans
le texte de ces derniers les corrections qui nous ont paru
s'imposer. Pour plus de détails, cf. *infra*, p. 232, *note
justif. P. 177, n. 1*.

A la suite de cette citation, Épiphane évoque en quelques
lignes le contenu de la seconde partie de I, 11, 4, mais
cette évocation est beaucoup trop fugitive pour qu'on
puisse en tirer le moindre élément d'un fragment proprement dit. C'est ainsi qu'à cet endroit, pour la première fois
dans le Livre I, nous sommes contraints de nous contenter
du latin.

Fragment 5.

Ce fragment couvre entièrement I, 11, 5 : Irénée y expose
d'abord une théorie propre à certains hérétiques au sujet
de la première Ogdoade, ensuite diverses conceptions
hérétiques relatives à l'Abîme primordial.

Le fragment en question est constitué par les apports
complémentaires d'un passage d'Épiphane (*Panarion,
haer.* 32, 7. Holl, p. 446, 17 - 447, 7) et d'un passage
d'Hippolyte (*Elenchos*, VI, 38. Wendland, p. 169, 2-13).
Il s'agit de deux citations implicites. Celle d'Épiphane

est tout à fait littérale, à l'exception de l'exclamation
῍Ω ληρολόγοι σοφισταί, à laquelle ne correspond que très
partiellement le latin « O pepones, sophistae uituperabiles
et non uiri ». C'est le latin, croyons-nous, qui reflète
fidèlement l'original irénéen, et nous corrigeons d'après
lui le texte des manuscrits d'Épiphane (cf. *infra*, p. 235,
note justif. P. 179, n. 1). Quant à la citation d'Hippolyte,
elle est, dans son ensemble, assez littérale. Cependant,
conformément à son attitude constante, Hippolyte omet
les quelques lignes d'Irénée en lesquelles se fait jour
l'ironie du polémiste, depuis ἵνα τελείων τελειότεροι
φανῶσιν ὄντες jusqu'à l'exclamation ῍Ω πέπονες, σοφισταὶ
‹ἐλεγχεῖς, καὶ οὐχὶ ἄνδρες›. C'est également avec beaucoup
de liberté qu'Hippolyte résume les trois dernières lignes
du paragraphe.

En somme, une confrontation attentive des trois
témoins en présence fait toucher du doigt, ici encore,
combien ils ont besoin d'être redressés et complétés les
uns par les autres — car nombreux sont les accidents
de transmission auxquels sont exposés des textes de cette
sorte, et il est visible que celui d'Hippolyte a tout
particulièrement souffert de l'incurie des scribes —, et
combien en même temps ces trois témoins indépendants
les uns des autres sont aptes à se compléter et à se corriger
les uns les autres, en sorte qu'il soit possible de retrouver
avec la plus grande exactitude, en fin de compte, tout ou
presque tout du texte irénéen.

Fragment 6.

Ce fragment couvre exactement I, 12, 1. Irénée expose
à cet endroit les vues de certains Ptoléméens « particulièrement savants » (ἐμπειρότεροι), qui croyaient devoir donner
deux compagnes à l'Éon primordial.

Pour la reconstitution de ce fragment, on doit faire
appel à un passage d'Épiphane (*Panarion, haer.* 33, 1.

Holl, p. 448, 8 - 449, 6) et à un passage d'Hippolyte
(*Elenchos*, VI, 38. Wendland, p. 169, 13 - 170, 10). L'un
et l'autre hérésiologue cite, sans le dire, le texte d'Irénée.

C'est chez Hippolyte que ce texte d'Irénée est le plus
fidèlement reproduit : il suffit même de débarrasser le texte
actuel de l'*Elenchos* des nombreuses bévues dues aux
copistes pour aboutir, à peu de chose près, à une citation
tout à fait littérale.

Il en va différemment chez Épiphane. Celui-ci entend
faire état du présent texte au début du chapitre du
Panarion qu'il consacre à Ptolémée. On devine ce qui va se
passer. Chez Irénée, il était question des gens les plus
savants de l'entourage de Ptolémée, « hi ... qui sunt circa
Ptolomaeum scientiores ». Qu'à cela ne tienne ! Épiphane
modifie le début du texte — non sans gaucherie — de
manière que la doctrine rapportée par Irénée ne soit plus
une invention des disciples de Ptolémée, mais l'invention
de Ptolémée lui-même. Voici le nouveau texte : « Ce
Ptolémée donc, avec ses comparses, plus savant (ἐμπειρότερος) encore que ses maîtres, s'avança au delà d'eux,
renchérissant sur leur enseignement par le surcroît qu'il
imagina : il gratifia en effet de deux compagnes le Dieu
qu'ils nomment l'" Abîme '... » (Holl, p. 448, 8-11). Vient
alors la suite du texte d'Irénée. Ce texte, Épiphane le
reproduit avec un singulier mélange de liberté et de
fidélité. Fidélité d'ailleurs plus grande, semble-t-il, que ne
le ferait supposer le texte du *Panarion* dans son état
actuel, car le texte des manuscrits est ici déparé par
quelques bévues assez grossières qu'il est permis d'attribuer
à des scribes plutôt qu'à Épiphane lui-même.

Quoi qu'il en soit, les ressources complémentaires des
deux témoins grecs, rectifiés eux-mêmes, au besoin, grâce
à la version latine, nous permettent d'atteindre, ici encore,
à un texte très sûr.

Fragment 7.

Ce bref fragment recouvre les cinq dernières lignes de
I, 12, 2. Dans ce paragraphe, d'allure polémique, Irénée
dénonce l'inanité de la théorie gnostique exposée aussitôt
auparavant et lui oppose la vraie doctrine concernant la
simplicité absolue de l'Être divin. Hippolyte, selon sa
manière de faire habituelle, a négligé cette page. Quant
à Épiphane, après avoir utilisé de la façon la plus libre
la première moitié du paragraphe, qu'il amplifie notable-
ment (cf. Holl, p. 449, 7 - 450, 1), il en cite de façon
littérale, encore qu'implicite, la seconde moitié. La
recherche de l'original irénéen ne pose pas de problème
particulier : seules, quelques altérations du grec, dues
sans doute à la distraction des scribes, sont à redresser
à la lumière de la version latine.

Fragment 8.

Ce fragment nous restitue l'intégralité des paragraphes 3
et 4 du chap. 12 du Livre I. Le paragraphe 3 rapporte
une théorie particulière sur l'origine de la première
Ogdoade : cette théorie est attribuée, sans plus de précision,
à des gens « qui passent pour être encore plus sages que ceux
(dont il a été question aussitôt auparavant) ». Quant au
paragraphe 4, il mentionne toute une variété de conceptions
gnostiques relatives au « Sauveur ».

Cette section de l'œuvre irénéenne n'a laissé aucune
trace dans l'*Elenchos*. Par contre, elle a retenu l'attention
d'Épiphane, qui, sans nous en avertir, la cite intégralement
dans un chapitre traitant de la doctrine d'un certain
« Colorbasos » (*Panarion*, *haer*. 35, 1. Holl, p. 40, 1 - 41, 7).
Sur quoi Épiphane s'est-il basé pour attribuer à ce
« Colorbasos », dont il fait un disciple de Marc le Magicien
(cf. Holl, p. 39, 16-17), les théories ci-dessus mentionnées,
nous ne savons. Toujours est-il que, pour faire exprimer

au texte irénéen une doctrine susceptible d'être mise sur le compte de ce personnage, Épiphane n'hésite pas à modifier certains éléments du texte. Il le fait toutefois en conservant scrupuleusement la structure de celui-ci, si bien que, moyennant le recours à la version latine, on retrouve sans peine l'essentiel du texte irénéen primitif : seuls pourront demeurer sujets à caution quelques détails du paragraphe 3.

Fragment 9.

Ce fragment recouvre presque entièrement le paragraphe 1 du chap. 13. C'est à cet endroit qu'Irénée commence à présenter à son lecteur la personne de Marc le Magicien.

Aucun hérésiologue ancien n'a, de façon tant soit peu suivie, cité cette page. Épiphane, qui s'en inspire visiblement (*Panarion, haer.* 34, 1. Holl, p. 5, 1-17), reprend à son compte bon nombre d'expressions irénéennes, voire plusieurs membres de phrase, mais il dilue tout cela dans une paraphrase de son cru, en laquelle on ne retrouve que trop le style redondant dont il est coutumier. Quant à Hippolyte (*Elenchos*, VI, 39. Wendland, p. 170, 11-14), dédaignant les traits polémiques de la seconde moitié du paragraphe, il retient seulement l'essentiel de la première : c'est bref, mais précieux tout de même. A Épiphane et à Hippolyte, nous pouvons ajouter ici Eusèbe de Césarée (*Hist. eccl.* IV, 11, 4. Schwartz, p. 322, 13-15), qui semble avoir eu sous les yeux le texte d'Irénée et en avoir retenu quelques expressions caractéristiques.

C'est à partir de ces éléments épars que nous avons cru pouvoir tenter une reconstitution du texte irénéen qui ne soit pas par trop hypothétique. A vrai dire, la part de l'hypothèse est importante, et nous le reconnaissons bien volontiers ; néanmoins, le fil conducteur de la version latine nous a paru assurer à l'ensemble une solidité suffisante et, de surcroît, les crochets pointus sont là pour que puissent se distinguer au premier regard les éléments restitués par conjecture et les éléments figurant chez les citateurs.

Fragment 10.

Ce fragment provient du chapitre du *Panarion* traitant de la doctrine de Marc le Magicien (*haer.* 34, 2-20. Holl, p. 6, 10 - 37, 20). Comparable au fragment 1 pour son exceptionnelle longueur, il comprend toute la partie de l'œuvre irénéenne allant du début de I, 13, 2 à la fin de I, 21, 4 : cela fait une portion de texte grec correspondant à 910 lignes du texte latin de la présente édition.

Le fragment 10 a également en commun avec le fragment 1 d'être présenté par Épiphane comme un document transcrit de façon littérale. En effet, à la suite de la page en laquelle il a paraphrasé *Adu. haer.* I, 13, 1 (cf. fragment précédent), il écrit ces mots :

« Pour moi, donc, afin de ne pas refaire un travail déjà fait, j'ai cru devoir me contenter de ce que le très bienheureux et très saint Irénée a écrit contre Marc lui-même et contre ceux qui se réclament de lui. Tout cela, j'ai pris le parti de le citer ici mot pour mot (πρὸς ἔπος ἐκθέσθαι), et le voici. Car ce saint Irénée lui-même, en dénonçant leurs agissements, s'exprime ainsi : ' Feignant d'eucharistier, etc.' » (Holl, p. 6, 3-9).

Lorsque Épiphane nous dit qu'il va « se contenter » de transcrire le texte d'Irénée, ce n'est pas, de sa part, notons-le, une simple clause de style, car la citation irénéenne remplira bel et bien la quasi-totalité du chapitre consacré par l'évêque de Salamine à Marc le Magicien.

Ce travail de transcription, Épiphane l'a accompli avec soin et conscience. Tout au long d'une confrontation attentive du grec et du latin, nous n'avons pu dépister

qu'un seul cas certain de modification intentionnelle du
texte irénéen par Épiphane. Encore s'agit-il d'une modification des plus bénignes. Elle se rencontre dans la toute
première phrase de la citation et n'a d'autre but que
d'accorder le contenu de cette phrase avec celui d'une
assertion antérieure d'Épiphane. Irénée écrivait en effet
dans la phrase en question : « Feignant d'" eucharistier '
une coupe mêlée de vin..., (Marc) la fait apparaître pourpre
ou rouge ». Or, quelques lignes à peine avant d'ouvrir
la citation irénéenne, Épiphane, faisant état d'un renseigne-
ment qu'il tenait sans doute d'ailleurs, venait de préciser
que, pour son simulacre d'eucharistie, Marc utilisait, non
pas une, mais trois coupes de verre transparent mêlées
de vin blanc et qu'il faisait en sorte que l'une devienne
rouge comme du sang, une autre, pourpre, et la troisième,
d'un bleu sombre (cf. Holl, p. 5, 21 - 6, 2). Soucieux d'éviter
que le texte irénéen ne paraisse contredire cette précision
relative aux trois coupes, Épiphane le modifie en rem-
plaçant les singuliers par des pluriels : « Feignant d'" eucharistier ' des coupes (ποτήρια) mêlées (κεκραμένα) de vin...,
(Marc) les fait apparaître pourpres (πορφύρεα) ou rouges
(ἐρυθρά) » (Holl, p. 6, 10-12). Voir, pour plus de détails,
p. 240, *note justif. P. 191, n. 2.* C'est là, redisons-le, la seule
modification sûrement intentionnelle qu'il soit possible
d'attribuer à Épiphane tout au long du présent fragment ;
nulle part ailleurs on ne le voit ajouter, retrancher ou
modifier quoi que ce soit de façon délibérée.

Cela ne veut pas dire qu'entre le grec et le latin, tels
que nous les lisons dans les manuscrits, la correspondance
soit toujours parfaite, tant s'en faut. De part et d'autre,
les copistes ont commis des erreurs de transcription ;
le traducteur lui-même n'a pas toujours traduit correctement le texte qu'il avait sous les yeux. Ces sortes de bévues
se sont même multipliées, comme il était normal, dans
la partie du fragment correspondant à *Adu. haer.* I, 14-16,
c'est-à-dire à la section en laquelle Irénée expose les

spéculations particulièrement abstruses de Marc le Magicien. Ces bévues et erreurs ne sont pas faites pour faciliter la recherche du texte irénéen primitif. Cependant, la complémentarité des deux traditions jouant ici à plein, un peu de réflexion permet de déceler et de redresser, de façon pratiquement certaine, la plupart des erreurs.

Ce travail de discrimination et de restitution est d'ailleurs considérablement facilité par la présence d'un deuxième témoin grec indépendant du premier, à savoir Hippolyte. Chez Hippolyte, en effet, tout comme chez Épiphane, la plus grande partie de la notice concernant Marc le Magicien est faite d'une citation irénéenne (*Elenchos*, VI, 42-54. Wendland, p. 173, 26 - 189, 3).

Cette citation, nulle part Hippolyte ne la présente explicitement comme une citation. Cependant, chose significative, il la déroule entre deux mentions du nom d'Irénée, les deux seules que l'on relève à travers tout l'ouvrage (*Elenchos*, VI, 42 et 55. Wendland, p. 173, 12-14 et 181, 10-13) : sorte d'aveu implicite de la dette particulièrement importante contractée à cet endroit vis-à-vis de l'auteur de l'*Aduersus haereses*.

La section de l'œuvre irénéenne ainsi mise à contribution par Hippolyte s'étend de I, 14, 1 à I, 17, 2. Mais, à la différence d'Épiphane, Hippolyte ne s'astreint pas à tout citer. Comme nous l'avons vu déjà, seuls le retiennent les exposés proprement dits. Ainsi le voyons-nous citer presque entièrement et de façon très littérale de longs morceaux tels que I, 14, 1-8 ; I, 15, 1-3 ; I, 16, 1-2 ; I, 17, 1-2. Par contre, il omet I, 14, 9, simple récapitulation des huit paragraphes précédents. Il omet de même I, 15, 4-6, pages de caractère polémique et, dès lors, sans intérêt à ses yeux. Pour la même raison, il omet également I, 16, 3. S'il lui arrive de laisser tomber de la sorte certaines parties du texte irénéen, on ne voit pas qu'il lui ajoute des éléments étrangers. Une exception pourtant : vers la fin de la citation de I, 15, 1, on relève une addition de quelques lignes ayant pour but, semble-t-il, de fournir un supplément d'explication sur un point jugé obscur (cf. *Elenchos*, VI, 49. Wendland, p. 182, 4-8). Comme suffit à le faire voir ce relevé sommaire, les pages d'Irénée qu'a retenues Hippolyte sont donc très exactement celles qui contiennent l'exposé de l'arithmologie marcosienne : c'est dire quelle aubaine leur présence dans l'*Elenchos* constitue pour une élucidation plus sûre de ce secteur particulièrement difficile de l'œuvre irénéenne.

Le fait que l'unique manuscrit qui nous ait conservé cette partie de l'*Elenchos* soit criblé de fautes ne l'empêche pas d'être précieux à nos yeux. D'une part, en effet, il est presque toujours facile de redresser le texte, là où il a besoin de l'être, grâce aux leçons correctes conservées par les manuscrits d'Épiphane et confirmées par le latin. D'autre part, la version latine permet de constater que le manuscrit d'Hippolyte ne contient pas que des bévues et des erreurs : en de nombreux cas, ce sont les leçons de ce manuscrit qui permettent de corriger, en toute sûreté, les fautes des manuscrits épiphaniens.

Doublée, sur presque la moitié de son étendue, par la citation d'Hippolyte, la citation d'Épiphane l'est aussi, mais sur une dizaine de lignes seulement, par une citation d'Eusèbe de Césarée (*Hist. eccl.*, IV, 11, 5. Schwartz, p. 322, 18-25). Il s'agit des premières lignes de *Adu. haer.* I, 21, 3, en lesquelles Irénée détaille quelques-unes des pratiques rituelles des Marcosiens relatives à leur « rédemption ». La citation d'Eusèbe est explicite. Son texte coïncide avec celui d'Épiphane et concorde avec la version latine, à l'exception d'un bref membre de phrase omis par Eusèbe, sans doute parce que celui-ci le considérait comme inutile à son propos.

Fragment 11.

Ce fragment nous restitue une notable partie de *Adu. haer.* I, 21, 5. Dans ce paragraphe, Irénée décrit une « rédemption » de mourants pratiquée par certaines sectes hérétiques ; il reproduit, notamment, les formules qu'avaient à réciter les défunts, au cours de leur traversée des sphères célestes, pour pouvoir parvenir sans encombre au Plérôme.

Épiphane a repris plus ou moins librement toute cette page irénéenne dans le chapitre qu'il consacre à l'hérésie d'Héracléon (*Panarion, haer.* 36, 2-3. Holl, p. 45, 19-47, 12). Grâce à la version latine, qui nous sert de guide ici encore, nous pouvons extraire, de l'exposé d'Épiphane, une vingtaine de lignes reproduisant de façon presque littérale le texte d'Irénée.

Signalons, en passant, un très intéressant parallèle copte qui permet de faire pencher la balance, en toute sûreté, en faveur de la version latine dans deux conflits qui l'opposent aux manuscrits d'Épiphane. Cf. *infra,* p. 272, *note justif. P. 307, n. 1* et p. 275, *note justif. P. 307, n. 2.*

Fragments 12 et 13.

Avec *Adu. haer.* I, 23, nous abordons les ancêtres des Valentiniens, en commençant par celui en qui Irénée voit le père de tous les hérétiques, Simon le Magicien. Dorénavant, Épiphane ne nous sera plus utile, sinon d'une manière indirecte et toute sporadique. C'est principalement chez Hippolyte qu'il nous sera loisible de recueillir encore quelques fragments irénéens.

Vers la fin de la longue section qu'il consacre à Simon le Magicien, Hippolyte utilise abondamment la notice d'Irénée (*Elenchos,* VI, 19-20. Wendland, p. 145, 6 - 148, 8). Dans l'ensemble, cette utilisation est fort libre : les

développements d'Irénée sont résumés, ses idées sont
réexprimées d'une manière plus ou moins nouvelle, l'ordre
des matières est modifié. Cependant, parmi tout cela, il est
possible de repérer deux morceaux irénéens cités de façon
littérale : d'une part, quelques lignes évoquant la légende
de Stésichore, devenu aveugle pour avoir outragé Hélène
et recouvrant la vue après l'avoir célébrée dans ses pali-
nodies (Wendland, p. 145, 16 - 146, 1) ; d'autre part, un
passage dans lequel sont esquissées quelques-unes des
lignes maîtresses du système de Simon (Wendland, p. 146,
16 - 147, 12).

Ces deux morceaux sont les seuls que, dans la présente
section, nous avons cru pouvoir donner comme fragments
suffisamment fondés sur la tradition manuscrite. Sans
doute, bien des éléments de l'original irénéen se laissent
plus ou moins reconnaître dans le restant de la notice
hippolytienne et l'on peut tenter de reconstituer, à partir
d'eux, certaines parties du texte perdu. Nous avons effectué
plusieurs de ces restitutions, mais, vu la part d'hypothèses
qu'elles contiennent inévitablement, nous avons cru
préférable de ne les faire figurer que dans les notes
justificatives.

Fragment 14.

Ce fragment nous restitue, exception faite des premiers
mots, la totalité de la notice consacrée par Irénée à
Saturnin (*Adu. haer.* I, 24, 1-2). Cette notice d'Irénée,
Hippolyte l'a transcrite tout entière et telle quelle, sans
le dire (*Elenchos*, VII, 28. Wendland, p. 208, 10 - 210, 3).
Il ne semble pas qu'Hippolyte ait changé quoi que ce soit
de propos délibéré, à l'exception du début, légèrement
modifié de façon à harmoniser la notice irénéenne avec
son nouvel environnement : car Hippolyte traite de
Saturnin après avoir traité de Basilide, tandis qu'Irénée
présentait d'abord sommairement les deux personnages,

pour traiter ensuite de façon détaillée de Saturnin, puis de Basilide.

Fragments 15, 16 et 18.

Ces trois fragment couvrent, ensemble, environ la moitié de la notice qu'Irénée consacre à Carpocrate et à ses disciples (*Adu. haer.*, I, 25, 1-3. 4. 6). Ces trois morceaux irénéens sont, comme le précédent, transcrits tels quels, presque à la suite l'un de l'autre, par Hippolyte, sans que celui-ci avertisse de son emprunt (*Elenchos*, VII, 32. Wendland, p. 218, 1 - 220, 2 ; p. 220, 3-8 ; p. 220, 8-11). Ici encore, il ne semble pas qu'Hippolyte ait modifié de propos délibéré le texte d'Irénée, excepté peut-être deux ou trois substitutions de mots destinées à rendre plus aisément compréhensibles des extraits coupés de leur contexte.

Signalons, à propos du premier de ces fragments, l'apport restreint, mais précieux tout de même, du chapitre en lequel Épiphane traite des Carpocratiens (*Panarion*, *haer.* 27, 2-3. Holl, p. 301, 5 - 304, 13). Le texte d'Irénée est utilisé ici d'une manière beaucoup trop libre par Épiphane pour que celui-ci puisse être rangé aux côtés d'Hippolyte comme témoin de ce texte. Il n'empêche que, de-ci de-là, se retrouvent des expressions irénéennes, voire, à un certain endroit, tout un membre de phrase littéralement transcrit. Il arrive de la sorte que, en deux ou trois cas, il soit même possible de redresser des leçons fautives du manuscrit d'Hippolyte à l'aide d'excellentes leçons cueillies dans les manuscrits d'Épiphane.

Fragment 17.

Ce fragment couvre *Adu. haer.*, I, 25, 5, c'est-à-dire une dizaine de lignes de la notice traitant de Carpocrate. Ces lignes, négligées par Hippolyte, Théodoret nous les a conservées en les insérant, sous forme de citation explicite, dans une page où il rapporte les théories de l'hérésiarque (*Haer. fab.* I, 5. *PG* 83, 352 C).

Le texte de Théodoret correspond au latin, à une variante près : il porte πὴ μὲν ... πὴ δὲ ..., là où le traducteur latin a lu τὰ μὲν ... τὰ δὲ ... Variante minime, sans importance pour le sens.

Fragment 19.

Ce fragment contient la notice consacrée par Irénée à Cérinthe (I, 26, 1) et les trois premières lignes de celle qu'il consacre aux Ébionites (I, 26, 2).

Ces deux morceaux sont cités à la suite l'un de l'autre par Hippolyte (*Elenchos*, VII, 33-34. Wendland, p. 220, 12 - 221, 10). Mais le premier d'entre eux offre cette particularité — non aperçue par Harvey, semble-t-il — d'être cité une seconde fois, d'une façon intégrale, par Hippolyte lui-même, dans le dernier Livre de son ouvrage, au milieu du résumé qu'il y donne des Livres précédents (*Elenchos*, X, 21. Wendland, p. 281, 4-16).

La comparaison des deux citations est des plus instructives. On relève entre elles d'assez nombreuses variantes, dont on se demande jusqu'à quel point elles sont susceptibles de s'expliquer par les seules bévues des copistes. Mais, quoi qu'il en soit de ce point, lorsque l'on confronte les deux citations en question avec la version latine, on s'aperçoit que celle-ci donne raison tantôt aux leçons de l'une, tantôt aux leçons de l'autre. Si remarquable est même la complémentarité des deux citations, qu'il suffit de réunir les bonnes leçons de l'une et de l'autre pour que surgisse sous nos yeux un texte grec fort proche de celui que suppose la version latine elle-même. Ce fait constitue, on le comprend, une très intéressante confirmation de la valeur de la version latine.

Fragment 20.

Ce fragment contient la brève notice consacrée par Irénée à Cerdon (I, 27, 1) et les deux premières lignes de la notice suivante, consacrée à Marcion (I, 27, 2).

Ces quelque dix lignes d'Irénée nous sont conservées par une citation explicite d'Eusèbe de Césarée (*Hist. eccl.* IV, 11, 2. Schwartz, p. 322, 3-10). La citation d'Eusèbe est doublée, pour la partie concernant Cerdon, par une citation implicite d'Hippolyte (*Elenchos*, VII, 37. Wendland, p. 223, 12-19).

Les deux citations se complètent assez heureusement. Tandis qu'Eusèbe cite de façon littérale le texte irénéen, Hippolyte l'utilise avec quelque liberté. Il se trouve néanmoins qu'Hippolyte présente quelques excellentes leçons permettant de corriger celles d'Eusèbe. Cf. *infra*, p. 295, *note justif. P. 349, n. 4.*

Fragment 21.

Ce dernier fragment contient la notice d'Irénée relative aux Encratites et à Tatien (I, 28, 1). Nous sommes redevables de cette page à Eusèbe, qui la cite de façon explicite (*Hist. eccl.*, IV, 29, 2-3. Schwartz, p. 390, 6-20). La parfaite correspondance qui s'observe entre le grec et le latin d'un bout à l'autre du présent fragment permet de considérer celui-ci comme un de ceux dont le texte est le mieux assuré.

A. R. et L. D.

CHAPITRE III

LES FRAGMENTS ARMÉNIENS

Les fragments arméniens du Livre I totalisent l'équivalent d'un peu moins d'une centaine de lignes du texte latin de la présente édition.

Ils proviennent de trois sources différentes : sept fragments sont contenus dans le *Galata 54*, une citation figure dans un ouvrage de Timothée Élure et quelques lignes sont tirées du *Sceau de la foi*. Entrons dans quelques détails.

1. Les fragments du Galata 54.

C'est au P. Charles Renoux que revient le mérite d'avoir édité récemment, avec un soin exemplaire, les fragments irénéens contenus dans le *Galata 54* et d'avoir par là enrichi de façon notable notre connaissance de la tradition arménienne des œuvres d'Irénée[1].

Le *Galata 54* est un manuscrit arménien du XIVe siècle, actuellement conservé à la Bibliothèque du Patriarcat arménien d'Istanbul[2]. C'est un volumineux recueil de textes patristiques provenant d'auteurs des cinq premiers

---

1. Ch. RENOUX, *Irénée de Lyon, Nouveaux fragments arméniens de l'*Aduersus haereses *et de l'*Epideixis. Introduction, traduction latine et notes (*Patr. Or.*, t. XXXIX, fasc. 1), Turnhout, 1978.
2. Description du manuscrit dans Ch. RENOUX, *o.c.*, p. 13 et suiv.

siècles. Les 32 premières pages du manuscrit en son état
actuel — tout le premier cahier en a disparu — présentent,
à la suite l'un de l'autre, 65 extraits des œuvres d'Irénée
répartis de la façon suivante : sept pour le Livre I de
l'*Aduersus haereses*, deux pour le Livre II, seize pour
le Livre III, quatorze pour le Livre IV, treize pour le
Livre V et treize pour la *Démonstration de la Prédication
apostolique*[1].

En ce qui concerne les Livres IV et V de l'*Aduersus
haereses* et la *Démonstration*, le texte des extraits du
Galata 54 est identique à celui de la version arménienne
que Mgr Karapet Ter-Mekerttschian découvrit en 1904
à Érevan et qui fut publié dans les années suivantes[2].
Il y a des variantes nombreuses, sans doute, mais ce sont
de celles qu'il est normal de rencontrer lorsqu'on est en
présence de deux témoins d'un même ouvrage. Variantes
précieuses, au demeurant, car elles permettent, en plus
d'un cas, d'améliorer le texte de la version arménienne
connu jusqu'ici.

En ce qui concerne les trois premiers Livres de l'*Aduersus
haereses*, l'apport du *Galata 54* est bien autrement important : c'est en effet une documentation presque entièrement
nouvelle, en même temps que relativement considérable,
qu'il met entre nos mains. Divers indices témoignent que,
pour ces trois premiers Livres autant que pour les deux

---

1. Si l'on veut une indication plus précise de l'importance relative
de ces extraits en ce qui concerne l'*Aduersus haereses*, nous ajouterons
que, pour le Livre I, ils correspondent à 85 lignes de texte latin de la
présente édition, pour le livre II, à 22 lignes, pour le Livre III, à
389 lignes, pour le Livre IV, à 222 lignes et, pour le Livre V, à
184 lignes.

2. K. TER-MEKERTTSCHIAN u. E. TER-MINASSIANTZ, *Des hl.
Irenäus Schrift zum Erweise der apostolischen Verkündigung in
armenischer Version* (*TU* 31, 1), Leipzig, 1907 ; K. TER-MEKERTT-
SCHIAN u. E. TER-MINASSIANTZ, *Irenäus, Gegen die Häretiker,
Buch IV u. V in armenischer Version* (*TU* 35, 2), Leipzig, 1910.

derniers, l'auteur du florilège a puisé dans une version arménienne qui embrassait l'intégralité de l'*Aduersus haereses*[1]. Pour notre part, nous sommes surtout frappé par la totale similitude de vocabulaire et de procédés de traduction existant entre la version arménienne des Livres IV et V, d'une part, et les extraits des Livres I, II et III figurant dans le *Galata 54*, d'autre part : nous sommes persuadé qu'il s'agit là d'une seule et même version, ouvrage d'un unique traducteur[2]. Dans un exposé antérieur, en lequel nous ne pouvions faire fond que sur les citations provenant du *Sceau de la foi*, nous étions amené à admettre comme probable le fait qu'ait existé une version arménienne de l'*Aduersus haereses* tout entier, version dont, malheureusement, nous ne possédons plus aujourd'hui que les deux derniers Livres[3]. L'existence de cette version arménienne intégrale, que nous ne pouvions alors envisager que comme probable, la publication des nouveaux fragments arméniens du *Galata 54* permet aujourd'hui, nous semble-t-il, de la considérer comme pratiquement certaine. Un heureux hasard fera-t-il, quelque jour, retrouver la partie manquante de cet inappréciable témoin de l'œuvre irénéenne ?

L'utilisation de la version arménienne des œuvres d'Irénée par le compilateur du *Galata 54* fournit une indication intéressante au sujet de la date où fut composé ce florilège. En effet, la version arménienne des œuvres d'Irénée date du VIᵉ siècle et n'est même sans doute pas antérieure aux dernières années de ce siècle[4]. Il est donc impossible que l'apparition du florilège, au moins sous sa

---

1. Cf. Ch. Renoux, *o.c.*, p. 21.
2. Nous n'oserions affirmer le même degré de similitude entre la version arménienne des deux derniers Livres de l'*Aduersus haereses* et celle de la *Démonstration* : certaines différences dans les habitudes de traduction nous paraissent trahir deux traducteurs différents.
3. Cf. *SC* 210, p. 134.
4. Cf. *SC* 100, p. 88.

forme actuelle, se situe avant la date susdite. Si l'on ajoute
que le centre d'intérêt du compilateur est manifestement
la doctrine christologique des auteurs qu'il cite, on situera
avec vraisemblance son travail aux alentours du VIIᵉ siècle,
époque où battaient leur plein les controverses relatives
au Monophysisme et au Monothélisme[1].

Les sept premiers fragments irénéens du *Galata 54*,
ainsi qu'on l'a dit plus haut, appartiennent donc au
Livre I de l'*Aduersus haereses*. Le tableau suivant en
précise la localisation :

RENOUX PO 39, 1		ADV. HAER. Livre I	Présente édition pages et lignes
fr. 1	p. 30	3,5	p. 56, 65-74
fr. 2	p. 30	7,2	p. 104, 26-44
fr. 3	p. 32	9,3	p. 142, 54-71
fr. 4	p. 34	10,1	p. 154, 1-16
fr. 5	p. 36	10,3	p. 162, 65-71
fr. 6	p. 36	25,2	p. 334, 19-25
fr. 7	p. 36	26,1	p. 344, 8-15

On aura remarqué que tous ces fragments du *Galata 54*
viennent doubler le latin à des endroits où celui-ci est déjà
doublé lui-même par des fragments grecs. Les fragments
arméniens ne sont pas superflus pour autant, loin de là.
Leur témoignage confirme habituellement celui du latin
et du grec, comme il est normal ; mais il arrive aussi,
à plus d'une reprise, que les fragments arméniens
apportent de précieuses lumières pour départager, voire
pour rectifier, les deux autres témoins.

---

1. Cf. G. GARITTE, *La Narratio de rebus Armeniae* (*CSCO*, 132),
Louvain, 1952 ; V. INGLISIAN, « Chalkedon und die armenische
Kirche », dans A. GRILLMEIER u. H. BACHT, *Das Konzil von
Chalkedon*, Bd. 2, Würzburg, 1953, p. 361-417.

Le contenu des fragments du *Galata 54* sera donné dans
le volume de texte, à chacun des endroits voulus ; il se
présentera sous la forme d'un apparat comparatif établi
à partir du texte latin conformément aux indications
données dans *SC* 100, p. 94 et suiv.

2. La citation de Timothée Élure.

Sous le nom de Timothée Élure, patriarche monophysite
d'Alexandrie mort vers 477, nous a été conservée, dans une
version arménienne, une *Réfutation de la doctrine définie
au Concile de Chalcédoine*. L'original grec en est perdu.
L'intégralité de la version arménienne en a été publiée,
au début de ce siècle, d'après l'unique manuscrit connu,
l'*Etschmiadzin 1945/1988*[1].

La première partie de cet ouvrage est constituée par un
florilège de textes patristiques[2], au milieu duquel figurent
trois morceaux que leurs lemmes attribuent au « bienheureux Irénée, qui fut imitateur des apôtres et évêque
de Lyon ». Jordan a reproduit ces trois textes dans son
étude sur les fragments arméniens d'Irénée[3]. Les deux
premiers fragments — qui, en fait, ne sont pas d'Irénée —
n'ont aucun intérêt pour nous. Le troisième, en revanche,
nous offre la traduction très fidèle d'une des plus belles
pages d'Irénée : le résumé de la foi de l'Église figurant en
Adu. haer., I, 10, 1-2.

On notera que, dans sa première moitié, la citation de
Timothée Élure est recouverte par le fragment 4 du

1. K. TER-MEKERTTSCHIAN u. E. TER-MINASSIANTZ, *Timotheus
Aelurus des Patriarchen von Alexandrien Widerlegung der auf der
Synode zu Chalcedon festgesetzten Lehre*. Armenischer Text. Leipzig,
1908.

2. Pour une analyse détaillée de ce florilège, cf. F. CAVALLERA,
« Le dossier patristique de Timothée Aelure », dans *Bulletin de
littér. eccl.*, 11 (1909), p. 342-359.

3. H. JORDAN, *Armenische Irenäusfragmente* (*TU* 36, 3), Leipzig,
1913, p. 3-8.

Galata 54. La comparaison des deux témoins arméniens est des plus instructives : tout en étant littérales l'une et l'autre, les deux versions témoignent pour ainsi dire à chaque pas de leur indépendance réciproque. Rien que de normal à cela, s'il est vrai que l'une est la traduction d'une citation grecque, tandis que l'autre est un passage extrait d'une version intégrale de l'*Aduersus haereses*. Pour souligner cette mutuelle indépendance des deux témoins arméniens, nous consignerons leurs variantes dans deux apparats distincts.

3. Les extraits du « Sceau de la foi ».

Nous avons déjà eu antérieurement l'occasion de présenter le *Sceau de la foi de la sainte Église universelle*[1]. Il s'agit d'une compilation monophysite du VIIe siècle connue par un unique manuscrit découvert à Daraschamb en 1911. Parmi les nombreuses citations patristiques que contient cet ouvrage[2] figurent sept textes attribués à Irénée. Ils ont été reproduits par Jordan dans son étude précitée : ce sont les fragments numérotés par lui de 5 à 11[3].

Un de ces fragments, le dixième, présente l'aspect d'un centon de dimension imposante, dans lequel il est possible d'identifier une multitude de petits extraits de l'*Aduersus haereses* soudés plus ou moins ingénieusement les uns aux autres en un tout continu. Particulièrement révélatrices de la manière de l'auteur sont les premières lignes du fragment, où l'on ne distingue pas moins de quatre petits extraits du chap. 27 du Livre I.

Pour permettre au lecteur de se faire une idée plus précise de cette partie du fragment, en même temps que

1. Cf. *SC* 100, p. 99-100 ; *SC* 152, p. 158-160 ; *SC* 210, p. 133-136.
2. Cf. J. Lebon, « Les citations patristiques grecques du ' Sceau de la foi ' », dans *Rev. d'hist. eccl.*, 25 (1929), p. 5-32.
3. Cf. H. Jordan, *o.c.*, p. 8-22.

pour n'avoir plus à y revenir dans la suite, nous en donnons ici même une traduction latine aussi littérale que possible :

I, 27, 1 (p. 348, 3-7) : « Qui autem decimam sortem episcopatus ab apostolis habuit, docuit eum qui a lege et a prophetis praedicatus est Deus, quoniam non Pater est Iesu Christi : hunc enim cognoui, ille autem incognitus est, inquit » (fr. 10 b : Jordan 14, 8-12).

I, 27, 2 (p. 350, 19-23) : « Et super haec adhuc Lucae Euangelium mutilauerunt, et quodcumque de generatione Domini scriptum est praeciderunt, et de doctrinalibus sermonibus Domini multa abstulerunt » (fr. 10 c 1 : Jordan 14, 12-15).

I, 27, 2 (p. 350, 26-29) : « Et ab illis qui Euangelium tradiderunt apostolis suos discipulos persuasit ; non perfectum Euangelium, sed sectionem quandam, pusillum Euangelium, tradidit eis. Similiter et apostoli Pauli epistolas partim (*litter.* : erat aliquid quod) abscidit auferens » (fr. 10 c 2 : Jordan 14, 15-19).

I, 27, 4 (p. 352, 53-54) : « Manifeste ausus est et mutilauit scripturas sanctas » (fr. 10 d : Jordan 14, 19-20).

Tout est loin d'être du pur métal dans ces quelques lignes ! Il n'empêche que, sous les maladresses et les déformations, on peut suivre à la trace un texte grec étrangement proche de l'original irénéen tel que permettent de le deviner le latin et le grec. Mieux encore, jusque dans ces quelques lignes si disgraciées, on trouve de précieuses indications sur cet original irénéen perdu, comme le montreront plusieurs notes justificatives relatives à ce passage.

A. R.

CHAPITRE IV

LES FRAGMENTS SYRIAQUES

Trois fragments syriaques se rapportant au Livre I de l'*Aduersus haereses* ont été conservés dans l'ouvrage de Sévère d'Antioche *Contre l'impie Grammairien*. Ils représentent, pour un livre d'Irénée qui compte environ 3 025 lignes *(SC)*, un total de 26 lignes, c'est-à-dire très peu, 0,90 % environ.

En voici la répartition :

1) **7**, 19-22 sunt — transit. T. II, p. 102
2) **8**, 14-29 quomodo — Dei. T. II, p. 114
3) **9**, 66-72 Caro — compago. T. II, p. 144.

Ils ont été édités en syriaque avec une traduction latine, en tant que fragments par Harvey et Pitra, et avec le reste de l'ouvrage de Sévère par J. Lebon. Harvey les a groupés à la fin du t. II de son édition d'Irénée, p. 431-433, et Pitra, après une collation nouvelle des mss par J.-P. Martin, les a redonnés dans ses *Analecta Sacra*, t. IV, p. 17-18, la traduction latine étant reportée aux pages 292-293. J. Lebon a édité l'ouvrage de Sévère en syriaque dans le CSCO 101 (1933) — nos fragments s'y trouvent aux pages 57, 278, 283 —, et il en a donné la même année une version latine dans le CSCO 102, cf. p. 41, 204, 209.

Ces trois fragments proviennent du cod. *Brit. Mus. Add. 12157*, s. VII-VIII, f. 127ᵛ, col. 1, f. 199ʳ, col. 1-2,

f. 200ᵛ, col. 2. Le manuscrit est décrit par W. Wright, *Catalogue of Syriac Manuscripts in the British Museum*, II, London 1871, p. 550-554. Nous en avons déjà parlé dans les Livres précédents d'Irénée (cf. *SC* 100, p. 102 ; *SC* 152, p. 164 ; *SC* 210, p. 139).

Les fragments 2 et 3 se trouvent en outre dans le *Brit. Mus. Add. 14629*, s. VIII-X, Wright, l.c., p. 754-756) (f. 2ᵛ, col. 1 et 3ʳ, col. 2, d'après Pitra), mais ce ms. ne fait que copier les *testimonia* fournis par Sévère (cf. J. Lebon, CSCO 111 (1938), p. ɪᴠ). Il n'y a donc pas à faire grand cas de lui, d'autant plus qu'il n'offre pas de variante digne d'être signalée pour ces fragments d'Irénée.

Il nous plaît de remercier ici le P. F. Graffin de s'être aimablement prêté à la révision du texte syriaque.

*
* *

Que nous ont donc apporté ces fragments ?

Pour ces trois passages, étant donné l'existence du texte grec original par lequel il est possible de contrôler la traduction latine, il faut avouer que la traduction syriaque n'a pas été l'occasion d'apporter quelque modification que ce soit au texte latin. Celui-ci est exact, fidèle au grec qui nous a été transmis, aucun motif de critique textuelle n'induit à le retoucher.

Mais le lecteur attentif à l'apparat critique — en latin — que nous déroulerons sous le texte pourra faire d'intéressantes observations par lesquelles il touchera à la fois à la polysémie et à la psychologie. Car un mot grec comme καλός porte les deux aspects du « beau » et du « bien » : qui dira pourquoi le traducteur syriaque a choisi « *pulcher* » alors que le latin a préféré « *bonus* » ? pourquoi les ψηφῖδες sont devenues en syriaque des « *lapilli* » et en latin des « *gemmae* » ? pourquoi le « renard » est un « petit renard » pour le latin ? etc. Génie de chaque langue, place de chaque mot, tempérament de chaque traducteur.

On constatera aussi par le troisième fragment que le texte grec mis sous les yeux du traducteur syriaque n'était pas en tout point semblable à celui qu'avait le latin, car « *manifestavit* » ne renvoie pas en grec au même mot que « *commemoravit* ». L'apparat fera comprendre pourquoi.

L. D.

CHAPITRE V

CONTENU ET PLAN DU LIVRE I

PRÉFACE

Chacun des cinq Livres de l'*Aduersus haereses* est précédé d'une préface. Le Livre I ne fait pas exception. Il est même précédé d'une préface particulièrement développée par laquelle, de toute évidence, Irénée entend introduire l'œuvre entière et définir l'objectif qui sera le sien tout au long de celle-ci.

Cette préface comprend deux points essentiels :

a) Irénée s'arrête d'abord à une constatation : il est des gens qui rejettent la vérité[1] et introduisent des faus-

---

1. Notons l'art avec lequel Irénée ouvre son grand ouvrage. Son premier mot est pour affirmer l'existence de la *vérité* : τὴν ἀλήθειαν. Il s'agit — toute l'œuvre d'Irénée ne cessera de le dire — de cette vérité que les prophètes de l'Ancien Testament avaient déjà prêchée de la part de Dieu, que le Fils de Dieu a révélée dans sa plénitude, dont il a confié le dépôt à ses apôtres et que ceux-ci ont transmise à l'Église, afin qu'elle en garde intacte à travers la dispersion des lieux et la succession des générations (cf. I, 10, 1 ; III, Pr. ; V, Pr., etc.). Cette vérité, que l'on reçoit par la foi, est indivisiblement objet de connaissance et règle de vie. Le deuxième mot d'Irénée est pour dire qu'il y a des hommes qui *rejettent* cette vérité : παραπεμπό-μενοί τινες. Irénée va préciser tout de suite que, ce qu'ils rejettent, c'est la foi en un seul Dieu, « Créateur du ciel, de la terre et de tout ce qui s'y trouve ». C'est le premier article de la « Règle de vérité » qu'ils rejettent de la sorte, mais, du coup, c'est cette Règle tout entière qu'ils rejettent, comme on le verra mieux par la suite.

setés ; par leurs manœuvres captieuses, ils trompent les simples ; ils pervertissent le sens des Écritures ; ils enseignent le blasphème à l'égard du Créateur, en se targuant d'une prétendue « connaissance » (γνῶσις) grâce à laquelle ils s'élèveraient au-dessus de celui-ci et atteindraient à un « Père » absolument transcendant, sans contact avec notre monde de matière. Irénée insiste sur la duplicité dont ils font preuve : ces novateurs s'enveloppent de secret ; au lieu de s'afficher ouvertement, ils dissimulent leurs doctrines et leurs pratiques sous des dehors anodins, ne révélant leur vrai visage qu'à l'intérieur de cercles d'initiés dont ils se sont préalablement assuré la fidélité. Irénée est pleinement conscient de la séduction qu'exerce la « gnose » par le mystère même dont elle s'entoure et du péril non négligeable qu'elle constitue pour la foi des simples [Pr. 1-2a].

b) Cette situation dicte à Irénée la seule tactique susceptible d'efficacité : avant tout, arracher à la gnose le masque sous lequel elle se dissimule et la faire apparaître au grand jour telle qu'elle est réellement. Irénée souligne le sérieux de l'enquête à laquelle il s'est astreint : il a lu les écrits des « disciples de Valentin » et, dans son désir de connaître avec exactitude leurs doctrines, il est même entré personnellement en relations avec certains d'entre eux. Il va donc rapporter les théories de ceux qui enseignent présentement l'erreur, notamment de Ptolémée et des gens de son entourage — car ils constituent la « fleur » de l'école de Valentin — et fournir les moyens de les réfuter. Nous avons là une première annonce, à la fois brève et très claire, des deux « temps » qui constitueront toute la démarche d'Irénée à travers l'*Aduersus haereses* : 1° il entend d'abord faire connaître (μηνύειν), rapporter (ἀπαγγέλλειν), rendre manifestes (φανερὰ ποιεῖν) les enseignements secrets des hérétiques : ce sera l'objet du Livre I ; 2° il pourra ensuite les réfuter (ἀνατρέπειν), montrer leur fausseté (ἐπιδεικνύειν ψευδῆ) : ce sera l'objet des Livres suivants. Ces lignes d'Irénée apparaissent ainsi comme une justification du titre donné par lui à l'ensemble de son ouvrage : « Dénonciation (ἔλεγχος) et réfutation (ἀνατροπή) de la gnose au nom menteur »[1] [Pr., 2 b-3].

Si elle annonce de la sorte le programme d'ensemble de l'*Aduersus haereses*, la préface que nous venons d'analyser ne contient, en revanche, aucune indication sur le plan qu'Irénée se propose de suivre dans le déroulement du Livre I. Non qu'Irénée n'ait point un plan, voire un plan très élaboré, comme nous allons le voir ; mais il veut que ce plan se découvre de lui-même au lecteur attentif, au fur et à mesure de sa lecture, grâce aux indications à la fois discrètes et précises qui lui seront fournies en temps voulu.

Voici donc comment apparaissent, à cette lumière, les grandes articulations du Livre :

1. Vient d'abord ce qu'on est convenu d'appeler la « Grande Notice » : il s'agit d'un exposé détaillé des doctrines professées par Ptolémée et par les gens se réclamant plus ou moins directement de son enseignement (chap. 1-9).

2. Suit une deuxième partie au cours de laquelle Irénée fait ressortir, en les opposant à l'infrangible unité de la foi de l'Église, les multiples variations des doctrines et des pratiques hérétiques (chap. 10-22)[2].

---

1. Dans cette préface, Irénée s'adresse à un « ami » (ἀγαπητός) qui n'est pas autrement désigné. Nous ignorons son nom. Nous savons seulement qu'il a sollicité d'Irénée une réfutation des doctrines gnostiques. Peut-être s'agit-il du chef d'une communauté chrétienne, comme le suggérerait le fait qu'il aura la charge d'expliquer de façon plus détaillée, « à ceux qui sont avec lui », les arguments qu'Irénée ne pourra donner que d'une manière succincte (cf. I, Pr., 3). Voir aussi, dans le même sens I, 31, 4.
2. On rattache habituellement le chap. 10 à la première partie. Cette façon de faire n'est pas sans incidence sur la signification

3. Enfin, une troisième partie montre que, sous des développements indéfiniment renouvelés, toutes les sectes hérétiques, depuis les origines, n'ont jamais fait que reproduire les traits fondamentaux d'un système déjà échafaudé par Simon le Magicien (chap. 23-31).

PREMIÈRE PARTIE

EXPOSÉ DE LA DOCTRINE DE PTOLÉMÉE (1-9)

L'exposé du système ptoléméen[1] se répartit de lui-même en trois sections de longueur très inégale : il y est traité, d'abord, de la manière dont s'est constitué le Plérôme des trente Éons (chap. 1) ; puis, plus longuement, du drame survenu à l'intérieur de ce Plérôme (chap. 2-3) ; enfin, plus longuement encore, de toute la suite des événements qui se sont déroulés hors du Plérôme comme contrecoup du drame survenu au sein du Plérôme (chap. 4-9).

même que l'on est amené à reconnaître à toute la seconde partie. Nous montrerons plus loin qu'une telle division va à l'encontre des indications clairement données par Irénée lui-même.

1. Nous disons « système ptoléméen » pour faire court. Les critiques sont d'accord pour reconnaître dans l'ensemble de la Grande Notice un exposé de la doctrine de Ptolémée. Mais, d'une part, Irénée tend à élargir son horizon en donnant à entendre que les thèses qu'il rapporte sont, au moins dans leurs grandes lignes, communes à toute l'école valentinienne (d'où les formules : « ils disent..., ils veulent..., ils enseignent... ») ; d'autre part, Irénée ne peut s'empêcher de constater que, sur maintes questions, l'accord est loin de régner parmi les docteurs gnostiques (d'où les formules : « certains d'entre eux prétendent..., les uns veulent... », etc.). Pour une analyse critique de la Grande Notice, nous renvoyons une fois pour toutes à F. SAGNARD, *La Gnose valentinienne et le témoignage de saint Irénée*, Paris, 1947, p. 140 suiv.

Chacune de ces trois sections présente la même structure caractéristique : dans un premier temps, Irénée relate les événements eux-mêmes dans ce qu'on pourrait appeler leur nudité objective ; après quoi, dans un second temps, il regroupe et cite à la suite les uns des autres les principaux textes scripturaires dont les hérétiques entremêlaient leurs exposés et dans lesquels ils cherchaient un semblant d'appui pour leurs théories.

La raison pour laquelle Irénée dissocie de la sorte système hérétique et textes scripturaires se laisse aisément deviner : en reléguant le mythe gnostique dans sa sèche nudité, d'une part, et en retirant les textes scripturaires du contexte factice où on les avait introduits, d'autre part, il veut que le lecteur perçoive d'emblée tant l'aspect artificiel du système que le caractère forcé des exégèses gnostiques. De la sorte, Irénée réalise vraiment le programme de son Livre I, qui est d'arracher son masque à l'hérésie (ἔλεγχος) : l'exposé qu'il fait de celle-ci, sans cesser d'être objectif, est déjà riche d'une réfutation virtuelle[1].

1. Constitution du Plérôme (1)

a) *Genèse des trente Éons* (1, 1-2).

Voici d'abord relatée la série des émissions par laquelle s'est constitué le « Plérôme ».

A l'origine de tout, il y a un premier couple, infini, éternel, inengendré : l'« Abîme » (ou « Père de toutes choses ») et la « Pensée » (ou « Grâce » ou « Silence »). De ce premier couple, un jour, naît un second : « Intellect »

---

1. Le but d'Irénée n'est donc pas d'« alléger l'exposé dogmatique », comme l'a cru F. Sagnard, *o.c.* p. 142. Son but est polémique : il veut dissiper le mirage résultant de l'habile entrelacement des assertions doctrinales et des citations ou allusions scripturaires dans lequel se complaisent les gnostiques (voir, à titre d'exemple, les *Extraits de Théodote*, éd. F. Sagnard, *SC* 23, Paris, 1970).

(ou « Monogène ») et « Vérité ». Puis, du second, un troisième : « Logos » et « Vie ». Puis, du troisième, un quatrième : « Homme » et « Église ». Ainsi se trouve constitué un premier groupe de huit Éons ou « Ogdoade », qui est comme le fondement de tout le Plérôme [1, 1].

Les émissions continuent. De « Logos » et « Vie » naissent dix autres Éons, groupés en cinq couples ou « syzygies » — c'est la « Décade » —, tandis que d'« Homme » et « Église » en naissent douze autres, groupés en six « syzygies » — c'est la « Dodécade » —. Ogdoade, Décade et Dodécade constituent la « Triacontade » : c'est le « Plérôme » divin ou monde pneumatique en son total et harmonieux déploiement [1, 2].

b) *Exégèses gnostiques* (1, 3).

A l'appui de ce nombre trente, considéré comme symbole de plénitude, sont invoqués deux passages scripturaires : le verset précisant que Jésus était âgé de trente ans lorsqu'il commença sa vie publique (*Lc* 3, 23), et les versets rapportant les différentes heures auxquelles les ouvriers de la parabole furent envoyés à la vigne : $1+3+6+9+11 = 30$ (*Matth.* 20, 1-7). Irénée se gausse de ces sortes de recours aux textes bibliques : il ne peut y avoir là, à ses yeux, qu'accommodations purement fantaisistes.

2. Perturbation et restauration du Plérôme (2-3)

a) *Passion de « Sagesse » et intervention de « Limite »* (2, 1-4).

Un drame ne va pas tarder à troubler l'harmonie du Plérôme. En effet, seul le « Monogène » ou « Intellect », issu immédiatement du Père et tout proche de lui, est à même de contempler celui-ci : pour tous les autres Éons, une telle contemplation est radicalement impossible, encore qu'ils ne puissent s'empêcher d'y aspirer. Ce désir,

croissant à mesure qu'on s'éloigne du Père, s'exaspère
finalement dans le dernier Éon de la Dodécade, un Éon
féminin nommé « Sagesse ». Celle-ci, oubliant qu'elle n'est
que le dernier des Éons, bondit violemment hors de son
rang pour s'élancer vers le Père. Si violent est son désir,
qu'elle se dissoudrait dans l'infini de l'Abîme primordial,
si elle n'était arrêtée par un nouvel Éon, « Limite » ou
« Croix », émis tout juste à ce moment par l'Intellect sur
l'ordre du Père[1]. Non content d'arrêter Sagesse, ce nouvel
Éon extirpe d'elle la « Tendance » (ou « Enthymésis »)
désordonnée qu'elle a conçue en elle et expulse la « Tendance » en question hors du Plérôme ; après quoi il
raffermit Sagesse et la replace dans son rang, aux côtés
de son conjoint. Ainsi libérée de sa « Tendance » et de
la « passion » inhérente à celle-ci, Sagesse retrouve le repos.

b) *Émission du « Christ », de l'« Esprit Saint » et du
« Sauveur »* (2, 5-6).

Après cela, sur l'ordre du Père de toutes choses,
l'Intellect émet encore un nouveau couple d'Éons, « Christ »
et « Esprit Saint », chargés de procurer aux Éons la
« connaissance » (ou « gnose ») du Père, autrement dit de
leur révéler que le Père est incompréhensible et insaisissable : ils ne peuvent rien saisir de lui en dehors du
Monogène, qui est comme sa forme visible et compréhen-
sible [2, 5-6a].

Guéris par là de leur vaine agitation et introduits dans
un parfait repos, les Éons mettent alors en commun le
meilleur d'eux-mêmes pour produire à la gloire du Père
un dernier Éon, le « Sauveur » ou Fruit commun du

---

1. Nous négligeons, disons-le une fois pour toutes, certaines
variantes secondaires signalées par Irénée, pour tenter de dégager
les toutes grandes lignes de la doctrine gnostique. De même nous
négligeons habituellement de signaler l'ironie, tantôt contenue,
tantôt mordante, dont Irénée ne se fait pas scrupule d'assaisonner
son exposé des doctrines gnostiques.

Plérôme, qu'ils gratifient d'une escorte d'Anges. Telle est l'heureuse issue du drame survenu au sein du Plérôme [2, 6b].

c) *Exégèses gnostiques* (3).

Voici maintenant, regroupés par Irénée, quelques textes scripturaires en lesquels les Ptoléméens prétendaient découvrir, sous le voile des « mystères », une mention des Éons et de leurs avatars. C'est d'abord une série de textes relatifs au Plérôme et à sa division en Dodécade, Décade et Ogdoade (*Lc* 3, 23 ; *Matth.* 20, 1-7 ; *Lc* 2, 42 ; *Matth.* 10, 2 ; *Matth.* 5, 18). Ce sont ensuite quelques textes se rapportant plus immédiatement à la « passion » du douzième Éon de la Dodécade : apostasie de Judas, le douzième apôtre (*Matth.* 10, 4) ; Passion soufferte par Jésus le douzième mois (*Lc* 4, 19 ; *Is.* 61, 2) ; guérison de l'hémorroïsse par le Sauveur après douze ans de souffrances (*Matth.* 9, 20)[1]. Puis des textes relatifs au « Sauveur » en tant qu'issu de « tous » les Éons (*Lc* 2, 23 ; *Ex.* 13, 2 ; *Col.* 3, 11 ; *Rom.* 11, 36 ; *Col.* 2, 9 ; *Éphés.* 1, 10). Enfin, des textes relatifs à la double activité de « Limite » ou « Croix » : Croix qui affermit (*Lc* 14, 27 ; *Mc.* 10, 21), Limite qui sépare (*Matth.* 10, 34 ; *Matth.* 3, 12 ; *I Cor.* 1, 18 ; *Gal.* 6, 14). En conclusion, Irénée stigmatise une nouvelle fois les exégèses gnostiques, dont il relève le caractère fantaisiste et artificiel : les hérétiques « font violence » aux paroles de l'Écriture pour les accommoder à un système avec lequel elles n'ont aucun rapport.

---

1. Signalons cette exégèse allégorique de la guérison de l'hémorroïsse : elle est quelque peu développée et constitue un remarquable spécimen de la manière gnostique d'aborder l'Écriture.

3. Avatars du déchet expulsé du Plérôme (4-9)

a) *Passion et guérison d'Achamoth* (4).

Comme on l'a vu, l'«Enthymésis» de l'Éon Sagesse,
avec la « passion » qui lui était inhérente, a été expulsée du
Plérôme par Limite. Cette «Enthymésis», qui est une
substance pneumatique, mais informe, bouillonne d'abord
en dehors de la Lumière dont elle est exclue. Mais, saisi
de pitié, le « Christ » s'étend sur la « Croix-Limite » afin de
conférer à l'Enthymésis — appelée aussi « Achamoth » —
une première « formation », celle qui est « selon la
substance ». Grâce à cette première formation, Achamoth
prend conscience d'elle-même, c'est-à-dire à la fois de sa
nature pneumatique qui l'apparente au Plérôme et de la
passion qui se mêle à cette nature et l'obscurcit. De là trois
attitudes successives chez elle : d'abord un élan impuissant
vers la Lumière d'où elle est originaire ; puis, consécutive-
ment à cette impuissance, un déferlement des passions,
tristesse, crainte et angoisse, le tout dans l'ignorance ;
enfin, un mouvement de «conversion» vers le «Christ»
qui l'a formée et une supplication à l'adresse de celui-ci[1]
[4, 1-4].

Le « Christ » envoie alors vers elle le « Sauveur » avec
son escorte d'«Anges ». Le Sauveur confère à Achamoth
une seconde « formation », celle « selon la gnose », par
laquelle il lui révèle les mystères du Plérôme. Il effectue
en même temps la guérison de ses passions. Il les sépare
d'elle et en fait la substance « hylique » ou matérielle
dont sera constitué notre monde visible. Il met de
même à part la « conversion », dont il fait la substance

---

1. A l'évocation des « passions » d'Achamoth d'où tirerait son
origine tout notre univers de matière, Irénée ne peut s'empêcher de
donner libre cours, tout au long de deux paragraphes (I, 4, 3-4), à
sa verve satirique.

« psychique ». Ainsi dégagée de tout ce qui est étranger à sa nature pneumatique, Achamoth conçoit, de la contemplation des Anges escortant le Sauveur, une « semence », pneumatique elle aussi et portant la ressemblance de ces Anges [4, 4].

b) *Genèse du Démiurge* (5, 1).

Trois substances sont donc issues d'Achamoth : au sommet, la substance « pneumatique » enfantée par elle à la suite de la contemplation des Anges entourant le Sauveur ; en bas, la substance « hylique », mauvaise par nature, issue des passions d'Achamoth ; entre les deux, la substance « psychique », issue de sa conversion.

N'ayant pas le pouvoir de former l'élément pneumatique, puisque cet élément lui est consubstantiel, Achamoth entreprend de former la substance psychique. D'une portion de cette substance elle fait le « Démiurge », auquel elle confère tout pouvoir sur l'universalité de la substance psychique et hylique. Ce Démiurge devient de la sorte le « Dieu » de tous les êtres qui lui sont consubstantiels — êtres psychiques, dits aussi êtres de « droite » — et de tous les êtres qui sont d'une nature inférieure à la sienne — êtres hyliques, dits aussi êtres de « gauche » —. Mais, comme ce Démiurge est d'une nature simplement psychique, il ignore tout de la substance pneumatique qui lui est supérieure.

c) *Genèse de l'univers* (5, 2-4).

Une fois formé par sa Mère Achamoth, le Démiurge entreprend à son tour sa propre œuvre de fabrication. Il sépare donc l'une de l'autre les substances psychique et hylique, jusque-là mélangées, et il en fait tous les êtres qui constituent l'univers. Les éléments les plus lourds fournissent la substance corporelle de notre monde : terre, eau, air, feu. Au-dessus de notre monde terrestre, il dispose sept Cieux, qui sont sept Puissances angéliques. Lui-même

se tient au-dessus d'eux, tandis que sa Mère Achamoth
se tient dans l'« Intermédiaire », au-dessus du Démiurge
et au-dessous du Plérôme [5, 2].

Toutes ces créations, le Démiurge s'imagine les produire
de lui-même, mais, en réalité, il n'est qu'un simple pantin
entre les mains de sa Mère Achamoth : celle-ci le manipule
à son gré, sans même qu'il s'en doute, de manière à lui faire
produire toutes choses à l'image des réalités du Plérôme.
Se croyant seul Dieu et ignorant tout ce qui se trouve
au-dessus de lui, il va jusqu'à dire par la bouche des
prophètes : « C'est moi qui suis Dieu, et il n'en est point
d'autre en dehors de moi » (*Is.* 45, 5) [5, 3-4].

d) *Genèse de l'homme* (5, 5-6).

Après avoir fabriqué le monde, le Démiurge fait l'homme
au moyen d'un élément hylique en lequel il « insuffle »
(*Gen.* 2, 7) une âme psychique, de telle sorte que l'homme
soit à son « image » par son corps hylique et à sa
« ressemblance » par son âme psychique [5, 5].

Mais ici intervient un événement dépassant la compé-
tence du Démiurge. Dans le « souffle » (*Gen.* 2, 7) même du
Démiurge, à l'insu de celui-ci, Achamoth dépose la semence
pneumatique qu'elle a naguère conçue en contemplant
les Anges du Sauveur. De la sorte, cette semence pneumatique va se trouver portée dans l'élément psychique et
dans l'élément hylique comme dans une sorte de matrice,
de manière à pouvoir y croître peu à peu, tout au long de
la vie d'ici-bas, jusqu'à atteindre sa stature parfaite et à
être digne d'entrer au Plérôme. C'est cette semence qui *est*
l'« homme pneumatique », celui que le Valentinien considère
comme son vrai « moi », les éléments psychique et hylique
n'étant à ses yeux rien de plus qu'une enveloppe tout
extérieure et provisoire [5, 6].

e) *Mission du « Sauveur » dans le monde* (6).

La Notice rappelle d'abord l'hétérogénéité des trois
natures : l'élément hylique est radicalement incapable

d'un salut quelconque ; l'élément pneumatique voit son salut pleinement et infailliblement assuré par avance ; l'élément psychique, capable de choix, pourra bénéficier d'un certain « salut » s'il penche du bon côté.

La nature même de ces trois éléments va déterminer la façon concrète dont le « Sauveur » effectuera sa descente visible dans notre monde. Prenant les prémices de ce qui est susceptible d'être sauvé, il revêt l'élément pneumatique et l'élément psychique, mais ne peut que rester totalement à l'écart de la substance hylique. Il revêt donc la « semence » pneumatique issue d'Achamoth et le « Christ » psychique formé par le Démiurge. Mais comme cela ne suffit pas — car il faut qu'il soit vu des hommes —, ne pouvant prendre d'élément hylique, il s'entoure d'un « corps » ayant une substance psychique, mais organisé avec un art « inexprimable » de manière à être visible, palpable et passible [6, 1].

Qu'apporte le « Sauveur », par sa venue visible, à ceux des hommes qui sont susceptibles d'être sauvés? Des enseignements proportionnés à leurs natures respectives. Aux « pneumatiques » — c'est-à-dire aux Valentiniens —, il apporte la « gnose » par laquelle le germe pneumatique qui est en eux et qui est leur vrai moi pourra croître jusqu'à atteindre l'état parfait. Aux « psychiques » — c'est-à-dire aux chrétiens ordinaires constituant l'Église psychique —, il apprend à suivre le chemin plus modeste de la foi nue et des œuvres vertueuses. Deux « saluts » entièrement distincts, donc, et n'ayant même nul rapport entre eux. Les « pneumatiques » sont sauvés indépendamment des œuvres, du seul fait de leur nature pneumatique dont la « gnose » leur permet de prendre conscience. A vrai dire, ils n'ont jamais été réellement « perdus » : la semence pneumatique, en laquelle consiste leur seul vrai moi, n'a jamais cessé d'être d'essence plérômatique — tout comme l'or, même égaré dans la boue, est toujours de l'or —; cette semence ne peut donc que rejoindre infailliblement, tôt ou tard, le Plérôme, son lieu connaturel. Il en va autrement des « psychiques » : seule une vie vertueuse peut leur permettre d'échapper à l'anéantissement final qui attend inéluctablement les « hyliques »; encore cette vie vertueuse est-elle impuissante à leur procurer l'entrée au Plérôme et ne leur assure-t-elle qu'un « salut » de seconde zone, en bordure du Plérôme [6, 2].

Irénée trace un sombre tableau de l'immoralité à laquelle, logiques avec leur dualisme radical, certains gnostiques ne craignaient pas de s'abandonner [6, 3-4].

f) *Sort final des trois substances et précisions diverses* (7).

Lorsque toute la « semence » issue d'Achamoth aura atteint sa perfection, Achamoth quittera le lieu de l'« Intermédiaire » pour entrer au Plérôme et y recevoir le « Sauveur » comme époux ; les pneumatiques se dépouilleront de leur enveloppe psychique — ils auront déjà quitté leur corps hylique au moment de la mort — pour entrer eux aussi au Plérôme et y devenir les « épouses » des Anges du Sauveur. Le Démiurge, de son côté, passera de l'Hebdomade dans le lieu de l'Intermédiaire, où il prendra son repos avec les âmes psychiques qui auront pratiqué la justice. Quant à l'élément hylique dont est constitué l'univers, il sera tout entier anéanti par le feu [7, 1].

La Notice revient ensuite sur quelques points particuliers. Elle présente d'abord un nouvel exposé de la christologie gnostique, légèrement différent de celui qu'on a lu en I, 6, 1, mais surtout plus complet. D'après ce nouvel exposé, il y aurait eu un « Christ » psychique émis par le Démiurge ; il aurait possédé en lui la « semence » pneumatique issue d'Achamoth et aurait été revêtu d'un « corps » psychique et néanmoins visible et palpable ; il serait passé à travers Marie, comme de l'eau à travers un tube ; sur lui serait descendu sous forme de colombe, lors du baptême du Jourdain, le « Sauveur » venant du Plérôme ; à travers ce « Christ », le « Sauveur » aurait alors délivré aux hommes son message de révélation et communiqué la « gnose » concernant le Père inconnu ; au moment de la Passion, le « Sauveur » serait remonté au Plérôme ; seul le « Christ » psychique aurait été mis en croix, afin de manifester, dans un symbole visible, la vraie « crucifixion », celle au cours de laquelle le « Christ » du Plérôme s'était étendu sur la « Croix-Limite » afin de former Achamoth d'une formation selon la substance [7, 2].

La Notice donne ensuite quelques précisions sur les origines diverses que les Ptoléméens attribuaient aux prophéties de l'Ancien Testament : selon eux, les unes émanaient de la « semence » d'Achamoth présente dans l'âme des prophètes, d'autres, d'Achamoth elle-même, d'autres encore, du Démiurge. Division analogue pour les paroles du « Jésus » de l'Évangile, qui étaient supposées venir, tantôt du « Sauveur », tantôt d'Achamoth, tantôt du Démiurge [7, 3].

La Notice précise encore que, durant tout l'Ancien Testament, le Démiurge ignore complètement le monde supérieur. L'existence de celui-ci lui est révélée lors de la venue du « Sauveur », qu'il accueille avec joie. Désormais il prend soin de l'« Église » des pneumatiques, en attendant la récompense qui doit lui échoir lors de la consommation finale [7, 4].

Sur une dernière évocation de cette consommation finale s'achève l'exposé de l'ensemble des événements survenus hors du Plérôme comme contrecoup du drame préalablement surgi dans le Plérôme lui-même [7, 5].

g) *Exégèses gnostiques* (8-9).

Conformément à un schème dont nous avons déjà vu deux exemples, Irénée va maintenant donner un aperçu des principaux textes scripturaires à l'aide desquels les hérétiques tentaient d'accréditer leur fable.

Deux développements se distinguent d'emblée dans cette section : un dossier de textes scripturaires relatifs aux événements survenus hors du Plérôme (8, 2-4) ; un commentaire du prologue johannique par Ptolémée, d'abord cité tel quel par Irénée, puis critiqué par celui-ci (8, 5 - 9, 3). Ces deux développements sont encadrés par deux brefs morceaux d'allure plus générale, manifestement symétriques, en lesquels Irénée illustre par deux comparaisons suggestives, celle de la mosaïque et celle du centon homérique, le caractère aberrant des exégèses gnostiques (8, 1 et 9, 4)[1].

Donc, avant d'aborder les textes eux-mêmes, désireux de mettre une nouvelle fois en pleine lumière le vice radical dont souffrent les exégèses gnostiques, Irénée commence par développer la comparaison de la mosaïque. Il en est de l'Écriture comme d'une riche mosaïque qui reproduirait les traits d'un roi. Qu'un faussaire vienne subrepticement bouleverser l'ordonnance des pierres de la mosaïque, et ces mêmes pierres, ainsi arrachées à leur emplacement normal, dessineront une figure nouvelle, celle d'un chien, par exemple, ou de tout autre être que l'on voudra. C'est précisément de cette manière que les hérétiques bouleversent l'ordonnance et l'enchaînement des Écritures, arrachant les textes à leur contexte pour les accommoder de force à une fable avec laquelle ils n'ont rien à voir [8, 1].

Vient alors la série des textes bibliques que les Ptoléméens tentent d'appliquer aux événements survenus hors du Plérôme. Certains textes manifesteraient, selon eux, des

---

1. Nous croyons que le développement qui va de 8, 1 à 9, 4 forme une seule unité littéraire. Sans doute, le dossier de textes scripturaires (8, 2-4), d'une part, et le commentaire de Ptolémée avec la mise au point d'Irénée (8, 5 - 9, 3), d'autre part, constituent deux morceaux bien distincts ; mais le tout est encadré par deux paragraphes (8, 1 et 9, 4) qui se relient manifestement l'un à l'autre par la similitude de leur contenu, et, qui plus est, la comparaison de la mosaïque, développée en 8, 1, est expressément rappelée sous forme d'allusion inclusive à la fin de 9, 4.

traits de l'histoire d'Achamoth : son origine, à savoir
la passion du dernier des Éons du Plérôme (*I Pierre* 1, 20) ;
sa formation par le « Christ » d'en haut (*Lc* 8, 41-42) ; son
état d'avorton lors de son éjection hors du Plérôme
(*I Cor.* 15, 8) ; la venue vers elle du « Sauveur » escorté
de ses Anges (*I Cor.* 11, 10 ; *Ex.* 34, 33-35 ; *II Cor.* 3, 13) ;
l'abandon d'Achamoth après le départ du « Christ »
(*Matth.* 27, 46 ; *Ps.* 21, 2) ; les passions dont elle a été
alors submergée : tristesse (*Matth.* 26, 38), crainte
(*Matth.* 26, 39), angoisse (*Jn* 12, 27). D'autres textes sont
invoqués par les Ptoléméens à l'appui de leur thèse relative
aux trois races d'hommes : il y a d'abord les paroles du
Seigneur désignant la race hylique (*Matth.* 8, 19-20 ;
Lc 9, 57-58), la race psychique (*Lc* 9, 61-62 ; *Matth.* 19,
16-22) et la race pneumatique (*Matth.* 8, 22 ; *Lc* 9, 60 ;
Lc 19, 5) ; il y a la parabole du ferment (= le « Sauveur »)
qu'une femme (= Achamoth) cache dans trois mesures
de farine (= les trois races) (*Matth.* 13, 33 ; *Lc* 13, 20-21) ;
il y a enfin les paroles par lesquelles Paul nomme en toutes
lettres les choïques (*I Cor.* 15, 48), les psychiques (*I Cor.*
2, 14) et les pneumatiques (*I Cor.* 2, 15). D'autres textes
encore, selon les Ptoléméens, indiqueraient, d'une façon
symbolique, tel ou tel d'entre les événements survenus
hors du Plérôme : le « Sauveur » assumant les prémices
de ce qu'il doit sauver (*Rom.* 11, 16) ; le « Sauveur » se
mettant à la recherche d'Achamoth, symbolisée par la
brebis égarée (*Matth.* 18, 12-13) ; la Sagesse d'en haut
perdant et retrouvant son « Enthymésis », symbolisée
par la drachme perdue et retrouvée (*Lc* 15, 8-10) ; le
Démiurge, symbolisé par le vieillard Siméon, rendant grâces
à l'« Abîme » lors de la venue du Sauveur (*Lc* 2, 29) ;
Achamoth, symbolisée par la prophétesse Anne, persévé-
rant dans le lieu de l'« Intermédiaire » et attendant le retour
du « Sauveur » (*Lc* 2, 36-38). A quoi peuvent s'ajouter
encore les paroles du « Sauveur » et de Paul désignant
Achamoth du nom de « Sagesse » (*Lc* 7, 35 ; *I Cor.* 2, 6),

et la parole de Paul évoquant le mystère des couples existant au sein du Plérôme (*Éphés.* 5, 32) [8, 2-4].

Après toute cette nomenclature de textes, Irénée juge utile de mettre sous les yeux de son lecteur un spécimen particulièrement représentatif de l'exégèse gnostique : une page de Ptolémée lui-même, en laquelle celui-ci, expliquant verset par verset le début de l'Évangile johannique, croit pouvoir y retrouver une claire mention des huit premiers Éons de son Plérôme. Selon lui, les versets 1-2 nommeraient le « Père » (= Dieu), le « Monogène » (= le Principe) et le « Logos ». Les versets 3-4 désigneraient la « Vie » comme la compagne du « Logos ». Le verset 4, sous la désignation collective d'« Hommes », ferait connaître l'« Homme » et l'« Église ». Avec le « Logos » et la « Vie », l'« Homme » et l'« Église », on aurait la deuxième Tétrade. On aurait également la première au verset 14, lorsque, parlant du « Sauveur », Jean dit que sa gloire est comme celle que le « Monogène » tient du « Père », remplie de « Grâce » et de « Vérité ». Telle est l'exégèse de Ptolémée [8, 5].

Irénée n'a guère de peine à montrer ce qu'une telle exégèse a d'arbitraire : si Jean avait voulu révéler l'existence d'une Ogdoade d'Éons, il se serait exprimé tout autrement qu'il ne le fait. En réalité — et Irénée nous donne par avance un aperçu de l'exégèse qu'il développera lui-même dans la suite —, ce que Jean proclame dans le Prologue de son Évangile, c'est, d'une part, le seul Dieu tout-puissant qui a créé toutes choses par son Verbe, et, d'autre part, ce Verbe même, Fils unique de Dieu, Auteur de toutes choses, venu dans son propre domaine et véritablement fait chair pour procurer le salut de sa créature. Si Jean ne connaît qu'un seul Seigneur Jésus-Christ, à la fois Verbe, Fils unique, Vie et Lumière, devenu le Sauveur des hommes par son incarnation, c'en est fait de la prétendue Ogdoade et de tout le Plérôme gnostique [9, 1-3].

Pour illustrer une dernière fois l'arbitraire des exégèses gnostiques, Irénée y va d'une nouvelle comparaison non moins suggestive que celle de la mosaïque. Les gnostiques, dit-il, se comportent à l'égard de l'Écriture comme le font, à l'égard d'Homère, ces faiseurs de centons qui, arrachant de-ci de-là des vers aux poèmes homériques et les regroupant en une suite nouvelle, en fabriquent des récits qui n'ont plus rien de commun avec les sujets traités par Homère. Un connaisseur des poèmes homériques ne saurait être dupe de cette supercherie : de même le chrétien qui garde inébranlablement la Règle de vérité reçue au baptême[1] démasquera sans peine l'artifice des exégèses hérétiques [9, 4].

Ainsi s'achève la première partie du Livre I. Les quelques lignes qui viennent ensuite et qui constituent le paragraphe 9, 5 sont d'une importance capitale pour une claire vue des grandes divisions du Livre. Ces lignes forment, comme nous allons le voir, une transition par laquelle Irénée annonce le contenu de la deuxième partie.

---

1. On notera le parallélisme étroit existant entre ces lignes relatives à la « Règle de vérité » et le passage de I, 3, 6 où Irénée a montré comment « par leurs exégèses habiles et artificieuses », les hérétiques « retiennent captifs loin de la *vérité* ceux qui ne gardent pas solidement leur *foi* en un seul Dieu Père tout-puissant et en un seul Jésus-Christ, Fils de Dieu ». Par ailleurs, il est clair que la présente mention de la « Règle de vérité » annonce l'exposé de la *foi* de l'Église qu'Irénée va présenter en I, 10, 1.

DEUXIÈME PARTIE

UNITÉ DE LA FOI DE L'ÉGLISE
ET VARIATIONS DES SYSTÈMES HÉRÉTIQUES
(10-22)

Comme nous l'avons déjà dit, les critiques font habituellement commencer au chap. 11 la deuxième partie du
Livre I. Le chap. 10 leur paraît devoir être rattaché à ce
qui le précède, en raison du lien existant, de toute évidence,
entre l'exposé de la foi qui se lit en I, 10, 1 et la mention
de la « Règle de vérité » qui figure en I, 9, 4. Délimitées de
la sorte, les deux premières parties du Livre sont censées
traiter, l'une, du système de Ptolémée, l'autre, de divers
systèmes valentiniens ; la troisième partie achèvera tout
naturellement ce tour d'horizon par une description rapide
des systèmes antérieurs à Valentin[1].

Voir les choses de la sorte, c'est, croyons-nous, méconn-
naître une indication des plus nettes donnée par Irénée
lui-même en I, 8, 5. La conséquence en est grave : on est
amené à se méprendre sur le contenu réel de toute la
deuxième partie et à ne pas apercevoir le véritable objectif
qui est celui d'Irénée tout au long de cette partie.

Que dit en effet Irénée en I, 9, 5 ? Qu'à la « farce »
gnostique qu'il vient d'exposer — c'est toute la première
partie — il ne manque que le point final, c'est-à-dire une
réfutation en bonne et due forme. Voilà pourquoi, continue-
t-il, il va, avant toute autre chose, mettre en évidence
les multiples points sur lesquels les hérésiarques diffèrent

---

1. Voir, à titre d'exemple, F. SAGNARD, *La Gnose valentinienne...*,
p. 140-141, et A. BENOÎT, *Saint Irénée. Introduction à l'étude de sa
théologie.* Paris, 1960, p. 159-161.

entre eux. Et de donner aussitôt la raison d'être de cette
tactique : le simple spectacle de l'unité de la foi de l'Église
tout entière, d'une part, et des multiples variations des
doctrines hérétiques, d'autre part, fera voir d'emblée, sans
qu'il soit besoin d'attendre la démonstration proprement
dite qui viendra par la suite[1], de quel côté est la vérité et
de quel côté le mensonge.

Cette fois nous tenons, de la bouche d'Irénée lui-même,
le véritable objectif poursuivi par lui dans la deuxième
partie du Livre. Il ne s'agit pas d'un simple exposé de
« divers systèmes valentiniens », tel que pourrait le faire
un historien du gnosticisme. Le but d'Irénée est *polémique* :
en faisant en sorte que l'exposé des variations de l'hérésie
se détache sur cet arrière-plan qu'est l'unité de la foi de
l'Église, il veut que cet exposé même soit déjà, de façon
virtuelle, une réfutation[2]. C'est donc comme tout naturelle-

---

1. Nous attirerions volontiers l'attention du lecteur sur ces
quatre petits mots : καὶ πρὸ τῆς ἀποδείξεως. Irénée parle d'une
chose concrète. Il ne dit pas : « avant une démonstration quelconque »,
mais : « avant *la* démonstration ». Qu'est-ce que cette « démonstration » bien précise sur laquelle porte déjà son regard ? C'est tout
simplement celle dont il dira dans la conclusion du Livre II :
« Cependant, pour ne pas paraître esquiver la *démonstration* tirée
des Écritures du Seigneur..., nous allons, dans le Livre suivant,
exposer ces Écritures... ». La « démonstration » en question fera
l'objet des trois derniers Livres de l'*Aduersus haereses*. On voit que,
dès le Livre I, Irénée possède une vision d'ensemble de sa grande
œuvre. Cela infirme la thèse d'après laquelle Irénée, après avoir eu
d'abord en vue un simple exposé et une simple réfutation de la
Gnose (Livres I et II), aurait vu ensuite son projet primitif se
gonfler de ces trois appendices successifs qu'auraient été les trois
derniers Livres. Cf. Ph. BACQ, *De l'ancienne à la nouvelle alliance
selon S. Irénée. Unité du Livre IV de l'Aduersus haereses*, Paris-
Namur, 1978, p. 22-29.

2. Comparer avec ce que nous avons dit plus haut, p. 117, de la
dissociation délibérément opérée par Irénée entre le système proprement dit de Ptolémée et les textes scripturaires au moyen desquels
celui-ci tentait de l'accréditer. C'est, de part et d'autre, le même
souci polémique.

ment que la structure de cette deuxième partie va être celle d'un triptyque : le panneau central en sera constitué par l'exposé détaillé des variations des systèmes hérétiques (chap. 11-21) ; les deux volets latéraux évoqueront la merveilleuse unité de la foi de l'Église à travers le monde entier (chap. 10 et 22)[1].

1. Unité de la foi de l'Église (10)

a) *Les données de la foi* (10, 1-2).

Avant donc de faire connaître les multiples variations des systèmes hérétiques, Irénée juge bon de dresser d'abord, en face d'elles, un résumé de la foi professée par l'Église. Cela nous vaut une page d'une densité remarquable, une des plus élaborées sans doute de toute l'œuvre irénéenne. Pour le fond, elle est aussi « impersonnelle » qu'il est possible : rien qu'un tissu serré de citations et de réminiscences bibliques. Pour la forme, elle consiste en une longue période savamment articulée dont tous les termes ont été pesés avec soin : on y sent Irénée préoccupé de dire tout l'essentiel, rien que l'essentiel, d'une manière qui coupe court par avance aux interprétations retorses des gnostiques.

Tout l'essentiel de la foi se concentre dans les trois articles fondamentaux : un seul Dieu, le Père tout-puissant, qui a créé toutes choses ; un seul Christ Jésus, le Fils de Dieu, incarné pour notre salut ; l'Esprit Saint, qui a parlé par les prophètes. Ce dernier point est développé : par l'organe des prophètes, l'Esprit Saint a fait connaître la totalité de l'œuvre salvifique assumée par

---

1. De la sorte, les chap. 10 et 22 détermineront, selon un procédé de composition constant chez Irénée, une véritable inclusion. L'existence même de cette inclusion constitue un argument supplémentaire en faveur du rattachement du chap. 10 à la deuxième partie plutôt qu'à la première.

le Fils de Dieu, « économies » jalonnant tout l'Ancien
Testament, première venue dans l'humilité de la chair
(incarnation, Passion, résurrection, ascension) et seconde
venue dans la gloire du Père. A son tour, ce dernier point
est développé : lors de sa parousie glorieuse, le Fils de Dieu
opérera la résurrection de toute chair, recevra l'hommage
de toute la création et exercera un juste jugement sur tous,
envoyant les pécheurs impénitents aux châtiments éternels
et introduisant les justes dans la vie et la gloire éternelles[1]
[10, 1].

Telle est la foi que l'Église a reçue des apôtres. Cette
foi, souligne Irénée, demeure une et identique à travers
le monde entier malgré la diversité des langues et la
dispersion des continents. Chose non moins remarquable,
cette foi demeure une et identique au milieu des inégalités
du savoir humain : « ni celui qui peut en disserter
abondamment n'a plus, ni celui qui n'en parle que peu n'a
moins » [10, 2].

1. Noter la structure, à la fois simple et savante, de cette longue
phrase, que fait ressortir le schéma suivant :

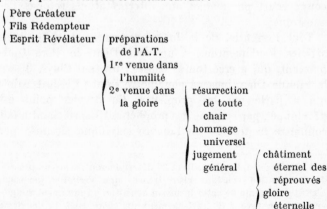

b) *Les questions théologiques* (10, 3).

Ici, cependant, une difficulté peut surgir : si la foi est à ce point partout et toujours une et identique, peut-on concevoir qu'il existe des degrés plus ou moins élevés dans l'intelligence des vérités de la foi ? La foi n'exclurait-elle pas, de par sa nature même, toute « gnose », quelle qu'elle soit ?

La réponse d'Irénée, remarquable d'ouverture et d'équilibre, est en substance la suivante : s'il existe une fausse « gnose », qui s'imagine pouvoir s'élever au-dessus de la foi et atteindre un « Père » supérieur au Dieu Créateur auquel s'adresse la foi, il existe aussi une « gnose » authentique, qui se situe à l'intérieur de la foi dont elle accepte humblement les données. Et Irénée d'esquisser les grandes lignes d'une authentique réflexion théologique — celle-là même, pour le dire en passant, qui sera la sienne tout au long de son grand ouvrage —. Ce qu'on demandera à un homme vraiment riche de science divine, ce sera, avant tout, d'expliquer les Écritures, et plus particulièrement ces pages susceptibles d'être mal interprétées que sont les paraboles, à la lumière de la Règle de vérité. Ce qu'on lui demandera encore, ce sera, dans le sillage de ces mêmes Écritures, d'exposer l'ensemble de l'histoire du salut, en faisant voir comment la multiplicité des étapes et des aspects de cette histoire, bien loin de postuler des Dieux distincts, comme le voudraient les gnostiques, s'explique par l'intervention continue, constamment adaptée aux possibilités de l'homme, d'un Dieu qui, de la création à la consommation finale, demeure « un et le même ».

L'unité de la foi de l'Église ayant été ainsi mise en pleine lumière, Irénée peut passer à l'exposé des variations des systèmes hérétiques.

2. Variations des systèmes hérétiques (11-21)

Cette section centrale de la deuxième partie se répartit sans peine en un certain nombre d'unités nettement différenciées.

Les chap. 11-12 forment une première unité : sous nos yeux, à partir de Valentin lui-même, défile un cortège de docteurs gnostiques qui semblent mettre leur point d'honneur à renchérir les uns sur les autres à coup de nouvelles inventions.

Avec le chap. 13 entre en scène Marc le Magicien, un Valentinien qui paraît avoir eu une importance toute particulière aux yeux d'Irénée. C'est à ce Marc et à son école, croyons-nous, que va être consacré tout le reste de la présente section, jusqu'au chap. 21 inclusivement[1].

C'est d'abord une présentation du personnage et de ses agissements, ainsi que de ceux de ses disciples (chap. 13).

Vient ensuite un long développement rapportant diverses spéculations grammatologiques et arithmologiques auxquelles donnait prétexte, sous la plume de Marc, le mythe valentinien relatif au Plérôme, à la chute de Sagesse et à l'œuvre du Sauveur dans notre monde (chap. 14-16).

1. Les critiques se sont divisés sur la question de savoir jusqu'où s'étend la notice consacrée à Marc le Magicien. Les uns, frappés par le fait que le nom de Marc apparaît pour la dernière fois en I, 15, 6, croient devoir restreindre la notice en question aux chap. 13-15, à moins qu'ils ne consentent à y ajouter le chap. 16, totalement semblable pour le ton et le contenu aux chap. 14 et 15. Mais d'autres critiques, beaucoup plus nombreux, estiment que les chap. 17 à 21 concernent eux aussi, sinon Marc lui-même, du moins l'école se rattachant à lui. Un indice non négligeable en faveur de cette dernière position est le lien existant entre I, 13, 6, où la pratique du rite de la « rédemption » est attribuée expressément aux Marcosiens, et le chap. 21, qui traite tout entier de cette « rédemption » même. N'est-il pas tentant de voir là une sorte d'inclusion et de considérer, dès lors, les chap. 13 à 21 comme formant un développement unique ayant les Marcosiens pour objet ?

S'y rattache une suite de spéculations marcosiennes
visant à retrouver les grandes divisions du Plérôme,
Ogdoade, Décade et Dodécade, parmi les êtres de la
création (chap. 17), puis une série de passages bibliques
censés attester ces mêmes divisions (chap. 18).

Suit un morceau regroupant une série de textes bibliques
se rapportant, dans l'esprit des Marcosiens, à l'ignorance
où l'on était du « Père » avant la venue du Sauveur
(chap. 19-20).

Un dernier développement met en évidence les divergences des Marcosiens dans la manière de concevoir et
de pratiquer le rite de la « rédemption » (chap. 21)[1].

Telle se présente l'ordonnance générale de la section
centrale de la deuxième partie. Voyons-en de plus près
le détail.

a) *Diversité des doctrines professées par les Valentiniens*
(11-12).

Ouvrant le cortège des Valentiniens, voici Valentin en
personne, dont le système est décrit dans les toutes grandes
lignes. Même Plérôme de trente Éons que chez Ptolémée
et même chute du dernier Éon. Mais, ici, Sagesse quitte

---

1. On notera que, si le chap. 21 se relie à I, 13, 6, comme il a été
dit dans la note précédente, il offre également un indéniable parallélisme avec les chap. 11-12 : même manière de mettre en évidence par
procédé accumulatif, d'un côté, des variations dans les doctrines, de
l'autre, des variations dans les pratiques. De la sorte, toute la
deuxième partie du Livre I apparaît comme une architecture subti-
lement équilibrée, dont les éléments périphériques se répondent
deux à deux autour du bloc central :

> ┌──── Unité de la foi de l'Église (10)
> │ ┌── Diversité des doctrines hérétiques (11-12)
> │ │   Marc et son école (13-20)
> │ └── Diversité des pratiques marcosiennes (21)
> └──── La Règle de foi (22)

On peut voir une architecture semblable chez Eusèbe de Césarée,
SC 215, p. 15.

le Plérôme pour s'égarer au dehors dans les ténèbres. Elle y émet un fils, le « Christ », d'essence pneumatique, qui rentre au Plérôme. Vidée de sa substance pneumatique, elle émet un autre fils, le « Démiurge » psychique, auteur de notre monde, en même temps qu'un « Archonte de la gauche ». Quelques autres divergences encore par rapport à Ptolémée sont relevées par Irénée [11, 1].

Après Valentin, voici Secundus, distinguant, dans l'Ogdoade fondamentale, une Tétrade de lumière et une Tétrade de ténèbres [11, 2].

Après lui, un autre encore, un « maître réputé » qu'Irénée ne nomme pas, imagine à la racine de tous les Éons une Tétrade où figurent l'« Unicité », l'« Unité », la « Monade » et l'« Un » [11, 3-4].

D'autres encore, renchérissant sur le précédent, placent, avant l'« Abîme » et le « Silence », une Ogdoade complète d'Éons dont les noms s'escriment à dire la grandeur inaccessible [11, 5].

Divergences non moins nombreuses à propos de l'« Abîme », qui tantôt n'est ni mâle ni femelle, tantôt est l'un et l'autre à la fois, tantôt se voit attribuer « Silence » pour compagne. Des Ptoléméens, pour paraître plus savants, lui donnent deux compagnes, la « Pensée » et la « Volonté », dont il aurait engendré respectivement la « Vérité » et l'« Intellect ». D'autres, qui se veulent encore plus informés, assurent que le « Pro-Père » et la « Pensée » ont enfanté en une seule fois six Éons, le « Père » et la « Vérité », l'« Homme » et l'« Église », le « Logos » et la « Vie », de façon à ce que soit constituée la première Ogdoade [12, 1-3].

Divergences encore à propos du « Sauveur », issu tantôt de tous les Éons, tantôt de la Décade, tantôt de la Dodé-cade, tantôt du « Christ » et de l'« Esprit Saint », tantôt de l'« Homme » identifié au « Pro-Père » [12, 4].

Cet exposé des variations des doctrines hérétiques,

Irénée ne se fait pas faute de l'assaisonner, à plusieurs reprises, de l'ironie la plus mordante.

b) *Marc le Magicien et ses disciples: pratiques magiques et débauches* (13).

Mais, parmi tous ces docteurs gnostiques si avides de passer pour avoir découvert des secrets inconnus jusqu'à eux, il en est un qui se distingue par la présentation très particulière qu'il fait du mythe valentinien : Marc le Magicien. Avant de rapporter sa doctrine avec détail, Irénée juge utile de faire connaître le personnage.

Marc est un charlatan qui a réussi à se donner de l'importance aux yeux de beaucoup de gens par ses pratiques magiques. Célébrant ou faisant célébrer par des femmes une liturgie plus ou moins imitée de l'eucharistie chrétienne, il la rehausse par divers tours de passe-passe qui lui valent une réputation de thaumaturge. Non content de revendiquer pour lui-même le don de prophétie, il se flatte de pouvoir le communiquer à d'autres, de préférence aux femmes riches et élégantes. Après avoir perverti l'esprit de ces malheureuses, il achève de les corrompre en les déshonorant dans leur corps : c'est ce qu'avouent ces femmes elles-mêmes, lorsqu'elles parviennent à se détacher de lui pour revenir à l'Église de Dieu [13, 1-5].

Les disciples de Marc, que l'on rencontre jusque dans les contrées du Rhône, professent le même libertinisme moral. Leur « gnose » les établit au-dessus de toutes les Puissances qui régissent notre monde. La possession d'une formule de « rédemption » leur assure par avance la libre traversée des espaces célestes et l'entrée du Plérôme, sans que le Démiurge lui-même puisse mettre la main sur eux [13, 6-7].

c) *Marc le Magicien: grammatologie et arithmologie* (14-16).

Pour ce qui est de son système, Marc reprend, dans ses grandes lignes, le mythe valentinien. Mais, ambitieux d'innover, il le transforme en une suite compliquée de spéculations sur les lettres et les nombres : partant en effet du principe, admis par tous les gnostiques, que le monde d'en haut a sa réplique dans notre monde d'en bas, il croit que lettres et nombres ne peuvent manquer de livrer, à qui se donne la peine d'en scruter les mystères, toutes sortes d'images révélatrices du Plérôme, de ses réalités invisibles et des événements dont il a été le théâtre. Tout ce système ainsi échafaudé par lui, Marc a grand soin de le donner pour une révélation qui lui aurait été communiquée, soit par la première Tétrade, soit plus directement par le « Silence » et la « Vérité » appartenant à cette Tétrade.

Il y est d'abord question de l'origine du Plérôme. Quand le Père inexprimable voulut être exprimé, il proféra une Parole semblable à lui. Ce fut un « Nom » comprenant quatre « Syllabes », celles-ci comprenant à leur tour respectivement quatre, quatre, dix et douze « Éléments » ou « Lettres ». Chacune de ces Lettres n'était qu'une partie du Tout et ne pouvait faire entendre que sa sonorité propre. L'énonciation du Tout ne fut achevée que lorsque, chaque Lettre ayant été successivement proférée, on arriva à la dernière Lettre de la dernière Syllabe. Cette Lettre fit donc entendre, elle aussi, sa propre sonorité. Mais celle-ci, trouvant le champ libre devant elle, se répandit hors du Tout. La Lettre elle-même, dont la sonorité se propageait ainsi au dehors, fut reprise par sa Syllabe pour que le Tout demeurât complet ; mais la sonorité resta au dehors, comme rejetée, et de celle-ci sortit ce qui devait finalement constituer notre monde. Dans ce premier échantillon des spéculations de Marc, on reconnaît sans peine, sous le symbolisme des lettres et des chiffres, une variante du Plérôme valentinien et de la chute du dernier Éon de ce Plérôme [14, 1-2].

Après cela, la « Vérité » apparaît à Marc sous la forme d'une femme nue dont le corps, divisé en douze parties, s'identifie symboliquement aux vingt-quatre lettres de l'alphabet grec. Elle ouvre la bouche pour faire entendre à Marc la Parole qui concentre en elle toute révélation et dit simplement : « Christ Jésus » [14, 3].

Suit une explication de ce nom censément donnée par la Tétrade. Cette explication, passablement ésotérique, revient en gros à ce qui suit. Pour les psychiques (= les « appelés »), il n'existe qu'un Christ psychique, dont le nom est « Jésus » : un nom de six lettres, dont les psychiques perçoivent le son extérieur, mais dont ils sont incapables de percevoir la signification cachée. Il en va tout autrement des pneumatiques (= les « élus »). Pour eux, le vrai « Christ Jésus » est pneumatique : il est le « Sauveur », c'est-à-dire cet Éon qui, issu de la mise en commun de tous les Éons du Plérôme, concentre en lui, par là-même, toute la vertu de ce Plérôme. Son véritable Nom ne peut être qu'inexprimable, constitué qu'il est, non par un nombre limité de lettres, mais par la totalité de celles-ci, puisqu'il est le Fruit commun du Plérôme tout entier. En son langage algébrique, Marc dira que le « Sauveur » est à la fois le nombre 24 (= la totalité des lettres de l'alphabet grec) et le nombre 30 (= la totalité des Éons ou « Lettres » du Plérôme). L'alphabet grec lui-même est d'ailleurs à la fois ces deux nombres grâce à ses 3 lettres doubles (ζ, ξ, ψ) : si on les compte comme lettres ordinaires, on obtient le total de 24 ; si on les compte à la fois comme lettres ordinaires et comme lettres doubles — car elles sont l'un et l'autre à la fois —, on obtient le nombre 30 (24+3+3). Que le « Sauveur » concentre en lui la totalité du Plérôme se prouve encore de la manière suivante. Le « Sauveur » est la colombe (περιστερά) qui descendit sur « Jésus » au baptême du Jourdain. Si l'on additionne les nombres correspondant aux différentes lettres du mot περιστερά, on a : 80+5+100+10+200+300+5+100+ +1 = 801. Or 801 se compose de α (= 1) et ω (= 800). Étant 801, le « Sauveur » est donc α et ω, autrement dit

la totalité des lettres de l'alphabet grec, autrement dit
encore 24 et 30, comme il a été dit ci-dessus. A ces spéculations, qui suffisent à donner une idée de la manière de
Marc, s'en ajoutent d'autres du même ordre, illustrant
d'autres aspects du mystère du « Sauveur » [14, 4-6].

Après les explications relatives au Nom inexprimable
du « Sauveur », voici, toujours dans le langage ésotérique
habituel à Marc, un aperçu sur divers autres thèmes
valentiniens : l'Enthymésis séparée de Sagesse et expulsée
du Plérôme ; le Démiurge psychique émis par l'Enthymésis
ainsi chassée du Plérôme ; ce Démiurge mû à son insu par
l'Enthymésis et produisant sept cieux à l'image des réalités
du Plérôme ; chaque ciel faisant entendre une des voyelles
de l'alphabet, en sorte que, de l'ensemble, résulte un
harmonieux concert s'élevant à la gloire du Pro-Père
[14, 7-8].

Dans ce qui vient ensuite, Irénée donne encore divers
échantillons des spéculations de Marc. En voici une
relative au « Sauveur ». On a vu plus haut que son nom
inexprimable est de 24 lettres. Or les noms des Éons de
la première Tétrade (Ἄρρητος, Σειγή, Πατήρ, Ἀλήθεια)
totalisent 24 lettres. Pareillement, les noms des Éons
de la seconde Tétrade (Λόγος, Ζωή, Ἄνθρωπος, Ἐκκλησία)
totalisent, eux aussi, 24 lettres. Cette identité de nombre
signifie que le « Sauveur » contient en lui la « vertu » de
chacune des deux Tétrades et, du même coup, celle de tout
le reste du Plérôme dont ces deux Tétrades sont le principe
[15, 1].

Pour illustrer cette origine du « Sauveur » issu de la
mise en commun de tous les Éons, Marc imagine encore
le calcul suivant. Le nom inexprimable du « Sauveur »
est Ἰησοῦς, ainsi qu'on l'a vu. En additionnant les nombres
correspondant aux différentes lettres de ce mot, on a :
$10+8+200+70+400+200 = 888$. Or ce nombre a pour
origine une union de l'Ogdoade et de la Décade : $8+$
$(8 \times 10)+(8 \times 10 \times 10) = 888$. Comme l'Ogdoade et la

Décade contiennent virtuellement le Plérôme tout entier, le nom Ἰησοῦς indique donc bien l'origine du « Sauveur » à partir de tous les Éons [15, 2a].

Vient ensuite une sorte d'exposé christologique. Marc distingue du « Sauveur » celui qu'il appelle l'« homme issu de l'économie », autrement dit le « Jésus » visible. Ce « Jésus » fut constitué, d'après la volonté du Père, à la ressemblance du « Sauveur » qui devait descendre en lui. De là son origine absolument singulière : formé à partir de « vertus » jaillies de la deuxième Tétrade, ce « Jésus ne fit que passer à travers le sein de Marie sans rien recevoir d'elle. Au moment du baptême du Jourdain descendit sur lui, sous la forme d'une colombe, le « Sauveur » ayant en lui tous les Éons du Plérôme. De la sorte, « Jésus » eut en lui-même à la fois le nombre 6 (= les six lettres du nom exprimable Ἰησοῦς) et le nombre 24 (= les vingt-quatre lettres constituant le Nom inexprimable du « Sauveur »). Et c'est alors qu'il détruisit l'ignorance et la mort en communiquant aux « élus » la « gnose » du Père [15, 2b-3].

Après quelques pages polémiques, Irénée donne un dernier échantillon de l'arithmologie de Marc portant plus particulièrement sur la perte et le recouvrement du dernier Éon. Voici, très simplifiée, la spéculation du Magicien. Étant donné que la Dodécade résulte de la somme des nombres 2, 4 et 6, on doit dire qu'elle se termine par un nombre de « défection » : en effet, le nombre six a cette particularité de s'écrire au moyen du digamma, lettre qui a disparu de l'alphabet grec. Rien d'étonnant, dès lors, que la Dodécade ait vu la « défection » de l'Éon qui la terminait. Mais l'alphabet manifeste aussi le recouvrement de l'Éon perdu. En effet, la onzième lettre de l'alphabet grec est le Λ (= 30, c'est-à-dire le « Sauveur », ainsi qu'on l'a vu plus haut). Cette lettre s'est mise à la recherche de son semblable — ce qui signifie que le « Sauveur » est descendu à la recherche de l'Éon perdu, qui était de même nature que lui—. Lorsque le Λ a eu trouvé son semblable, c'est-à-dire un autre Λ, il s'est uni à lui afin de compléter le nombre 12 : la lettre M est en effet la douzième de l'alphabet, et cette lettre n'est autre chose que l'union de deux Λ, affirme Marc le Magicien[1] [16, 1-2].

d) *Spéculations et exégèses gnostiques relatives au Plérôme* (17-18).

Les trois chapitres précédents rapportaient les spécula-tions de Marc portant sur les lettres et les chiffres comme tels, dont les particularités et les rapports étaient censés refléter quelque chose des mystères du monde des Éons. Les chapitres 17 et 18 vont montrer les Marcosiens collec-tionnant des témoignages en faveur de leur Plérôme et de ses grandes divisions. Ces témoignages, ils prétendent les trouver à la fois dans notre univers visible et dans les saintes Écritures.

Dans notre univers visible, tout d'abord. Sans doute la création avait-elle été l'œuvre d'un Démiurge ignorant, mais, comme il était mû à son insu par sa Mère Achamoth, il avait fait le monde tel que celle-ci l'avait voulu, c'est-à-dire à l'image des réalités du Plérôme. Ainsi s'explique, par exemple, que la Tétrade ait son image dans les quatre éléments, feu, eau, terre et air ; que l'Ogdoade ait la sienne dans ces quatre mêmes éléments escortés de leurs quatre propriétés respectives, chaud, froid, humide et sec ; que la Décade soit représentée par les dix corps célestes ; que la Dodécade le soit par les douze signes du Zodiaque. Les divisions du temps reflètent, elles aussi, le Plérôme et ses divisions : trente jours lunaires, douze mois solaires, douze heures du jour, etc. De même encore la division

1. Rappelons que les notations qui précèdent ne prétendent pas donner une idée tant soit peu complète des spéculations de Marc, mais plutôt suggérer sa manière. Le lecteur désireux d'en savoir davantage sur ce sujet se reportera à l'excellent chapitre que lui a consacré F. Sagnard dans *La Gnose valentinienne...*, p. 358-386.

de chacun des signes du Zodiaque en trente degrés, la
division de la terre en douze zones [17, 1-2].

Dans les saintes Écritures, ensuite, et en particulier
dans l'Ancien Testament. Un sort à part est fait par les
Marcosiens au premier chapitre de la Genèse. Un relevé
plutôt complaisant des noms qui y figurent leur permet
d'y retrouver la première Tétrade (*Gen.* 1, 1), la seconde
Tétrade (*Gen.* 1, 2), la Décade (*Gen.* 1, 3-13) et la Dodécade
(*Gen.* 1, 14-28). L'homme lui-même, modelé « selon l'image »
(*Gen.* 1, 26) de la « vertu » d'en haut, porte en son corps
l'empreinte de la Triacontade entière et de toutes ses
divisions. Vient ensuite une liste copieuse de passages
scripturaires où figurent des nombres et en lesquels les
hérétiques croient découvrir autant d'indications voilées
de leur Plérôme et de ses grandes divisions : Tétrade
(*Gen.* 1, 19 ; *Ex.* 26, 1 ; *Ex.* 28, 17), Ogdoade (*Gen.* 2, 7 ;
Gen. 7, 7 et *I Pierre* 3, 20 ; *I Sam.* 16, 10-11 ; *Gen.* 17, 12),
Décade (*Gen.* 15, 19-20 ; *Gen.* 16, 2-3 ; *Gen.* 24, 22 ; *Gen.* 24,
55 ; *III Rois* 11, 31 ; *Ex.* 26, 1 ; *Ex.* 26, 16 ; *Gen.* 42, 3 ;
Jn 20, 24), Dodécade (*Gen.* 35, 22-26 ; *Gen.* 49, 28 ;
Ex. 28, 21 ; *Ex.* 24, 4 ; *Jos.* 4, 9.20 ; *Jos.* 3, 12 ; *III Rois*
18, 31), Triacontade (*Gen.* 6, 15 ; *I Sam.* 9, 22 ; *I Sam.*
20, 5 ; *II Sam.* 23, 13 ; *Ex.* 26, 8) [18, 1-4].

e) *Exégèses marcosiennes relatives au Père inconnu*
(19-20).

A la suite de ces textes scripturaires en lesquels les
Marcosiens prétendent trouver un écho de leurs spéculations arithmologiques, Irénée regroupe un certain nombre
d'autres textes scripturaires censés étayer la thèse gnostique
selon laquelle le « Père » aurait été complètement ignoré
des hommes jusqu'à la venue du Christ, le Dieu de l'Ancien
Testament n'étant pas le vrai Dieu, mais un Démiurge
inférieur.

Ainsi les paroles par lesquelles les prophètes reprochaient
aux Juifs d'ignorer Dieu (*Is.* 1, 3 ; *Osée* 4, 1 ; *Ps.* 13, 2-3).

De même la parole de Moïse affirmant que nul ne peut voir Dieu et vivre (*Ex.* 33, 20) : cette parole prouve, d'après les gnostiques, que celui que voyaient les prophètes n'était pas le vrai Dieu, mais seulement le Démiurge[1]. De même encore la parole de l'Ange à Daniel relative au secret destiné à n'être connu que lorsque le moment en serait venu (*Dan.* 12, 9-10) [19, 1-2].

Mais, non contents d'invoquer l'Ancien Testament, les Marcosiens font aussi appel aux Évangiles, apocryphes compris. Ainsi cette parole d'un Évangile apocryphe d'après laquelle, selon l'interprétation gnostique, Jésus aurait revendiqué pour lui-même la connaissance d'« alpha », c'est-à-dire du Père inconnaissable. De même diverses paroles des Évangiles canoniques d'après lesquelles, toujours selon l'interprétation qu'en donnent les gnostiques, le Christ aurait annoncé ou fait annoncer par ses apôtres un « Père » qu'ignoraient les hommes avant lui (*Lc* 2, 49 ; *Matth.* 10, 5-6 ; *Matth.* 19, 16-17 ; *Matth.* 21, 24-27 ; *Lc* 19, 42). De même et surtout une parole du Christ particulièrement péremptoire au jugement des gnostiques, qu'ils citent sous la forme suivante : « Nul n'a connu le Père sinon le Fils... et celui à qui le Fils a révélé » (*Matth.* 11, 25-27) : parole attestant clairement, d'après eux, que personne n'a connu le vrai Dieu avant la venue du Christ et que, dès lors, le Dieu connu des prophètes n'était qu'un Dieu subalterne [20, 1-3].

f) *Diversité des rites de « rédemption » en usage chez les Marcosiens* (21).

Après avoir rapporté de la sorte avec détail les doctrines des Marcosiens ainsi que les textes scripturaires au moyen

---

1. Irénée annonce qu'il reviendra dans la suite sur cette parole de Dieu à Moïse. Il y reviendra effectivement en IV, 20, 5. Cette annonce d'un développement futur témoigne qu'Irénée avait clairement présent à son esprit l'ensemble de son œuvre au moment où il rédigeait le Livre I. Cf. *supra*, p. 132, note 1.

desquels ils tentent de les étayer, Irénée revient à une de
leurs pratiques caractéristiques dont il a déjà parlé en I, 13,
6, à savoir le rite de la « rédemption ».

Selon les Marcosiens, cette « rédemption » est le seul vrai
baptême, celui qui rend « parfait » et sans la réception
duquel il n'est pas d'entrée au Plérôme. C'est ce baptême
« pneumatique » qu'attesteraient, à les en croire, certaines
paroles du Christ (*Lc* 12, 50 ; *Matth.* 20, 22) et de saint
Paul (*Rom.* 3, 24 ; *Éphés.* 1, 7 ; *Col.* 1, 14) [21, 1-2].

Mais, s'ils s'accordent sur la nécessité de cette « rédemption », les Marcosiens s'opposent les uns aux autres dès
qu'il s'agit d'en déterminer les modalités concrètes. Les
uns disposent une chambre nuptiale en laquelle ils célèbrent
un mariage « pneumatique ». D'autres font un baptême
d'eau, mais en invoquant, au lieu de la Trinité chrétienne,
le « Père inconnu », la « Vérité » et « Celui qui descendit sur
Jésus » (c'est-à-dire le « Sauveur »). Tout en faisant eux
aussi un baptême d'eau, d'autres imaginent toutes sortes
d'autres invocations, qu'ils entremêlent, le cas échéant,
de phrases en langue hébraïque. D'autres se contentent de
verser sur la tête un mélange d'huile et d'eau, en prononçant
diverses formules. D'autres rejettent purement et simplement tous ces rites sensibles : c'est la « gnose » elle-même
qui est la « rédemption », disent-ils, par là même qu'elle
abolit l'ignorance d'où sont sorties la déchéance et la
passion. Enfin, il en est qui célèbrent une sorte de liturgie
des mourants : ils versent sur la tête de ceux-ci de l'huile
et de l'eau et font sur eux diverses invocations, afin qu'ils
puissent traverser sans encombre les différents cieux et
monter jusqu'au Plérôme ; ils confient aux mourants des
formules que ceux-ci auront à prononcer au cours de leur
voyage dans l'au-delà et grâce auxquelles ils échapperont
aux Puissances cosmiques et au Démiurge lui-même
[21, 3-5].

3. La « Règle de vérité » (22)

Après avoir consacré toute la section centrale de la deuxième partie du Livre I à mettre en évidence les variations des systèmes hérétiques, Irénée revient, en manière de conclusion, à ce qui a fait l'objet de la première section : l'unité de la foi de l'Église.

A l'encontre des gnostiques, qui semblent avoir pour premier souci d'ajouter de nouvelles inventions à celles de leurs prédécesseurs, les fidèles de l'Église gardent la « Règle de vérité », et cette Règle ainsi gardée assure l'unité de leur foi.

De cette « Règle de vérité », Irénée ne juge pas nécessaire de rappeler tout le contenu, comme il l'a fait en I, 10, 1. Il lui suffit ici d'en rappeler et d'en développer brièvement le premier article pour s'opposer, de la manière la plus catégorique, à l'erreur fondamentale des gnostiques, celle qui est au point de départ de toutes les autres, à savoir le rejet du Dieu Créateur et de son œuvre.

Citant implicitement un texte qui lui est antérieur[1], Irénée commence donc par l'énoncé même de la foi dans toute sa brièveté et sa précision : « il existe un seul Dieu tout-puissant qui a créé toutes choses par son Verbe ». Suivent deux textes de l'Écriture, l'un, de l'Ancien Testament (*Ps.* 32, 6), l'autre, du Nouveau (*Jn* 1, 3) qui affirmaient déjà en toute clarté ce qui se trouve comme codifié dans la « Règle de vérité » : la création de toutes choses par le Verbe de Dieu. Après cela, Irénée met dans une magnifique lumière l'universalité absolue de l'emprise créatrice de Dieu. D'un côté, Dieu, avec son Verbe et son Esprit. De l'autre, absolument tout ce qui n'est pas Dieu, qu'il s'agisse des êtres visibles, sensibles et voués à ne

---

1. Le texte en question figure dans le *Pasteur* d'Hermas, *Mand.* 1, 1 (*GCS* 48, p. 23 ; *SC* 53, p. 144).

durer qu'un temps, ou des êtres invisibles, intelligibles
et faits pour une durée sans fin. Parmi ces êtres que Dieu
a créés par son Verbe et son Esprit, il y a donc le monde
et, au sein de ce monde, l'homme avec son corps. Ce Dieu
qui a tout créé et au-dessus duquel il n'est rien, c'est lui
le Dieu des patriarches et de tout l'Ancien Testament,
et c'est également lui le Père du Christ et le Dieu de la
nouvelle alliance.

Tel est le premier article de la « Règle de vérité ». Il
suffit de le garder, note en conclusion Irénée, pour être
immunisé contre les arguties de ceux qui se croient d'une
essence supérieure à celle de leur Créateur et rejettent
son œuvre comme mauvaise.

TROISIÈME PARTIE

ORIGINE DU VALENTINISME (23-31)

Les quelques lignes qui terminent le chap. 22 font
office de transition : elles marquent la fin de la deuxième
partie et annoncent l'objet de la troisième. Cet objet est
brièvement formulé : faire connaître « la source et la
racine » d'où est sortie la gnose valentinienne exposée tout
au long des deux premières parties. Connaissant l'arbre,
on pourra en effet juger de la valeur du fruit. Or — et
c'est ce qu'Irénée se propose de montrer dans la troisième
partie du Livre — la gnose valentinienne, comme d'ailleurs
toutes les grandes hérésies qui lui sont antérieures, trouve
son origine première en Simon le Magicien, cet hérésiarque
dont l'Écriture elle-même a stigmatisé l'erreur. Comme
on le voit, dans cette troisième partie autant que dans
les deux premières, le but d'Irénée est polémique : sans
doute entend-il faire un exposé, et un exposé entièrement

vrai et objectif, mais il veut ici aussi, que cet exposé même constitue déjà une réfutation virtuelle des erreurs qui seront exposées.

On peut hésiter sur la manière dont il convient de concevoir l'ordonnance de cette troisième partie. En effet, considérant l'allure manifestement récapitulative de I, 27, 4, on pourrait être tenté de considérer ce paragraphe comme séparant une première section d'une seconde. La première traiterait de Simon le Magicien et d'un certain nombre d'hérésiarques s'inspirant plus ou moins étroitement de sa pensée (chap. 23-27). La seconde décrirait divers groupements ou sectes se situant dans le sillage des précédents, d'abord les sectes à tendances opposées du chap. 28, puis les « Gnostiques » des chap. 29 et 30.

Cependant, nous croyons qu'une autre division, légèrement différente de la précédente, correspond mieux à l'intention profonde d'Irénée, qui distingue habituellement, dans la masse des hérétiques antérieurs à Valentin, deux groupes bien caractérisés : d'une part, les ascendants éloignés de celui-ci ; d'autre part, les ascendants immédiats,

Une indication des plus nettes en ce sens est fournie par Irénée au début de I, 31, 3. Jetant un regard en arrière et embrassant d'un coup d'œil toute la troisième partie du Livre, il écrit : « Voilà de quels *pères* et de quels *ancêtres* sont issus les disciples de Valentin, tels que leurs doctrines elles-mêmes et leurs systèmes les révèlent ». Les pères (πατέρες) des Valentiniens sont les « Gnostiques » dont les systèmes ont été longuement exposés dans les chap. 29 et 30[1] ; quant à leurs ancêtres (πρόγονοι), ce sont

---

1. Que les Gnostiques en question soient les « pères » des Valentiniens, c'est ce qu'Irénée dit d'une façon on ne peut plus explicite en II, 13, 10 : « De emissione Hominis et Ecclesiae, ipsi *patres* eorum falso cognominati Gnostici pugnant aduersus inuicem ». La même chose est équivalemment affirmée en I, 11, 1, en I, 30, 14 et en II, 13, 8. Pour plus de détails, cf. *infra*, p. 296, *note justif. P. 359, n. 1* et p. 313, *note justif. P. 389, n. 1.*

les Simoniens dont les « Gnostiques » eux-mêmes sont issus.

A cette division en ascendants éloignés et ascendants immédiats feront écho ces lignes de la Préface du Livre II : « Nous avons fait connaître la doctrine de l'ancêtre (πρόγονος) des Valentiniens, Simon, le Magicien de Samarie, et de tous ceux qui lui ont succédé ; nous avons également dit la multitude des ' Gnostiques ' issus de lui ».

Nous basant sur cette double indication d'Irénée, nous diviserons donc la troisième partie en deux sections : la première, traitant des ancêtres des Valentiniens (c. 23-28) ; la seconde, traitant des « Gnostiques » ou ascendants immédiats des Valentiniens (c. 29-31).

1. Les ancêtres des Valentiniens (23-28)

a) *Simon le Magicien et Ménandre* (23).

Résumant et citant en partie les *Actes des Apôtres*, Irénée commence par présenter la personne de Simon : c'est un magicien de Samarie qui se fait passer pour « la Puissance de Dieu, celle qu'on appelle la Grande ». Prenant les apôtres pour d'autres magiciens plus habiles que lui, il leur offre de l'argent afin de posséder lui aussi les mêmes pouvoirs. On sait la réplique cinglante qu'il s'attira de la part de Pierre. Cela ne l'empêche pas de s'adonner de plus en plus aux pratiques magiques et de devenir le fondateur d'une secte portant son nom [23, 1].

Quelles sont les grandes lignes de sa doctrine ? Parcourant le pays avec une certaine Hélène, une prostituée achetée par lui à Tyr, il enseigne que lui-même est la « Suprême Puissance » et qu'elle est sa « Pensée » par laquelle, à l'origine, il a fait les Anges Créateurs de notre monde. Ces Anges, jaloux de ne reconnaître personne au-dessus d'eux et avides d'exercer une domination tyrannique sur les hommes, ont retenu prisonnière en ce monde la « Pensée » de Simon, la contraignant à passer successivement dans différents corps de femme, parmi lesquelles cette Hélène qui est à l'origine de la guerre de Troie. Pour finir, elle a résidé dans une prostituée de Tyr, et c'est là que Simon est venu la délivrer de ses liens [23, 2].

Mais ce n'est pas elle seulement, c'est tous les hommes qu'il veut délivrer de la tyrannie des Anges Créateurs du monde. C'est pour cela qu'il est descendu en notre monde en prenant l'apparence d'un homme. Désormais, il ne faut plus se soucier des Anges et des commandements édictés arbitrairement par eux pour réduire les hommes en esclavage : libérés, les hommes ont la faculté de faire tout ce qu'ils veulent, car c'est la « connaissance » (γνῶσις) de Simon qui procure le salut, et non de prétendues œuvres « justes » [23, 3-4].

Telle est, dans les grandes lignes, la doctrine attribuée par Irénée à Simon le Magicien et aux « Simoniens ». Si l'on accepte cette présentation, on reconnaîtra que tout l'essentiel de la « gnose » est déjà chez Simon, notamment *la distinction entre Puissance démiurgique* (= les Anges) et *Père suprême* (= Simon lui-même, flanqué de sa compagne Hélène), la dépréciation corrélative de notre monde de matière, le salut par la « gnose » et le caractère indifférent des actes humains. En dépit de leurs divergences sans nombre, tous les systèmes qui viendront par la suite ne seront finalement que des variations indéfiniment brodées autour d'une erreur fondamentale : *le refus d'attribuer à l'unique vrai Dieu la création de notre monde de matière et de chair*, ou, si l'on préfère, la prétention de s'élever au-dessus du Dieu Créateur pour atteindre à un Dieu qui lui serait supérieur.

La notice consacrée à Simon est suivie de quelques lignes concernant Ménandre, successeur de Simon, Samaritain et magicien comme lui. Ménandre garde la doctrine du maître ; il l'enrichit seulement, en se donnant lui-même pour le « Sauveur » envoyé d'en haut afin de communiquer la « gnose » aux hommes [23, 5].

b) *Saturnin et Basilide* (24).

En s'inspirant des thèses de Simon et de Ménandre, deux hommes aboutissent à des systèmes profondément divergents : l'un, Saturnin, à Antioche ; l'autre, Basilide, à Alexandrie.

Comme Simon, Saturnin pose à la base de son système la distinction entre la « Suprême Puissance » et les Anges démiurges. L'homme a été fait, lui aussi, par les Anges, mais la Suprême Puissance dépose en certains hommes une « étincelle de vie ». De là deux races d'hommes, l'une, bonne par nature, l'autre, mauvaise par nature. Le Sauveur est venu dans une chair purement apparente pour libérer du joug du Dieu des Juifs, qui est un des Anges démiurges, ceux qui croient en lui, c'est-à-dire les hommes bons par nature. A leur mort, l'étincelle de vie remonte vers la Suprême Puissance, tandis que le reste de leur être se dissout dans les éléments dont il a été tiré. Comme conséquence de cette doctrine dualiste, Saturnin préconise le rejet de l'œuvre des Anges démiurges : répudiation du mariage, abstinence de viandes et autres pratiques rigoristes [24, 1-2].

Basilide distingue, lui aussi, le « Père inengendré » des Anges et des Archontes qui ont fait notre monde, mais, pour souligner davantage la transcendance de ce « Père », il multiplie la série décroissante des intermédiaires : « Intellect », « Logos », « Prudence », « Sagesse », « Puissance », puis, au-dessous d'eux, une quantité innombrable de Vertus, d'Archontes et d'Anges s'engendrant successivement les uns les autres, créant 365 cieux et, finalement, dans la région la plus basse de l'univers, notre monde. Le Dieu des Juifs est le chef des Archontes et des Anges qui ont fait notre monde ; ils occupent le ciel inférieur. Entre eux existent des rivalités dont les hommes, leurs subordonnés, font les frais. Pour libérer les hommes de leur joug, le Père inengendré envoie son Fils, l'« Intellect », qui apparaît en ce monde sous les dehors d'un homme, accomplit des prodiges et révèle le vrai Dieu. Les Archontes, par l'entremise des Juifs, tentent de s'emparer de lui pour le crucifier, mais il fait en sorte que Simon de Cyrène soit crucifié à sa place, et il remonte vers son Père en se moquant des Archontes. Ceux qui confessent le « crucifié » restent donc esclaves des Auteurs de ce monde. En revanche, ceux qui confessent Celui qui n'a revêtu qu'une apparence d'homme et a seulement paru être crucifié, ceux-là sont libres et connaissent le Père inengendré ; ils n'ont plus rien à voir avec le Dieu de la Loi et peuvent s'adonner sans crainte aux actes qui leur plaisent, y compris toutes les formes possibles de débauche ; après leur mort, leurs âmes monteront à travers tous les cieux jusqu'au Père inengendré, sans que ni Anges ni Puissances ne soient en mesure d'entraver leur marche [24, 3-7].

c) *Carpocrate et ses disciples* (25).

Après ces deux systèmes aboutissant, à partir du même fondement dualiste, à des attitudes de vie diamétralement opposées, voici Carpocrate et ses disciples. La doctrine de Carpocrate a pour base, elle aussi, la distinction entre le « Père inengendré » et les Anges Auteurs du monde. Certaines âmes, dont celle de Jésus — qui n'est rien de plus qu'un homme ordinaire, fils de Joseph et de Marie — sont d'une excellence particulière du fait qu'elles viennent de la sphère du Père inengendré. Plus fortes que les autres, elles sont capables de mépriser les lois que les Auteurs du monde ont imposées aux hommes et par lesquelles ils les tiennent sous leur domination. Pour avoir su de la sorte se libérer du joug des Anges et des Archontes, ces âmes, lorsqu'elles quittent leur corps, sont à même de traverser sans encombre tous les espaces célestes et de remonter jusqu'au Père [25, 1-2].

D'après le tableau qu'Irénée trace de la conduite des

Carpocratiens, ceux-ci paraissent avoir poussé jusqu'à ses conséquences extrêmes la liberté de tout faire. Non contents d'autoriser les pires turpitudes, ils seraient allés jusqu'à en faire la matière d'une stricte obligation : impossible, selon eux, de se libérer du pouvoir des Anges qui ont fait le monde, à moins d'épuiser, soit en une seule vie, soit en plusieurs vies successives, toute la somme des révoltes possibles contre la Loi édictée par le Chef des Anges [25, 3-5].

Parmi les tenants des doctrines carpocratiennes, Irénée mentionne une certaine Marcellina, qui vint à Rome sous Anicet et fit de nombreux adeptes [25, 6].

d) *Cérinthe* (26, 1).

Cérinthe, dont l'activité se situe en Asie Mineure, enseigne la doctrine suivante. Le monde n'a pas été fait par le Dieu suprême, mais par une Puissance inférieure ignorante de ce Dieu. Sur « Jésus », né de Joseph et de Marie, est descendu, lors du baptême du Jourdain, le « Christ » venant d'auprès du Dieu suprême ; ce « Christ » a alors annoncé le Père inconnu et opéré des miracles ; au moment de la Passion, il est remonté vers le Père, et Jésus seul a souffert, est mort et est ressuscité.

e) *Ébionites et Nicolaïtes* (26, 2-3).

Ici prend place une très brève notice relative à une secte non dualiste, celle des Ébionites. Pourquoi Irénée mentionne-t-il ici cette secte ? Parce que, si les Ébionites ne rejettent pas le premier article de la Règle de vérité comme tous les hérétiques dont il a été question précédemment, ils n'en ont pas moins en commun avec Cérinthe et Carpocrate une grave erreur christologique, du fait qu'ils refusent de voir dans le Christ plus qu'un homme ordinaire[1]. En somme, les Ébionites refusent de dépasser

---

1. La présente note prépare ainsi l'importante section du Livre III

le Judaïsme pour s'ouvrir à la nouveauté de l'Évangile [26, 2].

A la brève notice concernant les Ébionites, Irénée en rattache une autre, plus brève encore, concernant les Nicolaïtes. Elle mentionne seulement le caractère licencieux de leur conduite. Partageaient-ils les thèses dualistes des hérétiques cités auparavant? L'ensemble du contexte semble plutôt l'insinuer[1] [26, 2].

f) *Cerdon et Marcion* (27).

Avec Cerdon, nous sommes ramenés au dualisme le plus brutal. Cet hérésiarque réside à Rome sous le pontificat d'Hygin. Il enseigne que le Dieu juste qu'ont annoncé la Loi et les prophètes est distinct du Dieu bon qu'est le « Père » annoncé par le Christ : le premier était connu, le second est demeuré inconnu jusqu'à la venue du Christ [27, 1].

Ces thèses sont développées peu après par Marcion, qui, originaire du Pont, vient à Rome sous le pontificat d'Anicet. Selon Marcion, le Dieu de l'Ancien Testament, qui est l'Auteur du monde, est un être cruel, vindicatif et inconstant. Jésus, envoyé par le Père bon pour libérer les hommes, est apparu sous la forme d'un homme aux habitants de la Judée au temps de Tibère, et il a aboli la Loi ainsi que toutes les dispositions émanant du Dieu de l'Ancien Testament. Marcion prétend ramener les Écritures à leur pureté première en ne conservant que l'Évangile de Luc et les épîtres de Paul, eux-mêmes expurgés de tout ce qui laisserait entendre que le Créateur

en laquelle Irénée démontrera, précisément contre les Ébionites, que l'homme même qu'est Jésus, le Fils de Marie, est le propre Fils de Dieu fait homme (III, 19-21).

1. En III, 11, 1, Irénée semble bien associer Cérinthe et les Nicolaïtes dans un commun refus de reconnaître le vrai Dieu dans l'Auteur du monde, non moins que dans un commun rejet de l'unité du Christ, Fils de Dieu véritablement fait homme pour nous sauver.

de ce monde serait le Père du Christ. Marcion n'admet
de salut que pour les âmes, et encore pour celles-là
seulement qui s'ouvrent à la libération que Jésus leur
apporte de la part du Père. Selon lui, les âmes des justes
de l'Ancien Testament n'ont pas part à ce salut, parce que,
demeurées obstinément fidèles à leur Dieu, elles ont refusé
la libération que Jésus leur apportait lors de sa descente
aux enfers [27, 2-3].

g) *Sectes diverses* (28).

Après quelques lignes récapitulatives en lesquelles
il souligne la continuité profonde existant entre la doctrine
de Simon le Magicien et toutes les hérésies postérieures
(I, 27, 4), Irénée embrasse d'un coup d'œil global toute
la multiplicité des sectes surgies à partir des chefs de file
dont il a été question jusqu'ici.

D'un côté, s'inspirant des thèses de Saturnin et de
Marcion, il y a les sectes à tendance rigoriste, notamment
les Encratites, qui rejettent le mariage, s'abstiennent de
certains aliments, nient le salut du premier homme. Au
nombre de ces Encratites, Irénée mentionne Tatien, d'abord
disciple de Justin, puis, après le martyre de celui-ci,
apostat et hérétique [28, 1].

Du côté opposé, s'inspirant de Basilide et de Carpocrate,
il y a les sectes qui octroient à leurs membres la liberté
de tout faire, notamment en matière sexuelle, sous prétexte
que le vrai Dieu n'a rien à voir avec notre monde de matière
[28, 2].

2. Les « Gnostiques » ou ascendants immédiats des Valentiniens (29-31)

Tous les hérétiques mentionnés jusqu'ici — c'est-à-dire
Simon le Magicien et tous ceux que nous avons vus se situer
de diverses manières dans son sillage —, Irénée les considère
comme les ascendants éloignés ou « ancêtres » des Valen-

tiniens. Il va maintenant consacrer de longues pages à d'autres continuateurs de l'hérésie de Simon le Magicien en lesquels il voit les ascendants immédiats ou « pères » des Valentiniens : ce sont ceux que, ici même comme tout au long de l'*Aduersus haereses*, il désigne du nom de « Gnostiques » (Γνωστικοί). Parmi ces « Gnostiques », il distingue deux groupes principaux, dont il traite respectivement dans les chap. 29 et 30. Il ne leur donne pas d'appellation particulière, mais, pour la commodité, nous les désignerons sous les noms de « Barbéliotes » et d'« Ophites ».

a) *Les Barbéliotes* (29).

En même temps que certaines obscurités, la notice décrivant le système de ces hérétiques offre de nombreux éléments en lesquels on reconnaît sans peine une anticipation de traits figurant dans la Grande Notice.

A l'origine de tout, il y a une mystérieuse dyade d'« Éon » et de « Pneuma » : un « Père » innommable et une « Barbélo » qui lui est coéternelle. Apparaissent successivement quatre Éons féminins nés du désir du Père de se manifester à Barbélo et quatre Éons masculins émis par Barbélo transportée de joie à la vue du Père. Tous ces Éons ainsi émis s'unissent ensuite de façon à former quatre syzygies : « Logos » et « Pensée », « Christ » et « Incorruptibilité », « Vouloir » et « Vie éternelle », « Intellect » et « Pré-gnose ». Tous ensemble glorifient le Père et Barbélo [29, 1].

Logos et Pensée émettent ensuite le couple d'« Auto-génès » et de « Vérité ». Cet Autogénès, dont le nom signifie « Existant par soi-même », est émis pour représenter le Père et dominer sur toutes choses. Christ et Incorruptibilité émettent alors quatre « Luminaires » ou Anges destinés à servir d'escorte à Autogénès : « Harmozel », « Raguel », « David » et « Éléleth ». De leur côté, Vouloir et Vie éternelle émettent quatre entités féminines pour

servir de compagnes aux quatre Anges : « Charis »,
« Thélèsis », « Synesis » et « Phronèsis » [29, 2].

Toute cette hiérarchie étant ainsi mise en place,
Autogénès émet un dernier couple : « Homme » (appelé
aussi « Adamas », c'est-à-dire « Indomptable ») et « Gnose ».
Grâce à cette Gnose, l'Homme connaît le Père. Tous les
Éons sont désormais en repos et chantent des hymnes
à la gloire de l'Éon primordial [29, 3].

Mais Harmozel, le premier des Anges qui escortent
Autogénès, émet un Éon féminin, l'« Esprit Saint », appelé
aussi « Sagesse » et « Prounikos ». Cette Sagesse, voyant
que tous les autres Éons ont leur conjoint, cherche
quelqu'un à qui s'unir. N'en trouvant pas, elle bondit
dans un élan frénétique, mais ne peut enfanter par là qu'un
être difforme : c'est le « Protarchonte ». Celui-ci s'éloigne
vers les lieux inférieurs. Il y fait les cieux, les anges, les
démons et toutes les choses terrestres. Ignorant et présomp-
tueux, il se croit seul et dit : « Je suis un Dieu jaloux, et
en dehors de Moi il n'est pas de Dieu » [29, 4].

Assez curieusement, la notice relative aux Barbéliotes
ne va pas au-delà de cette évocation de la chute de Sagesse
et de la création de notre monde par le Protarchonte. Le
mythe ne s'arrêtait évidemment pas là. Peut-être la suite
en était-elle plus ou moins commune avec ce qui sera
rapporté dans le cours du chapitre suivant.

b) *Les Ophites* (30, 1-14).

La seconde branche des « Gnostiques » signalée par
Irénée professe un système dont les grandes lignes sont
les suivantes.

A l'origine, il y a, au-dessus de tout, le « Père » ou
« Premier Homme », avec son « Fils » ou « Second Homme » ;
au-dessous d'eux, l'« Esprit Saint » ou « Première Femme » ;
au-dessous de celle-ci, les éléments primordiaux, eau,
ténèbres, abîme et chaos. Le Premier Homme et le Second
Homme s'éprennent d'amour pour la Première Femme et

l'« illuminent » de leur lumière. De là naît le « Christ » ou
« Troisième Mâle ». Celui-ci et sa Mère l'Esprit Saint sont
aussitôt enlevés dans les régions supérieures pour former
avec le Père et le Fils la « Sainte Église » d'en haut [30, 1-2].

Mais la Première Femme a été incapable de contenir
toute la lumière déversée en elle par le Père et le Fils et
une partie de cette lumière a débordé « du côté gauche » :
c'est ainsi qu'est née de la Première Femme, en même temps
que le Christ, une « Puissance de gauche », appelée
« Sagesse » ou « Prounikos ». Celle-ci, avec la « rosée de
lumière » qu'elle a en elle, plonge dans les eaux pri-
mordiales, qui se mettent en mouvement, se collent à elle
et lui font un corps de matière en lequel elle manque
d'être engloutie. Par la suite, reprenant conscience de la
lumière qui est en elle, elle entreprend de se dégager et
finit par se libérer entièrement de ce corps, dont elle fait
Celui qui est à la fois le premier Ciel et le premier Ange,
Jaldabaoth, son fils. Quelque chose de la « rosée de
lumière » est passé de Sagesse en Jaldabaoth, d'où la grande
puissance de celui-ci. De lui procèdent, par engendrements
successifs, six autres Cieux ou Anges, qui constituent avec
lui l'« Hebdomade ». La Mère de Jaldabaoth, Sagesse,
établit sa résidence au-dessus d'eux dans l'« Ogdoade »
[30, 3-4].

A peine venus à l'existence, les fils de Jaldabaoth lui
disputent la première place. Attristé, celui-ci se tourne vers
la lie de la matière qui est au-dessous de lui et il en engendre
un autre fils, l'« Intellect », un être à forme de serpent,
qui remplit de fatuité son père Jaldabaoth, jusqu'à le
faire s'écrier : « C'est moi qui suis Père et Dieu, et il n'est
personne au-dessus de moi ». Mais, d'en haut, sa Mère
Sagesse lui réplique aussitôt : « Tu mens, car au-dessus
de toi il y a le Premier Homme et le Fils de l'Homme ».
Jaldabaoth dit alors aux six autres Anges : « Faisons nous-
mêmes un homme à l'image de ce Premier Homme ».
Ils modèlent donc un homme, puis Jaldabaoth insuffle

en lui un « souffle de vie », se vidant ainsi, sans s'en rendre compte, de la « rosée de lumière » qu'il tenait de sa mère. Quant à l'homme ainsi doté de puissance, il rend grâces au Premier Homme, à l'image de qui il a été fait, sans plus se soucier de ceux qui l'ont fait [30, 5-6].

La suite de la notice décrit, d'une manière prolixe et pas toujours pleinement cohérente, les avatars de la « rosée de lumière » ainsi échue à l'homme et rendant celui-ci de quelque manière supérieur aux Anges et à Jaldabaoth lui-même. Ce dernier tente de ranger Adam et Ève sous ses lois, en leur intimant l'ordre de s'abstenir du fruit de l'arbre du Paradis. Mais, à l'instigation de Sagesse, le Serpent les pousse à rejeter le joug que Jaldabaoth veut leur imposer, et ils « connaissent » alors la Suprême Puissance qui est au-dessus de tout [30, 7].

Jaldabaoth les chasse du Paradis et les précipite sur la terre, ainsi que le Serpent. Celui-ci, déchu à cause de l'homme, ne cessera plus de chercher à lui nuire en le poussant au crime. De son côté, Sagesse veillera sans relâche sur la « rosée de lumière » émanée d'elle. Ainsi, par exemple, assure-t-elle la continuation du genre humain, d'abord en procurant la naissance de Seth et de Noria après le meurtre d'Abel par Caïn, puis en protégeant Noé et les siens contre la colère de Jaldabaoth irrité par les crimes des hommes et résolu à les exterminer [30, 8-10a].

Viennent les patriarches, puis les prophètes, que Jaldabaoth et ses Anges tentent une fois de plus de soumettre à leur puissance, afin de dominer par eux sur toute l'humanité. Mais, au grand effroi de Jaldabaoth et de ses Anges, Sagesse met sur les lèvres des prophètes des paroles qui rappellent les hommes au souvenir du seul vrai Dieu ou « Premier Homme » et qui prédisent la descente du « Christ » [30, 10b-11].

Quand le moment en est venu, Sagesse, manipulant Jaldabaoth sans même qu'il en ait conscience, fait en sorte que, par la puissance de celui-ci, un homme plus pur que tous les autres, « Jésus », naisse de la Vierge Marie. Le « Christ » peut alors descendre des hauteurs de lumière pour accomplir son œuvre de salut. Parvenu à l'Ogdoade, il « revêt » sa sœur Sagesse. Puis il traverse les sept Cieux, qu'il vide de leur puissance. Il descend enfin sur « Jésus », lors du baptême du Jourdain, accomplit des miracles, opère des guérisons et se proclame le Fils du « Premier Homme ». Colère de Jaldabaoth et des Archontes, qui poussent les Juifs à le crucifier. Mais le « Christ » s'envole avec Sagesse vers l'Éon incorruptible, et « Jésus » seul est crucifié. Une puissance venue du « Christ » ressuscite ensuite « Jésus », mais dans un corps n'ayant plus rien de commun avec les éléments de ce monde. Au cours des dix-huit mois qu'il demeure encore sur terre, « Jésus » est initié aux secrets célestes, qu'il communique à des disciples choisis. Puis il monte au ciel pour siéger à la droite de Jaldabaoth et recueillir en lui-même les âmes « saintes » — sans doute s'agit-il de celles qui possèdent la « rosée de lumière » —. La consommation finale aura lieu quand toute cette « rosée de lumière » aura été ainsi rassemblée et sera emportée à son tour dans l'Éon d'incorruptibilité [30, 12-14).

c) *Sectes apparentées* (30, 15 - 31, 2).

En conclusion des deux notices qu'il vient de consacrer respectivement aux Barbéliotes et aux Ophites, Irénée précise que c'est bien d'eux qu'est sortie « la bête aux multiples têtes qu'est l'École de Valentin » : assertion n'ayant rien pour surprendre, si l'on songe aux nombreux traits de ces systèmes qui se retrouveront, à peine modifiés, chez Valentin et Ptolémée.

Avant de clore son exposé, Irénée tient à ajouter quelques brefs compléments à propos de deux sectes plus ou moins apparentées aux précédentes.

Parmi les tenants de la doctrine des Ophites, il en est en effet qui, pour simplifier les choses, identifient tout bonnement Sagesse et le Serpent : le Serpent est alors vraiment celui qui donne aux hommes la « gnose » et leur permet de s'affranchir du joug de l'Auteur du monde [30, 15].

Plus ou moins dans la même ligne, il en est d'autres qui affirment que Caïn était issu de la Suprême Puissance et que les Sodomites et leurs pareils étaient de la même race qu'elle : pour cette raison, ils étaient en butte aux attaques du Démiurge, mais Sagesse les protégeait contre lui. Logiques avec de tels principes, ces hérétiques ne peuvent préconiser qu'un refus total des lois édictées par le Démiurge et ses Anges [31, 1-2].

CONCLUSION (31, 3-4)

Jetant un regard en arrière, Irénée commence par embrasser d'un regard tout le chemin parcouru : « Voilà de quels pères et de quels ancêtres sont issus les disciples de Valentin... » — c'est le contenu de la troisième partie —, « ... tels que leurs doctrines elles-mêmes et leurs systèmes les révèlent » — c'est le contenu des deux premières parties —. Irénée a donc mené à bien la première étape de son programme : arracher son masque à l'erreur et la faire apparaître au grand jour telle qu'elle est réellement.

Après cela, replaçant cette première étape dans l'ensemble de son grand dessein, Irénée souligne l'importance décisive d'une exacte connaissance des thèses des hérétiques : « c'est les avoir déjà vaincus, dit-il, que de les avoir fait connaître ». Une comparaison suggestive à souhait illustre cette affirmation. Il en est de la doctrine hérétique comme d'une bête malfaisante tapie au plus profond d'une forêt d'où elle peut impunément faire ses incursions et exercer ses ravages. Que quelqu'un réussisse à débusquer la bête, à la mettre sous les yeux de tous, et ce sera un jeu, non seulement de se garer de ses attaques, mais de la frapper de toute part et de la tuer. Voilà pourquoi Irénée a mis tous ses soins à produire au grand jour les doctrines soigneusement tenues secrètes jusqu'ici par les hérétiques. Maintenant qu'elles sont clairement démasquées, il sera aisé de leur opposer une réfutation pertinente. Ce sera l'objet du Livre suivant.

A. R.

NOTES JUSTIFICATIVES

par

A. Rousseau

NOTES JUSTIFICATIVES

N.B. *Les pages auxquelles renvoient ces notes justificatives sont celles du tome II (Texte et Traduction).*

Les textes grecs d'Irénée apparaissent en caractères gras, lorsqu'ils sont attestés par des fragments, et en caractères ordinaires, lorsqu'ils sont restitués de façon conjecturale.

P. 19, n. 1. — « détournant », ἀπάγοντες : grec. Les manuscrits latins ont « adtrahentes ». Cette leçon suppose, si elle est primitive, que le traducteur ait lu ἐπάγοντες au lieu de ἀπάγοντες. Mais elle est peu naturelle, et l'on se demandera si « adtrahentes » ne serait pas plutôt la corruption de « abstrahentes », traduction normale de ἀπάγοντες. Noter que, en I, 13, 2, on trouve la forme ἀπαγήοχεν (texte grec conservé par Épiphane) traduite par « abstraxit » (plus précisément, la leçon « abstraxit » se lit dans CV AQε, tandis que, en S, elle s'est corrompue en « adtraxit »).

P. 19, n. 2. — « que le Dieu », τοῦ ... Θεοῦ : grec. Le latin n'a rien qui corresponde au grec Θεοῦ. Il est possible que le pronom « eum » ne soit autre chose que la corruption de « Deum », car ces deux formes sont plus d'une fois confondues dans les manuscrits latins de l'*Adversus haereses*.

Nous permettra-t-on de souligner, en passant, l'à-propos de la citation scripturaire faite par Irénée à cet endroit ? Il s'agit d'un texte affirmant de la façon la plus claire la création de toutes choses — le ciel et la terre et tout ce qu'ils renferment — par Dieu. Texte fondamental, dont on trouve un écho dans le premier article de la règle de vérité (cf. I, 10, 1) et qui reviendra maintes fois sous la plume d'Irénée. Mais ce n'est pas tout. Il se trouve que ce texte figure déjà dans l'Ancien Testament (*Ex.* 20, 11 ; *Ps.* 145, 6) et qu'il est reproduit tel quel à deux reprises dans le Nouveau (*Act.* 4, 24 ; 14, 15). On voit ainsi comment, dès la première page de son œuvre, Irénée, non content de fonder sur l'Écriture la foi de l'Église au Dieu Créateur, se plaît à illustrer de façon concrète l'unité des deux Testaments battue en brèche par l'hérésie.

P. 21, n. 1. — « sans plus se soucier de vraisemblance », ἀπιθάνως : grec.

A ne considérer les choses que d'une manière rapide, on pourrait être tenté de donner la préférence au latin. Irénée ferait allusion au « malos male perdet » de *Matth.* 21, 41. La phrase signifierait que, après avoir habilement gagné la confiance des gens crédules, les hérétiques les perdraient ensuite « misérablement ».

Cependant un regard plus attentif ne peut manquer de discerner le caractère manifestement intentionnel de l'opposition πιθανῶς μέν - ἀπιθάνως δέ qui structure la phrase grecque. Irénée veut en réalité stigmatiser la duplicité des gnostiques : dans un premier temps (μέν), « en usant de vraisemblance » (πιθανῶς), ils cherchent à capter par leurs discours la confiance des gens simples ; après quoi, dans un second temps (δέ), « sans plus se soucier de vraisemblance » (ἀπιθάνως), ils les contraignent de rejeter l'unique vrai Dieu pour se tourner vers un Dieu prétendument supérieur qui n'existe pas.

Cette leçon du grec est confirmée d'une façon décisive par deux passages du Livre II où la même opposition πιθανῶς - ἀπιθάνως sert à caractériser la tactique des maîtres gnostiques :

II, 13, 10 : « Et usque hoc quidem... omnes hominum adfectiones... conicientes *uerisimiliter* (πιθανῶς), *non uerisimiliter* (ἀπιθάνως) mentiti sunt aduersus Deum ».

II, 14, 8 : « Et usque hoc quidem per humanas adfectiones... *uerisimiliter* (πιθανῶς) uisi sunt abstrahere quosdam... ; quae autem ex his, *non* iam *uerisimiliter* (ἀπιθάνως) et sine ostensione omnia ex omnibus mentiti sunt ».

Les maîtres gnostiques commencent par attirer certaines âmes crédules en partant de notions qui leur sont familières et en leur tenant des discours offrant quelque apparence de vérité (πιθανῶς). Puis, quand ils ont réussi à se faire accepter, ils exigent qu'on admette, sans la moindre preuve

et sans plus aucun souci de vraisemblance (ἀπιθάνως) les
pires absurdités. Ils procèdent, ajoute Irénée en II, 14, 8,
comme ceux qui, voulant s'emparer de quelque animal,
lui présentent sa nourriture habituelle, l'allèchent et le
mettent peu à peu en confiance, en attendant le moment où
ils pourront le saisir, le garroter et l'emmener de force
partout où ils voudront.

P. 21, n. 2. — « incapables », μὴ ... δυναμένων. La leçon
du latin « non ... ualentium », simple et pleinement en
situation, nous engage à considérer les mots μηδὲ ἐν τῷ,
qui se lisent dans les manuscrits grecs, comme une corruption
accidentelle de μή. Pour sauver à tout prix la leçon des
manuscrits grecs, Holl propose de lire μηδὲ ἕν τῳ (= « pas
même en quelque chose »), mais cette expression n'est guère
naturelle ni dans la manière d'Irénée, et ce n'est en tout cas
pas cette leçon que le traducteur latin a eue sous les yeux.

P. 21, n. 3. — « chose ridicule à dire », γελοῖον τὸ καὶ
εἰπεῖν : grec reconstitué conjecturalement à partir du latin
« ridiculum est et dicere », dont nous n'avons aucune raison
de mettre en doute le caractère primitif. On peut lire une
incise analogue en IV, 30, 2 : « dicetur enim quod uerum
est, licet ridiculum quibusdam esse uideatur ».

P. 21, n. 4. — « elle fait en sorte de paraître... plus vraie
que la vérité elle-même, grâce à cette apparence extérieure,
aux yeux des ignorants », καὶ αὐτῆς τῆς ἀληθείας... ἀλη-
θεστέραν ἑαυτὴν παρέχει φαίνεσθαι διὰ τῆς ἔξωθεν φαντασίας
τοῖς ἀπειροτέροις : grec.
Nous croyons devoir préférer la leçon du grec, comme
offrant un sens plus naturel : « l'erreur, en se dissimulant
sous des dehors spécieux, cherche à *paraître* (φαίνεσθαι)
plus vraie, s'il se peut, que la vérité elle-même ».
Quant à la leçon divergente du latin « ut decipiat exteriori
phantasmate rudiores », elle s'explique le plus naturellement
du monde, pensons-nous, par un accident de transmission.
Primitivement, le latin correspondait au grec et avait :
« uideri per exterius phantasma rudioribus ». Le mécanisme
de l'erreur saute aux yeux : un scribe a lu « ut decipiat »

au lieu de « uideri per », et cette première erreur a entraîné
la cascade des erreurs subséquentes.

P. 21, n. 5. — « La pierre précieuse — par un morceau
de verre habilement truqué », λίθον τὸν τίμιον — διὰ τέχνης
παρομοιουμένη : grec.

On ne peut, de nouveau, que suivre le grec, dont la
construction est cohérente et le sens excellent. La phrase
latine paraît avoir souffert des vicissitudes de la transmission. Sans doute comportait-elle primitivement : « Quoniam lapidem pretiosum smaragdum, *exsistentem et* magni
pretii apud quosdam, *uitrum adficit contumelia* per artem
adsimilatum... »

Il semble — voir la note précédente — qu'un accident
ait rendu le texte plus ou moins illisible, à cet endroit, dans
l'archétype de tous nos manuscrits latins.

P. 23, n. 1. — « n'ont pas craché », μὴ ... ἐξεπτύκασιν :
grec. On doit, ici encore, donner raison au grec. Il est possible
que le latin ait eu primitivement « habent *exsputum* ». Le
parfait périphrastique n'est pas absolument inconnu du
traducteur latin d'Irénée, car on lit, par exemple, en IV, 7, 2 :
« qui ... *cognitum habuerunt* Deum », traduisant sans doute
οἱ ... ἐγνωκότες τὸν Θεόν.

On a cru pouvoir comprendre la pensée d'Irénée en ce
sens que « tous n'ont pas *nettoyé* leur cerveau (en se
mouchant) » (cf. Massuet, qui fait appel à un passage de
Plaute). Mais le grec ἐκπτύω (= « cracher ») ne paraît pas
susceptible d'une telle interprétation. Le langage d'Irénée est
ironique : si tous ne sont pas capables d'admettre incondition-
nellement les assertions extravagantes des hérétiques, dit-il
équivalemment, c'est parce que tous n'ont pas « craché leur
cerveau », c'est-à-dire rejeté ce qui fait d'eux des êtres
intelligents.

P. 23, n. 2. — « de l'" abîme ' », τὸν βυθόν. Nous mettons
le mot « abîme » entre guillemets. Il s'agit, en effet, d'un
jeu de mots ironique qui reviendra plus d'une fois dans
la suite : comme on va le voir en I, 1, 1, Βυθός (= l'« Abîme »)
est un des noms que les Valentiniens donnaient au premier
Éon de leur Plérôme.

P. 23, n. 3. — « de Ptolémée et des gens de son entourage », τῶν περὶ Πτολεμαῖον. A s'en tenir à la traduction toute matérielle du latin, on pourrait croire qu'il s'agit uniquement des gens de l'entourage de Ptolémée. Mais, comme on le sait, l'expression grecque οἱ περί τινα désigne habituellement l'entourage d'une personne *avec cette personne même*. Il s'agit donc de Ptolémée et de son école. De fait, la « Grande Notice », qui constitue toute la première partie du Livre I (c. 1-9), ne sera pas autre chose, en son fond, qu'un exposé détaillé du système de Ptolémée.

Notons les derniers mots de la présente phrase : la doctrine de Ptolémée et des gens de son entourage est, dit Irénée, « la fleur de l'école de Valentin ». Ces mots font comprendre par avance l'expression οἱ ἀπὸ Οὐαλεντίνου qui reviendra si souvent à travers tout l'*Aduersus haereses* et par laquelle Irénée désignera le plus habituellement ses adversaires gnostiques. Ceux auxquels il est affronté sont donc les « disciples de Valentin », et non Valentin lui-même à proprement parler, qui appartient à la génération antérieure à Irénée ; mais, parmi ces disciples de Valentin, il s'en touve à qui Irénée est plus particulièrement affronté, à savoir Ptolémée et les gens de son entourage, qu'Irénée semble considérer comme les représentants les plus marquants — la « fleur » — de la tradition issue de Valentin.

P. 27, n. 1. — « ' semences ' ... ' commencements ' ... ' fructifier ' », σπέρματα ... ἀρχὰς ... καρποφορήσεις. Tous ces mots, que nous mettons entre guillemets dans la traduction française, appartiennent au vocabulaire courant et quasi technique des gnostiques. Irénée les accumule à cet endroit dans une intention manifestement ironique.

P. 27, n. 2. — « pour répondre à ton désir », ζητοῦντός σου : grec. Le latin « quaerenti tibi » a toutes chances de n'être que la corruption de « quaerente te » : il est en effet plus que douteux que le traducteur ait substitué à l'ablatif absolu un datif entraînant la répétition, grammaticalement inacceptable, du pronom « tibi » à l'intérieur d'une même proposition.

P. 29, n. 1. — « ' Pro-Principe ', ' Pro-Père ' et ' Abîme ', Προαρχὴν καὶ Προπάτορα καὶ Βυθόν.

Tous ces vocables dont les gnostiques affublaient les
Éons de leur Plérôme posent un difficile problème de
traduction. Une solution aussi commode que radicale eût
consisté à garder tels quels tous les noms grecs : « Proarchè »,
« Propatôr », « Bythos », « Ennoïa », « Charis », « Sigè », etc.
Mais, ainsi hérissé de vocables étrangers, le texte français
fût devenu pratiquement illisible. Nous avons donc pris
le parti de traduire, sinon tous ces noms, du moins ceux
d'entre eux qui reviendront le plus fréquemment dans
la suite sous la plume d'Irénée. Cela entraînera comme
conséquence quelques inélégantes traductions de noms
grecs féminins par des noms français masculins et vice versa.
Le lecteur devra savoir une fois pour toutes, par exemple,
que « Silence » (Σιγή) est un Éon féminin, tandis que « Limite »
(Ὅρος) est un Éon masculin. Dans le but de garder l'équivalence des genres, nous traduirons Νοῦς par « Intellect »
plutôt que par « Intelligence ». Par ailleurs, pour distinguer
l'usage gnostique et l'usage chrétien du nom Λόγος, nous
appellerons « Logos » le 5e des Éons du Plérôme et réserverons
le nom de « Verbe » à la seconde Personne de la Trinité.
En somme, notre façon de faire reproduira, à peu de chose
près, celle qu'avait adoptée le P. Sagnard.

On notera que, face à ce problème, le traducteur latin
n'a guère eu d'attitude cohérente : tantôt il a traduit les
termes grecs (« Silentium », « Gratia », « Vnigenitus », etc.),
tantôt il s'est borné à les transposer tels quels (« Sige,
« Charis », « Monogenes », etc.), sans qu'on puisse déceler
les motifs de son choix.

P. 29, n. 2. — « Incompréhensible et invisible », Ὑπάρχοντα
δ᾽ αὐτὸν ἀχώρητον καὶ ἀόρατον : grec. Le latin « esse
autem illum inuisibilem et quem nulla res capere possit »,
auquel rien ne correspond dans le grec et qui fait double
emploi avec la suite du texte, n'est sans doute qu'une glose
indûment entrée dans le texte.

P. 29, n. 3. — « cette émission dont il avait eu la pensée,
il la déposa, à la manière d'une semence, au sein de sa
compagne Silence », καὶ καθάπερ σπέρμα τὴν προβολὴν
ταύτην, ἣν προβαλέσθαι ἐνενοήθη, καταθέσθαι ὡς ἐν μήτρᾳ
τῆς συνυπαρχούσης ἑαυτῷ Σιγῆς : restitution basée sur les
indications complémentaires du grec et du latin.

Ni le grec ni le latin ne sont satisfaisants, et il faut les rectifier l'un par l'autre. D'une part, le latin paraît avoir lu indûment προβαλέσθαι au lieu de ἦν προβαλέσθαι. D'autre part, le latin « eius quae cum eo erat Sige » donne à penser que le grec primitif était τῆς συνυπαρχούσης … Σιγῆς plutôt que τῇ συνυπαρχούσῃ … Σιγῇ. Il convient enfin de supprimer un καί malencontreusement introduit avant καταθέσθαι.

P. 31, n. 1. — « la primitive et fondamentale Tétrade », πρώτην καὶ ἀρχέγονον … Τετρακτύν. Sur l'expression πρώτη καὶ ἀρχέγονος, appliquée ici à la Tétrade, mais plus souvent à l'Ogdoade, cf. F. SAGNARD, *La Gnose valentinienne…*, p. 336-337. Sur la Tétrade « pythagoricienne » au IIe siècle, cf. *ibid.*, p. 337-348.

P. 31, n. 2. — « Logos et Vie, Père de tous ceux qui viendraient après lui », Λόγον καὶ Ζωήν, πατέρα πάντων τῶν μετ᾽ αὐτὸν ἐσομένων.
Traduction littérale. Il faut comprendre en ce sens que c'est le « Logos » qui est le Père de tous les Éons subséquents, mais non sans la « Vie », dont il se distingue, tout en n'en constituant pas moins avec elle un unique principe émetteur. Le « Logos » et la « Vie » constituent de la sorte un « couple », une συζυγία. En vertu de cette union de « syzygie », il suffira de nommer l'élément mâle pour que le couple tout entier soit désigné, l'élément mâle incluant nécessairement l'élément femelle dont il est inséparable.

P. 33, n. 1. — « à sa Pensée, qu'ils appellent aussi Grâce et Silence », τῇ ἑαυτοῦ Ἐννοίᾳ, ἥν καὶ Χάριν καὶ Σιγὴν καλοῦσιν : latin.
Le latin a : « suae Ennoeae, id est Cogitationi, quam Gratiam et Silentium uocant ». Il saute aux yeux que les mots « id est Cogitationi » ont été ajoutés par le traducteur pour exprimer la signification du nom Ἐννοίᾳ. En revanche, les mots « quam Gratiam et Silentium uocant » paraissent bien rendre un membre de phrase accidentellement tombé dans le grec. Sans doute serait-on tenté de considérer ces mots comme une glose, du fait qu'on a déjà lu plus haut : Ἔννοιαν, ἥν δὴ καὶ Χάριν καὶ Σιγὴν ὀνομάζουσι = « Ennoiam, quam etiam Charin et Sigen uocant ». Toutefois,

le fait qu'Irénée a jugé utile de rappeler ici les deux noms
du 3ᵉ Éon (τὸν δὲ Μονογενῆ, τουτέστιν τὸν Νοῦν) donne
à penser qu'il a pu juger tout aussi utile de rappeler également les trois noms du 2ᵉ Éon.

P. 35, n. 1. — « pour ne rien dire de toutes les autres
paroles des Écritures qu'ils ont pu adapter et accommoder
à leur fiction », καὶ εἴ πού τι τῶν εἰρημένων ἐν ταῖς γραφαῖς
δυνηθείησαν προσαρμόσαι καὶ εἰκάσαι τῷ πλάσματι αὐτῶν.
Il semble que la forme δυνηθείη, qui se lit dans les
manuscrits d'Épiphane, soit la corruption de δυνηθείησαν,
comme le suggère la 3ᵉ personne du pluriel du verbe correspondant dans le latin. D'autre part, les mots ἐν πλήθει,
dont on voit mal la raison d'être et auxquels rien ne correspond dans le latin, paraissent avoir été indûment ajoutés.

Ces deux lignes sont à comprendre comme une sorte de
coup d'œil jeté sur l'ensemble du chapitre. L'enseignement
gnostique relatif au Plérôme des trente Éons, dit équivalemment Irénée, est fait de deux composantes : 1. une
fantasmagorie gratuite, issue de la pure imagination des
hérétiques (πλάσμα) ; 2. des textes scripturaires recueillis
après coup, pour être adaptés (προσαρμόζω) et accommodés
(εἰκάζω), vaille que vaille et d'une manière tout artificielle,
à un système échafaudé indépendamment d'eux. Le même
jugement sera repris, presque dans les mêmes termes, en
I, 3, 6, en I, 8, 1, en I, 9, 1 et en I, 9, 4.

P. 37, n. 1. — « semblablement », ὁμοίως : grec. Le
latin a : « Et reliqui quidem *omnes* Aeones tacite quodam-
modo desiderabant... » Cette leçon semble moins naturelle.
D'autre part, il n'est nullement impossible que « omnes » soit
une déformation de « similiter », traduction de ὁμοίως.

Le passage nous semble devoir être compris de la manière
suivante. Ce qui surgit « semblablement » (ὁμοίως) dans
les Éons situés au-dessous de l'Intellect, c'est un désir
« plus ou moins paisible » (ἡσυχῇ πως) de voir le Père qui
est au-dessus de tout. Désir de moins en moins paisible,
sans doute, au fur et à mesure que l'on descend dans la série
des Éons et que l'on s'éloigne du Père. Ainsi s'explique
que, dans le tout dernier des Éons, ce désir ait pu s'exaspérer,

au point de le pousser à quitter son rang — sa « syzygie »,
dira le texte — et à bondir vers les hauteurs dans une volonté
aberrante de rejoindre le Père inaccessible.

P. 39, n. 1. — « Cette passion avait pris naissance aux
alentours de l'Intellect et de la Vérité », ὃ ἐνήρξατο μὲν ἐν
τοῖς περὶ τὸν Νοῦν καὶ τὴν Ἀλήθειαν.

Le traducteur latin a compris τοῖς comme un neutre
pluriel : « dans les alentours de l'Intellect et de la Vérité ».
Massuet voudrait y voir plutôt un masculin pluriel : « dans
les (Éons) avoisinant l'Intellect et la Vérité ». Cette divergence est sans importance pour le sens. Ce qui est sûr, c'est
que la passion dont il s'agit n'a pu en aucune manière
affecter l'Intellect et la Vérité, puisque, immédiatement
proches du Père, ils jouissent de sa contemplation, ainsi qu'il
a été dit au paragraphe précédent. Le désir immodéré de
voir le Père n'a pu prendre naissance que dans les deux
Éons issus de l'Intellect et de la Vérité, à savoir le Logos et
la Vie, et ce désir a dû aller croissant à mesure que, d'émission
en émission, on s'est éloigné du Père transcendant. Cette
interprétation est confirmée par une phrase de II, 17, 7 qui
reproduit pour ainsi dire textuellement les expressions du
présent passage : « ... quemadmodum quidam audent dicere
quia *a Logo* quidem coepit (passio), deriuauit autem in
Sophiam », ... ὥς τινες τολμῶσι λέγειν ὅτι ἀπὸ μὲν τοῦ Λόγου
ἐνήρξατο, ἀπέσκηψε δὲ εἰς τὴν Σοφίαν.

P. 39, n. 2. — « elle se concentra », ἀπέσκηψε. Le mot
ἀπόσκηψις est un terme médical qui signifie la « concentra-
tion (des humeurs) en quelque partie du corps » (cf.
Hippocrate, *Aph.* 6, 56, etc.). « Le désir des Éons se
concentre, comme les mauvaises humeurs qui forment
un abcès, sur le dernier et le plus faible des Éons, Sagesse-
Sophia » (F. Sagnard, *La Gnose valentinienne...*, p. 258).

P. 39, n. 3. — « en cet Éon qui en fut altéré », εἰς τοῦτον
τὸν παρατραπέντα : grec. Le latin a : « in hunc Aeonem,
id est Sophiam, demutatam (lire : demutatum?) ». Les
mots « Aeonem, id est Sophiam » ne sont sans doute qu'une
glose du traducteur ou d'un copiste, car, trois lignes

auparavant, on lit déjà : « Aeon, hoc est Sophia », traduisant :
ὁ... Αἰών, τουτέστιν ἡ Σοφία, et l'on voit mal la nécessité
d'une telle répétition à si peu d'intervalle.

P. 39, n. 4. — « c'était de la témérité », τόλμη δέ :
grec. S'il faut en croire l'apparat de Holl, V a τόλμης et M a
τόλμη (qui peut être l'équivalent de τόλμη). L'accord du
latin « temeritatis » et du grec τόλμης suggère l'ancienneté
de cette dernière leçon ; mais celle-ci n'en est pas moins
une leçon fautive, due sans doute à l'influence du génitif
ἀγάπης qui précède immédiatement.

P. 39, n. 5. — « il n'était pas... uni », μὴ κεκοινῶσθαι.
Cette forme κεκοινῶσθαι est la leçon de M ; elle paraît plus
naturelle que la forme κεκοινωνῆσθαι, qui se lit dans V et qui
est adoptée par Holl. Autant que nous puissions en juger,
le verbe κοινωνέω (= « être associé à », « participer à ») n'est
usité qu'à l'actif.

P. 39, n. 6. — « de l'Abîme », τοῦ Βάθους. C'est la seule
fois que, dans l'exposé des thèses gnostiques fait par Irénée,
et même dans l'*Aduersus haereses* tout entier, l'« Abîme »
est désigné sous le nom de Βάθος (littér. = la « Profondeur » :
allusion à *I Cor.* 2, 10 ?). Partout ailleurs, il l'est sous le nom
de Βυθός. Le nom de Βάθος comme désignation de l'« Abîme »
se rencontre dans les *Extraits de Théodote*, 30 (éd. Sagnard,
p. 122) : Ἡ Σιγή, φασί, Μήτηρ οὖσα πάντων τῶν προβλη-
θέντων ὑπὸ τοῦ Βάθους ... Les noms Βάθος et Βυθός se rencontrent côte à côte dans Hippolyte, *Elenchos*, VI, 30 (éd.
Wendland, p. 158, 5) : ... ὁ μὲν ἀγέννητος, ὑπάρχων ἀρχὴ
τῶν ὅλων καὶ ῥίζα καὶ Βάθος καὶ Βυθός ...

P. 41, n. 1. — « les Éons », τὰ ὅλα. L'expression τὰ ὅλα
(littér. = « les ' Touts ' ») est, comme on sait, une de celles
dont se servaient les gnostiques pour désigner leurs Éons.

P. 41, n. 2. — « fut retenu », ἐπεσχῆσθαι. Le latin
« abstentum (esse) » paraît traduire plutôt ἀπεσχῆσθαι (= « fut
tenu éloigné de »).

P. 41, n. 3. — « son ' Enthymésis ' antérieure », τὴν προτέραν Ἐνθύμησιν.

Première apparition d'un terme qui reviendra fréquemment par la suite et que, pour éviter d'insurmontables difficultés de traduction, nous prenons dès maintenant le parti de garder tel quel dans le français. Le mot ἐνθύμησις (de ἐν θυμῷ) désigne le fait de se mettre (ou d'avoir) quelque chose dans l'esprit (une pensée, un sentiment, un désir, une tendance, une intention, un vouloir, etc.). Ici, il s'agit de la pensée et du désir de voir le Père que Sagesse a conçus dans son esprit, pensée et désir qui se sont emparés d'elle au point de la faire s'élancer, dans un bond désordonné, vers une impossible saisie du Père. Nous voyons Sagesse « déposer » finalement ce désir malencontreux et se séparer de lui, un peu comme on le ferait d'un vêtement : du coup, ce désir, désigné pour la première fois sous le nom d'Ἐνθύμησις (= « Pensée », « Désir », « Tendance », « Intention »...), devient une réalité autonome, une sorte de substance, encore informe, certes, mais susceptible d'être « formée » et de devenir une entité personnelle, comme on le verra par la suite.

Nous pouvons noter l'embarras du traducteur latin en face du terme Ἐνθύμησις : la plupart du temps, il se contente de la transcription « Enthymesis » (31 cas) ; mais il se risque aussi quelquefois à le traduire, tantôt par « Intentio » (3 cas), tantôt par « Excogitatio » (3 cas), tantôt encore par « Concupiscentia » (1 cas). A propos de la seconde de ces traductions, signalons une rectification à apporter dans le texte latin de V, 35, 2 (*SC* 153, p. 444, lignes 63-64) : au lieu de « de Cogitatione », on lira « <de> Excogitatione » (voir apparat critique du texte latin).

P. 41, n. 4. — « de la façon suivante », οὕτως : restitution conjecturale faite déjà par Holl à partir de la version latine, le grec πῶς n'offrant pas de sens acceptable.

Noter la traduction quelque peu maladroite de μυθολογοῦσιν par « uelut fabulam narrant ». En I, 28, 1, μυθολογήσας sera pareillement rendu par « uelut fabulam enarrans ». Comparer avec IV, 2, 4, où « fabulam retulit » (arm. ꟷꟷ ꟷꟷꟷ) traduira également μυθολογήσας.

P. 41, n. 5. — « que ce fruit même ne vînt à disparaître », μήτι καὶ αὐτὸ τοῦτο τέλος ἔχῃ : restitution conjecturale

faite à partir de la version latine. Celle-ci trouve une
confirmation dans ces mots de Tertullien : «... et metuere
postremo ne finis quoque insisteret » (*Adu. Val.* 10, 2).
L'ensemble du contexte invite à comprendre de la manière
suivante : consternée d'abord, puis épouvantée à la vue
de l'être informe qu'elle vient d'enfanter, Sagesse craint
que cet avorton ne soit même pas capable de vivre et ne
soit voué à disparaître. L'expression τέλος (τοῦ βίου) ἔχειν
signifie « finir sa vie », « mourir ».

P. 41, n. 6. — «elle fut... remplie d'angoisse », ἀπορῆσαι.
On aura noté le doublet latin « aporiatam, id est confusam,
(esse) ». Même procédé de traduction en I, 8, 2 : « aporiam...,
id est consternationem » = τὴν ἀπορίαν, et II, 24, 1 :
« consternationem siue confusionem » = τὴν ἀπορίαν.

P. 43, n. 1. — « sans compagne », ἀθήλυντον : grec.
Littér. = « sans (conjoint) féminin ». Au lieu de ce mot,
le traducteur latin paraît avoir lu ἀρρενόθηλυν (= « mâle-
femelle »). De même Tertullien, *Adu. Val.* 10, 3. Le mot
ἀθήλυντος n'est pas attesté ailleurs dans l'*Aduersus haereses*,
mais il se rencontre dans plusieurs passages d'Épiphane
(références dans Lampe).

P. 43, n. 2. — « ait Silence pour compagne », μετὰ συζύγου
τῆς Σιγῆς ... εἶναι. Le latin « coniuge » fait supposer que
συζυγίας, qui est la leçon des manuscrits grecs, est la
corruption de συζύγου. On rencontre une confusion analogue,
mais en sens inverse, en I, 9, 1, où au grec εἰ τῶν λοιπῶν τὰς
συζύγους κατέλεγε correspond le latin « si reliquorum
coniugationes enumerabat ».

P. 43, n. 3. — « au-dessus de la distinction de mâle et
de femelle », ὑπὲρ ἄρρεν καὶ ὑπὲρ θῆλυ : grec. Le latin « pro
masculo et pro femina » est énigmatique. S'agirait-il d'une
erreur de traduction, le traducteur ayant confondu deux
emplois possibles de ὑπέρ? Ou le latin avait-il primitivement
« super masculum et super feminam » ?

P. 43, n. 4. — « de Croix, de Rédempteur, d'Émancipa-
teur, de Délimitateur et de Guide », Σταυρὸν καὶ Λυτρωτὴν

καὶ Καρπιστὴν καὶ Ὁροθέτην καὶ Μεταγωγέα. Le lecteur désireux de plus amples renseignements sur ces diverses appellations pourra consulter le copieux excursus que leur a consacré A. ORBE, dans *La teologia del Espiritu Santo* (*Estudios Valentinianos*, vol. IV), Rome, 1966, p. 599-616.

P. 43, n. 5. — « réintégrée dans sa syzygie », ἀποκατασταθῆναι τῇ συζυγίᾳ : grec. Le latin « coniugi » est la corruption de « coniugationi » — ou peut-être de « coniugio » (cf. Tertullien, *Adu. Val.* 10, 4), mais il faut noter que ce dernier vocable n'est pas employé une seule fois dans la version latine de l'*Aduersus haereses* —, à moins que le traducteur latin n'ait lu τῇ συζύγῳ au lieu de τῇ συζυγίᾳ dans le texte dont il disposait. Quoi qu'il en soit, la leçon τῇ συζυγίᾳ est confirmée par les mots τήν τε μητέρα αὐτῆς ἀποκατασταθῆναι τῇ ἰδίᾳ συζυγίᾳ = « et mater eius redintegrata (sit) suae coniugationi », qui se lisent au début du paragraphe suivant.

P. 43, n. 6. — « crucifiée, ἀποσταυρωθῆναι : latin, confirmé par Tertullien, *Adu. Val.* 10, 4. Le grec ἀποστερηθῆναι, attesté par VM, ne peut être retenu.

Mais comment comprendre le verbe ἀποσταυρόω à cet endroit ? Grabe note : « Ἀποσταυρωθῆναι hic potius reddendum fuisset quasi *uallo cinctam et a Pleromate disiunctam esse*... Neque alibi in omni Irenaei opere lego Enthymesin cruci adfixam » (cité par Harvey, p. 20, note 1). Le verbe ἀποσταυρόω signifierait donc simplement : « séparer par une palissade, par une clôture ». C'est le sens même que Bailly et Liddell-Scott donnent à ce mot. Le P. Sagnard (*La Gnose valentinienne...*, p. 247-248) estime cette interprétation insuffisante et voit dans notre texte une transposition gnostique de *Gal.* 5, 24 : « Ceux qui sont du Christ... ont *crucifié* (ἐσταύρωσαν) leur chair avec ses *passions* et ses *désirs* ».

Il nous semble que les positions de Grabe et de Sagnard ne s'excluent pas, mais se complètent plutôt.

D'une part, les verbes ἀφορισθῆναι et ἀποσταυρωθῆναι correspondent manifestement aux deux dénominations les plus usuelles de l'Éon dont traite le présent paragraphe, à savoir Ὅρος et Σταυρός. Le rôle de cet Éon consiste à « purifier » et à « consolider » Sagesse et, en fin de compte, le Plérôme tout entier, et cela en « séparant » de lui l'élément

perturbateur, en l'occurrence l'« Enthymésis » avec la
passion qui était inhérente à celle-ci. C'est précisément cette
« séparation » qu'indiquent les deux verbes : ἀφορίζω =
« séparer (ἀφ-) par une limite (ὅρος) » ; ἀποσταυρόω = « séparer
(ἀπο-) par une palissade (σταυρός) ». Il semble impossible de
comprendre autrement : la signification réelle de ἀποσταυρόω
apparaît en pleine clarté du fait du rapprochement des deux
verbes.

Tout n'est cependant pas dit pour autant. Nous verrons,
en I, 3, 5, que les gnostiques appliquaient à l'Éon Ὄρος-
Σταυρός divers textes scripturaires relatifs tant à la croix
du Christ qu'à la crucifixion mystique du chrétien. Ne
serait-il pas normal que cette perspective chrétienne soit
également à l'arrière-plan du présent texte ? L'allusion à
Gal. 5, 24 paraît d'autant plus probable que, comme par
hasard, ce verset paulinien parle d'une crucifixion de la
chair « avec ses passions et ses désirs », σὺν τοῖς παθήμασι καὶ
ταῖς ἐπιθυμίαις. Aux yeux d'un gnostique, les ἐπιθυμίαι
évoquaient tout naturellement l'« Enthymésis » de Sagesse,
et les παθήματα évoquaient la « passion » inhérente à cette
Enthymésis. En somme, nous voyons ici les gnostiques
jouer sur la signification du mot σταυρός (= « palissade »,
ou « croix ») : ils gardaient le mot, riche de sens dans la
tradition chrétienne, mais ils le vidaient subrepticement de
son contenu chrétien. C'est pour tenter de suggérer cette
ambiguïté plus ou moins voulue que nous nous risquons
à traduire ἀποσταυρωθῆναι par « fut... ' crucifiée ' » (en mettant
le mot ' crucifiée ' entre guillemets).

Chose significative, un jeu de mots de tout point semblable
se retrouvera chez Clément d'Alexandrie, *Strom.* II, 108, 2-4
(*SC* 38, p. 117) : ... « ἑκάστη ἡδονή τε καὶ λύπη προσπασσαλοῖ
τῷ σώματι τὴν ψυχὴν » τοῦ γε μὴ ἀφορίζοντος καὶ ἀποσταυ-
ροῦντος ἑαυτὸν τῶν παθῶν... Ἐὰν γὰρ ἀπολῦσαι καὶ ἀποστῆσαι
καὶ ἀφορίσαι — τοῦτο γὰρ ὁ σταυρὸς σημαίνει — τὴν ψυχὴν
ἐθελήσῃς τῆς ἐν τούτῳ τῷ ζῆν τέρψεώς τε καὶ ἡδονῆς, ἕξεις αὐτὴν
ἐν τῇ ἐλπίδι ... εὑρημένην ..., « ... ' chaque plaisir et chaque
douleur clouent l'âme au corps ' (Platon), de celui du moins
qui ne se *sépare* pas des passions et ne se *défend* pas d'elles
par une clôture... Car si tu consens à libérer ta vie, à l'éloigner,
à la *séparer* — c'est ce que signifie la *croix* — des charmes et
des voluptés qui se trouvent dans cette existence, tu lui
permettras de trouver... l'espérance... » (trad. Cl. Mondésert).
Cf. note de P. Th. Camelot *i.h.l.*

P. 45, n. 1. — « afin qu'aucun des Éons ne subisse désormais une passion semblable, ... émis en vue de la fixation et de la consolidation du Plérôme », ἵνα μὴ ὁμοίως ταύτῃ πάθῃ τις τῶν ᾿Αἰώνων, ... εἰς πῆξιν καὶ στηριγμὸν τοῦ Πληρώματος : grec.

Ces deux membres de phrase n'ont rien qui leur corresponde dans le latin ; néanmoins on n'a aucune raison de douter qu'ils n'appartiennent au grec primitif, et le témoignage de Tertullien (*Adu. Val.* 11, 1), encore que d'une utilisation toujours délicate, milite en faveur de cette authenticité. Voir aussi *Adu. haer.* II, 12, 7 : « ... qui etiam *in fixionem* et emendationem reliquorum emissi sunt ».

P. 45, n. 2. — « ... (quelques mots inintelligibles) », ἀγεννήτου κατάληψιν γινώσκοντας ἱκανοὺς εἶναι.

On ne voit vraiment pas quel sens pourraient avoir ces mots. Le plus curieux est qu'ils sont confirmés, de la façon la plus stricte, par la version latine et, dans une certaine mesure tout au moins, par Tertullien lui-même (*Adu. Val.* 11, 2). Sans doute s'agit-il d'une corruption très ancienne du texte grec. Tous les éditeurs et traducteurs d'Irénée se sont évertués à trouver un sens au présent passage, aucun d'entre eux ne pouvant se satisfaire des conjectures de ses prédécesseurs. Nous nous demandons si la solution la meilleure ne consisterait pas à mettre tout bonnement les cinq mots ci-dessus entre crochets, car la phrase offre, sans eux, un sens pleinement satisfaisant. Le « Christ » fait en effet deux choses : 1. « il enseigne aux Éons la nature de la syzygie », c'est-à-dire qu'il leur apprend à rester modestement à leur place, au lieu de bondir d'une façon désordonnée et de se détacher de leur conjoint sous prétexte de recherche du Père, comme l'avait fait Sagesse ; 2. « il publie parmi les Éons la connaissance du Père, en leur révélant que celui-ci est incompréhensible et insaisissable... », ce qui doit rendre désormais impossible toute prétention d'un Éon à s'approcher du Père pour le voir immédiatement et par lui-même.

P. 47, n. 1. — « des Éons », τοῖς ὅλοις. La leçon τοῖς λοιποῖς, qui figure dans les manuscrits grecs, est irrecevable. Quant au latin « his omnibus », il a toutes chances d'être la traduction de τοῖς ὅλοις. On sait que l'expression τὰ ὅλα

(littér. = « les ' Touts ' ») est une de celles dont se servaient
les gnostiques pour désigner leurs Éons. On l'a rencontrée
déjà dans ce chapitre même (cf. *supra*, p. 176, *note justif.
P. 41, n. 1*), et on la rencontrera encore dans le paragraphe
suivant, où les mots Στηριχθέντα δὲ ἐπὶ τούτῳ τὰ ὅλα...
sont traduits par : « Confirmata quoque in hoc *omnia*... »

P. 47, n. 2. — « ce qu'il y a d'incompréhensible », τὸ
ἀκατάληπτον : latin. Les manuscrits grecs portent τὸ πρῶτον
καταληπτόν. Sans doute s'agit-il d'une erreur de lecture :
τὸ ᾱ καταληπτόν lu pour τὸ ἀκατάληπτον. Confusion analogue
en I, 16, 2 : Τὸ γὰρ στοιχεῖον τὸ η σὺν μὲν τῷ ἐπισήμῳ
Ὀγδοάδα εἶναι θέλουσιν, ἀπὸ τοῦ ἄλφα ὀγδόῳ κείμενον τόπῳ
(au lieu de la leçon correcte ἄλφα, qui est celle d'Hippolyte,
Épiphane a la leçon πρώτου).

P. 47, n. 3. — « tout en prenant part », μετασχόντα.
Le latin « participantem » est peut-être la corruption de
« participantes ». Si la forme « participantem » est primitive,
elle prouve seulement que le traducteur a considéré μετασχόντα comme un accusatif masculin singulier se rapportant
à Προπάτορα : c'est alors le Pro-Père qui prend part à la
réjouissance. Il paraît toutefois plus conforme au mouvement d'ensemble de la pensée de voir dans μετασχόντα
un nominatif neutre pluriel et de le rapporter à τὰ ὅλα :
n'est-ce pas sur l'activité des Éons que l'attention se
concentre dans tout ce passage?

P. 47, n. 4. — « et la ratification du Père », τοῦ δὲ
Πατρὸς αὐτῶν συνεπισφραγιζομένου : grec. Ces mots ne
figurent que dans le grec ; néanmoins ils sont pleinement en
situation et il n'y a pas lieu de suspecter leur caractère
primitif, car on s'explique plus facilement leur chute dans
le latin que leur introduction dans le grec.

P. 49, n. 1. — « qu'ils disent », ὑπ' αὐτῶν λεγομένη :
grec. Au lieu de ὑπ' αὐτῶν, le traducteur latin a lu αὐτῶν.
La leçon du grec est confirmée par ce passage parallèle qui
se lit en II, 24, 1 : « non ergo uera est illa quae *ab eis* in
Pleromate dicitur negotiatio », οὐκ ἄρα οὖν ἀληθὴς ἡ ὑπ' αὐτῶν

ἐν τῷ Πληρώματι λεγομένη πραγματεία. Cette leçon du grec
n'est pas sans importance, car elle témoigne que le terme
πραγματεία — qu'Irénée n'utilise sans doute pas ici sans une
intention ironique — était employé par les gnostiques
eux-mêmes pour désigner la « production » de leur Plérôme.

P. 49, n. 2. — « hexagonal », ἑξάγωνος. Avec le traducteur latin et d'autres après lui, on pourrait être tenté de
lire ἐξ ἀγῶνος : Irénée rappellerait simplement que l'émission de Horos eut lieu « à la suite de l'état de lutte » dans
lequel Sagesse se trouva plongée du fait de sa recherche
passionnée du Père (cf. I, 2, 2 : ἐν πολλῷ πάνυ ἀγῶνι
γενόμενον..., « in magna agonia constitutum... »). Cependant,
compte tenu du terme σύμπηξις (= « assemblage », « ajustement », « construction ») et des six vocables qui précèdent
— car ce n'est sans doute pas sans intention qu'Irénée
reproduit, sans en omettre une seule, les six dénominations
qu'il a déjà exhibées en I, 2, 4 —, nous nous demandons
s'il ne serait pas plus indiqué de lire tout bonnement
l'adjectif ἑξάγωνος (= « hexagonal ») : Irénée présenterait
alors l'Éon « Limite » sous les traits d'une sorte de clôture
de forme hexagonale entourant le Plérôme. Cette burlesque
présentation cadrerait fort bien avec l'ensemble de la phrase,
où l'ironie fuse pour ainsi dire à jet continu.

P. 51, n. 1. — « du siècle des siècles », τοῦ αἰῶνος τῶν
αἰώνων. Cette leçon est celle que suppose la version latine ;
elle est aussi celle des manuscrits du Nouveau Testament.
Dans les manuscrits d'Épiphane, les génitifs sont intervertis. On doit donner raison à la version latine, semble-t-il,
car elle seule permet de rendre compte de l'assertion des
hérétiques selon laquelle Paul « garderait la hiérarchie
des (Éons) » : pour respecter cette hiérarchie, Paul doit
nommer d'abord « l'Éon » primordial qu'est le Pro-Père
ou Abîme (cf. I, 1, 1 : Λέγουσι γάρ τινα εἶναι... τέλειον
Αἰῶνα προόντα ...), ensuite « les Éons » venus après lui et
issus de lui.

Notre traduction ne peut évidemment rendre sensible
l'ambivalence du mot grec Αἰών-αἰών : nous ne pouvons que
juxtaposer les deux significations « Éon » — « siècle ».

P. 53, n. 1. — « par le fait que le Seigneur souffrit sa Passion le douzième mois », ὅτι τῷ δωδεκάτῳ μηνὶ ἔπαθεν.

Dans la phrase grecque, le sujet du verbe ἔπαθεν n'est pas explicité, mais la phrase française exige qu'il le soit. Deux interprétations sont possibles :

1. On peut penser qu'Irénée se place dans l'optique chrétienne. Il veut dire alors : « ... par le fait que Celui que nous, chrétiens, appelons le Seigneur souffrit sa Passion le douzième mois ». Cette façon de comprendre est la plus simple.

2. On peut penser aussi, si l'on veut, qu'Irénée reste sur le terrain des gnostiques. Mais il faut alors préciser que celui qui souffrit ne peut absolument pas être le « Sauveur » dont il a été question à la fin du paragraphe précédent, car, étant un Éon d'essence pneumatique, il ne pouvait souffrir ; celui qui souffrit, d'après les gnostiques, ce fut cet être d'essence psychique — « Christ » psychique ou « Jésus (issu) de l'" économie ' » — en qui le « Sauveur » descendit sous forme de colombe lors du baptême du Jourdain et dont il s'envola immédiatement avant la Passion (cf. I, 6, 1 ; 7, 2).

P. 55, n. 1. — « du Sauveur », τοῦ Σωτῆρος : grec. Le latin « Domini » semble dû à l'inadvertance d'un scribe ou du traducteur lui-même. Voir I, 1, 3 : « et propter hoc *Saluatorem* dicunt — *nec enim Dominum eum nominare uolunt* — XXX annis in manifesto nihil fecisse... »

P. 55, n. 2. — « la frange de son vêtement », τοῦ κρασπέδου αὐτοῦ. Le latin « fimbriam *uestimenti* eius » pourrait faire penser que le grec avait τοῦ κρασπέδου τοῦ ἱματίου αὐτοῦ, comme en *Matth.* 9, 20 et en *Lc* 8, 44. Cependant il semble que le mot « uestimenti » soit ici une pure explicitation du latin — nous explicitons de même en français —, comme il résulte de la comparaison avec un passage parallèle de II, 20, 1, où le traducteur écrit simplement : « duodecim enim annis passa est mulier et, tangens *fimbriam* Saluatoris, consecuta est sanitatem ab illa Virtute quae egressa est a Saluatore... »

P. 55, n. 3. — « Car celle qui souffrit ainsi douze ans, c'était cette Puissance-là », ἡ γὰρ παθοῦσα δώδεκα ἔτη ἐκείνη ἡ Δύναμις : grec. Le latin « per illam enim quae passa est XII annis illa Virtus significatur » paraît interpréter — d'une manière d'ailleurs parfaitement exacte — ce que le grec dit avec plus de concision.

P. 55, n. 4. — « le vêtement du Fils, c'est-à-dire la Vérité », τοῦ φορήματος τοῦ Ὑἱοῦ, τουτέστιν τῆς 'Αληθείας. Le traducteur latin commet ici un contresens dont il existe d'autres exemples dans son œuvre : au lieu de voir dans le mot 'Αληθείας une apposition à φορήματος et de le traduire par un accusatif comme l'exige la syntaxe latine, il y voit une apposition à Ὑἱοῦ et le traduit par un génitif. Le Fils dont il s'agit ici est l'« Intellect » ou « Monogène », et la « Vérité », présentée comme le « vêtement » de ce Fils, est l'Éon féminin qui lui est uni d'une union de syzygie.

P. 55, n. 5. — « elle se fût dissoute dans l'universelle Substance », ἀνελύθη ἂν εἰς τὴν ὅλην οὐσίαν.

Que tel soit bien le texte d'Irénée, ou du moins celui qui reflète son authentique pensée, c'est ce que montrent deux passages strictement parallèles :

I, 2, 2 : τελευταῖον ἂν ... ἀναλελύσθαι εἰς τὴν ὅλην οὐσίαν, traduit par : « nouissime... resolutum (fuisset) in uniuersam substantiam » ;

II, 20, 1 : « Illa enim... Virtus, extensa et in immensum effluens ita ut periclitaretur per omnem substantiam dissolui... »

De la confrontation avec ces deux textes résulte une double lumière pour le passage qui nous occupe :

1. Tout d'abord, le latin « aduenisse <t> », qui traduit sans doute ἀνέλθη ἄν, ne saurait refléter la pensée d'Irénée ;

2. Malgré l'accord des manuscrits d'Épiphane (τὴν ... οὐσίαν αὐτῆς) et de la famille AQSε (« substantiam *suam* »), il faut écarter le pronom : c'est de la Substance universelle qu'il s'agit, non de celle de Sagesse.

P. 55, n. 6. — « car la Vertu sortie du Fils — et sépara d'elle la passion », ἡ γὰρ ἐξελθοῦσα Δύναμις — καὶ τὸ πάθος ἐχώρισεν ἀπ᾽ αὐτῆς : grec. Le traducteur latin paraît

avoir eu sous les yeux un texte légèrement différent, moins
naturel comme construction, semble-t-il, mais pratiquement
identique pour le sens.

P. 57, n. 1. — « lorsqu'elle eut été bannie », ἐξορισθείσης : restitution hypothétique. Avec Massuet (cf.
apparat latin), nous sommes tenté de croire que les leçons
« separat ea » (CV) et « separata ea » (AQS) — noter que
le mot « ea » n'a rien qui lui corresponde dans le grec —
ne sont que des corruptions de « separatae », participe
traduisant très exactement ἐξορισθείσης. Par ailleurs, le mot
« et » semble indiquer que le traducteur latin a bien lu le καὶ
figurant dans nos manuscrits d'Épiphane. Mais ce καὶ
pourrait n'avoir d'autre origine que la maladresse d'un
scribe, l'accord du grec et du latin prouvant seulement
qu'il s'agirait d'une faute très ancienne. Si l'on supprime
ce mot, la construction de la phrase est des plus simples :
διήνοιξε τὴν μήτραν τῆς Ἐνθυμήσεως... ἐξορισθείσης...,
« il ouvrit le sein de l'Enthymésis... ayant été bannie
(c'est-à-dire : après qu'elle eut été bannie)... » On peut voir
une construction de tout point semblable en I, 11, 1 :
καὶ τὸν Χριστὸν δὲ οὐκ ἀπὸ τῶν ἐν τῷ Πληρώματι Αἰώνων
προβεβλῆσθαι, ἀλλὰ ὑπὸ τῆς Μητρὸς ἔξω γενομένης
κατὰ τὴν μνήμην τῶν κρειττόνων ἀποκεκυῆσθαι..., « ... le
Christ... fut enfanté... *par la Mère après qu'elle fut sortie*
(du Plérôme)... »

P. 57, n. 2. — « La parole ' récapituler toutes choses
dans le Christ ' est également interprétée par eux de cette
manière », καὶ τὸ « ἀνακεφαλαιώσασθαι » δὲ « τὰ πάντα ἐν
τῷ Χριστῷ » οὕτως ἑρμηνεύουσιν εἰρῆσθαι.
Tout d'abord, on peut penser que le latin avait primitivement : « Et illud... sic interpretantur *dictum* (esse)... »
Comparer avec II, 30, 2 : « Et illud quod scriptum est :
' Quaerite et inuenietis ', ad hoc *dictum esse interpretantur*,
uti super Demiurgum semetipsos adinueniant... », et avec
III, 21, 4 : « Seniores autem sic *interpretati sunt dixisse*
Esaiam... »
Ensuite, la traduction de ἀνακεφαλαιώσασθαι, qui est
une forme moyenne, par « recapitulata esse », qui ne peut
être ici qu'une forme passive, est plus qu'étrange. Le latin
n'aurait-il pas eu primitivement : « Et illud ' *recapitulare* '
autem ' omnia... ' » ?

Enfin, à la suite des mots ἐν τῷ Χριστῷ, on lit, dans les deux manuscrits d'Épiphane, les mots διὰ τοῦ Θεοῦ (= « par l'entremise de Dieu »), auxquels correspondent, dans le latin, les mots « per Deum ». Les mots διὰ τοῦ Θεοῦ ne figurent dans aucun manuscrit du Nouveau Testament, et il est impossible de leur trouver un sens acceptable. Ne pourraient-ils être le résultat d'une très ancienne corruption de οὕτως, terme attesté par le latin « sic » et nécessaire au sens, mais absent dans les manuscrits d'Épiphane? Le latin « ' per Deum ', sic » refléterait alors un manuscrit grec dans lequel les deux leçons, la corrompue et l'authentique, auraient subsisté côte à côte. Quoi qu'il en soit de cette hypothèse, nous proposons de considérer les mots διὰ τοῦ Θεοῦ comme étrangers au texte primitif.

P. 57, n. 3. — « De même encore », Ἔτι τε. Le latin « adhuc etiam » est la traduction de ἔτι τε, leçon préférable à ἔπειτα, qui en est la corruption manifeste. De son côté, l'arménien *ƀι ηɯρλƀɯɩ ƀι* suppose, lui aussi, comme substrat grec, ἔτι τε : comparer avec III, 1, 9, où au latin « Adhuc ait » correspondent l'arménien *ƀι ηɯρλƀɯɩ ɯɯƙ* (fragment 11 du *Galata 54*) et le grec Ἔτι φησίν (texte grec conservé par le Florilège d'Ochrid).

P. 59, n. 1. — « Prenant ta Croix, suis-moi », Ἄρας τὸν σταυρόν, ἀκολούθει μοι. On notera que, dans quelques manuscrits de l'Évangile de Marc (*Mc* 10, 21), le texte se présente de la façon suivante : ... ἀκολούθει μοι, ἄρας τὸν σταυρόν.

P. 59, n. 2. — « pour purifier », διακαθᾶραι : latin. Le grec a la leçon διακαθαριεῖ, « il purifiera ». Le Nouveau Testament connaît les deux leçons, et il est impossible de savoir de façon certaine laquelle figurait dans le texte irénéen primitif.

P. 61, n. 1. — « ... et moi pour le monde », ... κἀγὼ κόσμῳ. Sur la manière dont les Valentiniens infléchissaient tous ces textes chrétiens dans le sens de leur système, cf. F. SAGNARD, *La Gnose valentinienne...*, p. 249-255.

P. 61, n. 2. — « des Éons », πάντων : latin. Littéralement : « de toutes choses ». On sait que, en langage gnostique, les expressions τὰ ὅλα et τὰ πάντα désignent souvent les Éons du Plérôme.

P. 61, n. 3. — « faisant violence aux belles paroles des Écritures pour les adapter », ἐφαρμόζειν βιαζόμενοι τὰ καλῶς εἰρημένα : grec. Plus littéralement : « usant de violence pour adapter ce qui a été bien dit... » Le latin « adaptare cupientes » — s'il est primitif — ne rend que très approximativement le sens de l'expression grecque.

P. 61, n. 4. — « mais ils recourent aussi à la Loi et aux prophètes », ἀλλὰ καὶ ἐκ νόμου καὶ προφητῶν.

Comment comprendre ces mots ? Irénée voudrait-il dire que, outre les textes qu'il vient de mentionner, les hérétiques invoquent aussi d'autres textes, tirés, ceux-là, de l'Ancien Testament ? Nous ne le pensons pas. Nous croyons qu'Irénée ne dépasse pas le cadre des textes qu'il vient de mentionner. Si on les regarde de près, en effet, on s'aperçoit que deux d'entre eux, tout en figurant dans le Nouveau Testament, renvoient à l'Ancien, qu'ils ne font que citer.

Le premier (I, 3, 3) est relatif à l'« année » unique durant laquelle le Sauveur a « prêché » publiquement. Allusion évidente à *Lc* 4, 18-19 : « ... il m'a envoyé... proclamer une année (κηρύξαι ἐνιαυτόν) de grâce du Seigneur ». Or, les paroles que l'évangéliste met sur les lèvres du Christ sont une citation pure et simple de *Is.* 61, 1-2.

Le second texte (I, 3, 4) est le suivant : « Tout mâle ouvrant le sein... » Ce texte figure en *Lc* 2, 23, mais comme citation explicite de *Ex.* 13, 2.

C'est donc à l'Ancien Testament que nous sommes renvoyés à travers le Nouveau pour les deux textes en question. Ce qui permet à Irénée de dire que les hérétiques « recourent aussi à la Loi (*Ex.* 13, 2) et aux prophètes (*Is.* 61, 1-2) ». Pour ce qui est du texte d'Isaïe, ils prétendent l'entendre au pied de la lettre — Irénée discutera longuement leur interprétation en II, 22, 1-2 —, tandis que, du texte de l'Exode, ils font une sorte de parabole qu'ils comprennent dans un sens purement allégorique.

P. 63, n. 1. — « comme il s'y rencontre nombre de paraboles et d'allégories — au moyen d'exégèses habiles et

artificieuses », ἅτε πολλῶν παραβολῶν καὶ ἀλληγοριῶν —
δεινῶς τῷ πλάσματι αὐτῶν καὶ δολίως ἐφαρμόζοντες.

Ni le texte latin ni le texte grec de ce passage ne donnent
pleine satisfaction. Nous proposons de corriger « possit »
en « possint » conformément au grec δυναμένων. D'autre
part, nous proposons de corriger ἕλκειν en ἕλκεσθαι conformément au latin « trahi » et de supprimer les mots ἕτεροι δέ
auxquels rien ne correspond dans le latin. Il suffit alors de
rattacher τὸ ἀμφίβολον (= « ambiguum ») à ἐφαρμόζοντες
(= « adaptantes ») et d'entendre l'adverbe δεινῶς (= « pro-
pensius ») au sens de « habilement » (avec une nuance
péjorative), pour que non seulement la phrase soit cohérente,
mais que son contenu cadre pleinement avec les développements que l'on trouvera aux chap. 8 et 9 de ce Livre I.

Dans ce passage, le terme παραβολή, rapproché de
ἀλληγορία et appliqué aux prophéties de l'Ancien Testament,
s'entend de tout langage renfermant, par-delà le sens obvie
des mots, un sens caché qu'une interprétation correcte peut
seule faire découvrir. Déjà, dans son *Dialogue avec Tryphon*,
Justin avait abondamment employé le terme παραβολή au sens
que nous venons de dire : cf. 36, 2 ; 52, 1 ; 63, 2 ; 68, 6 ;
77, 4 ; 78, 10, etc.

P. 63, n. 2. — « et en un seul Jésus-Christ », καὶ εἰς ἕνα
Ἰησοῦν Χριστόν : latin.

Là où le latin n'a que les mots « et in unum Iesum
Christum », le grec lit εἰς ἕνα Κύριον Ἰησοῦν Χριστόν. Nous
croyons pouvoir considérer la leçon du latin comme plus
probable pour les raisons suivantes :

1. A l'inverse du texte grec d'Épiphane, qui appartient
à la tradition indirecte d'Irénée, la version latine peut
être considérée comme reflétant immédiatement la tradition
directe et, à ce titre, bénéficier d'un *a priori* favorable.

2. Des formules pratiquement identiques à celles du
présent passage se rencontrent un peu plus loin, en I, 10, 1,
comme il ressort du tableau comparatif suivant :

I, 3, 6	I, 10, 1
τὴν πίστιν εἰς ἕνα Θεὸν Πατέρα παντοκράτορα	τὴν εἰς ἕνα Θεὸν Πατέρα παντοκράτορα... πίστιν
καὶ εἰς ἕνα Ἰησοῦν Χριστὸν τὸν Υἱὸν τοῦ Θεοῦ...	καὶ εἰς ἕνα Χριστὸν Ἰησοῦν τὸν Υἱὸν τοῦ Θεοῦ...
	καὶ εἰς Πνεῦμα ἅγιον...

Le parallélisme on ne peut plus étroit qui s'observe entre
les formules des deux passages et le caractère déjà quelque
peu stéréotypé de ces formules en lesquelles s'exprime
l'essentiel de la foi au mystère trinitaire invite à penser que
le mot Κύριον devait être absent dans le premier passage
comme il l'est dans le second.

3. L'introduction du mot Κύριον dans le grec nous paraît
plus aisément explicable que la chute du mot « Dominus »
dans le latin, si l'on a présente à l'esprit la teneur des
principaux symboles de foi des siècles suivants, où le terme
ἕνα, lorsqu'il est employé à propos de la deuxième Personne
divine, est toujours suivi de Κύριον (cf. Denzinger-Schön-
metzer, n° 40 suiv.). On comprend qu'un scribe grec — ou
peut-être Épiphane lui-même — ait pu ajouter ce mot d'une
manière plus ou moins inconsciente, mais on comprendrait
moins bien qu'un scribe latin ait pu laisser tomber le mot
« Dominum ».

P. 63, n. 3. — « du Plérôme », τοῦ Πληρώματος : grec.
Le latin a bien « a *superiore* Pleromate », mais l'adjectif
« superiore » paraît être une redondance inutile, sans doute
introduite par un scribe ou par le traducteur. Même glose
superflue quelques lignes plus loin, dans l'expression
« *superiorem* Christum ». Par contre, dans l'expression τῆς
ἄνω Σοφίας, que traduit « illius *superioris* Sophiae », le
mot ἄνω a sa raison d'être : il distingue la « Sagesse d'en
haut », c'est-à-dire le 30e Éon du Plérôme, de la « Sagesse »
extérieure au Plérôme, appelée aussi « Achamoth », dont il
va être question dans tout ce chapitre.

P. 65, n. 1. — « une certaine odeur d'incorruptibilité »,
τινα ὀδμὴν ἀφθαρσίας : grec. Le latin « immortalitatis »
suppose que le traducteur a lu ἀθανασίας au lieu de ἀφθαρσίας.
Une confusion identique peut être dépistée en IV, 13, 4
grâce à l'arménien. En ce qui concerne le présent passage,
la leçon du grec est confirmée par les mots « odor incorrup-
tibilitatis » qui se lisent chez Tertullien, *Adu. Val.* 14, 2.

P. 65, n. 2. — « pour n'avoir pas saisi la Lumière »,
ὅτι οὐ κατέλαβεν. Le français ne permet pas que le verbe
« saisir » demeure sans complément direct. Celui-ci s'explicite
de lui-même grâce aux précisions données quelques lignes

plus haut dans le texte : « ... elle s'élança à la recherche de
la *Lumière* (ἐπὶ ζήτησιν ... τοῦ ... φωτός) qui l'avait abandonnée. Elle ne put toutefois la saisir (μὴ δυνηθῆναι κατα-
λαβεῖν αὐτό), parce qu'elle en fut empêchée par Limite ».

P. 67, n. 1. — « l'origine », σύστασιν : leçon de V.
L'autre manuscrit d'Épiphane, M, a σύνταξιν, et c'est cette
leçon que Holl a adoptée. Quant au latin « collectionem »,
il permet de supposer que le traducteur a lu σύναξιν. Malgré
un certain appui apporté par le latin à la leçon de M, nous
croyons devoir préférer la leçon de V comme mieux en
situation : le mot σύστασις, dans le présent contexte, signifie
« action de se constituer », « venue à l'existence », « origine ».

P. 69, n. 1. — « Car ces choses ne sont pas pareilles »,
Οὐκέτι γὰρ ταῦτα ὅμοια : grec. Le latin « dicunt » n'est
guère en situation. Sans doute le texte primitif avait-il,
en conformité avec le grec : « Non enim iam *haec sunt*
similia... »

P. 73, n. 1. — « les Divinités, les Seigneuries », Θεότητες,
Κυριότητες.
L'allusion à *Col.* 1, 16 est patente, mais, à la place des
ἀρχαί et des ἐξουσίαι de saint Paul, les gnostiques ont introduit
les Θεότητες.
Comparer avec *Extraits de Théodote*, 43, 2 (éd. F. Sagnard,
p. 152) : « Πάντα » γὰρ « ἐν αὐτῷ ἐκτίσθη τὰ ὁρατὰ καὶ τὰ ἀόρατα,
Θρόνοι, Κυριότητες, Βασιλεῖαι, Θεότητες, Λειτουργίαι.
Ces mêmes termes Κυριότητες et Θεότητες se retrouvent dans
le *De Resurrectione (Epistula ad Rheginum)* découvert
à Nag-Hammadi : « ... il (= le Fils de Dieu) préexistait
comme semence (σπέρμα) supérieure de la Vérité, avant
qu'existât l'organisation (actuelle du monde) (σύστασις).
En elle ont été créées les *Seigneuries* et des *Divinités*
nombreuses » (éd. M. Malinine, H.-Ch. Puech, G. Quispel,
W. Till, Zurich, 1953, p. 5, lignes 34-39).
Comme l'ont pertinemment noté les éditeurs du *De
Resurrectione* (*o.c.*, p. xx), la substitution de Θεότητες à Ἀρχαί
et Ἐξουσίαι semble avoir été inspirée par *I Cor.* 8, 5 : « S'il
est en effet au ciel ou sur la terre de prétendus ' Dieux '
— il existe de la sorte des ' Dieux ' nombreux et des

' Seigneurs ' nombreux (ὥσπερ εἰσὶν Θεοὶ πολλοὶ καὶ Κύριοι πολλοί) —, ... ». L'auteur de cette substitution aura sans doute voulu marquer qu'il tenait ces « Dieux » et ces « Seigneurs » immanents au monde d'ici-bas — au premier rang desquels il devait placer le Dieu des Juifs — pour vains et inférieurs.

P. 75, n. 1. — « deux substances, à savoir la mauvaise, qui est issue des passions, et celle provenant de la conversion, qui est mêlée de passion », δύο οὐσίας, τὴν φαύλην ἐκ τῶν παθῶν, τήν τε ἐκ τῆς ἐπιστροφῆς ἐμπαθῆ.

Le latin « ex passionibus » permet de rétablir avec certitude le grec ἐκ τῶν παθῶν. Tout le contexte indique d'ailleurs qu'il s'agit d'une substance *provenant* des passions, *issue* des passions, non d'une substance qui consisterait dans ces passions.

En ce qui concerne le grec ἐκ τῆς ἐπιστροφῆς, la chose pourrait paraître moins assurée du fait de l'accord des deux manuscrits d'Épiphane, qui ont τῆς ἐπιστροφῆς, avec le latin, qui a « conuersionis ». Cependant tout le contexte postule le rétablissement de la préposition ἐκ : à la substance *issue* des passions fait pendant celle qui est *issue* de la conversion. La première est intrinsèquement et totalement « mauvaise » (φαύλη), comme les passions dont elle provient. La seconde demeure « mélangée de passion » (ἐμπαθής), car la conversion, dont elle provient, s'est opérée au milieu des passions. Déjà pleinement assurée par le contexte immédiat, la restitution ἐκ τῆς ἐπιστροφῆς est confirmée par ce qui se lit dans la première phrase du paragraphe suivant : Τριῶν οὖν ἤδη τούτων ὑποκειμένων κατ' αὐτούς, τοῦ μὲν ἐκ τοῦ πάθους, ὃ ἦν ὕλη, τοῦ δὲ ἐκ τῆς ἐπιστροφῆς, ὃ ἦν τὸ ψυχικόν... · τετράφθαι δὲ ἐπὶ τὴν μόρφω-σιν τῆς γενομένης ἐκ τῆς ἐπιστροφῆς αὐτῆς ψυχικῆς οὐσίας... Cf. aussi II, 29, 3 : « Naturaliter enim ... tria genera dicunt ... : primum quod quidem sit de aporia et taedio et timore, quod est materia ; alterum autem *de* impetu, quod est animale ... » Cf. encore Tertullien, *Adu. Val.* 16, 3 : « ut duplex substan-tiarum condicio ordinaretur, de uitiis pessima, *de* conuersione passionalis ».

P. 75, n. 2. — « C'est à cause de tout cela qu'ils disent que le Sauveur a fait, d'une manière virtuelle, œuvre de Démiurge », καὶ διὰ τοῦτο δυνάμει τὸν Σωτῆρα δεδημιουργηκέναι φάσ-κουσι.

Le premier et — en un sens — le vrai « Démiurge » est, aux yeux des gnostiques, le « Sauveur » lui-même, puisque c'est lui qui, en transformant les passions et la conversion d'Achamoth, en a tiré la totalité de la substance hylique et psychique dont est constitué notre univers — y inclus le Démiurge psychique qui le régit et lui est immanent —. On trouve un exposé parallèle et de tout point concordant dans les *Extraits de Théodote*, 45, 2 - 47. 1 (éd. F. Sagnard, p. 154-156).

Que le « Sauveur » soit le « Démiurge premier » donne par avance la clef d'un passage de prime abord déconcertant qu'on lira en II, 7, 2 : « Vous me dites que par le *Démiurge* (« a mundi Fabricatore » = ὑπὸ τοῦ Δημιουργοῦ) a été émise une *Image* du Monogène, de ce Monogène que vous prétendez identifier avec l'Intellect du Père de toutes choses ; vous me dites que cette Image s'ignore elle-même, ignore la création, ignore même sa Mère, ignore absolument tout ce qui existe et a été fait par elle... » Le contexte indique assez que l'« Image » en question est le Démiurge psychique, celui qui est pratiquement toujours appelé le Démiurge sans plus. Quant à celui qui est ici désigné sous le nom de « Démiurge », c'est tout simplement le « Sauveur », ainsi que le dira d'ailleurs de façon explicite la suite du texte.

P. 75, n. 3. — « devenue grosse à leur vue », ἐγκισσήσασαν εἰς αὐτούς.
Irénée fait manifestement allusion à *Gen.* 30, 38-39 : Καὶ παρέθηκεν (᾿Ιακὼβ) τὰς ῥάβδους ... ἐν ταῖς ληνοῖς ..., ἵνα ... ἐγκισσήσωσιν τὰ πρόβατα εἰς τὰς ῥάβδους ... Cf. *Gen.* 30, 41 : ... ἔθηκεν ᾿Ιακὼβ τὰς ῥάβδους ἐναντίον τῶν προβάτων ἐν ταῖς ληνοῖς, τοῦ ἐγκισσῆσαι αὐτὰ κατὰ τὰς ῥάβδους ...
Il faut, sans hésiter, corriger le grec des manuscrits en ἐγκισσήσασαν εἰς αὐτούς :

a) Comparer avec I, 29, 1 : « in quibus gloriantem Barbelon et prospicientem in Magnitudinem et *conceptu delectatam in hanc* (= ἐγκισσήσασαν εἰς τοῦτο), generasse simile ei Lumen ».

b) Comparer aussi avec II, 19, 6 : « Quid autem quod Angelos cum Saluatore simul uidens, illorum quidem imaginem concepit, Saluatoris autem non, qui est decorior super illos? An numquid non placuit ei hic, et propter hoc *non concepit in eum* (καὶ διὰ τοῦτο οὐκ ἐνεκίσσησεν εἰς

αὐτόν) ? » Noter que ce dernier texte se rattache directement
au passage du Livre I qui fait l'objet de cette note.

P. 75, n. 4. — « à l'image de ces Anges », κατὰ τὴν
ἐκείνων εἰκόνα.
Le grec a seulement κατὰ τὴν εἰκόνα. Le latin a : « secundum illius imaginem ». Le latin avait-il primitivement :
« secundum illorum imaginem » ? Ou le traducteur lisait-il
κατὰ τὴν ἐκείνου εἰκόνα dans son manuscrit ? Toujours
est-il que le contexte exige le pluriel : c'est des Anges qu'il
s'agit, non du Sauveur. C'est ce qui ressort de la suite de la
présente phrase : ... κύημα πνευματικὸν καθ' ὁμοίωσιν τῶν
δορυφόρων τοῦ Σωτῆρος. Voir aussi I, 5, 5 : Τὸ δὲ κύημα
τῆς Μητρὸς αὐτῶν τῆς Ἀχαμώθ, ὃ κατὰ τὴν θεωρίαν τῶν
περὶ τὸν Σωτῆρα Ἀγγέλων ἀπεκύησεν ...

P. 77, n. 1. — « elle produisit au dehors les enseignements
reçus du Sauveur », προβαλεῖν τε τὰ παρὰ τοῦ Σωτῆρος
μαθήματα.
Traduction littérale. Il faut comprendre, semble-t-il :
« elle produisit une œuvre conforme aux directives qu'elle
avait reçues du Sauveur ». Sans doute s'agit-il de ce que
le Sauveur avait dû enseigner à Achamoth lorsqu'il était
descendu vers elle pour lui conférer la « formation selon
la gnose » (cf. I, 4, 5). En somme, la présente phrase ne dit
pas autre chose que ce qui se lira à la fin du même paragraphe : « Car cette Enthymésis..., ayant résolu de faire
toutes choses en l'honneur des Éons, fit des images de ceux-ci,
ou plutôt le Sauveur les fit par son entremise ».

P. 77, n. 2. — « celui qui est le Dieu, le Père et le Roi »,
τὸν Θεὸν καὶ Πατέρα καὶ Βασιλέα.
Le latin ajoute « et Saluatorem », mais il s'agit là d'une
leçon aberrante (Σωτῆρα, doublet de Πατέρα ?).
En revanche, on peut retenir, semble-t-il, la leçon
« Deum », même si rien n'y correspond dans le grec. Cf.
Théodoret, Haeret. fab. comp. I, 7 : ... τὸν Θεὸν καὶ Πατέρα ...
Cf. aussi le début du paragraphe suivant : Πατέρα οὖν καὶ
Θεὸν λέγουσιν αὐτὸν γεγονέναι τῶν ἐκτὸς τοῦ Πληρώματος ...

P. 79, n. 1. — « offrit l'image », τὴν εἰκόνα ... τετηρηκέναι.
Littéralement : « conserva l'image ».

La leçon ἐν εἰκόνι, que portent les manuscrits d'Épiphane, est inacceptable. La correction τὴν εἰκόνα, déjà proposée par Holl dans son apparat, rend la phrase grammaticalement correcte, en même temps qu'elle procure un sens cadrant parfaitement avec l'ensemble du système de Ptolémée.

Le bien-fondé de la correction proposée est confirmé par ces lignes de Tertullien, *Adu. Val.* 19, 1 : « Cum enim dicant Achamoth in honorem Aeonum imagines commentatam, rursus hoc in Soterem auctorem detorquent, qui per illam sit operatus, ut ipsa quidem *imaginem Patris inuisibilis et incogniti daret*, incognita[m] <sci>licet et inuisibilis Demiurgo, <i>dem autem Demiurgu<s> Nun Filium effingeret, Archangeli uero, Demiurgi opus, reliquos Aeonas exprimerent », « Lorsqu'ils disent qu'Achamoth a créé des images en l'honneur des Éons, ils reportent cette réalisation sur le Sauveur : car c'est lui qui aurait œuvré à travers elle, faisant en sorte qu'elle-même *offre l'image du Père invisible et inconnu*, étant inconnue et invisible au Démiurge, que ce même Démiurge représente l'Intellect ou Fils, et que les Archanges, ouvrage du Démiurge, figurent les autres Éons ».

P. 79, n. 2. — « puisqu'il était », ὄντα : grec. Le traducteur latin aurait-il lu εἶναι au lieu de ὄντα ? Ou aurait-il écrit « Fabricator cum esset » au lieu des mots « Fabricatorem esse » que nous lisons dans les manuscrits ?

P. 81, n. 1. — « de nature intelligente », νοερούς. Avec Harvey et Sagnard, nous corrigeons νοητούς en νοερούς. Cette dernière leçon a pour elle le témoignage de Tertullien : « Caelos autem νοερούς deputant et interdum Angelos eos faciunt, sicut et ipsum Demiurgum, sicut et Paradisum Archangelum quartum... » (*Adu. Val.* 20, 2). Cette même leçon est confirmée par l'équivalence νοερά = « intellectuales », qui se retrouvera en I, 7, 1.

Sur l'assimilation τόπος = θεός, qui « est banale dans le moyen platonisme et la religion hellénistique », cf. A. MÉHAT, « Le ' lieu supracéleste ' de saint Justin à Origène », dans *Forma futuri. Studi in onore del Cardinale Michele Pellegrino*, Turin, 1975, p. 283. De même F. SAGNARD, *La Gnose valentinienne...*, p. 175 : « Il ne faut pas s'étonner, d'ailleurs, de voir le même nom désigner un être déterminé

aussi bien que le lieu où il se trouve. C'est un trait normal
de l'Orient ».

P. 81, n. 2. — « Toutes ces créations — il ne faisait
que réaliser les productions d'Achamoth », Ταῦτα δὲ τὸν
Δημιουργὸν φάσκουσιν ἀφ᾿ ἑαυτοῦ μὲν ᾠῆσθαι κατασκευάζειν, πεποιηκέναι δ᾿ αὐτὰ τῆς Ἀχαμὼθ προβαλλούσης.
Double divergence entre le latin et le grec :

1. Le latin ajoute « in totum », que l'on peut rapporter,
soit à « putasse » (« … il était *absolument* persuadé… »), soit
à « fabricasse » (« … qu'il les produisait *entièrement*… »).
Cette addition ne change pas substantiellement le sens,
mais elle alourdit inutilement. Nous optons pour le grec.

2. Divergence plus sérieuse : d'après le latin, c'est
Achamoth qui « fait » les choses qu'on vient de dire
(« … fecisse autem ea Achamoth »), tandis que, d'après le
grec, c'est bien le Démiurge qui les « fait », mais sous la
motion d'Achamoth qui est l'auteur premier de la création
(en collaboration avec le Sauveur, ainsi qu'on l'a vu). Il faut
évidemment donner raison au grec : à ἀφ᾿ ἑαυτοῦ fait
pendant τῆς Ἀχαμὼθ προβαλλούσης. Le Démiurge s'ima-
ginait œuvrer de sa propre initiative : en fait, il n'était qu'un
pantin manœuvré à son insu par Achamoth.
Cf. Hippolyte, *Elenchos* VI, 33 (éd. P. Wendland, p. 162,
7-8) : … καὶ ἐκείνης (= Sagesse) ἐνεργούσης, αὐτὸς ᾤετο ἀφ᾿
ἑαυτοῦ ποιεῖν τὴν κτίσιν τοῦ κόσμου …
Cf. *Extraits de Théodote*, 49, 1 (éd. F. Sagnard, p. 162) :
… οὐκ ἐγίνωσκεν τὴν δι᾿ αὐτοῦ ἐνεργοῦσαν, οἰόμενος ἰδίᾳ δυνάμει
δημιουργεῖν …

P. 81, n. 3. — « … de Ciel, … l'Homme, … la Terre »,
… Οὐρανόν, … τὸν Ἄνθρωπον, … τὴν Γῆν.
Nous écrivons ces mots avec des majuscules : il s'agit,
croyons-nous, d'entités d'essence pneumatique qui, de ce
fait même, échappent nécessairement à la connaissance
du Démiurge psychique. Quelles sont ces entités ? En ce qui
concerne l'« Homme », nul problème : il ne peut s'agir que
du septième Éon du Plérôme. En ce qui concerne la « Terre »,
nulle difficulté non plus : Irénée va dire quelques lignes
plus loin, dans ce paragraphe même, que c'est là un des
noms que les hérétiques donnaient à leur « Mère » Achamoth.

Reste le terme « Ciel ». Jusqu'ici, nous n'avons pas rencontré d'entité pneumatique portant ce nom. Mais, en I, 20, 2, nous lirons : ... « Τί με λέγεις ἀγαθόν ; Εἷς ἐστιν ἀγαθός, ὁ Πατὴρ ἐν τοῖς Οὐρανοῖς » · Οὐρανοὺς δὲ νῦν τοὺς Αἰῶνας εἰρῆσθαι λέγουσι, « ... ' Pourquoi m'appelles-tu bon ? Un seul est bon, le Père qui est parmi les Cieux ' : les ' Cieux ' dont il est ici question, ce sont, disent-ils, les Éons ». De même encore, en IV, 1, 1, après avoir fait allusion au verset évangélique Εἷς γάρ ἐστιν ὑμῶν ὁ Πατὴρ ὁ ἐν τοῖς οὐρανοῖς, « Vous n'avez qu'un seul Père, celui qui est aux cieux » (*Matth.* 23, 9), Irénée laissera entendre que les hérétiques comprenaient : « Vous n'avez qu'un seul ' Père ' (= l'Abîme), celui qui est parmi les ' Cieux ' (= les Éons) ».

On voit ainsi comment, sans même le soupçonner — car il agissait sous la motion secrète d'Achamoth —, le Démiurge a pu faire des êtres psychiques et hyliques à l'image de Réalités supérieures à lui et inconnues de lui : un ciel à l'image d'un « Ciel », un homme à l'image de l'« Homme », une terre à l'image de la « Terre ». C'est ce que dit en toutes lettres le passage même qui nous occupe : « il ignora, disent-ils, les *modèles* (τὰς ἰδέας) des êtres qu'il faisait ».

Comparer encore avec II, 6, 3 : « ... gens vraiment dignes de pitié, qui, dans l'excès de leur folie, osent dire que l'(Auteur du monde) n'a connu ni la Mère, ni la semence de celle-ci, ni le Plérôme des Éons, ni le Pro-Père, *ni même ce qu'étaient les êtres qu'il faisait* (« neque quid essent quae fabricauit ») : *car ces êtres étaient*, disent-ils, *les images des Réalités intérieures au Plérôme, produites sous l'action secrète du Sauveur en l'honneur des Réalités d'en haut* (« esse autem imagines eorum quae intra Pleroma sunt, latenter Saluatore operato sic fieri in honorem eorum qui sursum sunt ») ».

P. 83, n. 1. — « présomption », οἰήσεως. Telle est la leçon des manuscrits d'Épiphane. Le traducteur latin paraît avoir lu ποιήσεως — à moins qu'il n'ait écrit « opinationis », selon la conjecture faite par Massuet —. Holl a cru devoir introduire dans son texte même la leçon ποιήσεως. Bien à tort, car, comme le remarquent Massuet et Harvey, l'expression τῆς οἰήσεως ταύτης — noter ce démonstratif — renvoie manifestement au verbe ᾠῆσθαι qu'on a pu lire à la fin de la phrase précédente et qu'on a déjà vu figurer une première fois au début du paragraphe. Ce qui fait en effet l'objet de tout ce paragraphe, ce n'est pas l'activité déployée

par le Démiurge, mais l'ignorance totale où celui-ci se trouve
à l'égard de la substance pneumatique, ignorance qui le fait
tomber jusque dans cette aberration de « s'imaginer »
(οἴομαι, οἴησις) qu'il est le Dieu unique et supérieur à tout.

P. 83, n. 2. — « comme Tête et Principe de sa substance
à lui et comme Seigneur de toute l'œuvre de fabrication »,
κεφαλὴν μὲν καὶ ἀρχὴν τῆς ἰδίας οὐσίας, κύριον δὲ τῆς
ὅλης πραγματείας.
Comprendre : Le Démiurge psychique est « Tête » et
« Principe » de toute la substance qui est la sienne, c'est-à-dire
de la substance psychique ; il est « Seigneur » de « toute
l'œuvre de fabrication », c'est-à-dire à la fois de la substance
psychique et de la substance hylique. Comparer avec I, 5, 1 :
« … ils le disent Père des êtres de droite, c'est-à-dire des
psychiques, Démiurge des êtres de gauche, c'est-à-dire des
hyliques, et Roi des uns et des autres ».

P. 83, n. 3. — « de la crainte et de la conversion sont
issus les êtres psychiques », ἐκ … τοῦ φόβου καὶ τῆς ἐπιστροφῆς τὰ ψυχικὰ τὴν σύστασιν εἰληφέναι.
Assertion surprenante. Irénée vient de dire que la
substance hylique est issue des trois passions d'Achamoth
dont il a déjà été question en I, 4, 1 : crainte (φόβος), tristesse
(λύπη) et angoisse (ἀπορία). A la fin du présent paragraphe,
il précisera que la terre vient du saisissement (ἔκπληξις),
l'eau, de la crainte (φόβος), et l'air, de la tristesse (λύπη).
Or à cette division semble s'en superposer une autre :
a) de la crainte (φόβος) et de la conversion (ἐπιστροφή) proviennent
la substance psychique (le Démiurge est issu de la conversion,
le reste de la substance psychique provient de la crainte) ;
b) de la tristesse (λύπη) proviennent les esprits du mal,
conçus, de façon plutôt curieuse, comme des êtres de nature
pneumatique ; c) du saisissement (ἔκπληξις) et de l'angoisse
(ἀμηχανία) provient la substance corporelle ou hylique.
Comment concilier ces deux divisions? L'accord pratiquement total du grec et du latin nous interdit de supposer
une altération du texte. Sans doute le flottement qu'on
observe dans le texte d'Irénée ne fait que refléter un flottement
qui se trouvait déjà dans la (ou les) source(s) qu'il utilisait.
Faisons seulement trois observations :
1. Entre la « crainte » et la « conversion », les gnostiques

décèlent un lien de continuité. Cf. Hippolyte, *Elenchos*, VI, 32, 6 (éd. P. Wendland, p. 160-161) : « Le Fruit (commun du Plérôme)... fit de la *conversion*, de la prière et de la supplication, une montée, un repentir, une Puissance de la substance psychique, laquelle se nomme la droite : c'est le Démiurge, dont le point de départ est la *crainte*, comme le dit l'Écriture : ' Le commencement de la Sagesse est la crainte du Seigneur ' » (trad. F. Sagnard, *La Gnose valentinienne...*, p. 176).

2. On peut aussi noter une curieuse assimilation entre la « tristesse » de laquelle proviennent les « êtres pneumatiques du mal » (τὰ πνευματικὰ τῆς πονηρίας) et cette même tristesse dont la coagulation donne naissance à l'air. Est-ce par hasard que ces « esprits » sont censés habiter dans l'air ? Et n'y aurait-il pas un jeu de mots, πνεῦμα pouvant signifier « esprit » et « souffle (de vent) » ?

3. Peut-être peut-on noter encore que, chez Hippolyte, la « prière » (δέησις) — à laquelle correspond la « conversion » (ἐπιστροφή) chez Irénée — est une quatrième passion. On se reportera à la phrase de I, 4, 5 où Irénée met en parallèle τὰ ἐκ τῶν παθῶν (= la substance hylique) et τὰ ἐμπαθῆ (= la substance psychique). Cf. *supra*, p. 192, *note justif.*

P. 75, n. 1. On a l'impression que, dans la mentalité gnostique, le « psychique » n'arrive jamais à se dégager tout à fait de l'« hylique ». Cf. F. SAGNARD, *La Gnose valentinienne...*, p. 177-179.

P. 83, n. 4. — « trop faible pour connaître », ἀτονώτερον ... ὑπάρχοντα πρὸς τὸ γινώσκειν : grec. Le latin dit exactement le contraire : il corse même les choses en prêtant au Démiurge, non seulement une connaissance, mais une « prescience » des réalités pneumatiques. Une telle assertion contredit de front tout le système gnostique et ne peut être primitive. Le texte latin s'explique au mieux par une double erreur de lecture : ἀνώτερον, lu au lieu de ἀτονώτερον, et προγινώσκειν, lu au lieu de πρὸς τὸ γινώσκειν.

P. 85, n. 1. — « les démons », τὰ δαιμόνια. Le grec ajoute καὶ τοὺς ἀγγέλους. Ces derniers mots, auxquels rien ne correspond dans le latin, ont toutes chances d'être inauthentiques. On notera qu'ils ont pourtant un écho chez Tertullien, *Adu. Val.* 22, 1 : « Ex nequitia enim maeroris illius deputatur (diabolus), ex qua *angelorum* et daemonum et omnium spiritalium malitiarum genituras notant ». Tertullien attesterait-il une très ancienne corruption du texte irénéen ?

P. 85, n. 2. — « dans le lieu supracéleste », εἰς τὸν ὑπερουράνιον τόπον : grec.
La version latine porte : « in eo qui sit *caelestis* locus », mais cette leçon est certainement inacceptable. Voir I, 5, 3 : ... ἔχειν δὲ τὸν τῆς Μεσότητος τόπον αὐτὴν καὶ εἶναι ὑπεράνω μὲν τοῦ Δημιουργοῦ, ὑποκάτω δὲ ἢ ἔξω τοῦ Πληρώματος μέχρι συντελείας. La Mère est donc dans le « lieu supracéleste », le Démiurge dans le « lieu céleste » — comme va le dire aussitôt Irénée — et le Cosmocrator dans notre monde sublunaire.

P. 87, n. 1. — « de la tristesse », τῆς λύπης : grec.
Le traducteur latin a-t-il lu τῆς ὕλης ? Ou, comme le croit Massuet, le texte latin avait-il primitivement « maestitiae » ? Quoi qu'il en soit, le parallélisme des expressions ἐκπλήξεως στάσιν et φόβου κίνησιν impose la leçon λύπης πῆξιν.

P. 87, n. 2. — « choïque », χοϊκόν. Nous transposons purement et simplement ce terme que l'adjectif français « terrestre » ne rend pas de façon adéquate. Le mot χοϊκός signifie « fait de limon (χοῦς) ». Il est utilisé par saint Paul (*I Cor.* 15, 47-49) en référence à *Gen.* 2, 7. Dans le système gnostique exposé par Irénée, χοϊκός est pratiquement synonyme de ὑλικός : la seule différence est que la première de ces expressions est d'origine biblique et chrétienne, tandis que la seconde est d'origine philosophique.

P. 87, n. 3. — « de la fluidité et de l'inconsistance de la matière », ἀπὸ τοῦ κεχυμένου καὶ ῥευστοῦ τῆς ὕλης : grec.
Le latin « ab effusibili et fluida materia » suppose-t-il le grec ἀπὸ τῆς κεχυμένης καὶ ῥευστῆς ὕλης (comparer avec V, 15, 4 : « a fluida materia et effusa », confirmé par l'arménien), ou n'est-il qu'une traduction large ? Toujours est-il que Tertullien confirme ici la leçon du grec : « ... substantiam ei (= homini) capit, non ex ista... arida quam nos unicam nouimus terram..., sed ex inuisibili corpore materiae, illius

scilicet philosophicae, *de fluxili et fusili eius...* » (*Adu. Val.* 24, 1).

P. 87, n. 4. — « de Dieu », τῷ Θεῷ. Il s'agit évidemment du Démiurge psychique. Cette appellation semble bien provenir telle quelle de la source gnostique qu'utilise Irénée. Sans doute n'est-elle pas sans rapport avec *Gen.* 1, 26 auquel il était fait allusion aussitôt auparavant : Καὶ εἶπεν ὁ Θεός · Ποιήσωμεν ἄνθρωπον κατ᾽ εἰκόνα ἡμετέραν καὶ ὁμοίωσιν ...

P. 89, n. 1. — « pour la réception du Logos parfait », εἰς ὑποδοχὴν τοῦ τελείου Λόγου.

Un accident a fait tomber le mot Λόγου dans le grec, mais la présence de ce vocable, attestée par le latin et par Tertullien (cf. *Adu. Val.* 25, 2), est encore confirmée par les passages suivants du Livre II où Irénée revient sur cette thèse gnostique :

II, 19, 4 : « Adhuc etiam uanissimum est quod dicunt in hac depositione figurari illud (= semen) et augescere et paratum fieri *ad susceptionem perfectae Rationis...* Quomodo autem non ridiculum ... dicere ... semen ... in hac eadem materia augescere et formari et aptum *ad susceptionem perfecti Sermonis* expediri ...?

II, 19, 6 : « Quomodo ... quod ... spiritale est ... imperfectum emissum est et opus ei fuit ut in animam descenderet, ut in ea formaretur et, ita perfectum existens, paratum fiat *ad suscipiendum perfectum Verbum*?

On aura noté la précision du langage d'Irénée : tout indique qu'il reproduit ici de façon littérale un document gnostique avec sa terminologie pour ainsi dire technique.

P. 89, n. 2. — « le Démiurge n'aperçut pas l'homme pneumatique », Ἔλαθεν ... τὸν Δημιουργὸν ὁ ... πνευματικὸς ἄνθρωπος. Littéralement : « L'homme pneumatique... resta caché au Démiurge, demeura inaperçu de lui... »

P. 91, n. 1. — « Il fallait aussi, en effet, pour l'élément psychique, des enseignements sensibles », Ἔδει γὰρ τῷ ψυχικῷ καὶ αἰσθητῶν παιδευμάτων : latin. Au lieu de cela, les manuscrits d'Épiphane ont : Ἔδει γὰρ τῶν ψυχικῶν καὶ αἰσθητῶν παιδευμάτων, ce qui ne peut se comprendre que

de la manière suivante : « Il (= l'élément pneumatique
dont il vient d'être question) avait en effet besoin d'enseignements psychiques et sensibles ». Il s'agit d'une variante
d'importance, comme on peut le voir, et elle n'a pas manqué
de diviser les critiques qui se sont penchés sur le présent
passage.

Avec le plus grand nombre d'entre eux, notamment K. Holl
et F. Sagnard, nous croyons devoir opter sans hésitation
pour la leçon du latin.

1. En II, 19, 2, Irénée reprendra, telle quelle, la présente
phrase. Voici l'ensemble du passage : «... les (hérétiques)
vont jusqu'à prétendre qu'eux-mêmes connaissent le Plérôme
pneumatique grâce à la substance de la ' semence ', du
fait que l'" Homme intérieur ' leur montre le vrai Père
— car il faut, pour l'élément psychique, des enseignements
sensibles (*opus enim esse* animali *sensibilibus erudimentis* =
δεῖν γὰρ τῷ ψυχικῷ αἰσθητῶν παιδευμάτων) —, tandis que le
Démiurge, qui a reçu en lui la totalité de la ' semence '
déposée par la Mère, est demeuré, disent-ils, dans la plus
complète ignorance et n'a eu aucune perception des réalités
du Plérôme ». La pensée est claire : à l'inverse des pneumatiques, pour qui tout s'illumine de l'intérieur, du seul fait
qu'ils ont en eux la « semence de gnose » (ou l'« Homme
intérieur ») qui leur découvre les profondeurs cachées du
Plérôme — car le semblable connaît naturellement le
semblable —, les psychiques, eux, sont tout juste capables
d'adhérer, par la foi nue, à un enseignement qui leur reste
extérieur et les laisse dans l'ignorance des vraies réalités.

2. La leçon τῷ ψυχικῷ de I, 6, 1 reçoit une confirmation
remarquable du passage parallèle qui se lit chez Tertullien,
Adu. Val. 26, 1-2 : « Ceterum spiritalem emitti in animalis
comparationem, ut erudiri cum eo et exerceri in conuersatio-
nibus possit. *Indiguisse enim animalem etiam sensibilium
disciplinarum.* In hoc et paraturam mundi prospectam, in
hoc et Soterem in mundo repraesentatum...) Nous avons
tenu à citer largement ce passage de Tertullien. On voit
comment, sans s'astreindre à traduire de façon stricte,
celui-ci n'en suit pas moins de près un texte grec correspondant, point pour point, à celui qu'a eu sous les yeux le
traducteur latin d'Irénée.

3. On aura, en particulier, noté les mots de Tertullien
«... *etiam* sensibilium disciplinarum » correspondant exactement aux mots καὶ αἰσθητῶν παιδευμάτων des manuscrits

grecs. Ce καί, qui a ici valeur d'adverbe et qui paraît avoir
été négligé par le traducteur latin d'Irénée, nous semble
tout à fait en situation. L'élément pneumatique, vient en
effet de dire Irénée, a été envoyé ici-bas pour y être « instruit
avec » (συμπαιδεύω) l'élément psychique. Il faudra donc
— ceci va de soi et n'a pas besoin d'être dit —, pour cet
élément pneumatique, un enseignement pneumatique (on
nous dira, à la fin du paragraphe, qu'il n'est autre chose que
l'illumination intérieure qui met le gnostique en possession
de la gnose parfaite concernant le Dieu transcendant).
Mais, comme cet enseignement pneumatique n'est accessible
qu'à l'élément pneumatique, il faudra *aussi* (καί), pour
l'élément psychique, un enseignement en rapport avec sa
nature, c'est-à-dire psychique ou « sensible » (un enseignement venu du dehors et auquel le psychique sera incapable
d'adhérer autrement que du dehors, par la foi nue et par
la pratique des œuvres bonnes, ainsi qu'il sera dit au début
du paragraphe suivant). Telle est la raison d'être du mot
καί dans la phrase qui nous occupe. Cet emploi de καί au
sens adverbial, avec tout le sous-entendu qu'il suppose, est
courant dans la langue grecque.

4. A titre de confirmation, on peut encore faire valoir,
en faveur de la leçon τῷ ψυχικῷ, la considération suivante.
Que cette leçon se soit corrompue en τῶν ψυχικῶν apparaît
comme très normal, pour peu que l'on tienne compte de la
psychologie des copistes. En effet, pour des scribes généralement plus attentifs à la forme des mots qu'au sens des
phrases, il est quasi fatal que les mots τῶν ψυχικῶν καὶ αἰσθητῶν
παιδευμάτων apparaissent comme constituant un tout et que,
dès lors, τῷ ψυχικῷ soit lu τῶν ψυχικῶν. En revanche, on ne
s'expliquerait guère la corruption en sens inverse.

De l'ensemble des raisons que nous venons de mentionner
se dégage, nous semble-t-il, la conclusion suivante : à nous
en tenir au texte d'Irénée lui-même, on doit considérer
comme *certainement* authentique la leçon ἔδει γὰρ τῷ ψυχικῷ
καὶ αἰσθητῶν παιδευμάτων. Nous disons bien : « à nous en
tenir au texte d'Irénée lui-même », car, à vouloir remonter
par-delà Irénée jusqu'à la teneur prétendument primitive
de la source utilisée par lui, on pourra toujours estimer
qu'elle comportait la leçon τῶν ψυχικῶν plutôt que la leçon
τῷ ψυχικῷ. Mais — et ceci est capital — il s'agira alors
d'une pure hypothèse *a priori*, à laquelle le texte d'Épiphane
ne pourra fournir aucun fondement objectif, puisque

Épiphane dépend d'Irénée, qu'il ne fait que citer, et puisque, comme nous venons de le voir, le texte d'Épiphane que nous lisons aujourd'hui ne peut être qu'une corruption de celui d'Irénée. Ajoutons que l'hypothèse en question nous paraîtrait contredire de front une des données les plus assurées de toute la doctrine gnostique, à savoir l'hétérogénéité radicale des trois substances ou natures : ces natures sont irrévocablement closes en elles-mêmes, sans possibilité d'une quelconque communion réciproque. Dès lors, autant il serait contradictoire qu'une nature psychique reçoive un enseignement ou une formation pneumatiques, autant il le serait qu'une nature pneumatique reçoive un enseignement psychique, comme ce serait le cas dans l'hypothèse susdite (cf. F. SAGNARD, *La Gnose valentinienne...*, p. 397-400). Nous ne pouvons donc souscrire à l'exégèse que donne de notre passage W. FOERSTER dans son article, par ailleurs remarquable, « Die Grundzüge der ptolemaeischen Gnosis », dans *New Testament Studies* 6 (1959-60), p. 27 : ce n'est pas le fait d'être plongé dans les éléments psychique et hylique qui peut faire prendre conscience au pneumatique de sa vraie nature — au contraire, une telle immersion ne fait qu'obnubiler cette conscience — ; seule, l'illumination intérieure qu'est la « gnose » permet au pneumatique de prendre conscience de son hétérogénéité radicale à l'égard du psychique et de l'hylique.

P. 93, n. 1. — « qui appartiennent à l'Église », ἀπὸ τῆς Ἐκκλησίας. Église psychique, évidemment, ainsi qu'il sera dit en toutes lettres en I, 8, 3 : ... φύραμα δὲ ἡμᾶς, τουτέστιν τὴν ψυχικὴν Ἐκκλησίαν ... En I, 5, 6, le même mot Ἐκκλησία désignait l'Église pneumatique, c'est-à-dire, selon la mentalité gnostique, la seule véritable « Église », dont celle des psychiques ne peut être que l'image dégradée.

P. 97, n. 1. — « à toutes les réjouissances auxquelles donnent lieu les fêtes païennes », ἐπὶ πᾶσαν ἑορτάσιμον τῶν ἐθνῶν τέρψιν : grec.

On ne peut que suivre le grec, dont le sens est excellent. Pour ce qui est du latin, on a l'impression que le traducteur a d'abord compris ἑορτάσιμον (ἡμέραν), expression qu'il a rendue par « diem festum ». Le mot τέρψιν — à supposer que ce soit ce mot qu'il ait eu sous les yeux — n'a pu ensuite

que l'embarrasser. Le latin « pro uoluntate » n'offre pas
de sens. Faudrait-il y voir la corruption de « pro uoluptate »,
ainsi que l'ont proposé Cotelier et d'autres après lui ? Sans
doute le mot « uoluptas » est-il une des traductions possibles
de τέρψις, mais il faut bien avouer que, dans la présente
phrase, l'expression « pro uoluptate » n'est guère plus
satisfaisante que celle qu'elle prétendrait remplacer.

P. 97, n. 2. — « Certains d'entre eux — ou combattent
entre eux », ὡς μηδὲ τῆς παρὰ Θεῷ — ἐνίους αὐτῶν : grec.

D'une part, le traducteur latin paraît avoir eu sous les
yeux un texte où ne figuraient pas les mots ἐνίους αὐτῶν.
D'autre part, au lieu des précisions du grec relatives aux
combats de gladiateurs contre des fauves ou de gladiateurs
entre eux, le latin se contente de parler de « jeux ». On sait
que le mot « munus » peut en effet désigner les jeux publics
offerts par un magistrat, jeux au cours desquels avaient lieu
souvent, mais pas nécessairement, des combats de gladiateurs. Si l'on admet que la forme « muneris » puisse appartenir
au texte latin primitif, on devra convenir qu'une traduction
aussi libre est exceptionnelle sous la plume du traducteur
d'Irénée.

P. 97, n. 3. — « paient... le tribut... », ἀποδίδοσθαι... Le
verbe ἀποδίδωμι ne signifie pas ici « rendre », « restituer »,
mais plutôt « donner (à quelqu'un ce à quoi il a droit, ce qu'il
réclame...) ». Le verbe latin « reddo » peut exprimer cette
même nuance. La présente phrase semble être un écho,
curieusement déformé, de la phrase évangélique : « Reddite
ergo quae sunt Caesaris Caesari, et quae sunt Dei Deo »
(*Matth.* 22, 21).

P. 99, n. 1. — « aussi leur sera-t-elle ajoutée », καὶ διὰ
τοῦτο προστεθήσεσθαι αὐτοῖς.

Il semble que les hérétiques fassent ici allusion à la
parole de Jésus : « A quiconque a on donnera, mais à celui
qui n'a pas on enlèvera même ce qu'il a » (*Lc* 19, 26). On
notera que dans le *Codex Bezae*, ce verset revêt la forme
suivante : ... παντὶ τῷ ἔχοντι προστίθεται, ἀπὸ δὲ τοῦ μὴ
ἔχοντος καὶ ὃ ἔχει ἀρθήσεται, « ... à quiconque a on *ajoute*,
mais à celui qui n'a pas on enlèvera même ce qu'il a ».

P. 101, n. 1. — «... de manière à s'unir à elle... s'il s'est uni à une femme... il s'est uni à cette femme», ... αὐτῇ κραθῆναι ... κραθεὶς **γυναικί** ... κραθῆναι γυναικί : latin.

En substituant par trois fois des formes de κρατέω aux formes de κεράννυμι, le grec des manuscrits d'Épiphane a totalement perverti le sens de ce passage. Pourtant le contexte est clair à souhait : on vient de faire un devoir aux « pneumatiques » de « s'exercer sans cesse et de toute manière au mystère de la syzygie » ; on va, dans un instant, imposer aux « psychiques » la continence comme condition de salut. N'est-ce pas là tout simplement faire écho à la phrase qui fait l'objet de cette note, telle du moins qu'elle se présente dans le latin et qu'elle devait primitivement se présenter dans le grec ?

P. 103, n. 1. — « pour y être donnés », ἀποδοθήσεσθαι. En traduisant : « pour y être *rendus* » (cf. F. SAGNARD, *La Gnose valentinienne...*, p. 193), on fausse le sens de la phrase. Il ne s'agit pas de « rendre » aux Anges des épouses dont ils auraient été dépossédés, mais — et c'est la nuance précise du verbe ἀποδίδωμι dans le présent contexte — de « donner » à ces Anges « ce qui leur est dû » à titre de complément naturel, du fait que les semences pneumatiques qui constituent les Valentiniens ont été émises par Achamoth à l'image des Anges du Plérôme (cf. I, 4, 5).

Cet emploi de ἀπο-δίδωμι (= « red-do ») à propos des pneumatiques est de tout point parallèle à celui de ἀπο-λαμβάνω (= « re-cipio ») à propos de leur Mère Achamoth. On vient en effet de voir, au début de ce paragraphe même, qu'Achamoth « recevra » (**ἀπολαϐεῖν**) pour époux le Sauveur lors de la consommation finale. Il ne s'agit pas pour elle de « recouvrer » un époux dont elle aurait été séparée, mais de « recevoir » (λαμϐάνω) un époux auquel elle a droit (ἀπο-) de quelque manière, s'il est vrai qu'il est le Fruit parfait (masculin) du Plérôme et qu'elle est, de son côté, la Tête de toute la substance pneumatique (féminine) momentané-ment expulsée du Plérôme à la suite de la chute de Sagesse.

P. 103, n. 2. — « Cela fait, le feu — s'en ira au néant », Τούτων δὲ γενομένων — χωρήσειν διδάσκουσι : grec. Le texte grec offrant seul un sens pleinement satisfaisant, on ne peut que le suivre. Peut-on, au moins dans une certaine mesure, rendre compte de ce qui se lit dans le latin ?

1. Les nominatifs « is ... ignis exardescens... » peuvent s'expliquer par une traduction toute matérielle des mots grecs τὸ ἐμφωλεῦον... πῦρ ἐκλάμψαν..., pris eux-mêmes pour des nominatifs.

2. Le participe « comprehendens » n'offre aucun sens acceptable. Massuet voudrait que le traducteur ait confondu ἐξάπτω = « attacher » et ἐξάπτω = « enflammer », « allumer ». Mais cela n'explique pas que la forme passive ἐξαφθέν ait pu être traduite par la forme active « comprehendens ». Ne serait-il pas plus simple de supposer que le traducteur latin a lu, au lieu de ἐκλάμψαν, une forme telle que ἐκλαμβά-νον ? En effet, si l'on remarque que « exardescens » ne peut traduire que ἐξαφθέν, ne sera-t-on pas amené à penser que « comprehendens » doit correspondre à ἐκλάμψαν, les deux participes ayant été intervertis ?

3. Le latin « consumit » pourrait très bien correspondre à κατεργασάμενον : on sait en effet que le verbe κατεργάζομαι, qui signifie ordinairement « effectuer », « accomplir », « ache-ver », peut aussi s'entendre en mauvaise part — tout comme le mot français « achever » — et signifier « tuer », « détruire », « bouleverser », et le *Thesaurus* d'Estienne signale « consumo » comme une des traductions possibles de κατεργάζομαι.

4. On se demandera enfin si la finale de la phrase ne comportait pas primitivement : « ... abire <docent> in id ut iam non sit ».

Comme on le voit, donc, le latin n'apporte rien de décisif contre la teneur du texte grec, il la confirmerait même plutôt à sa manière.

P. 105, n. 1. — « C'est pourquoi, tandis que le Christ était amené à Pilate, son Esprit, qui avait été déposé en lui, lui fut enlevé », καὶ διὰ τοῦτο ἦρθαι, προσαγομένου αὐτοῦ τῷ Πιλάτῳ, τὸ εἰς αὐτὸν κατατεθὲν Πνεῦμα Χριστοῦ.

Celui qui est emmené chez Pilate, c'est le « Christ » (psychique), qui, comme il a été dit au début du paragraphe, est passé à travers Marie comme de l'eau à travers un tube et sur qui, lors du baptême du Jourdain, est descendu le « Sauveur » d'en haut. Quant à l'« Esprit du Christ », qui est enlevé à celui-ci, c'est ce « Sauveur » même, auquel les gnostiques donnent ici le nom d'« Esprit » sans doute par souci de conserver le terme évangélique (cf. *Matth.* 3, 16. *Lc* 3, 22) : descendu sur le « Christ » lors du baptême du

Jourdain, ce « Sauveur-Esprit » remonte au Plérôme au moment de l'arrestation du « Christ ».

P. 105, n. 2. — « en tant que pneumatique et invisible au Démiurge lui-même », ἅτε πνευματικὸν καὶ ἀόρατον αὐτῷ τῷ Δημιουργῷ : latin.

La restitution et l'intelligence de ce passage sont pleinement assurées grâce au parallélisme remarquable qui s'observe entre toute la présente phrase et une phrase déjà rencontrée quelques lignes plus haut dans ce paragraphe même :

Καὶ τοῦτον (= τὸν Σωτῆρα) μὲν ἀπαθῆ διαμεμενηκέναι ·	Ἀλλ’ οὐδὲ τὸ ἀπὸ τῆς Μητρὸς σπέρμα πεπονθέναι λέγουσιν ·
οὐ γὰρ ἐνεδέχετο παθεῖν αὐτόν,	ἀπαθὲς γὰρ καὶ αὐτό,
ἀκράτητον καὶ ἀόρατον ὑπάρχοντα.	ἅτε πνευματικὸν καὶ ἀόρατον καὶ αὐτῷ τῷ Δημιουργῷ.

P. 107, n. 1. — « ce double élément a souffert ‘ en mystère ’ », ἔπαθεν δὲ ... μυστηριωδῶς.

On rattache plus habituellement l'adverbe μυστηριωδῶς au participe κατεσκευασμένος, qui le précède immédiatement. La chose est grammaticalement défendable. On traduit alors : « ... et celui qui fut constitué *d'une manière mystérieuse* (*cachée, secrète...*) par le moyen de l'‘‘ économie ’ ». Et l'on ne manque pas de rapprocher le présent passage des mots κατεσκευασμένον ἀρρήτῳ τέχνῃ qui se lisent en I, 6, 1.

Cependant, un examen plus attentif de l'ensemble de la phrase invite à reconnaître à l'adverbe μυστηριωδῶς une fonction plus importante et une signification plus riche. D'une part, en effet, c'est le verbe ἔπαθεν qui ouvre la phrase, et il la domine tout entière, de telle sorte qu'il soit tout à fait normal que, par-delà les sujets ὁ ψυχικὸς Χριστός et ὁ ἐκ τῆς οἰκονομίας κατεσκευασμένος, il soit déterminé par l'adverbe μυστηριωδῶς. D'autre part, ce dernier vocable apparaît comme faisant fonction de charnière entre la phrase principale qu'il termine et la subordonnée qu'il introduit, car, à bien y regarder, toute cette subordonnée ne fait qu'expliciter ce que l'adverbe dit déjà de façon implicite.

On comprendra alors la phrase de la façon suivante : « A donc souffert, en fin de compte, le double élément psychique, et cela *dans des conditions telles que cette passion constitue un ' mystère '* (c'est-à-dire le symbole visible, la figure évocatrice d'une réalité invisible) : car la ' Mère ' a bel et bien disposé toutes choses de telle sorte que, dans la passion visible soufferte par le ' Christ ' psychique, soit mise sous les yeux des hommes une figure (une image, une représentation, une réplique...) de l'invisible extension du ' Christ d'en haut ' sur la ' Croix-Limite ' ».

Sur cette signification des mots μυστήριον, μυστηριώδης et μυστηριωδῶς, cf. nombreuses références patristiques dans le dictionnaire de Lampe.

P. 107, n. 2. — « Et beaucoup de paroles — et par les âmes que fit celui-ci », Καὶ πολλὰ ὑπὸ τοῦ σπέρματος τού- του — καὶ τῶν ὑπὸ τούτου γενομένων ψυχῶν.

Ce passage ne soulève pas de difficulté en ce qui concerne l'établissement du texte, mais son interprétation fait problème.

Si l'on s'en tient, comme on le fait d'ordinaire, au plan strictement grammatical, on y verra mentionnées deux sources de prophéties : d'une part, la « semence » parlant par l'entremise des prophètes (ὑπὸ τοῦ σπέρματος... διὰ τῶν προφητῶν) ; d'autre part, la « Mère » parlant par l'entremise du Démiurge et des âmes faites par lui (τὴν Μητέρα... διὰ τούτου καὶ τῶν ὑπὸ τούτου γενομένων ψυχῶν).

Mais comment accorder cette division bipartite avec la division tripartite qui est énoncée on ne peut plus claire- ment dans la phrase qui vient ensuite ? Pour éviter cette contradiction, le P. Sagnard (*La Gnose valentinienne...*, p. 411, note 1) propose une interprétation fondée sur l'ensemble du contexte plus que sur la stricte application des règles grammaticales. Se basant sur le jeu des conjonc- tions (Καὶ πολλὰ..., πολλὰ δὲ καὶ..., ἀλλὰ καὶ...), il dis- tingue trois sources des prophéties : 1. beaucoup de paroles sont venues de la « semence » parlant par l'organe des prophètes (πολλὰ ὑπὸ τοῦ σπέρματος... εἰρῆσθαι διὰ τῶν προφητῶν) ; 2. la « Mère » aussi a dit beaucoup de paroles (πολλὰ δὲ καὶ τὴν Μητέρα... εἰρηκέναι) ; 3. mais beaucoup encore sont venues par le Démiurge et par les âmes qu'il a faites (ἀλλὰ καὶ ⟨πολλὰ εἰρῆσθαι⟩ διὰ τούτου καὶ τῶν ὑπὸ τούτου γενομένων ψυχῶν).

Cette division tripartite est effectivement confirmée par
la phrase qui vient ensuite : « C'est ainsi qu'ils découpent
les prophéties, prétendant qu'une partie d'entre elles émane
de la ' Mère ' (τὸ μέν τι ἀπὸ τῆς Μητρός), une autre, de
la ' semence ' (τὸ δέ τι ἀπὸ τοῦ σπέρματος), une autre
enfin, du Démiurge (τὸ δέ τι ἀπὸ τοῦ Δημιουργοῦ). Et
c'est la même division tripartite des prophéties qui se
retrouvera en IV, 35, 1 : « Aduersus eos rursum qui sunt
a Valentino et reliquos falsi nominis Gnosticos, qui aliquando
quidem a Summitate quaedam eorum quae sunt in Scripturis
posita dicta dicunt propter semen quod est inde, aliquando
uero a Medietate per Matrem Prunicam, multa uero a mundi
Fabricatore a quo et missi sunt prophetae... »

Pour ces raisons, sans nous dissimuler les difficultés d'ordre
grammatical auxquelles se heurte l'interprétation du
P. Sagnard exposée ci-dessus, nous l'adoptons en fin de
compte comme celle qui paraît la plus satisfaisante.

P. 109, n. 1. — « soit », ἤ grec. Contresens manifeste
du traducteur latin, trompé sans doute par le mot ἄλλην
qui précède. Les mots ἤ ... ἤ ... ἤ .... ne peuvent signifier
que : « soit..., soit..., soit... ».

P. 109, n. 2. — « il demeura », διατετελεκέναι : grec.
Le traducteur latin paraît avoir lu indûment διατετηρηκέναι.

P. 109, n. 3. — « l' économie ' qui concerne le monde »,
τὴν κατὰ τὸν κόσμον οἰκονομίαν : grec. Au lieu de ces
mots, le traducteur latin paraît avoir lu : τὴν κατ' αὐτὸν κόσμου
οἰκοδομίαν.

P. 111, n. 1. — « pneumatique, psychique et choïque »,
πνευματικόν, ψυχικόν, χοϊκόν : latin.
Le grec d'Épiphane intervertit les deux derniers adjectifs.
Il semble que ce soit le latin qui ait conservé l'ordre primitif.
Tout d'abord, c'est l'ordre normal, celui qui procède par
gradation descendante. Ensuite, les trois adjectifs et les
trois noms propres sont, de la sorte, disposés en chiasme,
ce qui est tout à fait conforme aux habitudes d'Irénée :

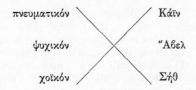

P. 111, n. 2. — « Quant aux éléments pneumatiques — nourris ici-bas », τὰ δὲ πνευματικά — καὶ ἐκτραφέντα : grec.

Le texte latin, peu cohérent, résulte d'une mauvaise lecture du grec. Le traducteur n'a pas lu le relatif ἃ devant ἐγκατασπείρει, ce qui l'a amené à considérer ce verbe comme celui d'une phrase principale. Ensuite, au lieu de δικαίαις ψυχαῖς παιδευθέντα ἐνθάδε, il a lu ou cru lire διὸ καὶ αἱ ψυχαὶ παιδευθήσονται μὲν ἐνθάδε. Peut-être a-t-il lu ensuite καὶ τὰ σπέρματα ἐκτραφέντα, à moins qu'il n'ait lui-même ajouté le mot « semina » pour la clarté.

P. 113, n. 1. — « tout en alléguant des textes étrangers aux Écritures », ἐξ ἀγράφων ἀναγινώσκοντες.

Le verbe ἀναγινώσκω signifie « lire », notamment « faire une lecture publique ». Par extension, il peut signifier « citer », « alléguer », « produire »... (cf. Lampe).

Le terme ἄγραφον signifie ici « qui ne se trouve pas dans les Écritures ». Ce terme ne paraît pas avoir été employé ailleurs dans l'*Aduersus haereses*. Employé au sens que nous venons de dire, il est pratiquement synonyme de « apocryphe ».

P. 113, n. 2. — « d'une manière plausible », ἀξιοπίστως.

Désaccord des témoins :

— ἀξιοπίστως = Épiphane, avec famille CV.

— ἀξιόπιστα = Pseudo-Éphrem, avec famille AQSε.

Avec Massuet, nous adoptons la leçon ἀξιοπίστως. Si nous adoptions la leçon ἀξιόπιστα, nous traduirions : « ... ils s'efforcent d'accommoder à leurs dires *des choses dignes de foi*, (en l'occurrence) des paroles du Seigneur ou des oracles de prophètes ou des paroles d'apôtres ». Le sens ne serait pas fondamentalement différent.

P. 117, n. 1. — « d'appliquer », προσοικειοῦν : grec.

Le sens du passage est limpide : après avoir échafaudé leur système *a priori*, les hérétiques, désireux de lui assurer des appuis scripturaires, tentent d'« approprier » (οἰκεῖος), d'« appliquer », d'« accommoder » à leurs inventions des textes tirés des Écritures. Telle est bien la signification du verbe προσοικειόω, qui apparaît ainsi comme pratiquement synonyme des verbes ἐφαρμόζω, προσαρμόζω, προσεικάζω..., fréquemment rencontrés jusqu'ici.

Le latin « ad suos insinuare », qui correspond à προσοικειοῦν, est énigmatique : les mots « ad suos » traduiraient-ils πρὸς οἰκείους ? Mais d'où viendrait alors « insinuare » ?

P. 117, n. 2. — « et pour faire connaître, par sa fin à lui, quelle fut la fin de la production des Éons », καὶ δι᾽ αὐτοῦ τοῦ τέλους ἐμφήνῃ τὸ τέλος τῆς περὶ τοὺς Αἰῶνας πραγματείας.

Nous traduisons aussi littéralement que possible pour garder le mot-crochet τέλος, « fin ». Le sens de ce passage est le suivant : le Seigneur a fait connaître de façon symbolique, par le *terme* auquel a abouti sa vie terrestre (= la Passion sanglante), le *terme* auquel avait abouti le processus générateur du Plérôme (= la passion du 30ᵉ Éon).

Le latin « hunc » traduit sans doute τούτου, lu indûment au lieu de αὐτοῦ.

Sur le sens qu'a ici le mot πραγματεία, cf. *supra*, p. 182, *note justif.*, *P. 49, n. 1*.

P. 119, n. 1. — « Et que, au moment où le Sauveur — d'un voile », Καὶ ὅτι ἥκοντος τοῦ Σωτῆρος πρὸς αὐτὴν δι᾽ αἰδῶ κάλυμμα ἐπέθετο ἡ Ἀχαμώθ, Μωσέα πεποιηκέναι φανερόν, κάλυμμα θέμενον ἐπὶ τὸ πρόσωπον αὐτοῦ : grec.

Un accident a fait tomber un membre de phrase dans le latin. Restituer : « Et quoniam ... propter uerecundiam uelamen imposuit Achamoth, <Moysen fecisse manifestum, uelamen ponentem> in faciem suam ».

Holl a prétendu restituer : ... κάλυμμα ἐπέθετο ἡ Ἀχαμώθ ⟨ἐπὶ τὸ πρόσωπον αὐτῆς⟩ ... κάλυμμα θέμενον ἐπὶ τὸ πρόσωπον αὐτοῦ, afin de pouvoir expliquer par un saut du même au même la lacune du latin. Mais le verbe ἐπιτίθεμαι (à l'inverse de τίθεμαι) signifie déjà « poser *sur* soi » et rend superflu le complément qu'on prétend lui adjoindre. Voir d'ailleurs I, 4, 5 : Τὴν δὲ Ἀχαμὼθ ... λέγουσι πρῶτον μὲν κάλυμμα ἐπιθέσθαι δι᾿ αἰδῶ ..., ce que traduit le latin : « Hanc autem Achamoth ... dicunt primum quidem coopertionem *imposuisse* propter reuerentiam... »

P. 119, n. 2. — « Ainsi, en disant sur la croix », καὶ ἐν μὲν τῷ εἰπεῖν ἐν τῷ σταυρῷ.

Ni le latin, ni le grec ne donnent un texte satisfaisant. Nous proposons de lire le latin comme suit : « in hoc quidem quod [derelicta est a lumine in eo cum] dicit in cruce ». Quant au grec, nous croyons qu'un accident a fait intervertir les deux parties du texte et nous proposons de le rétablir avec Holl de la façon suivante : καὶ ἐν μὲν τῷ εἰπεῖν ἐν τῷ σταυρῷ. Ainsi grec et latin satisfont pleinement.

Les mots latins mis entre crochets ne sont pas autre chose qu'un doublet accidentel des mots « derelicta est a lumine » qui se rencontrent deux lignes plus loin.

P. 121, n. 1. — « Mon âme est accablée de tristesse », Περίλυπός ἐστιν ἡ ψυχή μου : grec.

Ce texte est attesté par les manuscrits d'Épiphane. De surcroît, il est, mot pour mot, celui que citera à nouveau Irénée en III, 22, 2 : οὐδ᾿ ἂν εἰρήκει ὅτι « Περίλυπός ἐστιν ἡ ψυχή μου » (texte grec conservé par Théodoret et par le *Vatopedi* 236).

Qu'en est-il de la tradition latine de l'*Aduersus haereses* ?

En III, 22, 2, le latin correspond parfaitement au grec : « nec dixisset quia ' Tristis est anima mea ' ». Sans doute, au lieu de « quia », qui est la leçon de A, on trouve « quid » dans CV (leçon adoptée par F. Sagnard dans son édition du Livre III) et « quod » dans Qε : on peut hésiter entre « quia » et « quod », qui peuvent également traduire ὅτι, mais on considérera « quid » comme une altération évidente, l'accord des deux témoins grecs et de la famille AQε ne permettant aucune hésitation sur la teneur primitive du texte irénéen.

D'autre part, dans le présent passage du Livre I, le texte latin comporte : « in eo quod dixisset : ' *Quam* tristis est anima mea ' ». Le mot « quam » n'a rien, apparemment, qui lui corresponde dans le grec. On a proposé d'y voir la corruption de « quoniam ». Nous y verrions plus volontiers la corruption de « perquam » : l'expression « perquam

tristis » traduirait fort bien περίλυπος, qui signifie « profondément triste » (littéralement : « entouré de tristesse »).

Les considérations qui précèdent suffisent à montrer ce
que nous paraissent avoir d'inacceptable, au regard de la
critique philologique, les vues proposées par A. Orbe, dans
Cristologia gnostica, t. II, Madrid, 1976, p. 190-191.

P. 123, n. 1. — « les multiples devoirs de la ' justice '...
de devenir ' parfait ' », τὰ πλεῖστα μέρη τῆς δικαιοσύνης ...
πρὸς τὸ μὴ τέλειον γενέσθαι.

Nous avons tenu à souligner par des guillemets, dans
notre traduction, l'opposition explicitement affirmée par
les gnostiques entre les « justes », assimilés aux « psychiques »,
et les « parfaits », identifiés aux « pneumatiques ». Déjà en
I, 7, 1, on avait pu lire : « Les âmes des ' justes ' (τῶν
δικαίων), elles aussi, auront leur repos dans le lieu de
l'Intermédiaire, car rien de psychique (ψυχικόν) n'ira à
l'intérieur du Plérôme ». Même assertion en I, 7, 5.

P. 123, n. 2. — « Ces hommes, proclament-ils, appar-
tenaient à la race pneumatique », τούτους γὰρ πνευματικοῦ
γένους καταγγέλλουσι γεγονέναι : grec.

Phrase omise dans le latin, sans doute par suite d'un saut
du même au même dans le grec.

P. 125, n. 1. — « et l'a soulevée avec lui », καὶ ἐν αὐτῷ
συνανεσταλκέναι. Littéralement : « et l'a, en (ἐν) lui,
soulevée avec (συν-) lui ». Le sens du passage ne fait pas
problème : le ferment ne peut que « soulever » la pâte avec
lui. Mais quel est le substrat grec primitif ? Le manuscrit M a
συνανεστακέναι, et c'est cette leçon qu'adopte Holl.
Ce choix est peu heureux, car le parfait συνανέστηκα
ne paraît pas susceptible d'être employé transitivement.
Nous croyons devoir préférer la leçon συνανεσταλκέναι, qui
est celle du manuscrit V. Ce verbe peut signifier « élever »,
« soulever » (cf. Lampe).

P. 129, n. 1. — « parmi les parfaits », ἐν τοῖς τελείοις :
grec. On ne peut douter que telle soit bien la leçon d'Irénée
lui-même : voir la même citation en III, 2, 1 et V, 6, 1. Ici,
chose étonnante, le latin a « perfectis » (la leçon « inter
perfectos », propre à S, a toutes chances d'être une correc-

tion). L'explication la plus simple de ce fait est sans doute
de supposer que le texte grec utilisé par le traducteur latin
portait : ... λαλοῦμεν τοῖς τελείοις (chute de ἐν par
haplographie).

P. 129, n. 2. — « Ils enseignent encore que Jean — la
genèse de toutes choses », Ἔτι δὲ Ἰωάννην τὸν μαθητὴν
τοῦ Κυρίου — τὴν τῶν ὅλων γένεσιν : grec.
Une lecture attentive du grec et du latin montre que le
grec seul offre un sens pleinement cohérent.

1. « Ils enseignent encore que Jean... a fait connaître
la première Ogdoade ». — C'est là, délimité de façon très
exacte, tout le contenu du texte gnostique cité par Irénée
dans ce paragraphe (voir les dernières lignes de cette
citation : « Sic Iohannes *de prima* et Matre omnium Aeonum
Ogdoade dixit... »). En ajoutant « et omnium generationem »,
le latin introduit un élément qui est en contradiction avec
l'ensemble du contexte.

2. « Voici leurs propres paroles ». — Le sens obvie de la
phrase demande que les mots αὐταῖς λέξεσι soient rapportés
au participe λέγοντες qui suit, non à l'infinitif μεμηνυκέναι
qui précède. Ce sont les propres paroles des hérétiques
qu'Irénée va rapporter dans toute la suite du paragraphe.
Autrement dit, il entend donner, par une citation littérale,
un échantillon particulièrement représentatif de leur
exégèse scripturaire. Dans le latin, les mots « ipsis dictio-
nibus » ne peuvent plus se rapporter qu'au verbe « significasse », et la pensée est complètement faussée.

3. « voulant exposer la genèse de toutes choses ». — Ces
mots, qui sont pleinement en situation dans le grec, sont,
de surcroît, indirectement attestés par le latin : il semble
bien, en effet, que les mots latins « omnium generationem »
dérivent du grec τὴν τῶν ὅλων γένεσιν, mais un accident
a perturbé l'ensemble du passage, soit dans le latin, soit
peut-être déjà dans le texte grec qu'a eu sous les yeux le
traducteur latin. On notera, pour le dire en passant, la
signification particulière que revêtent, en contexte gnostique,
les expressions τῶν ὅλων et τὰ πάντα : il s'agit des Éons
du Plérôme.

P. 129, n. 3. — « celui qu'il appelle encore ' Fils ' et
' Dieu Monogène ' », ὃ δὴ καὶ Υἱὸν καὶ Μονογενῆ Θεὸν
κέκληκεν : grec.

Le latin paraît s'être surchargé accidentellement de plusieurs mots. Il devait comporter primitivement : « quod etiam [   ] Filium et Vnigenitum Deum uocat », comme il résulte des rapprochements suivants — on notera le caractère stéréotypé des traductions — :

I, 1, 1 : ἦν δὴ καὶ Χάριν καὶ Σιγὴν ὀνομάζουσι = « quem *etiam* Charin et Sigen uocant » ;

I, 3, 4 : ἦν δὴ καὶ δευτέραν Ὀγδοάδα καλοῦσι = « quam *etiam* secundam Ogdoadem uocant » ;

I, 3, 5 : ὃν δὴ καὶ πλείοσιν ὀνόμασι καλοῦσι = « quem *etiam* pluribus nominibus uocant » ;

I, 5, 6 : ὃ δὴ καὶ αὐτὸ Ἐκκλησίαν εἶναι λέγουσιν = « quod *etiam* ipsum Ecclesiam esse dicunt ».

Depuis Érasme, il est vrai, les éditeurs d'Irénée croient pouvoir opter en faveur du latin, sauf à corriger « nunc » en « Nun » (= Νοῦν). Ils lisent donc : « quod etiam *Nun uocat et* Filium et Vnigenitum Deum uocat ». Mais un tel texte n'a aucune chance de refléter le grec primitif. Tout d'abord, le premier « uocat » est inutilement redondant : on ne peut que soupçonner une dittographie. Ensuite, et surtout, il serait inconcevable que le mot Νοῦν se rencontre ici sous la plume de Ptolémée : en effet, si Jean utilise dans son Évangile les termes Υἱός (*Jn* 1, 34.49 ; 3, 18...) et Μονογενὴς Θεός (*Jn* 1, 18), nulle part il ne se sert du mot Νοῦς pour désigner un être divin quelconque, et, cela, Ptolémée le savait à coup sûr aussi bien que n'importe qui.

P. 133, n. 1. — « cause de formation et de naissance », μορφώσεως καὶ γενέσεως αἴτιος.

Au lieu de μορφώσεως, le grec d'Épiphane présente la leçon μορφῆς. Outre qu'elle correspond au latin « formationis », la restitution μορφώσεως peut se réclamer d'un parallèle remarquable qui se lit en I, 2, 5 : καὶ τὸ μὲν αἴτιον τῆς αἰωνίου διαμονῆς τοῖς ὅλοις τὸ ἀκατάληπτον ὑπάρχειν τοῦ Πατρός, τῆς δὲ γενέσεως καὶ μορφώσεως τὸ καταληπτὸν αὐτοῦ, ὃ δὴ Υἱός ἐστιν = « et *causam* quidem aeternae perseuerationis his omnibus incomprehensibile Patris esse, *generationis* autem et *formationis* comprehensibilis eius, quod quidem Filius est ».

P. 133, n. 2. — « des Hommes », τῶν Ἀνθρώπων. Nous écrivons ce mot avec une majuscule, puisque selon l'interprétation de Ptolémée, ce mot désigne ici les deux Éons « Homme » et « Église ». Qu'il en soit bien ainsi ressort de la suite du texte, notamment de cette phrase par laquelle se conclut tout le passage : « Quoniam igitur Vita manifestauit et generauit *Hominem* et *Ecclesiam*, lumen dicta est *EORUM* ».

P. 135, n. 1. — « de tout le Plérôme », παντὸς τοῦ Πληρώματος : grec. Cette leçon s'impose, si l'on se souvient que le « Sauveur » est effectivement le fruit commun de tous les Éons du Plérôme (cf. I, 2, 6). Le latin « intra Pleroma » permet de supposer que le traducteur a lu ἐντὸς τοῦ Πληρώματος.

P. 135, n. 2. — « Voici les paroles de Jean », Λέγει δὲ οὕτως : grec et latin.

F. Sagnard (*La Gnose valentinienne...*, p. 310-311) traduit de la façon suivante : « En réalité Jean dit ceci : ' Et le Logos s'est fait chair... ' » Le P. Sagnard pense qu'Irénée rectifie ici le texte de Jean, que les hérétiques auraient déformé pour l'ajuster à leurs idées. Nous aurions donc ici une véritable parenthèse qu'Irénée intercalerait à l'intérieur du texte valentinien cité par lui. Même opinion dans *Extraits de Théodote*, éd. F. Sagnard, p. 69, note 2.

Cette vue du P. Sagnard paraît excessive. Il semble plus simple de considérer que l'exégète valentinien présente d'abord une sorte de paraphrase explicative du texte de Jean, pour donner ensuite, en sa teneur précise, le texte même de Jean. On peut penser que, si Irénée avait voulu insérer une réflexion personnelle au milieu du texte de Ptolémée, il se serait exprimé de façon à écarter toute équivoque.

Nous traduirons donc ici la formule johannique δόξαν ὡς Μονογενοῦς παρὰ Πατρός : « gloire comme celle que le Monogène tient du Père », et non, avec F. Sagnard : « sa gloire comme Monogène venu d'auprès du Père ». Cette dernière traduction *interprète* le texte dans un sens opposé à Ptolémée, pour qui ὡς signifie que la gloire que les apôtres ont contemplée dans le « Sauveur » était, non la gloire du « Monogène », mais une gloire semblable à celle du « Monogène ».

P. 137, n. 1. — « remplie de Grâce et de Vérité », πλήρης Χάριτος καὶ ᾿Αληθείας.

Cette formule revient deux fois à trois lignes de distance. On doit présumer que Ptolémée la comprenait d'une manière identique de part et d'autre.

Il écrit d'abord : ... καὶ ἦν ἡ δόξα αὐτοῦ οἵα ἦν ἡ τοῦ Μονογενοῦς..., πλήρης Χάριτος καὶ ᾿Αληθείας. Il semble normal de rapporter πλήρης à δόξα, et c'est bien ainsi que l'a compris le latin : « et erat *gloria* eius qualis erat Vnigeniti ..., *plena* Gratia et Veritate ».

Vient ensuite la citation proprement dite de Jean : ... καὶ ἐθεασάμεθα τὴν δόξαν αὐτοῦ, δόξαν ὡς Μονογενοῦς παρὰ Πατρός, πλήρης Χάριτος καὶ ᾿Αληθείας. Si l'on se souvient que, dans la langue de la Koinè, l'adjectif πλήρης est souvent traité comme un mot indéclinable (cf. Blass-Debrunner, § 137, 1), on ne verra aucune difficulté à ce que Ptolémée ait pu, ici aussi, rapporter πλήρης à δόξαν. Quant au latin, on se demandera s'il n'avait pas primitivement la même interprétation, car, dans CV Qε, on trouve la très curieuse leçon « plena », qui pourrait être la corruption de « plenam », et, dans le seul A, la leçon « plenum », qui pourrait être une leçon harmonisante introduite sous l'influence de la vulgate latine.

P. 137, n. 2. — « Ainsi s'exprime Ptolémée », Καὶ ὁ μὲν Πτολεμαῖος οὕτως : grec restitué d'après le latin.

Quoique les mots « Et Ptolomaeus quidem ita » n'aient rien qui leur corresponde dans le grec d'Épiphane, on ne saurait douter qu'ils ne reflètent fidèlement l'original irénéen : on ne voit pas, en effet, pour quelle raison ils auraient été introduits dans le latin ; par contre, si l'on observe que le long fragment irénéen allant du début du Livre I jusqu'à I, 11, 1 inclusivement a été inséré par Épiphane, non dans le chap. 33 du *Panarion*, consacré à Ptolémée, mais dans le chap. 31, consacré à Valentin, on comprend fort bien qu'Épiphane ait pu omettre délibérément les mots grecs qui font l'objet de cette note. Cf. *supra*, p. 83-85.

Les mots en question correspondent de la sorte parfaitement aux mots αὐταῖς λέξεσι λέγοντες οὕτως qu'on a lus au début du paragraphe. Ils confirment que tout ce paragraphe est constitué par une page de Ptolémée citée littéralement par Irénée.

P. 137, n. 3. — « leurs termes mêmes », αὐτὰς... αὐτῶν τὰς λέξεις : grec.

Le latin « astutias et dictiones » ne paraît pas pouvoir être considéré comme primitif. Si l'on observe que « astutia » est une traduction possible et même la traduction la plus normale de πανουργία, qui figure un peu plus loin dans cette même phrase, on se demandera si la présence du mot « astutias » à côté de « dictiones » ne serait pas due à un déplacement de mot ou à quelque autre accident de transmission.

P. 139, n. 1. — « les compagnes », τὰς συζύγους : grec. Le latin « coniugationes » fait supposer que le traducteur a lu συζυγίας au lieu de συζύγους.

P. 143, n. 1. — « à Celui dont il a dit plus haut qu'il était au commencement, c'est-à-dire au Verbe », περὶ τοῦ εἰρη-μένου αὐτῷ ἄνω ἐν ἀρχῇ Λόγου.

On a voulu parfois comprendre ce passage de la façon suivante : « au Verbe dont (Jean) a parlé plus haut, au commencement (de son Évangile) ». Cette façon de comprendre est grammaticalement possible. Cependant les mots τοῦ ... ἐν ἀρχῇ Λόγου sont un écho si manifeste de la phrase Ἐν ἀρχῇ ἦν ὁ Λόγος, par laquelle s'ouvre l'Évangile de Jean, qu'on ne peut guère hésiter, croyons-nous, à comprendre la phrase irénéenne de la manière suivante, bien autrement riche de sens : « à Celui dont (Jean) a dit plus haut qu'il était au commencement, (c'est-à-dire) au Verbe ». En rapprochant ainsi les versets 1 et 14 du chap. 1 de l'Évangile de Jean, Irénée donne déjà la substance de l'exégèse qu'il développera plus longuement en III, 11, 1-3.

P. 143, n. 2. — « qui est issu de tous les Éons et est postérieur au Logos », ἐκ πάντων γεγονὼς καὶ μεταγενέστερος τοῦ Λόγου : latin.

Au lieu de πάντων γεγονὼς καί, les manuscrits d'Épiphane ont τῆς οἰκονομίας. Cette leçon est certainement inacceptable, car elle est incompatible avec les données que la Grande Notice nous fournit ailleurs sur le « Sauveur ».

Par contre, la leçon du latin est appuyée par toute une série de textes parallèles :

I, 7, 1 : … καὶ ἀπολαβεῖν τὸν νυμφίον αὐτῆς τὸν Σωτῆρα τὸν ἐκ πάντων γεγονότα…

II, 14, 5 : « Quod autem Saluatorem *ex omnibus factum esse* Aeonibus dicant, omnibus in eum deponentibus uelut florem suum… »

II, 20, 5 : « Enthymesis … in nouissimo in Pleroma recepta dicitur … et secundum coniugationem unita Saluatori ei *qui ex omnibus factus est* ».

III, 11, 3 : « Secundum autem illos, neque Verbum caro factum est, neque Christus, neque *qui ex omnibus factus est* Saluator ».

P. 147, n. 1. — « Et, celle-ci réduite en miettes — étrangère », Ταύτης δὲ λελυμένης, διαπέπτωκεν αὐτῶν πᾶσα ἡ ὑπόθεσις, ἣν ψευδῶς ὀνειρώττοντες κατατρέχουσι τῶν γραφῶν. Ἰδίαν γὰρ ὑπόθεσιν ἀναπλασάμενοι, ἔπειτα λέξεις καὶ ὀνόματα σποράδην κείμενα συλλέγοντες, μεταφέρουσι, καθὼς προειρήκαμεν, ἐκ τοῦ κατὰ φύσιν εἰς τὸ παρὰ φύσιν…

Nous pouvons négliger une première divergence entre le grec et le latin : ψευδῶς — « falso nomine ». On donnera raison au grec. Sans doute le traducteur latin a-t-il lu ψευδώνυμον ou ψευδωνύμως.

Autrement important pour le sens du passage est le membre de phrase « ad propriam argumentationem confingendam », auquel correspond, dans les manuscrits d'Épiphane le grec ἰδίαν ὑπόθεσιν ἀναπλασάμενοι. Sans doute faut-il expliquer la divergence du latin par le fait que le traducteur a lu le futur ἀναπλασόμενοι au lieu de l'aoriste ἀναπλασάμενοι. Mais, cela étant élucidé, reste la question de savoir laquelle de ces deux formes est susceptible d'être primitive.

D'après le latin, les hérétiques se livreraient à leurs manipulations des Écritures — c'est naturellement en ce sens qu'il faut comprendre κατατρέχουσι τῶν γραφῶν — « afin de pouvoir imaginer, inventer, forger de toutes pièces, leur propre système ». Cela contredit de front ce qu'Irénée n'a cessé de dire jusqu'ici, à savoir que les hérétiques *commencent* par forger de toutes pièces un système, et qu'*ensuite seulement* ils font appel à des textes de l'Écriture — interprétés d'ailleurs de façon fantaisiste — pour tenter d'apporter un semblant d'appui à leurs inventions. Il faut donc écarter le latin et la forme ἀναπλασόμενοι qu'il suppose.

S'ensuit-il que le grec des manuscrits d'Épiphane donne pleine satisfaction ? Sans doute écarte-t-il le contenu de pensée tout à fait inacceptable que nous venons de dire. On peut observer toutefois que les mots ἰδίαν ὑπόθεσιν ἀναπλασάμενοι se rattachent mal à ce qui les précède : après αὐτῶν πᾶσα ἡ ὑπόθεσις, ἣν..., les mots ἰδίαν ὑπόθεσιν donnent une impression de gaucherie et de lourdeur contrastant avec l'aisance de style dont fait preuve Irénée de façon habituelle, et plus particulièrement dans tout le présent chapitre, dont la rédaction est très étudiée. En revanche, ces mêmes mots se rattacheraient d'une façon infiniment plus naturelle à ce qui les suit : «après avoir forgé de toutes pièces (ἀναπλασάμενοι)..., rassemblant ensuite (ἔπειτα... συλλέγοντες)..., ils transposent (μεταφέρουσι)... »

Nous croyons donc, en fin de compte, que la nouvelle phrase commençait primitivement par les mots : Ἰδίαν γὰρ ὑπόθεσιν ἀναπλασάμενοι... Un accident de transmission a dû, de très bonne heure, faire tomber la conjonction γάρ et les mots en question se sont trouvés quasi fatalement rattachés à la phrase précédente.

Soulignons le parfait enchaînement de la pensée qui résulte de la restitution proposée. Irénée vient de dire qu'il suffit de rétablir l'exégèse correcte du prologue johannique pour qu'il soit impossible d'y découvrir encore la moindre allusion à l'« Ogdoade » ptoléméenne. Et, avec cette Ogdoade, c'est tout le système hérétique qui s'effondre (διαπέπτωκεν αὐτῶν πᾶσα ἡ ὑπόθεσις), ce système qui n'est rien d'autre qu'un songe vain (ἣν ψευδῶς ὀνειρώττοντες) et pour la défense duquel les hérétiques ne craignent pas de malmener les divines Écritures elles-mêmes (κατατρέχουσι τῶν γραφῶν). En effet, poursuit Irénée, après avoir forgé de toutes pièces un système de leur invention (Ἰδίαν γὰρ ὑπόθεσιν ἀναπλασάμενοι), ils rassemblent ensuite des textes et des noms épars dans les Écritures (ἔπειτα λέξεις καὶ ὀνόματα σποράδην κείμενα συλλέγοντες) et ils les font passer de leur signification naturelle à une signification qui leur est étrangère (μεταφέρουσι... ἐκ τοῦ κατὰ φύσιν εἰς τὸ παρὰ φύσιν). Ils font comme les faiseurs de centons...

Noter encore l'incise : καθὼς προειρήκαμεν... Ce que dit ici Irénée n'est qu'un rappel et une reprise de ce qu'il a dit déjà auparavant. Irénée renvoie de la sorte à des passages de I, 1, 3 ou de I, 3, 6, mais surtout au long développement de I, 8, 1, où il a décrit le sans-gêne avec lequel les hérétiques manipulent les Écritures pour tirer d'elles un semblant de témoignage en faveur de leur invention : « Ils bouleversent l'ordonnance et l'enchaînement des Écritures... Ils transfèrent (μεταφέρουσι) et transforment (μεταπλάττουσι) et, en faisant une chose d'une autre, ils séduisent nombre d'hommes par le fantôme inconsistant qui résulte des paroles du Seigneur ainsi accommodées ». Voir aussi I, 9, 2 : « Détournant chacune des paroles de l'Écriture de sa vraie signification et usant des noms d'une manière arbitraire, ils ont tout transposé (μετήνεγκαν) dans le sens de leur système... »

P. 149, n. 1. — « Ayant ainsi parlé — éprouvait leur frère », Ὡς εἰπὼν — ἀδελφεὸν ὡς ἐπονεῖτο.

On a dit qu'Irénée lui-même pourrait être l'auteur de ce centon (H. ZIEGLER, *Irenäus der Bischof von Lyon*, Berlin, 1871, p. 17).

J. DANIÉLOU, *Message évangélique et Culture hellénistique*, Paris, 1961, p. 82-84, voit dans ce centon l'œuvre de Valentin : « Il nous reste (de l'usage d'Homère par les Valentiniens)... un témoignage curieux que nous a transmis Irénée... C'est un centon de vers homériques, composé par Valentin et prenant chez lui un sens allégorique... Le sens symbolique que Valentin donnait à ces vers est difficile à saisir. On remarquera toutefois que le personnage dont il est question est présenté d'abord par des traits qui se rapportent à l'envoi d'Héraclès par Eurysthée pour ramener de l'Érèbe le chien d'Hadès (Il. 8, 368). Il est accompagné dans cette mission par Hermès et Athéna (Od. 11, 626). Comme Ulysse, il s'avance comme un lion (Od. 6, 130). Et comme Priam il est accompagné de ses amis en larmes (Il. 24, 327-328). Ceci semble bien signifier l'émission du Sauveur, entouré de ses anges, et que Christ et Esprit Saint accompagnent. » Héraclès symboliserait donc le Sauveur envoyé par le Père dans le domaine de la mort, c'est-à-dire dans notre monde de matière et d'ignorance, pour sauver ceux qui sont captifs de la mort.

R. L. WILKEN, « The Homeric cento in Irenaeus ' Aduersus haereses ' I, 9, 4 », dans *VC* 21 (1967), p. 25-33, rejette cette hypothèse subtile et ingénieuse, mais gratuite.

P. 151, n. 1. — « le dénouement », ἡ ἀπόλυσις : conjecture. Les manuscrits d'Épiphane ont ἀπολύτρωσις, leçon que

confirme le latin « redemptio ». Pour expliquer ce mot, on
fait appel au témoignage d'Hésychius, selon lequel ἀπολύτρωσις aurait pour synonyme ἀπόλυσις, et l'on comprend
ce dernier mot au sens de « renvoi » par lequel étaient
invités à se retirer les spectateurs à l'issue d'une représentation scénique. Avec Harvey (p. 89, note 1), nous doutons
que ἀπολύτρωσις puisse équivaloir à ἀπόλυσις au sens ainsi
défini, et nous croyons plus vraisemblable qu'Irénée ait
écrit ἡ ἀπόλυσις. Sur ce sens de ἀπόλυσις, voir dans Lampe
l'exemple de Jean Chrysostome, *Hom.* 9 sur la Pénitence
(*P.G.* 49, 350 e).

P. 153, n. 1. — « avant même que nous n'en fournissions
la démonstration », καὶ πρὸ τῆς ἀποδείξεως : grec.

Le traducteur latin a-t-il lu ἀπό au lieu de πρό ? Il faut, de
toute façon, donner raison au grec : Irénée veut dire que
le simple spectacle des multiples variations des systèmes
hérétiques, d'une part, et de l'unité de la foi de l'Église,
d'autre part, suffira, *avant même qu'il n'en fournisse la
démonstration*, à faire voir de quel côté est la vérité et de
quel côté le mensonge. Ce passage montre qu'Irénée a déjà
sous les yeux, au moment où il rédige son premier Livre,
« la » démonstration — noter cet article — de la vérité de
l'enseignement de l'Église qui fera l'objet des trois derniers
Livres de son grand ouvrage.

P. 153, n. 2. — « la solide vérité proclamée par l'Église »,
τὴν βεβαίαν ὑπὸ τῆς Ἐκκλησίας κηρυσσομένην ἀλήθειαν :
latin. La littéralité remarquable de la traduction latine
« eam firmam » permet de rétablir en toute sûreté le grec
primitif τὴν βεβαίαν accidentellement modifié en βεβαίαν τὴν
dans les manuscrits d'Épiphane.

P. 155, n. 1. — « les ' économies ' », τὰς οἰκονομίας :
grec, confirmé par le fragment arménien du *Galata 54*. Le
latin a « dispositiones Dei », et cette leçon trouve son équivalent exact dans la version arménienne du traité de
Timothée Élure.

On ne peut exclure *a priori* cette dernière leçon, semble-
t-il : Irénée parle à divers endroits des « économies de Dieu »
(c'est-à-dire du Père), et il n'est pas impossible qu'il en parle

ici même. Toutefois la première leçon nous paraît préférable,
parce qu'offrant un sens plus coulant : il s'agit des « économies » du Fils, c'est-à-dire de toute la série de ses manifesta-
tions visibles s'échelonnant tout au long de l'Ancien
Testament, telles que sa recherche d'Adam après le péché,
l'ordre donné à Noé de construire l'arche, l'entretien avec
Abraham au chêne de Mambré, les paroles adressées à Moïse
du sein du buisson ardent, etc. De la sorte, ce que « proclame »
l'Esprit par les prophètes, c'est la totalité de l'œuvre accomplie *par le Fils* en conformité avec le bon plaisir du Père,
depuis les origines jusqu'à la Parousie glorieuse en passant
par l'Incarnation et le mystère pascal.

Que l'Esprit Saint ait pu proclamer de la sorte, par les
prophètes, la totalité de l'histoire du salut n'a rien qui
doive étonner, si l'on se souvient que, pour Irénée, l'Esprit
Saint n'est pas seulement celui qui annonce l'avenir, mais
celui qui fait connaître le passé et découvre le présent
(cf. IV, 33, 1).

P. 157, n. 1. — « du bien-aimé », τοῦ ἠγαπημένου.

Comment comprendre cette expression ? Dans son article
« Le nom de Jésus-Christ et son invocation chez saint Irénée
de Lyon » (*Irénikon*, 48 [1975], p. 454), E. LANNE écrit :
« Il ne peut s'agir ici de la formule néo-testamentaire qui
fait de Jésus le Fils bien-aimé, c'est-à-dire le Fils unique
du Père... Tant le contexte que le grec qui nous est conservé
ne laissent guère d'ambiguïté : Irénée entend dire que le
Christ est aimé par nous, qu'il est pour nous l'aimé. » Le
P. Lanne pense qu'Irénée fait allusion à *I Pierre* 1, 8 :
« Afin que votre foi ... vous assure louange, gloire et honneur
lors de la révélation de Jésus-Christ *que sans l'avoir vu vous
aimez* (... ὃν οὐκ ἰδόντες ἀγαπᾶτε) ».

Nous croyons, pour notre part, qu'Irénée fait plutôt
allusion à *Éphés.* 1, 6 : « ... à la louange de la splendeur de
sa grâce dont il nous a fait don dans le Bien-aimé », et que
c'est du Bien-aimé du Père qu'il est question :

1. Dans le présent passage d'Irénée se rencontre la forme
même qui se rencontre chez saint Paul, à savoir le participe
passé passif de ἀγαπάω. Or, chez saint Paul, cette forme
évoque toujours l'amour dont on est l'objet de la part de
Dieu, qu'il s'agisse du Christ (*Éphés.* 1, 6) ou des fidèles
du Christ (*Rom.* 9, 25 ; *Col.* 3, 12 ; *I Thess.* 1, 4 ; *II Thess.*
2, 13).

2. Qu'Irénée fasse allusion à *Éphés.* 1, 6 est d'autant plus vraisemblable que, dans le paragraphe même qui nous occupe, on trouvera jusqu'à trois autres citations tirées de cette même épître paulinienne : ἐπὶ τὸ « ἀνακεφαλαιώσασθαι τὰ πάντα » (*Éphés.* 1, 10) ; « κατὰ τὴν εὐδοκίαν » (*Éphés.* 1, 9) ; « τὰ ... πνεύματα τῆς πονηρίας » (*Éphés.* 6, 12).

3. Une allusion à *I Pierre* 1, 8 paraîtra, sinon impossible, du moins très improbable, si l'on se rappelle qu'Irénée cite deux fois ce verset au long de l'*Aduersus haereses*, mais sous une forme différente de celle que nous lisons dans les manuscrits du Nouveau Testament : « Lorsque vous verrez Celui en qui, sans le voir encore, vous croyez, vous tressaillirez d'une joie inexprimable », Ἰδόντες εἰς ὃν μὴ ὁρῶντες πιστεύετε, χαρήσεσθε χαρᾷ ἀνεκλαλήτῳ (IV, 9, 2 ; V, 7, 2). Tel qu'il figure sous la plume d'Irénée, ce verset ne comporte, on le voit, aucune mention de l'amour des fidèles pour le Christ.

P. 159, n. 1. — « le contenu », ἡ δύναμις. Le mot δύναμις, qui signifie « puissance », peut, lorsqu'il est rapporté à des choses, revêtir divers sens dérivés : « valeur » d'une monnaie, « signification » d'un mot, etc. Dans le cas présent, en opposition avec les mots διάλεκτοι ἀνόμοιαι, qui évoquent la diversité des vocabulaires et des langages traduisant la foi, les mots δύναμις ... μία καὶ ἡ αὐτή expriment tout naturellement l'unique et identique « contenu de signification » existant sous cette diversité des langages et des expressions.

La même expression reviendra sous la plume d'Irénée en IV, 16, 3 : « Pourquoi donc n'est-ce pas avec leurs pères qu'il conclut l'alliance? ' Parce que la Loi n'a pas été établie pour le juste ' (*I Tim.* 1, 9). Or, justes, ils l'étaient, leurs pères, eux qui possédaient *le contenu du décalogue* (τὴν δύναμιν τῆς δεκαλόγου) inscrit dans leurs cœurs et dans leurs âmes... » (on voudra bien corriger la traduction que nous avons donnée à cet endroit, dans *SC* 100, p. 565).

P. 161, n. 1. — « ni celui qui peut en disserter abondamment n'a plus, ni celui qui n'en parle que peu n'a moins », οὔτε ὁ τὸ πολὺ περὶ αὐτῆς δυνάμενος εἰπεῖν ἐπλεόνασεν, οὔτε ὁ τὸ ὀλίγον ἠλαττόνησε : grec et latin.

Pour découvrir la portée de cette phrase, il faut avoir

présente à l'esprit la citation de *Ex.* 16, 18 faite par Paul en
II Cor. 8, 15 : « … καθὼς γέγραπται · ὁ τὸ πολὺ οὐκ ἐπλεόνασεν,
καὶ ὁ τὸ ὀλίγον οὐκ ἠλαττόνησεν. Il s'agit de la manne ramassée
par les Israélites au désert : l'Écriture dit que celui qui en
avait ramassé beaucoup n'en eut pas plus et que celui qui en
avait peu ramassé n'en eut pas moins.

Appliquant au Credo chrétien l'analogie de la manne,
Irénée souligne la transcendance de la foi de l'Église par
rapport à la plus ou moins grande abondance de discours
dont elle peut être l'objet. Que les différents chefs des Églises
exposent les mystères de la foi avec plus ou moins de science
ou d'éloquence, la vérité divinement révélée n'en est pas
moins tout entière chez tous, ni plus riche chez les plus
capables, ni plus pauvre chez les plus dépourvus : chez les
uns comme chez les autres, elle tient tout entière, en fin
de compte, dans la confession trinitaire et christologique
dont Irénée a condensé l'essentiel dans le premier paragraphe
de ce chapitre.

Est-il besoin de rappeler à quel point ce passage de l'œuvre
irénéenne heurtait de front toute l'idéologie gnostique, où
la foi n'était qu'un misérable pis-aller, tout juste bon pour
ceux qui étaient incapables de s'élever jusqu'à la « gnose » ?

P. 163, n. 1. — « de vérité », τῆς ἀληθείας : latin. Le grec
a : τῆς πίστεως, « de la foi ». La divergence des leçons n'est
pas considérable. Nous croyons pouvoir faire pencher la
balance en faveur du latin, en nous fondant sur un passage
parallèle qui se lit en II, 25, 1 : « sed ipsos numeros et ea quae
facta sunt aptare debent subiacenti *ueritatis* argumento » =
ἀλλ' αὐτοὺς τοὺς ἀριθμοὺς καὶ τὰ γεγονότα προσαρμόζειν ὀφείλουσι
τῇ ὑποκειμένῃ τῆς ἀληθείας ὑποθέσει. On aura noté la frap-
pante similitude des expressions. L'argument se renforce
si l'on accepte de corriger une phrase située également en
II, 25, 1 et précédant de quelques lignes celle qui vient
d'être citée. Voici cette phrase : « … et debent ea (quae
a Deo facta sunt), non numero triginta, sed subiacenti
copulare argumento *ueritatis* » = καὶ ὀφείλουσιν αὐτά, οὐ τῷ
ἀριθμῷ τῶν τριάκοντα, ἀλλὰ τῇ ὑποκειμένῃ συνάπτειν τῆς ἀληθείας
ὑποθέσει. Au lieu de « ueritatis », les manuscrits latins ont
« siue rationi », mais ces derniers mots ne sont nullement
en situation et nous paraissent une corruption évidente de
« ueritatis ».

Nous voudrions insister sur l'étroite parenté existant entre les deux phrases citées et le passage qui fait l'objet de cette note : de part et d'autre, il s'agit de montrer comment « s'harmonisent » avec la claire « doctrine de *vérité* » des passages plus ou moins obscurs des Écritures que leur ambiguïté permet d'interpréter en des sens divers : soit les paraboles (I, 10, 3), soit les chiffres se rapportant à la création (II, 25, 1).

P. 163, n. 2. — « la manière dont s'est réalisé le dessein salvifique de Dieu », τήν τε πραγματείαν καὶ τὴν οἰκονομίαν τοῦ Θεοῦ. Les substantifs πραγματεία et οἰκονομία constituent ici un hendiadys manifeste : ils désignent l'œuvre de salut accomplie par Dieu en faveur des hommes, œuvre qui apparaît comme la réalisation progressive (πραγματεία) d'un dessein ou plan préalablement conçu (οἰκονομία). Ces deux mêmes substantifs seront de nouveau rapprochés en V, 19, 2.

P. 163, n. 3. — « comprendre », συνίειν : grec. Le latin « adesse » suppose que le traducteur a lu συνεῖναι au lieu de συνίειν.

P. 165, n. 1. — « publier dans une action de grâces pourquoi ' le Verbe ' de Dieu ' s'est fait chair ' et a souffert sa Passion », καὶ διὰ τί ὁ Λόγος τοῦ Θεοῦ σάρξ ἐγένετο καὶ ἔπαθεν εὐχαριστεῖν.

Formule aussi dense que concise, dont la traduction ne rend qu'imparfaitement le sens. Tout d'abord, située au milieu de verbes qui expriment tous l'idée d'un discours explicatif (« expliquer ... », « exposer en détail ... », « montrer ... », « faire connaître pourquoi ... », « indiquer pourquoi ... », « chercher à savoir exactement pourquoi ... », etc.), l'expression διὰ τί... εὐχαριστεῖν ne peut avoir que la même signification fondamentale : il s'agit, ici aussi, de « dire », d'« expliquer », d'« exposer ... pourquoi ... ». Mais il s'agit de le faire *dans une action de grâces* que l'on fait monter vers Dieu précisément pour le remercier de nous avoir donné son Fils comme Rédempteur et Sauveur. Et sans doute faut-il aller plus loin encore et supposer qu'à l'horizon de la pensée d'Irénée il y a ici l'Eucharistie elle-même : ce n'est, en fin de compte, que dans la célébration de l'Eucharistie et dans l'oblation toute pure présentée à Dieu par

l'Église pour concrétiser son action de grâces (cf. IV, 17-18)
que se réalise en plénitude la démarche théologique dont
parle ici Irénée.

Comparer avec IV, 33, 7-8, où la γνῶσις ἀληθής sera
décrite, non comme un savoir théorique, mais comme la
vie dans l'Église avec toutes ses composantes concrètes,
le sommet de cette « gnose » étant un amour pour Dieu
capable d'aller jusqu'au martyre.

P. 165, n. 2. — « autrement dit pourquoi Celui qui est
le Principe n'est apparu qu'à la fin », τουτέστιν ἐν τῷ τέλει
ἐφάνη ἡ ἀρχή : grec.

Le latin se traduirait : « autrement dit pourquoi il (= le
Fils de Dieu dont il vient d'être question) est apparu à la fin
et non au commencement ». L'actuelle leçon du latin est-elle
la corruption d'une leçon primitive différente, ou suppose-
t-elle la lecture d'un texte grec différent de celui des
manuscrits d'Épiphane ? Toujours est-il que nous croyons
devoir préférer la leçon ἡ ἀρχή comme offrant un sens
meilleur : on comprend mieux que la venue tardive — voire
différée jusqu'à la fin des temps — du Fils de Dieu puisse
faire problème, si celui-ci est, avec le Père, le « Principe »
même de toutes choses.

Un passage de IV, 20, 4 illustre bien cette acception
donnée ici par Irénée au mot ἀρχή : « Cependant, selon
son amour, il est connu de tout temps grâce à Celui par qui
il a créé toutes choses : celui-ci n'est autre que son Verbe,
notre Seigneur Jésus-Christ, qui, dans les derniers temps
(ἐν ἐσχάτοις καιροῖς), s'est fait homme parmi les hommes
afin de rattacher la fin au Principe, c'est-à-dire l'homme
à Dieu (ἵνα τὸ τέλος συνάψῃ τῇ ἀρχῇ, τουτέστιν ἄνθρωπον
Θεῷ) ». C'est tout le thème de la « récapitulation »
qu'Irénée évoque de la sorte : Dieu a permis que l'histoire
humaine se déroulât tout entière sous le signe du péché et
de la mort, pour pouvoir, moyennant la « récapitulation »
— à la fois reprise et redressement — de toute cette histoire
dans la vie, la mort et la résurrection de son Fils incarné,
la faire aboutir de façon plus plénière au but même qu'il
s'était assigné en créant l'homme à son image et à sa
ressemblance, à savoir l'union de l'homme avec Dieu dans
l'amour, dans l'humilité de l'action de grâces et dans la
participation à la gloire même de l'Incréé. Cf. III, 19, 3 ;
20, 1-2 ; 22, 3-4, etc.

P. 165, n. 3. — « est devenu », ἐγένετο : latin. Sans doute
le grec ἐρεῖ, qui se lit dans les manuscrits d'Épiphane, est-il
la corruption de ἐγένετο (ou de γέγονε). Quoi qu'il en soit,
le latin peut se réclamer de ce passage parallèle qui figure en
IV, 20, 12 : « Adhuc etiam filios suos nominauit propheta
' Non misericordiam consecuta ' et ' Non populus ', ut,
quemadmodum Apostolus ait, ' *fiat* qui non populus populus,
et ea quae non est misericordiam consecuta misericordiam
consecuta ... ' »

P. 167, n. 1. — « science », συνέσεως : grec. Leçon tout à
fait assurée : outre qu'elle offre un sens excellent, elle forme
une inclusion avec le mot σύνεσιν qui se lit à la première
ligne du présent paragraphe, lequel est d'ailleurs consacré
tout entier à déterminer ce que comporte la vraie « science »
des mystères de Dieu. A cette leçon συνέσεως correspond,
dans le latin, la leçon « sententia ». Celle-ci pourrait n'être
que la corruption de « scientia ». Constatons du moins que,
en III, 24, 2, les deux vocables ont été confondus : tandis que
« sententiam », qui est la bonne leçon, se lit dans CV AQ
— le manuscrit S fait défaut à cet endroit —, Érasme
présente la leçon « scientiam ». Même confusion dans l'*argu-
mentum* IX du Livre III : CV AQS, que confirme l'arménien,
ont la leçon « sententiam », tandis qu'Érasme a, ici encore,
la leçon « scientiam ». Même confusion encore en I, 24, 3
(ligne 41), où V AQε ont « sententiam », tandis que C a
la leçon « scientiam ».

P. 167, n. 2. — « Le premier d'entre eux, Valentin,
empruntant les principes de la secte dite ' gnostique ',
les a adaptés au caractère propre de son école », Ὁ μὲν γὰρ
πρῶτος, ἀπὸ τῆς λεγομένης Γνωστικῆς αἱρέσεως τὰς ἀρχὰς
εἰς ἴδιον χαρακτῆρα διδασκαλείου μεθαρμόσας, Οὐαλεντῖνος :
grec.
Le latin « antiquas... doctrinas » donne à penser que le
traducteur a lu τὰς ἀρχαίας ... διδασκαλίας au lieu de τὰς
ἀρχὰς ... διδασκαλείου. Il faut donner raison au grec, car,
outre que le latin est peu intelligible, on lit en trois autres
endroits de l'*Aduersus haereses* des formules de tout point
identiques à celle du grec : «... proprium characterem
doctrinae constituit » = ἴδιον χαρακτῆρα διδασκαλείου συν-
εστήσατο (I, 28, 1) ; «in suum characterem doctrinae transtu-

lerunt » = εἰς ἴδιον χαρακτῆρα διδασκαλείου μεθήρμοσαν (I, 24, 7);
« transferentes ad characterem suae doctrinae » = μεθαρ-
μόζοντες εἰς ἴδιον χαρακτῆρα διδασκαλείου (II, 31, 1).

Sur ces « Gnostiques », dont, au témoignage d'Irénée,
les doctrines ont inspiré pour une part le système de
Valentin, cf. *infra*, p. 296-300, *note justif. P. 359, n. 1.*

P. 167, n. 3. — « Voici de quelle manière il a précisé
son système », οὕτως ὡρίσατο : restitution conjecturale basée
sur le latin.

Les manuscrits d'Épiphane portent : οὕτως ἐξηροφόρησεν
(ou ἐξηφόρησεν) ὁρισάμενος. Les formes aberrantes ἐξηροφόρησεν et ἐξηφόρησεν ont excité l'imagination des éditeurs,
qui ont tenté de les corriger de diverses manières : ἐξεφόρησεν,
ἐληροφόρησεν, ἐψηφοφόρησεν ... Constatons seulement que -όρη-
σεν ὁρισάμενος sent la dittographie et que, d'autre part,
le latin n'a rien qui corresponde aux formes ἐξηροφόρησεν
et ἐξηφόρησεν. La solution la plus acceptable nous paraît,
en fin de compte, d'opter pour le latin et de supposer que
le grec avait primitivement une forme telle que ὡρίσατο
(ou διωρίσατο, ou ἀφωρίσατο ...). Tous ces verbes sont susceptibles de signifier, dans le présent contexte : « déterminer », « définir », « préciser ».

P. 171, n. 1. — « à l'instar des ' Gnostiques ' au nom
menteur dont nous parlerons plus loin », ὁμοίως τοῖς ῥηθησομένοις ὑφ' ἡμῶν ψευδωνύμοις Γνωστικοῖς : grec et latin.

Nulle difficulté au plan textuel. Mais comment comprendre
ces mots?

W. FOERSTER, *Die Gnosis*, Band I, Zurich, 1969, p. 255,
traduit : «... gleich den von uns ' Falsche Gnostiker '
Genannten ». C'est un contresens, car il n'est pas tenu
compte de la forme future, pourtant attestée par le grec
autant que par le latin.

H. HAYD, *Ausgewählte Schriften des heiligen Irenäus*,
Erster Band, Kempten, 1872, p. 90, traduit : «... in Ueber-
einstimmung mit den von uns noch zu besprechenden,
fälschlich sogenannten Gnostikern ». Traduction reprise
mot pour mot dans E. KLEBBA, *Des heiligen Irenäus
ausgewählte Schriften*, I. Band, Kempten, 1912, p. 36. Cette
traduction est excellente : il ne s'agit pas de ceux qu'Irénée
appellerait du nom de « Faux Gnostiques », mais bien des

mal nommés « Gnostiques » *dont Irénée reparlera dans la
suite de son ouvrage* (sens normal de l'expression λέγειν τινά =
« parler de quelqu'un »). Les « Gnostiques » en question
sont ceux-là mêmes dont Irénée vient de dire, au début du
présent paragraphe, que c'est à eux que Valentin a emprunté
les données de base de son système. Irénée reparlera
longuement de ces « Gnostiques » dans les chap. 29 et 30
du Livre I. Cf. *infra*, p. 296, *note justif. P. 359, n. 1.*

P. 171, n. 2. — « par la Vérité », ὑπὸ τῆς Ἀληθείας :
latin. Le grec a : ὑπὸ τῆς Ἐκκλησίας. La suite de la phrase
montre que la leçon correcte est celle du latin : il faut
admettre que l'Esprit Saint a été émis par la Vérité, si l'on
veut que, par sa venue, les Éons puissent « fructifier en
rejetons de Vérité », καρποφορεῖν τὰ φύτα τῆς Ἀληθείας.
On notera que, dans ce dernier membre de phrase, φύτα
(= rejetons) a été lu à tort φύλλα (= feuilles) par le
traducteur latin.

P. 171, n. 3. — « Telle est la doctrine de Valentin »,
Ταῦτα μὲν ἐκεῖνος : texte grec restitué conjecturalement
d'après le latin. Épiphane a volontairement omis ces mots,
dont il n'y a aucune raison de suspecter l'authenticité
irénéenne.

P. 173, n. 1. — « Secundus enseigne — mais de leurs
fruits », Σεκοῦνδος δὲ τὴν πρώτην Ὀγδοάδα οὕτως παραδίδωσι,
λέγων — ἀλλὰ ἀπὸ τῶν καρπῶν αὐτῶν : reconstitution du
texte présumé d'Irénée faite sur la base du latin et des
apports complémentaires d'Épiphane et d'Hippolyte.

Comme ces deux auteurs — le premier, surtout — ont
utilisé avec liberté le texte d'Irénée, nous croyons utile
de les citer ici plus complètement qu'il n'a été possible de
le faire dans l'apparat.

Épiphane, *Panarion, haer.* 32, 1 (Holl, p. 439, 7-14) :
Σεκοῦνδος τοίνυν, τὶς ἐξ αὐτῶν ὢν καὶ περισσότερόν τι βουλόμενος
φρονῆσαι, τὰ μὲν πάντα κατὰ τὸν Οὐαλεντῖνον ἐξηγεῖται, περισσότερον
δὲ ἦχον εἰς ἀκοὰς τῶν ἐμβεβροντημένων ἐξήχησεν. Οὗτος γὰρ κατὰ
Οὐαλεντῖνον ὢν ὡς προεῖπον, ὑπὲρ δὲ Οὐαλεντῖνον φρονῶν, λέγει
εἶναι τὴν πρώτην Ὀγδοάδα Τετράδα δεξιὰν καὶ Τετράδα ἀριστεράν,
οὕτως παραδιδοὺς καλεῖσθαι τὴν μὲν μίαν φῶς, τὴν δὲ ἄλλην σκότος ·

τὴν δὲ ἀποστᾶσάν τε καὶ ὑστερήσασαν Δύναμιν μὴ εἶναι ἀπὸ τῶν
τριάκοντα Αἰώνων, ἀλλὰ μετὰ τοὺς τριάκοντα Αἰῶνας...

Hippolyte, *Elenchos*, VI, 38 (Wendland, p. 168, 7-11) :
Σεκοῦνδος μέν τις κατὰ τὸ αὐτὸ ἅμα τῷ Πτολεμαίῳ γενόμενος οὕτως
(οὗτος P) λέγει · Τετράδα εἶναι δεξιὰν καὶ Τετράδα ἀριστεράν, καὶ
φῶς καὶ σκότος · καὶ τὴν ἀποστᾶσαν δὲ καὶ ὑστερήσασαν Δύναμιν
οὐκ ἀπὸ τῶν τριάκοντα Αἰώνων λέγει γεγενῆσθαι, ἀλλὰ ἀπὸ τῶν
καρπῶν αὐτῶν.

P. 173, n. 2. — « Un autre — de la manière suivante »,
**Ἄλλος δέ τις ὁ καὶ ἐπιφανὴς διδάσκαλος αὐτῶν, ἐπὶ τὸ
ὑψηλότερον καὶ γνωστικώτερον ἐπεκτεινόμενος, τὴν πρώτην
Τετράδα λέγει οὕτως :** latin, partiellement recouvert par
Épiphane, d'une part, et Hippolyte, d'autre part.

Le traducteur latin a compris à juste titre **ἐπιφανής**
comme un simple adjectif se repportant à **διδάσκαλος :**
« clarus ... magister », « un maître réputé ». Épiphane
(*haer.* 32, 3.4) lit **Ἐπιφάνης** et voit dans ce personnage
Épiphane, fils de Carpocrate, qu'il connaît à travers Clément
d'Alexandrie (*Strom.* III, c. 2).

P. 175, n. 1. — « un Principe de toutes choses », **Ἀρχὴν
τῶν πάντων :** latin. Épiphane et Hippolyte ont en commun
la leçon **Ἀρχὴν ἐπὶ πάντων,** mais cette leçon n'est guère
intelligible et a toutes chances de n'être que la corruption
de **Ἀρχὴν τῶν πάντων.** L'expression **Ἀρχὴ τῶν πάντων** s'est
rencontrée deux fois en I, 1, 1, dans un contexte identique
à celui du présent passage.

P. 177, n. 1. — « Ah ! ah ! hélas ! hélas ! » — de la façon
suivante », **Ἰοὺ ἰοὺ καὶ φεῦ φεῦ — οὕτως ὁρίσασθαι ὀνόματα :**
reconstitution du texte présumé d'Irénée sur la base de la
version latine et de la citation d'Épiphane complétées et,
à maintes reprises, rectifiées l'une par l'autre.

Faisons les observations suivantes :

— **ἐπὶ τῇ τοιαύτῃ ὀνοματοποιΐᾳ.** Le latin « hanc » suppose
que le traducteur a lu indûment **ταύτῃ τῇ** au lieu de **τῇ
τοιαύτῃ.** Par contre, il faut adopter sans hésiter la leçon
ὀνοματοποιΐᾳ, que suppose le latin « nominum factionem »,
de préférence à la redondante et maladroite paraphrase qui
se lit dans la citation d'Épiphane.

— σαφέστατα ... ὡμολόγηκε. Le latin paraît avoir eu primitivement « manifeste... confessus est ». Le mot « manifeste » s'est corrompu en « manifestum » dans la famille AQSε et en « manifestum est » dans la famille CV. Une confusion analogue se rencontre en V, 17, 3.

— ὅτι τε πλάσμα ἐστί. Le singulier πλάσμα correspond aux mots τῷ πλάσματι de la ligne suivante. Il est possible que le latin ait eu primitivement la leçon « figmentum ».

— ὃς εἰ μὴ ταῦτα τετολμήκει. Ici encore, il faut préférer sans hésiter la concision du latin à la paraphrase grecque en laquelle se trouve diluée la pensée primitive.

— ἐπὶ τῆς αὐτῆς ὑποθέσεως. Le latin « in tali argumento » suppose que le traducteur ait lu τοιαύτης au lieu de τῆς αὐτῆς. C'est évidemment cette dernière leçon qu'impose le contexte.

La présente page constitue, en somme, un bon exemple de ce que peuvent offrir, en fait de ressources et de faiblesses, la tradition latine et la tradition grecque.

P. 177, n. 2. — « Il existe un certain Pro-Principe royal, pro-dénué-d'intelligibilité, pro-dénué-de-substance et pro-pro-doté-de-rotondité, que j'appelle ' Citrouille ' », Ἔστι τις Προαρχὴ βασιλική, προανεννόητος, προανυπόστατός τε καὶ προπροκυλινδομένη, ἣν ἐγὼ Κολόκυνθαν καλῶ : restitution conjecturale.

De toute évidence, le présent passage ne veut être qu'une parodie burlesque du paragraphe précédent, dont les différentes phrases sont reprises terme pour terme. Si l'on compare les deux textes, on s'aperçoit que, tel qu'il figure dans les manuscrits latins, le second de ces textes comporte un certain nombre de mots qui rompent le parallélisme et qui ont toute chance d'avoir été indûment ajoutés au texte primitif. Nous proposons donc de rétablir comme suit le texte latin : « Est quaedam Proarche regalis, proanennoetos, proanypostatos, [Virtus] proprocylindomene [cum illa autem est virtus], quam ego Cucurbitam uoco. » De la sorte, la correspondance est rétablie entre les deux paragraphes : aux quatre Éons primordiaux de I, 11, 3 correspondent quatre — et non plus cinq — entités en I, 11, 4. On peut penser que les mots « cum illa autem est uirtus » proviennent d'un redoublement accidentel des mots « cum hac Cucurbita est uirtus » qui figurent à la ligne suivante.

Cela dit, nous voudrions ajouter un mot d'explication à propos du vocable προπροκυλινδομένη. Le substrat grec est ici pleinement assuré, car le latin « proprocylindomene » en est la pure et simple transposition. Mais comment comprendre ce mot ? Il se rencontre deux fois dans Homère :

Iliade, 22, 220-221 :

Οὐδ' εἴ κεν μάλα πολλὰ παθὼν ἑκάεργος Ἀπόλλων
προπροκυλινδόμενος πατρὸς Διὸς αἰγιόχοιο.

Odyssée, 17, 524-525 :

Ἔνθεν δὴ νῦν δεῦρο τόδ' ἵκετο πήματα πάσχων
προπροκυλινδόμενος.

Dans Homère, προπροκυλίνδομαι a la même signification que le verbe classique προκυλινδέομαι : « se rouler aux pieds de (quelqu'un) ». La raison pour laquelle Irénée reprend ce mot semble manifeste. Trouvant sous la plume du gnostique de I, 11, 3 le vocable Προ-αρχή flanqué de l'adjectif passablement redondant προ-ανεννόητος, Irénée, non content de les reprendre l'un et l'autre en I, 11, 4, commence par leur adjoindre l'adjectif προ-ανυπόστατος ; après quoi, trop heureux de trouver dans Homère un participe à l'allure plus redondante encore, il clôt la série par un προ-προ-κυλινδομένη, voulu sans doute moins pour sa signification précise que pour l'effet de ridicule qu'il procure par sa masse même.

P. 177, n. 3. — « Supervacuité », Διάκενον. Littéralement : « Entièrement vide ». Le latin « per-inane » est le simple décalque de διά-κενον.

P. 177, n. 4. — « de même substance qu'elle », ὁμοούσιος αὐτῷ : conjecture. Le latin a : « eiusdem potestatis ei ». La comparaison avec la phrase correspondante de I, 11, 3, où on lit : « ... uirtus eiusdem substantiae ei » = δύναμις ὁμοούσιος αὐτῇ (grec conservé par Épiphane et Hippolyte) invite à penser que, ici aussi, le latin avait primitivement l'expression « eiusdem substantiae » traduisant le grec ὁμοούσιος.

P. 177, n. 5. — « ... ' Citrouille ' ... ' Concombre ' ... ' Melon ' », ... Κολόκυνθαν ... Σίκυον ... Πέπονα. La restitution de ces vocables est assurée grâce à un

passage d'Épiphane qui, à défaut du texte d'Irénée, nous
en a conservé du moins quelques termes caractéristiques
(*Panarion*, haer. 32, 6. Holl., p. 446, 12-16) : ... πεπόνων
γένη καὶ σικύων καὶ κολοκυνθῶν ὡς ἐπὶ ὑποκειμένων τινῶν
ἐπιπλασάμενος ... La « dyade » Concombre-Melon (Σίκυος-
Πέπων) pourrait avoir été suggérée à Irénée par *Nomb.*
11, 5, ce verset où sont énumérés les légumes d'Égypte
dont le souvenir faisait pleurer les Hébreux dans le désert.

P. 177, n. 6. — « de se servir de ces derniers termes »,
τούτοις τοῖς ὀνόμασι χρῆσθαι : conjecture. Telle qu'elle figure
dans les manuscrits, la phrase latine est boiteuse : il manque
un infinitif qui dépendrait de « prohibet » et auquel se
rattacheraient les mots « his nominibus ». La difficulté
disparaît, si l'on accepte de voir dans les vocables « utique »
(CV) et « ut » (AQS) des corruptions de l'infinitif « uti ».
On obtient alors la restitution suivante, simple et cohérente :
Τίς κωλύει τούτοις τοῖς ὀνόμασι χρῆσθαι, πολλῷ πιστοτέροις καὶ
ἐν χρήσει κειμένοις καὶ ὑπὸ πάντων γινωσκομένοις ;

P. 179, n. 1. — « Pauvres melons, qui n'êtes que de
vils sophistes, et non des hommes ! », Ὦ πέπονες, **σοφισταὶ**
ἐλεγχεῖς, καὶ οὐχὶ ἄνδρες : restitution conjecturale. Le texte
d'Épiphane a seulement : Ὦ **ληρόλογοι σοφισταί.** Mais la
teneur du latin fait penser qu'Irénée s'inspire d'un vers de
l'Iliade (2, 235) : Ὦ πέπονες κάκ' ἐλέγχε', Ἀχαιίδες, οὐκέτ'
Ἀχαιοί, « Ô gens efféminés, vils poltrons, Achéennes, et non
plus Achéens ! » Sans doute ce vers de l'Iliade aura-t-il
surgi dans le souvenir d'Irénée sous l'influence de la satire
du paragraphe précédent, dans lequel s'est rencontré le mot
πέπων, non, il est vrai, au sens figuré de « mou », « efféminé »,
qu'il a dans le vers d'Homère, mais au sens propre de
« melon ».

P. 181, n. 1. — « Les plus savants parmi les gens de
l'entourage de Ptolémée », Οἱ δὲ **περὶ τὸν Πτολεμαῖον** ἐμπειρότεροι : latin.

Deux problèmes distincts : la restitution du texte, son
interprétation.

La restitution est basée sur le latin : « Hi uero qui sunt
circa Ptolemaeum scientiores ». Hippolyte écrit (6, 38) :

Οἱ δὲ περὶ τὸν Πτολεμαῖον δύο συζύγους αὐτὸν ἔχειν λέγουσιν, ce qui est relativement proche du latin. Épiphane s'en écarte assez considérablement : Οὗτος τοίνυν ὁ Πτολεμαῖος καὶ οἱ σὺν αὐτῷ ἔτι ἐμπειρότερος ἡμῖν τοῦ ἑαυτῶν διδασκάλου προελήλυθε, ... δύο γὰρ οὗτος συζύγους τῷ Θεῷ τῷ παρ' αὐτοῖς Βυθῷ καλουμένῳ ἐπενόησέ τε καὶ ἐχαρίσατο (*Panarion* 33, 1). Ni Hippolyte ni Épiphane ne citent à proprement parler Irénée en ce passage, mais utilisent son texte en le reproduisant plus ou moins fidèlement. Quoi qu'il en soit, les indications conjuguées du latin, d'Hippolyte et d'Épiphane permettent de reconstituer avec certitude le grec perdu d'Irénée.

Le texte ainsi restitué, reste le problème de son interprétation. Comme on le sait, l'expression grecque οἱ περί τινα désigne d'abord les personnes de l'entourage de quelqu'un, particulièrement les disciples d'un philosophe ; mais cette expression peut désigner aussi, par extension, l'entourage d'une personne avec cette personne même, voire cette personne seule. Seul le contexte permet de trancher. Qu'en est-il dans le cas présent ? La lecture de I, 12, 1 montre qu'il y est question d'une variante de la Grande Notice. Le Père a deux « dispositions » au lieu d'une. Lui-même reste de quelque manière dans la coulisse, comme principe infini et insaisissable. C'est sa « Volonté » qui, en survenant, féconde sa « Pensée » et donne le branle aux émissions. La première Tétrade sera alors : Volonté, Pensée, Monogène (ou Intellect), Vérité. Ce système est bien dans la ligne de celui de Ptolémée, tel que nous l'ont fait connaître la Grande Notice et le Commentaire sur le Prologue de Jean de I, 8, 5, mais il s'en distingue à la manière d'une variante. L'interprétation des mots οἱ ... περὶ τὸν Πτολεμαῖον figurant en tête du paragraphe se dégage dès lors avec clarté : il s'agit de disciples de Ptolémée, et l'adjectif ἐμπειρότεροι précise qu'il s'agit des « plus savants » d'entre eux. Cette dernière notation — évidemment ironique — est tout à fait en situation : les disciples en question sont avant tout préoccupés de renchérir sur leur maître, en essayant de situer le Principe premier un peu plus haut qu'il ne l'avait situé lui-même, et c'est dans ce but qu'ils font appel à des catégories philosophiques.

Sur ce passage et sur son insertion dans le rythme d'ensemble des chap. 11-12, cf. F. SAGNARD, *La Gnose valentinienne...*, p. 221-224.

P. 183, n. 1. — « comment », πῶς : conjecture. Le latin
« quando » semble être la corruption de « quomodo ». C'est
ce que suggère le texte même d'Homère auquel Irénée fait
allusion (Iliade, 2, 1-4) :

> Ἄλλοι μέν ῥα θεοί τε καὶ ἀνέρες ἱπποκορυσταὶ
> εὗδον παννύχιοι, Δία δ' οὐκ ἔχε νήδυμος ὕπνος ·
> ἀλλ' ὅ γε μερμήριζε κατὰ φρένα ὡς Ἀχιλῆα
> τιμήσῃ, ὀλέσῃ δὲ πολέας ἐπὶ νηυσὶν Ἀχαιῶν.

« Les autres dieux et les guerriers reposaient toute la nuit
durant, mais Zeus ne goûtait point le doux sommeil ; il
s'inquiétait de savoir *comment* il pourrait honorer Achille
et faire périr, près de leurs vaisseaux, une multitude de
Grecs ».

P. 185, n. 1. — « Car il est tout entier Pensée, tout entier
Volonté, tout entier Intellect, tout entier Lumière, tout
entier Œil, tout entier Ouïe, tout entier Source de tous
les biens », ὅλος ἔννοια ὤν, ὅλος θέλημα, ὅλος νοῦς, ὅλος
φῶς, ὅλος ὀφθαλμός, ὅλος ἀκοή, ὅλος πηγὴ πάντων τῶν
ἀγαθῶν : grec.

Le latin n'a rien qui corresponde aux mots ὅλος θέλημα
et ὅλος φῶς. A l'encontre de Harvey, nous croyons que
ces expressions appartiennent bien au texte irénéen primitif,
car l'absence de termes correspondants dans le latin peut
s'expliquer par des sauts du même au même, tandis que
l'introduction de ces expressions dans le grec ne s'expliquerait guère. De surcroît, les mots ὅλος θέλημα sont requis
par la logique du développement : que Dieu pense à l'instant
même où il veut et veuille à l'instant même où il pense, cela
suppose non seulement qu'il soit tout entier Pensée, ὅλος
ἔννοια, mais aussi qu'il soit tout entier Volonté, ὅλος θέλημα.
Quant aux mots ὅλος φῶς, ils se retrouveront, sous-jacents
au latin, dans trois passages parallèles (II, 12, 2 ; II, 28, 4 ;
IV, 11, 2), si bien qu'il y a tout lieu de penser qu'ils ont dû
figurer également dans la présente phrase.

Ce passage d'Irénée a été rapproché d'un vers de
Xénophane : οὖλος ὁρᾷ, οὖλος δὲ νοεῖ, οὖλος δέ τ' ἀκούει, « tout
entier il voit, tout entier il pense et tout entier il entend »
(H. DIELS-W. KRANZ, *Die Fragmente der Vorsokratiker*,
I. Band, Zürich-Berlin, 1964¹¹, p. 135). Dans quelle mesure
ce vers de Xénophane a-t-il réellement inspiré Irénée ? Il
se peut qu'Irénée cite ici plus ou moins librement, sans

le dire, un auteur qui lui est antérieur : l'ensemble du
contexte paraît le suggérer, non moins que la comparaison
avec d'autres passages de tout point semblables tels que
II, 12, 2 et IV, 11, 2. Mais la substitution systématique
des substantifs aux verbes, par laquelle est mise en un relief
bien plus vigoureux l'absolue simplicité de Dieu, nous
éloigne de Xénophane : on peut douter que celui-ci soit la
source à laquelle ait puisé Irénée.

P. 185, n. 2. — « c'est tout ensemble et d'un seul coup
— comme s'ils avaient fait eux-mêmes l'accouchement »,
ἀλλ' ὁμοῦ καὶ εἰς ἅπαξ — ὡς αὐτοὶ μαιωσάμενοι, διαβεβαιοῦνται.
Restitution fondée sur le latin et sur Épiphane, corrigés
l'un par l'autre. D'une part, la leçon du latin « cum crearen-
tur, ipsi obstetricasse se » est manifestement insoutenable :
on voit mal les hérétiques prétendre qu'ils ont fait l'accouchement en question, et Irénée est trop avisé pour leur prêter
une pareille affirmation. Pour cette partie de la phrase,
il faut suivre le grec. D'autre part, il saute aux yeux
qu'Épiphane a modifié la phrase irénéenne en en supprimant
les premiers mots et en la rapportant tout entière à un
personnage déterminé, Colarbasus (*Panarion*, haer. 35).
Pour retrouver le texte irénéen, il suffit de rétablir le début
de la phrase conformément aux indications du latin (οἱ δὲ
φρονιμώτεροι δοκοῦντες ἐκείνων εἶναι) et de remettre au pluriel
tous les mots mis au singulier par Épiphane.

Peut-on préciser l'origine de la leçon aberrante du latin ?
Erreur de transmission, semble-t-il. Le latin paraît avoir
eu primitivement la teneur suivante : « ... sed simul et in
unum sex (?) Aeonum emissionem a Propatore et Ennoea
eius *generatam, quasi obstetricauerint*, adfirmant ». Cf. II,
28, 6 : « et quem inenarrabilem et innominabilem uocant,
hunc, quasi obstetricauerint, primae generationis eius
prolationem ... enuntiant ... » Cf. encore *SC* 100, p. 268,
note justif. P. 811, n. 1.

P. 187, n. 1. — « qui avaient été émis pour la consolidation du Plérôme », τῶν εἰς στήριγμα τοῦ Πληρώματος
προβεβλημένων : latin.

D'après le grec d'Épiphane, qui a laissé tomber les mots
τῶν ... προβεβλημένων, ce ne sont pas le Christ et l'Esprit
Saint qui auraient été produits en vue de la consolidation

du Plérôme, mais ce serait le Sauveur. Cela contredit ce qui est dit en maint autre endroit de l'*Adversus haereses*, où le Christ et l'Esprit Saint sont présentés comme émis pour redresser le Plérôme, et le Sauveur, comme issu du Plérôme ainsi redressé.

Le latin « eorum qui ... emissi sunt » témoigne d'ailleurs de la présence des mots τῶν ... προβεβλημένων dans le grec. Certes, il eût fallu traduire par « *his* qui ... emissi sunt », mais, même en admettant que le traducteur latin a rendu d'une façon toute matérielle un génitif grec par un génitif latin, comme Grabe l'avait déjà suggéré, on rejoint sans peine et en toute certitude l'original grec sous-jacent.

P. 189, n. 1. — « Un autre des leurs... », Ἄλλος δέ τις τῶν παρ' αὐτοῖς ... L'ensemble du texte grec de ce paragraphe peut être reconstitué avec une certitude suffisante, à partir de la version latine, grâce aux attestations relativement nombreuses, quoique fragmentaires, fournies par Épiphane, Hippolyte et Eusèbe de Césarée. Nous donnons ici les textes de ces trois auteurs, que leur caractère particulier ne nous a pas permis d'insérer dans l'apparat du texte grec :

— Épiphane, *Panarion, haer.* 34, 1 (Holl, p. 5, 1-17) :
Μάρκος δέ τις ... γύναια ... καὶ ἄνδρας ὑπ' αὐτοῦ πεπλανημένα τε καὶ πεπλανημένους ἐπηγάγετο, ὑποληφθεὶς ὁ ἐλεεινὸς διορθωτὴς εἶναι τῶν προειρημένων ἀπατεώνων, μαγικῆς ὑπάρχων κυβείας ἐμπειρότατος. Ἀπατήσας δὲ τοὺς προειρημένους πάντας καὶ τὰς προειρημένας προσέχειν αὐτῷ ὡς γνωστικωτάτῳ καὶ Δύναμιν τὴν μεγίστην ἀπὸ τῶν ἀοράτων καὶ ἀκατονομάστων τόπων ἔχοντι, ὡς πρόδρομος ὢν ἀληθῶς τοῦ Ἀντιχρίστου ἀποδέδεικται. Τὰ γὰρ Ἀναξιλάου παίγνια τῇ τῶν λεγομένων μάγων πανουργίᾳ συμμίξας, δι' αὐτῶν φαντάζων τε καὶ μαγεύων, εἰς ἔκπληξιν τοὺς ὁρῶντάς τε καὶ πειθομένους αὐτῷ περιέβαλεν ... Οἱ δὲ τὰ ἀπὸ περιεργίας ὁρῶντες δοκοῦσι δυνάμεις τινὰς ἐν χερσὶν αὐτοῦ ἐπιτελεῖσθαι ... Τὸν γὰρ νοῦν καὶ αὐτοὶ ἀπολέσαντες οὐχ ὁρῶσι, μὴ γινώσκοντες δοκιμάσαι, ὅτι ἀπὸ μαγείας ἡ σύστασις τοῦ παρ' αὐτοῦ παιγνίου ὡς ἔπος εἰπεῖν ἐπιτελεῖται.

— Hippolyte, *Elenchos* VI, 39 (Wendland, p. 170, 11-14) :
Ἄλλος δέ τις διδάσκαλος αὐτῶν Μάρκος, μαγικῆς ἔμπειρος, ἃ μὲν διὰ κυβείας δρῶν (δώρων P), ἃ δὲ καὶ διὰ δαιμόνων, ἠπάτα πολλούς. Οὗτος ἔλεγεν ἐν αὐτῷ τὴν μεγίστην ἀπὸ τῶν ἀοράτων καὶ ἀκατονομάστων τόπων εἶναι Δύναμιν.

— Eusèbe, *Hist. eccl.*, IV, 11, 4 (Schwartz, p. 322, 13-15) :
Πρὸς τούτοις καὶ ἄλλον τινά, Μάρκος αὐτῷ ὄνομα, κατ' αὐτοὺς γενέσθαι λέγει μαγικῆς κυβείας ἐμπειρότατον ...

P. 189, n. 2. — « le correcteur du maître », τοῦ διδασκάλου διορθωτής : latin. Comment convient-il d'interpréter ces mots ? Quel est le διδάσκαλος dont il est ici question ? Il se pourrait qu'Irénée fasse une allusion discrète à *Matth.* 10, 24, qu'il a cité un peu plus haut, en I, 10, 2 : il stigmatiserait alors la prétention de Marc le Magicien à s'élever au-dessus du « Maître », de Celui-là même dont il est dit dans l'Évangile qu'il n'y a personne au-dessus de lui. Mais il est peut-être plus simple de supposer que le διδάσκαλος en question n'est autre que Valentin, celui dont se réclament tous ceux qu'Irénée range habituellement sous la désignation générale οἱ ἀπὸ Οὐαλεντίνου, « les disciples de Valentin ». De fait, une analyse du système de Marc le Magicien montre qu'il n'est pas le simple écho de celui de Ptolémée : il représente une autre branche issue du tronc valentinien, branche plus ou moins parallèle à la branche ptoléméenne, mais demeurée à certains égards plus proche de l'inspiration proprement valentinienne. Pour cette analyse, nous renvoyons une fois pour toutes à F. SAGNARD, *La Gnose valentinienne...*, chap. X, L'arithmologie de Marc le Mage, p. 358-386.

P. 191, n. 1. — « comme au ' gnostique ' et au ' parfait ' par excellence », ὡς γνωστικωτάτῳ καὶ τελειοτάτῳ : latin. Quoique ne figurant pas dans Épiphane — mais celui-ci utilise ici d'une manière extrêmement libre le texte d'Irénée — et n'ayant rien qui leur corresponde dans la famille CV, les mots καὶ τελειοτάτῳ nous paraissent pleinement en situation. La chute des mots latins correspondants dans la famille CV — simple saut du même au même, sans doute — s'explique plus aisément que leur introduction dans l'autre famille. Par ailleurs, le même rapprochement des deux vocables s'est déjà rencontré en I, 11, 5 : ... ἵνα τελείων τελειότεροι φανῶσιν ὄντες καὶ Ὑνωστικῶν γνωστικώτεροι.

P. 191, n. 2. — « Feignant d'eucharistier une coupe — pourpre ou rouge », Ποτήριον οἴνῳ κεκραμένον προσποιούμενος εὐχαριστεῖν καὶ ἐπὶ πλέον ἐκτείνων τὸν λόγον τῆς ἐπικλή-σεως, πορφύρεον καὶ ἐρυθρὸν ἀναφαίνεσθαι ποιεῖ.

Ce texte est celui que suppose la version latine. Il est également celui d'Épiphane, sauf que celui-ci a des pluriels là où le latin suppose des singuliers : ποτήρια... κεκραμένα...

πορφύρεα... ἐρυθρά... Hippolyte, tout en utilisant librement le texte irénéen, confirme le latin : Καὶ δὴ πολλάκις λαμβάνων ποτήριον ὡς εὐχαριστῶν καὶ ἐπὶ πλεῖον ἐκτείνων τὸν λόγον τῆς ἐπικλήσεως πορφύρεον τὸ κέρασμα ἐποίει φαίνεσθαι καί ποτε ἐρυθρόν... (Elenchos VI, 39. Wendland, p. 170-171).

C'est de façon délibérée qu'Épiphane a modifié le texte d'Irénée en introduisant les pluriels. En effet, quelques lignes à peine avant d'ouvrir la grande citation d'Irénée, il écrivait : « On dit en effet que chez eux sont préparées trois coupes de verre transparent mêlées de vin blanc et que, au moment où (Marc) profère un chant magique qui passe pour une ' eucharistie ', un changement s'accomplit aussitôt, l'une des coupes devenant rouge comme du sang, une autre, pourpre, et la troisième, d'un bleu sombre » (Panarion, haer. 34, 1. Holl, p. 5, 21 - 6, 2). Nous ne savons à quelle source Épiphane a puisé cette information relative à trois coupes distinctes. Quoi qu'il en soit, lorsque, six lignes plus loin, il a commencé la transcription du texte d'Irénée, il a dû assez naturellement se sentir contraint de supposer une pluralité de coupes là où Irénée ne parlait que d'une seule, et il n'a pas hésité à opérer une modification qui, à ses yeux, n'en était pas réellement une. On voit, par cet exemple, que la prudence est toujours de mise lorsque l'on a affaire à des citations, même explicites, faites par des auteurs anciens : ceux-ci ne partageaient pas nos scrupules philologiques.

Soulignons, en passant, l'emploi particulier du verbe εὐχαριστέω dans le présent paragraphe. On sait que, sous la plume de quelques écrivains chrétiens des premiers siècles, tels que Justin, Irénée et Clément d'Alexandrie, le verbe intransitif εὐχαριστέω est parfois employé transitivement au sens de « consacrer (le pain et le vin) en prononçant (sur eux) la grande prière eucharistique ou d'" action de grâces ' » (cf. Lampe). C'est pour souligner le caractère très particulier de cet emploi qu'à la suite d'autres traducteurs nous croyons pouvoir recourir au néologisme « eucharistier ».

P. 193, n. 1. — « Que celle qui est avant toutes choses — dans la bonne terre ! », Ἡ πρὸ τῶν ὅλων — εἰς τὴν ἀγαθὴν γῆν.

Pour un commentaire de cette formule, voir F. SAGNARD, La Gnose valentinienne..., p. 416-417.

P. 195, n. 1. — « fais-lui place en toi et trouve place en lui », χώρησον αὐτὸν καὶ χωρήθητι ἐν αὐτῷ.

Traduction de A. D. FESTUGIÈRE, *La Révélation d'Hermès Trismégiste*. T. IV, *Le Dieu inconnu et la Gnose*. Paris, 1951, p. 217. Dans le grec tardif, le sens de χωρεῖν est souvent : « donner en soi une place à », « recevoir en soi ». Cf. *II Cor.* 7, 2 : χωρήσατε ἡμᾶς, « donnez-nous une place dans votre cœur ». Le sens habituel de χωρέω (employé transitivement) est : « avoir un espace suffisant pour contenir », d'où : « contenir ».

P. 195, n. 2. — « Je veux te donner part à ma Grâce — et prophétise », Μεταδοῦναί σοι θέλω τῆς ἐμῆς Χάριτος — καὶ προφήτευσον.

L'établissement du texte grec ne pose pas de problème majeur. On corrigera seulement la leçon δι' ἡμᾶς εἰς τὸ ἐγκαταστῆσαι (VM) en δεῖ ἡμᾶς εἰς τὸ ἓν καταστῆναι, d'après le latin.

Pour un commentaire explicatif de toute la formule, voir F. SAGNARD, *La Gnose valentinienne...*, p. 417-418. Cette même formule a également été étudiée de façon approfondie par J.-M. SEVRIN, « Les Noces Spirituelles dans l'Évangile de Philippe », dans *Le Muséon* 87 (1974), p. 144-151.

P. 199, n. 1. — « avec une aussi détestable compagnie », τοῦ τοιούτου θιάσου : grec.

Le mot θίασος désignait originairement un « thiase », c'est-à-dire une troupe de gens ou confrérie célébrant des rites en l'honneur d'un dieu (particulièrement Dionysos) et parcourant les rues avec une gaieté bruyante, en dansant, chantant et criant. Les écrivains ecclésiastiques utilisent occasionnellement ce mot pour désigner n'importe quel groupement religieux, qu'il s'agisse de l'Église elle-même ou d'une secte hérétique (cf. Lampe). D'après le grec, donc, les femmes en question rompent tout commerce avec le « thiase » ou la « secte » de Marc le Magicien. D'après le latin, elles rompent tout commerce « avec ce dément qui fait semblant de communiquer l'inspiration divine ». Les deux leçons ne sont pas tellement éloignées l'une de l'autre pour le sens, et il est malaisé de dire laquelle des deux a le plus de chances de refléter l'original irénéen.

P. 203, n. 1. — « par qui », δι' ἧς. Les manuscrits d'Épiphane ont ἥν, et tous les manuscrits latins ont « quam ». Cet accord des deux traditions manifeste une très ancienne corruption du texte grec. Pour que la phrase offre un sens acceptable, il s'impose de corriger ἥν en δι' ἧς, ainsi que l'ont reconnu déjà Holl et Sagnard.

L'invocation s'adresse à la Sagesse supérieure, que la Grande Notice a présentée comme le trentième Éon du Plérôme. Les « Grandeurs » sont les Anges escortant le Sauveur. La « Femme à la grande audace » est Achamoth, celle qui, en les contemplant, a conçu ces « images » des Anges que sont les hommes pneumatiques. Le « Juge » est le Démiurge psychique. Quant aux deux « parties » dont il est question à la fin, il semble qu'elles soient Achamoth, d'une part, et les gnostiques, d'autre part : Achamoth et les gnostiques sont une même substance pneumatique, et c'est la même défense qui vaut pour Achamoth et pour ses fils. Cf. F. Sagnard, *La Gnose valentinienne...*, p. 418-419.

P. 205, n. 1. — « du casque homérique d'Hadès », τὴν Ὁμηρικὴν Ἄϊδος κυνέην.

Allusion à *Iliade* 5, 844-845 :

τὸν μὲν Ἄρης ἐνάριζε μιαίφονος · αὐτὰρ Ἀθήνη
δῦν' Ἄϊδος κυνέην, μή μιν ἴδοι ὄβριμος Ἄρης.

« Tandis qu'Arès meurtrier dépouillait (Périphas), Athèna se revêt du casque d'Hadès, pour que ne la voie pas le puissant Arès ».

Il s'agit d'un casque magique, censé rendre invisible celui qui le portait. L'appellation « casque d'Hadès » s'explique par l'étymologie populaire qui faisait d'Hadès le dieu « invisible ». (α- et ἰδεῖν).

P. 205, n. 2. — « se retirent en silence », ἡσυχῇ ἀνασπῶσιν ἑαυτάς.

Au latin « in silentio sensim semetipsas retrahunt » correspond, dans les manuscrits grecs, ἡσυχῇ δέ πως ἑαυτάς. D'une part, dans les mots « in silentio sensim », il est aisé de reconnaître un doublet traduisant ἡσυχῇ. D'autre part, « semetipsas » ne peut traduire que ἑαυτάς. Restent les mots δέ πως dont on ne voit pas la raison d'être dans la phrase : nous proposons de voir en eux la corruption de

ἀνασπῶσιν, traduit précisément en latin par « retrahunt ».
Noter que la corruption en question s'explique assez aisément
en écriture onciale : ΑΝ]ΑΣΠΩΣ[ΙΝ → ΔΕΠΩΣ. A titre
de confirmation, comparer avec I, 2, 1, où l'expression
ἡσυχῇ πως est traduite très exactement par « tacite quodam-
modo ».

P. 207, n. 1. — « la semence ainsi déposée en lui »,
τὸ σπέρμα τὸ κατατεθὲν εἰς αὐτόν : latin.

La plupart des éditeurs, Holl y compris, restituent le
texte grec de la façon suivante : τὸ τοῦ ὑστερήματος
‹σπέρμα› κατατεθὲν εἰς αὐτόν. Leur raisonnement est
celui-ci : il faut, d'une part, maintenir les mots τοῦ ὑστερήματος attestés par les manuscrits d'Épiphane, et, d'autre
part, ajouter σπέρμα, postulé par le latin « semen ». En se
fondant sur le même raisonnement, Feuardent et Massuet
n'ont pas hésité à introduire dans le texte latin lui-même
un mot qui ne figure dans aucun manuscrit, car ils adoptent
pour texte : « ... *defectus* semen, quod depositum est in
eum ».

Mais une confrontation plus attentive du grec et du
latin aurait dû faire voir que la forme ὑστερήματος n'est autre
chose que la corruption de σπέρμα τό, corruption qui a provoqué
ensuite l'introduction de l'article τοῦ. Il suffit de rétablir
la teneur primitive du grec pour que celui-ci coïncide de tout
point avec le latin et offre le sens le plus limpide.

P. 207, n. 2. — « le Père qui n'a pas de Père », ὁ Πατήρ,
οὗ Πατὴρ οὐδείς : latin.

Au latin « Pater, cuius Pater nemo est » correspond
ὁ Πατὴρ ὤδινεν dans Épiphane et ὁ Πατὴρ αὐτοῦ dans
Hippolyte. Sans doute faut-il supposer une corruption assez
ancienne dans la tradition grecque. Les mots οὗ Πατὴρ
ont dû d'abord tomber par suite d'une haplographie ou d'un
saut du même au même ; ensuite οὐδείς s'est déformé en
ὤδινεν d'un côté, en αὐτοῦ de l'autre.

P. 209, n. 1. — « quatre éléments », στοιχείων τεσσάρων.
Nous traduisons de cette manière le terme στοιχεῖον
pour le distinguer du mot γράμμα qui se rencontrera dans
la suite. En tant que ces deux vocables se distinguent l'un

de l'autre, le premier désigne les sons élémentaires ou
« éléments » dont est constituée une syllabe ou un mot,
tandis que le second désigne les caractères d'écriture correspondant à ces différents sons élémentaires. Dans la pratique,
il est vrai, cette distinction tend à s'effacer et les deux
vocables désignent indifféremment les « lettres » d'une
syllabe ou d'un mot.

Dans le cas présent, il ne s'agit évidemment pas de « nom »
ou de « syllabes » ou de « lettres » au sens habituel de ces
mots, mais nous sommes en présence de termes figurés
désignant respectivement le Plérôme, les groupes d'Éons
(double Tétrade, Décade et Dodécade) et les Éons
eux-mêmes.

P. 209, n. 2. — « la dernière », τὴν μετὰ ταῦτα. Littéralement « celle qui (venait) après (tout) ce (dont on a parlé) ».
Leçon d'Épiphane, également sous-jacente au latin. La
leçon τὴν τετάρτην, qui est celle d'Hippolyte, semble
pouvoir s'expliquer par une mélecture. Comparer avec
I, 14, 7 : Καὶ ὁ μὲν πρῶτος οὐρανὸς φθέγγεται τὸ α, ὁ δὲ
μετὰ τοῦτον τὸ ε, ὁ δὲ τρίτος τὸ η...

P. 209, n. 3. — « dont il n'est qu'un élément », οὗπερ
αὐτὸ στοιχεῖόν ἐστιν : grec. Les manuscrits d'Épiphane
ont bien αὐτός, mais Hippolyte a αὐτό, qui est sûrement
la leçon correcte.

Cette leçon du grec est pleinement en situation : le sens
du passage est que chaque « élément » ne connaît que
lui-même et que, *bien loin de connaître le tout dont il n'est
qu'un simple élément*, il ne connaît même pas les éléments
qui lui sont voisins.

Le latin « super elementum est » n'offre pas de sens
acceptable. Il s'explique par une corruption du grec, le
traducteur ayant lu ὑπὲρ τὸ στοιχεῖόν ἐστιν au lieu de
οὗπερ αὐτὸ στοιχεῖόν ἐστιν.

P. 211, n. 1. — « l'achèvement », τὴν ἀποκατάστασιν.
Tout le contexte indique que le mot ἀποκατάστασις ne peut
signifier ici « restauration d'un état antérieur de perfection
dont on se serait écarté » — ce qui est le sens habituel de
ce mot —, mais « instauration d'un état final de perfection
et d'achèvement postulé par la nature des choses ». Sur ce

sens possible de ἀποκατάστασις, cf. A. MÉHAT, « Ἀποκατάστασις chez Basilide », dans *Mélanges H.-Ch. Puech*, Paris, 1974, p. 565-573.

P. 213, n. 1. — « sortant du Tout », ἐξελθών. Nous croyons pouvoir expliciter de la sorte, d'après l'ensemble du contexte, le complément qu'appelle normalement le verbe « sortir ». Sous l'imagerie propre à Marc le Magicien, on reconnaît sans peine une variante des événements rapportés de façon détaillée dans la Grande Notice : perturbation du Plérôme par la passion de Sagesse, récupération de cet Éon et expulsion de son Enthymésis hors du Plérôme, origine du Démiurge et de notre monde à partir de cette Enthymésis.

P. 213, n. 2. — « L'Élément lui-même », τὸ δὲ στοιχεῖον αὐτό. Il s'agit ici du « Tout » — ou, en langage non figuré, du « Plérôme » —, comme l'indique le contexte. On voit, par cet exemple, l'étrange fluidité du vocabulaire gnostique.

P. 213, n. 3. — « Tu vas comprendre plus clairement ce qu'elle veut dire », Οὕτω δ' ἂν σαφέστερον μάθοις τὸ λεγόμενον.

Irénée interrompt, semble-t-il, le discours de la Tétrade, pour prendre lui-même un instant la parole et s'adresser, comme il le fait en maint autre endroit, au destinataire de son ouvrage.

P. 217, n. 1. — « Vois donc sa tête, en haut, qui est α et ω », Ὅρα οὖν κεφαλὴν αὐτῆς ἄνω τὸ α καὶ τὸ ω.

Les mots Ὅρα οὖν κεφαλὴν sont attestés à la fois par Épiphane et par Hippolyte, et l'on se demandera si le latin n'avait pas primitivement : « Vide [quid] igitur [in] caput ».

Le pronom αὐτῆς est supposé par le latin et normalement requis pour le sens ; il ne figure ni chez Épiphane ni chez Hippolyte, mais on se demandera si, chez ce dernier, φησίν n'en serait pas une survivance.

Le mot ἄνω est attesté par les deux témoins grecs et confirmé par la version latine.

Enfin, les mots τὸ α καὶ τὸ ω sont ceux qui se lisent dans Épiphane. Hippolyte, il est vrai, ajoute le mot πρῶτον, et le latin « primum » semble confirmer cette leçon. Cependant

on voit mal la raison d'être de ce vocable dans l'économie
de la phrase : sans doute n'est-il que le résultat d'une sorte
de dittographie, la lettre α ayant pu être surmontée indûment
d'un tilde et devenir ainsi le nombre ordinal πρῶτος.
Contamination ancienne, assurément, puisqu'elle a figuré
dans le texte qu'ont eu sous les yeux tant Hippolyte que
le traducteur latin d'Irénée. Sur la confusion possible de
la première lettre de l'alphabet et de l'ordinal πρῶτος,
cf. *supra*, p. 182, *note justif. P. 47, n. 2.*

P. 219, n. 1. — « ancien », παλαιόν : grec. Le latin « olim »
fait supposer que le traducteur a lu πάλαι au lieu de παλαιόν.

P. 221, n. 1. — « vous », ὑμῖν : grec. Il est clair que le
latin « nos » n'est pas en situation dans la bouche de la
Tétrade. A la fin du paragraphe se rencontreront les mots
τὰ παρ' ἡμῖν διπλᾶ γράμματα (= « eas quae sunt apud
nos duplices litterae »). La situation ne sera plus la même :
le discours de la Tétrade aura fait place à l'exposé d'Irénée
rapportant lui-même les doctrines de Marc.

P. 221, n. 2. — « des trois Puissances », τῶν τριῶν Δυνάμεων. Pour saisir de quoi il s'agit, il faut avoir présents
à l'esprit les noms des huit premiers Éons tels qu'on les a
rencontrés dans le système propre à Valentin (I, 11, 1) et
tels qu'on les retrouvera au chapitre suivant (I, 15, 1) :

> Ἄρρητος — Σιγή
> Πατήρ — Ἀλήθεια
> Λόγος — Ζωή
> Ἄνθρωπος — Ἐκκλησία

La transcendance des deux premiers Éons est telle qu'il
ne peut pas même être question d'en dire quoi que ce soit.
Les « trois Puissances », dont une sorte de reflet se retrouve
dans les divisions de l'alphabet, sont donc tout naturellement
le « Père », le « Logos » et l'« Homme », étant entendu que
chaque Éon masculin inclut l'Éon féminin dont il est
inséparable. Le « Père » et la « Vérité » auront leur reflet dans
le groupe le plus nombreux de l'alphabet, à savoir les
9 muettes (β, γ, δ, π, κ, τ, φ, χ, θ). Le « Logos » et la « Vie »
auront le leur dans le groupe des 8 semi-voyelles (λ, μ, ν, ρ, σ,
ζ, ξ, ψ). L'« Homme » et l'« Église » auront le leur dans celui
des 7 voyelles (α, ε, η, ι, ο, υ, ω).

Cette inégalité, comme on va le voir, n'est que provisoire. Une unité va « descendre » de 9 à 7, de manière à assurer une égalisation du 8 central, et c'est du Plérôme ainsi égalisé que proviendra le « Sauveur », Fruit commun du Plérôme, dont le nombre, ainsi qu'il sera dit dans la suite (I, 15, 2), est précisément 888.

P. 223, n. 1. — « A cause du compte déficient — une seule Puissance qui vînt de tous », Ἐπὶ δὲ τοῦ ὑστερήσαντος λόγου — τὴν ἐκ πάντων Δύναμιν.

Phrase d'une intelligence difficile du fait du langage ésotérique utilisé par Marc. Tentons-en une explication.

« A cause du compte déficient ». F. Sagnard note que les mots ἐπὶ ... τοῦ ὑστερήσαντος λόγου pourraient aussi se traduire par : « à cause du Logos (= Éon) de déficience ». Il s'agit naturellement alors de l'Éon Sagesse.

« celui qui s'était établi à part dans le Père... ». Il s'agit du « Christ », semble-t-il, qui, dans la perspective propre à Valentin (cf. I, 11, 1), est enfanté par Sagesse elle-même après qu'elle ait déserté le Plérôme. Ce « Christ » se sépare de sa Mère et remonte au Plérôme. Le présent texte nous dit qu'il est ensuite « envoyé vers cet (Éon) dont il s'était séparé, ἐκπεμφθεὶς ἐπὶ τὸν ἀφ' οὗ ἐχωρίσθη. Le « Christ » descend vers Sagesse pour lui donner une formation et, par là, « redresser ce qui s'était fait » : c'est la descente du 9 au 7 qui transforme 987 en 888.

Le latin « emissus illuc unde fuerat separatus » paraît traduire ἐκπεμφθεὶς ἐπὶ τὸ ἀφ' οὗ ἐχωρίσθη. Cela revient au même au point de vue de la gnose.

Un problème se pose à propos du latin « qui *erat* apud Patrem » : un ou deux mots seraient-ils tombés (par exemple : « qui *seorsum stabilitus* erat ... »)? Par ailleurs, le verbe ἀφεδράζω ne figure ni dans Bailly ni dans Liddell-Scott. Le Thesaurus n'a qu'un exemple douteux. Lampe donne notre verbe, mais n'a d'autre exemple que le présent texte d'Irénée.

P. 223, n. 2. — « les trois éléments », τὰ τρία ...στοιχεῖα. Il s'agit des trois Éons féminins, la « Vérité », la « Vie » et l'« Église », unis respectivement au « Père », au « Logos » et à l'« Homme ». Ces trois couples ou « syzygies » ont leur image

dans les trois lettres doubles de l'alphabet (ζ, ξ, ψ), qui sont
à la fois 3 et 6.

P. 223, n. 3. — « que Marc dit », ἅ φησιν αὐτός : grec et
latin. On notera cette soudaine mention de Marc — car
le pronom αὐτός ne peut évidemment désigner que lui —.
Jusqu'ici, on avait un discours censément adressé par la
Tétrade à Marc (voir, par exemple, les premiers mots du
présent paragraphe : « Sache donc que les vingt-quatre
lettres en usage chez vous... »). A partir d'ici, Irénée se fait
le simple rapporteur des élucubrations de Marc, comme le
montre bien le triple emploi du verbe φημί à la fin de ce
paragraphe et au début du suivant.

P. 223, n. 4. — « De ces éléments sont l'image — le nombre
trente », ὧν στοιχείων εἰκόνας — τὸν τῶν τριάκοντα ποιεῖ
ἀριθμόν.
La pensée semble être la suivante. Étant donné que
les lettres ζ, ξ et ψ sont à la fois trois lettres et l'équivalent
de six lettres, il est loisible de les compter à la fois comme
lettres ordinaires et comme lettres doubles. L'alphabet grec
comptera alors $24+6 = 30$ lettres. Et c'est ainsi que
la Triacontade comme telle aura son image dans un alphabet
qui, tout en ne comptant que 24 lettres peut également être
considéré comme comptant 30 lettres. Et le Sauveur, qui
concentre en lui toute la vertu du Plérôme, aura pour
nombre aussi bien 24 (totalité des lettres de l'alphabet)
que 30 (totalité des Éons du Plérôme).

P. 225, n. 1. — « car le nombre de celle-ci est 801 », ὁ γὰρ
ἀριθμὸς αὐτῆς μία καὶ ὀκτακόσιαι. A comprendre en ce
sens que les nombres correspondant aux différentes lettres
du mot περιστερά, additionnés ensemble, donnent le total
en question : $80+5+100+10+200+300+5+100+1 =$
801.
Le raisonnement ici supposé est le suivant. Le « Sauveur »
est la « Colombe » qui descendit sur « Jésus » lors du baptême
du Jourdain. Or la colombe (περιστερά) = 801, et ce nombre
s'écrit en grec au moyen des lettres α (= 1) et ω (= 800).
Donc le « Sauveur » est α et ω, c'est-à-dire à la fois la première
et la dernière lettre de l'alphabet et toutes celles qui se

trouvent entre les deux, c'est-à-dire, en fin de compte, « la
totalité des Éléments » constituant le Plérôme.

Sur l'ensemble du passage, voir F. Sagnard, *La Gnose
valentinienne...*, p. 376 suiv.

P. 225, n. 2. — « jour où », ἐν ᾗ : restitution conjecturale.
Hippolyte a seulement la forme ᾗ, tandis qu'Épiphane et
le latin n'ont rien. Aucun de ces trois témoins n'offrant
un texte satisfaisant, il faut tenter une correction.

Deux solutions sont possibles :

— corriger καὶ τὴν οἰκονομίαν δέ en κατὰ τὴν οἰκονομίαν
δέ et ne rien supposer entre παρασκευή et τὸν ἔσχατον ἄνθρωπον : c'est la solution de Billius (*PG* 7, col. 607-608 et
note de Massuet) et A. Orbe (*Cristologia gnostica*, t. II,
Madrid, 1976, p. 134).

— supposer que τὴν οἰκονομίαν est sujet de γεγονέναι
sous-entendu et suppléer la conjonction ἐν devant le relatif ᾗ
précédant τὸν ἔσχατον ἄνθρωπον chez Hippolyte.

La seconde solution nous paraît offrir un sens meilleur.
On notera que le texte d'Hippolyte porte καὶ τὴν οἰκονομίαν
τοῦ πάθους, « l'' économie ' *de la Passion* ». Il n'est
nullement exclu que cette leçon soit celle du texte irénéen
primitif.

Tout ce passage est rapproché de Clément d'Alexandrie,
Strom. VI, 16, dans F. Sagnard, *La Gnose valentinienne...*,
p. 378-382.

P. 227, n. 1. — « la régénération qui s'est faite par le
moyen du nombre insigne apparu dans le dernier homme »,
τὴν διὰ τοῦ φανέντος ἐπισήμου εἰς αὐτὸν ἀριθμοῦ γενομένην
ἀναγέννησιν.

Restitution faite à partir d'Épiphane et d'Hippolyte
départagés et, au besoin, rectifiés au moyen de la version
latine :

διὰ τοῦ Hip. (= latin) : δι' αὐτοῦ Épiph.
ἐπισήμου Épiph. (= latin) : ἐπισήμως Hip.
εἰς αὐτὸν Épiph. (= latin) : εἰς τὴν Hip.
ἀριθμοῦ (= latin) : δι' αὐτοῦ Épiph. et Hip.
γενομένην Épiph. (= latin) : ἐπιγενομένην Hip.
ἀναγέννησιν Épiph. et Hip. : γέννησιν latin (à moins
que le latin n'ait eu primitivement « regenerationem »).

Les derniers mots de la phrase latine peuvent prêter à confusion. Il faut la comprendre comme s'il y avait : « ... per eum qui manifestatus est *insignem* ... numerum » (ou : « ... insignis ... *numerus* »). De toute façon, il ne peut s'agir que du nombre insigne (ἐπίσημος ἀριθμός) dont il sera question dans les deux phrases suivantes.

P. 229, n. 1. — « Et le nombre insigne utilise en qualité de serviteur — au service de l'Enthymésis de la Mère », Χέχρηται δὲ διακόνῳ — τὴν Ἐνθύμησιν τῆς Μητρός.

Quelques indications en vue de l'intelligence de ce passage, que nous n'avons pu que traduire le plus littéralement possible :

« Et le nombre insigne utilise en qualité de serviteur ... » : le sujet de κέχρηται est ὁ ἐπίσημος ἀριθμός (phrase précédente).

« la Grandeur aux sept nombres » : il s'agit du Démiurge, qui réside dans l'« Hebdomade » et porte lui-même ce nom. Massuet et Harvey (auxquels se rallie W. Foerster, *Die Gnosis*, t. I, Zurich, 1969, p. 270, note 147) croient qu'il s'agit de la « Vérité » (Ἀλήθεια), parce que ce mot se compose de sept lettres, mais la suite du passage ne s'applique bien qu'au Démiurge, comme on va le voir.

« Ce nombre insigne, dans le cas présent .. » n'est autre que l'Enthymésis, cet Éon qui réside dans l'« Ogdoade » et, pour ce motif, est appelé quelquefois lui-même de ce nom.

« formé par le nombre insigne » : l'« Enthymésis a été formée par le « Sauveur », dont le nom exprimable, Ἰησοῦς, est de six lettres (cf. I, 14, 4). On voit comment, dans une même phrase, le nombre insigne peut être tantôt 8, tantôt 6 : banal exemple de la fluidité du vocabulaire des gnostiques.

« celui qui a été comme divisé, découpé ... » : l'Enthymésis a été effectivement extirpée de Sagesse sa Mère et expulsée du Plérôme par Limite.

« par l'entremise de l'émission provenant de lui » : l'Enthymésis, par l'entremise du Démiurge issu d'elle, a produit le monde avec ses sept cieux, dont elle a fourni la substance psychique.

« Celui-là se sert donc de cet ouvrage comme d'une chose qu'il aurait produite de lui-même... » : le Démiurge croyait créer « de lui-même », mais en réalité il n'était que l'instrument inconscient de l'Enthymésis et ne faisait que de pures « imitations des réalités inimitables ».

Finalement, comme le dira la fin du présent paragraphe, toute cette création accomplie par le Démiurge sous l'impulsion de l'Enthymésis glorifie le Pro-Père. On retrouve de la sorte tout le système ptoléméen tel qu'Irénée l'a exposé dans la Grande Notice.

Le lecteur n'aura pas été sans remarquer une certaine contradiction entre tout le présent passage et les quelques lignes de I, 14, 5 sur l'origine du « Christ » et son envoi vers « Sagesse » où semble se refléter plutôt le système de Valentin lui-même (cf. *supra*, p. 248, *note justif. P. 223, n. 1*). Nous nous bornons à signaler ce problème, dont l'examen déborderait le cadre que nous nous sommes tracé.

P. 233, n. 1. — «... leur Tétrade... de leurs dires », ἡ Τετρακτὺς αὐτῶν ... τῶν ... ὑπ' αὐτῶν λεγομένων : grec corrigé d'après le latin.

D'après le grec, auquel Holl a cru devoir donner la préférence, il s'agit de Marc le Magicien : « Nous allons maintenant rapporter comment la Tétrade *lui* (αὐτῷ) a révélé ... : de la sorte tu n'ignoreras rien ... de ce qui nous est parvenu des dires *de cet homme* (ὑπ' αὐτοῦ) ... » En faveur de cette leçon du grec, on peut faire valoir le fait que, dans le chap. 15, Irénée poursuit effectivement l'exposé des théories de Marc le Magicien, dont le nom est expressément mentionné en I, 15, 4 et I, 15, 6.

Cependant plusieurs arguments militent en faveur des leçons sous-jacentes au latin :

1. Tout d'abord, l'expression ἡ Τετρακτὺς αὐτῶν paraît plus naturelle, et cela d'autant plus qu'elle trouve une sorte d'écho, à la toute première ligne du chap. 15, dans l'expression ἡ πάνσοφος αὐτῶν Σιγή. Pour cette dernière expression, notons-le, Holl n'a pas hésité à corriger αὐτῷ, leçon des manuscrits, en αὐτῶν, leçon sous-jacente au latin « eorum ».

2. L'incise finale « selon que tu nous l'as maintes fois demandé » semble favoriser les leçons du latin plutôt que celles du grec. En effet, ce qu'a demandé l'ami d'Irénée, ce n'est pas que celui-ci lui fasse connaître seulement les dires de Marc le Magicien, mais qu'il l'informe de l'ensemble des enseignements des hérétiques, enseignements tenus

secrets, mais dont la connaissance aussi complète que possible
est indispensable à quiconque entreprend de les réfuter.
Voir, par ex., I, Pr., 3 : πάλαι ζητοῦντός σου μαθεῖν τὴν
γνώμην αὐτῶν...; III, Pr. : « Tu quidem, dilectissime,
praeceperas nobis ut e<orum> qu<i> a Valentino sunt
sententias absconditas ... in manifestum prod<uc>e-
rem ... » ; IV, Pr., 1 : «... ut et tu, sicut postulasti,
undique a nobis accipias occasiones ad confutandos omnes
haereticos ... »

P. 237, n. 1. — « à la manière d'une fille », ἐν θυγατρὸς
τρόπῳ : grec. La leçon τρόπῳ est celle d'Épiphane et
d'Hippolyte, mais le latin « locum » suppose la leçon τόπῳ.
Il est malaisé de dire laquelle de ces deux leçons est primitive.
Si l'on adopte la leçon τρόπῳ, la seconde Tétrade procède
de la première « à la manière d'une fille » ; si l'on adopte
la leçon τόπῳ, elle en procède « en qualité de fille ». Holl
opte pour τόπῳ (dans le texte), Massuet pour τρόπῳ, ainsi
que Harvey.

P. 239, n. 1. — « la supracéleste genèse de Jésus »,
τὴν ὑπερουράνιον τοῦ Ἰησοῦ ... γένεσιν : grec.

Le latin « supercaelestis » ne peut se rapporter qu'à « Iesu » :
il s'agit alors de « la genèse du Jésus supracéleste ». Nous
sommes porté à donner raison au grec à cause de la phrase
qui se lit au début du paragraphe et dont la présente phrase
paraît être le rappel : Ὁ δὲ Ἰησοῦς ταύτην ἔχει, φησί, τὴν
ἄρρητον γένεσιν. Il n'est pas question d'un Jésus supracéleste, mais d'un Jésus dont on nous présente l'« inénar-
rable », la « supracéleste » genèse.

Les nombres correspondant aux différentes lettres du
mot Ἰησοῦς donnent l'addition suivante : $8+10+200+70+400+200 = 888$.

P. 239, n. 2. — « C'est pour ce motif que l'alphabet des
Grecs a huit unités, huit dizaines et huit centaines », Διὸ
καὶ τὸν ἀλφάβητον τῶν Ἑλλήνων ἔχειν μονάδας ὀκτὼ καὶ
δεκάδας ὀκτὼ καὶ ἑκατοντάδας ὀκτώ.

En effet, de α à θ, il y a huit unités, puisque ς' (sti = 6)
ne fait pas partie de l'alphabet ; de même, de ι à ν, il y a
huit dizaines, et, de ρ à ω, il y a huit centaines, puisque

les signes Ϟ′ (koppa = 90) et ϡ′ (sampi = 900) ne font pas non plus partie de l'alphabet.

P. 241, n. 1. — « Jésus », τὸν Ἰησοῦν : grec. Le latin a la leçon « DCCCLXXXVIII numerum ». Les deux leçons sont équivalentes pour le sens, puisque, comme il vient d'être dit dans ce paragraphe même, Jésus est 888.

P. 241, n. 2. — « Avant donc que le nombre insigne de ce Nom, c'est-à-dire Jésus, apparût aux fils ... » Πρὶν μὲν οὖν, φησί, τούτου τοῦ ὀνόματος τὸ ἐπίσημον φανῆναι, τουτέστιν τὸν Ἰησοῦν, τοῖς υἱοῖς...

La leçon τοῖς υἱοῖς est celle des manuscrits d'Épiphane (Hippolyte n'a pas reproduit ce passage). De son côté, le *Claromontanus* a la leçon « filiis » (contre tous les autres manuscrits latins, qui ont la leçon « filius »). Avec Massuet et Stieren — et à l'encontre de Holl, qui a corrigé le grec des manuscrits — il faut adopter sans hésiter la leçon τοῖς υἱοῖς.

Les « fils » (υἱοί) en question sont identiques aux « fils de lumière » (υἱοὶ τοῦ φωτός) dont il a été question en I, 14, 6. Noter l'étroit parallélisme des deux passages :

I, 14, 6 : « Car l'Intellect parfait, sachant que ce nombre six possède une vertu de création et de régénération, a manifesté (φανερῶσαι) AUX FILS DE LUMIÈRE (τοῖς υἱοῖς τοῦ φωτός) la régénération qui s'est faite par le moyen du nombre insigne (διὰ τοῦ ... ἐπισήμου) apparu (φανέντος) dans le dernier homme ».

I, 15, 2 : « Avant donc que le nombre insigne (τὸ ἐπίσημον) de ce Nom, c'est-à-dire Jésus, apparût (φανῆναι) AUX FILS (τοῖς υἱοῖς), les hommes se trouvaient dans une ignorance et une erreur profondes ; mais lorsque le Nom hexagramme eut été manifesté (ἐφανερώθη) ..., alors ceux qui le connurent ... montèrent de la mort à la vie ».

P. 241, n. 3. — « la voie », ὁδοῦ : grec. Cette leçon est celle des manuscrits d'Épiphane (le passage ne figure pas dans Hippolyte). Le latin a la leçon « ducatore », qui suppose le grec ὁδηγοῦ. Les deux leçons pourraient se défendre. Avec Harvey, Sagnard ..., nous optons pour la leçon ὁδοῦ à cause de son arrière-plan évangélique. Le texte dit que le « Nom »

(= le Christ Sauveur) est devenu un « chemin » vers le Père de Vérité. N'est-ce pas un écho de *Jn* 14, 6 : « C'est moi la Voie, la Vérité et la Vie. Personne ne va au Père que par moi » ?

P. 241, n. 4. — « fut élu », ἐκλεχθῆναι : grec. Telle est la leçon des manuscrits d'Épiphane. Le latin « dictum (esse) » fait supposer que le traducteur a eu sous les yeux λεχθῆναι au lieu de ἐκλεχθῆναι — à moins que « dictum » ne soit la déformation de « electum ». De toute façon, la leçon du grec est confirmée par les mots ὃν ὁ Πατὴρ τῶν ὅλων ... ἐξελέξατο qui se lisent dans le paragraphe suivant.

P. 241, n. 5. — « l'homme », τὸν ... ἄνθρωπον. Nous ne comprenons pas pourquoi Harvey et Holl écrivent ce mot avec une majuscule, comme s'il s'agissait de l'Éon Ἄνθρωπος. En fait, les mots τὸν ... οἰκονομηθέντα ἄνθρωπον désignent le même être que les mots ὁ κατ᾽ οἰκονομίαν ... ἄνθρωπος qui se rencontrent dix lignes plus loin, dans le paragraphe suivant. Il s'agit du « Jésus » visible, sur lequel descendra, lors du baptême du Jourdain, le « Sauveur » d'en haut.

P. 243, n. 1. — « d'une Tétrade », ἀπὸ Τετράδος : Épiphane et latin. Hippolyte précise qu'il s'agit de la seconde Tétrade : ἀπὸ τῆς Τετράδος τῆς δευτέρας δυνάμεις ἀπορρυείσας δεδημιουργηκέναι τὸν ἐπὶ τῆς γῆς φανέντα Ἰησοῦν ... Mais, à cet endroit, Hippolyte ne cite pas de façon littérale : peut-on tabler sur lui pour retrouver la teneur précise du texte d'Irénée ?

Sur l'exégèse marcosienne de *Lc* 1, 35 qui vient ensuite, cf. A. Orbe, *Cristologia gnostica*, t. I, p. 337-338.

P. 243, n. 2. — « du Père », τοῦ Πατρός : leçon des manuscrits d'Épiphane, confirmée par le latin. Le passage correspondant d'Hippolyte a la leçon τοῦ Πληρώματος. On peut hésiter entre les deux leçons. En faveur de la seconde, Harvey (p. 150, note 4) fait valoir que la δύναμις qui descendit sur « Jésus » au baptême du Jourdain était le « Sauveur » issu de tous les Éons du Plérôme. Mais la leçon τοῦ Πατρός, mieux attestée par ailleurs, se comprend tout aussi bien en langage gnostique, puisque le Père, en

tant que principe du Plérôme, le contenait déjà tout entier
en lui même.

P. 245, n. 1. — « Le Sauveur issu de l'« économie ' a détruit
la mort, dit Marc, et il a fait connaître son Père, le Christ »,
Καὶ καθεῖλε μὲν τὸν θάνατον, φησίν, ὁ ἐκ τῆς οἰκονομίας
Σωτήρ, ἐγνώρισε δὲ τὸν Πατέρα Χριστόν : texte d'Épiphane.
Le latin a la leçon « Saluator Iesus », mais Hippolyte
confirme ici celle d'Épiphane. D'autre part, Épiphane a la
leçon Χριστόν là où le latin a « Christum Iesum » et Hippolyte
Χριστὸν Ἰησοῦν.

Si l'on tient compte de la fluidité du vocabulaire gnostique,
ces divergences sont sans importance pour le sens. De toute
façon, le « Sauveur issu de l'économie » ne peut être que le
« Jésus » visible. Quant au « Christ », il ne peut être que le
« Sauveur » d'en haut. Ce « Sauveur » d'en haut est descendu
sur le « Jésus » psychique, sur l'homme de l'« économie »,
pour en faire le « Christ Jésus », celui qui « détruit la mort »
par la « gnose » qu'il communique aux « élus ». Par là même,
le « Sauveur » d'en haut est devenu le « Père » du « Jésus
de l'économie ».

P. 245, n. 2. — « déplorable », κακοσύνθετον : leçon des
manuscrits d'Épiphane. A ce vocable correspondent, dans
le latin, les mots « qui ... malus compositor est ». Il se
pourrait que le traducteur ait lu un mot tel que κακοσυνθέτην,
mais, comme ce vocable n'est nulle part attesté, on hésite à
le mettre sur le compte d'Irénée.

Comme κακοσύνθετον ne peut signifier autre chose que
« mal composé » et que cet adjectif ne lui paraît pas pouvoir
se rapporter à ποιητήν, Holl propose de le corriger en
κακοσυνθέτων et de le rapporter à ψευσμάτων. Mais la
construction ainsi obtenue n'est guère satisfaisante : le
substantif ψευσμάτων est déjà déterminé par τηλικούτων et,
de plus, si κακοσυνθέτων se rapportait à ψευσμάτων, il serait
plus normal qu'il précède ce mot.

Nous proposons donc, pour notre part, de maintenir
κακοσύνθετον, sauf à lui donner un sens élargi que suggère
d'ailleurs le contexte : par une sorte de métonymie, ce ne
sont plus les mensonges, mais l'auteur de ceux-ci qui se
voit décerner le qualificatif de « mal ficelé », « mal agencé »,
« déplorable ».

P. 247, n. 1. — « postérieur aussi à ceux qui ont ajouté les autres lettres », μεταγενέστερον δὲ τῶν τὰ λοιπὰ προστεθεικότων στοιχεῖα : grec.

La présence des mots « temporis quam Palamedi » dans le latin suggère à Massuet la pensée que le texte latin primitif avait quelque chance d'être : « posterius autem tempor <e> quam Palamedes <et> hi qui reliqua elementa addiderunt ». Et le grec aurait été : μεταγενέστερον δὲ τοῦ Παλαμήδου καὶ τῶν τὰ λοιπὰ προστεθεικότων στοιχεῖα. La conjecture est ingénieuse. Mais on peut aussi s'en tenir au grec et estimer que les mots « temporis quam Palamedes » sont une glose marginale inspirée des mots « tempore quam Cadmos » qui précèdent et entrée indûment dans le texte.

P. 249, n. 1. — « qui contient toutes choses et n'est contenu par aucune », τὸν τὰ πάντα χωροῦντα..., ἀχώρητον δὲ ὑπάρχοντα.

Irénée reprend ici plusieurs termes caractéristiques d'une phrase qui se lit dans le *Pasteur* d'Hermas, *Mand.* 1, 1. Cette phrase revient à de multiples reprises sous la plume d'Irénée, tantôt sous forme de citation intégrale ou partielle, tantôt sous forme d'allusion. Cf. *SC* 100, p. 249-250.

P. 251, n. 1. — « par les vers que voici », ἐμμέτρως : grec. Le traducteur latin a laissé tomber ce mot, dont rien ne permet de suspecter le caractère primitif.

P. 255, n. 1. — « si nous comptons de la même manière à partir de la dyade jusqu'à dix, nous voyons apparaître la Triacontade », ἀπὸ τῆς δυάδος ὁμοίως ἀριθμούντων ἡμῶν ἕως τῶν δέκα, ἡ Τριακοντὰς ἀνεδείχθη. Le calcul est le suivant : $2+4+6+8+10 = 30$.

P. 255, n. 2. — « La Dodécade donc, par le fait qu'elle a le nombre insigne pour la terminer, est appelée par eux ' passion ' », Τὴν οὖν Δωδεκάδα, διὰ τὸ ἐσχηκέναι συνεπακολουθῆσαν αὐτῇ τὸ ἐπίσημον, πάθος λέγουσι.

Restitution fondée sur les indications conjuguées du latin, d'Épiphane et d'Hippolyte. Quoique attesté par ces trois témoins, le mot ἐπίσημον précédant ἐσχηκέναι paraît avoir

été introduit indûment dans la phrase et nous proposons de
le supprimer. Le sens de la phrase est alors limpide, pourvu
que nous l'éclairions par ce qui a été dit quelques lignes
auparavant : « ... la dyade, en progressant à partir d'elle-
même jusqu'au nombre insigne — soit deux et quatre et
six — fait apparaître la Dodécade ». Le nombre 12 s'obtient
par la somme des nombres 2, 4 et 6. De ces trois nombres
ainsi disposés selon une progression arithmétique, 6 est le
dernier : la Dodécade se « termine » donc bien par le nombre
insigne (F) ou digamma. Et comme il s'agit d'un signe qui a
disparu de l'alphabet des lettres, il est tout naturel qu'il
symbolise la « défection » ou la « passion » de l'Éon terminant
la Dodécade.

P. 255, n. 3. — « de la Dodécade », ἀπὸ τῆς Δωδεκάδος :
Épiphane et latin. Par contre, on lit chez Hippolyte :
ὁμοίως δὲ καὶ ἐκ τῆς Δεκάδος... On pourrait être tenté de
croire que le contexte appelle la leçon Δεκάδος, la femme
qui a perdu une de ses dix drachmes ne pouvant symboliser
apparemment que la Décade. Mais une telle option se
heurterait au fait massif que nulle part il n'est question
d'une déchéance d'un des Éons de la Décade qui serait
parallèle à la déchéance du dernier Éon de la Dodécade.
D'autre part, un coup d'œil tant soit peu attentif montre
qu'autre est l'angle de vision des gnostiques. Ce qui les
intéresse est l'élément commun aux deux paraboles, à
savoir la perte d'*une unité*, symbole de la chute de Sagesse.
De cette perte résulte un nombre déficient : dans le premier
cas, cette unité est retranchée à la Dodécade (et non au
100 brebis !), ce qui donne 11 ; dans le second cas, cette
unité est retranchée aux 10 drachmes, ce qui donne 9. Cela
permettra, en multipliant l'un par l'autre les deux nombres
déficients, d'obtenir 99, le nombre par excellence de la
déficience.

P. 259, n. 1. — « la forme des lettres, disent-ils, a été
disposée d'une façon appropriée en sorte qu'elles soient
une figure du Logos », καταλλήλως λέγουσι τὸν τύπον τῶν
γραμμάτων ἐν σχήματι τοῦ Λόγου κεῖσθαι : latin.
Le texte d'Épiphane — Hippolyte ne nous est ici d'aucune
utilité — se traduirait : « la forme des lettres, disent-ils, se
trouve correspondre (κατάλληλον... κεῖσθαι) à la figure

(τῷ σχήματι) du Logos ». Mais on voit mal ce que peut être cette « figure du Logos » à laquelle correspondrait la forme des lettres de l'alphabet.

Par contre, si nous acceptons de corriger le grec d'Épiphane par le latin, le sens devient limpide : « la forme des lettres, disent-ils, se trouve disposée d'une manière appropriée (καταλλήλως... κεῖσθαι) de façon à être une figure (ἐν σχήματι = littéralement : en figure) du Logos ».

La restitution ἐν σχήματι τοῦ Λόγου que nous proposons est confirmée par les expressions rigoureusement parallèles κατ᾽ εἰκόνα κεῖσθαι τῆς ἄνω οἰκονομίας, qui se rencontrent deux lignes plus bas dans cette même phrase. Il s'agit, de part et d'autre, de l'axiome qui sert de fondement à toute l'arithmologie de Marc et qui peut s'énoncer comme suit : les réalités du Plérôme ont imprimé une sorte d'*image* dégradée d'elles-mêmes dans les choses de notre monde et, en particulier, dans les multiples secrets que recèlent les lettres et les nombres, secrets que ne soupçonnent même pas les profanes, mais que peuvent pénétrer les adeptes de la « gnose ».

Comment, dans le cas présent, la forme des lettres peut-elle être une figure évocatrice de l'« ' économie ' d'en haut » et, plus particulièrement, du « Logos » ? La suite du texte l'explique avec toute la clarté désirable. Les lettres dont il s'agit sont Λ et M, respectivement la onzième et la douzième de l'alphabet. Considérée dans sa forme extérieure, la lettre M apparaît comme la réunion de deux Λ. Il n'en faut pas davantage à Marc pour reconstituer tout le drame survenu dans le plérôme. En effet, la lettre Λ représente le « Logos », dont elle est l'initiale. Par ailleurs, cette lettre exprime le nombre 30, qui est celui du « Sauveur » : il s'agit donc du « Logos » opérant par le « Sauveur » et pratiquement identique à ce « Sauveur ». Par ailleurs encore, la lettre Λ est la onzième de l'alphabet : comme telle, elle représente un Plérôme troublé par la défection du dernier Éon de la Dodécade. Mais le « Logos-Sauveur » va descendre à la recherche de l'Éon égaré, qui lui est semblable par nature, et compléter ainsi le nombre 12 en retrouvant l'Éon perdu. Dans le langage algébrique de Marc le Magicien, cela se traduira par la formule : Λ + Λ = M (la lettre M étant le symbole de 12, puisqu'étant, comme on l'a vu, la douzième lettre de l'alphabet).

On notera que le présent passage éclaire rétrospectivement une expression plutôt sibylline de I, 15, 3 : « Lorsque cet

homme de l'' économie ' vint à l'eau du Jourdain, on vit
descendre sur lui, sous forme de colombe, Celui qui remonta
là-haut *et compléta le nombre douze...* »

P. 263, n. 1. — « car ' on ne doit pas saluer les impies, dit
le Seigneur ' », οὐκ ἔστι γὰρ χαίρειν τοῖς ἀσεϐέσι, λέγει
Κύριος.
Tel est, sans aucun doute, le sens dans lequel Irénée
prend ici cette phrase d'Isaïe. L'infinitif χαίρειν ne peut
signifier ici autre chose que « salut ! », et, à traduire d'une
façon tout à fait littérale, on écrirait : « car il n'y a pas de
' salut ! ' pour les impies, dit le Seigneur ».
Le traducteur n'a pas perçu cette intention d'Irénée et a
traduit conformément au sens — d'ailleurs beaucoup plus
normal — dans lequel on entend habituellement ce verset :
« il n'y a pas de joie pour les impies... ». Petit exemple,
parmi d'autres, de traduction toute mécanique.

P. 263, n. 2. — « comme elle le mérite », ὀρθῶς : latin.
Le grec ὄντως n'est pas en situation et n'est sans doute
autre chose que la déformation de ὀρθῶς.

P. 265, n. 1. — « par l'Ogdoade des esprits mauvais »,
ὑπὸ τῆς Ὀγδοάδος τῶν πονηρῶν πνευμάτων : grec. Le
traducteur latin a lu : ὑπὸ τῶν τῆς Ὀγδοάδος πονηρῶν
πνευμάτων, « par les esprits mauvais de l'Ogdoade ». On peut
faire valoir en faveur de la leçon du grec les expressions de
tout point semblables qui se lisent à la fin du présent
paragraphe : ... τὴν Ὀγδοάδα ... τῶν πονηρῶν πνευμάτων
εἰς αὐτοὺς ἐνεθήκωσεν, « ... Ogdoadem ... nequissimorum
spirituum in eos deposuit ».

P. 265, n. 2. — « plus », ἢ πλέον. Le latin « aut plus » est
la traduction de ἢ πλέον. Une telle faute de lecture peut
paraître étonnante, mais la leçon ἢ πλέον est bel et bien
celle qui se rencontre dans les manuscrits d'Épiphane.

P. 265, n. 3. — « comprendre », ἐννοεῖν : grec. Le latin
« adinuenire » suppose plutôt la leçon ἐπινοεῖν. Les deux
leçons paraissent également défendables.

P. 267, n. 1. — « Et puisque, disent-ils, le ciel le plus
élevé s'est opposé... », Καὶ ἐπεὶ ἀντεπεζεύχθη, φασί, ... ὁ
ὕπερθεν οὐρανός : grec.

Les données complémentaires d'Épiphane et d'Hippolyte
permettent de retrouver avec certitude le texte grec
primitif. Le traducteur latin paraît avoir lu : Καὶ ἀντεπι-
ζευχθείς, φασί, ... ὁ ὑπερτεθεὶς οὐρανός. A moins que le texte
latin primitif n'ait été : « Et <quoniam> e contrario
superiunctum <est>, inquiunt, ... quod superpositum est
caelum ». Les maladresses et inexactitudes de la version
latine sont particulièrement nombreuses dans cette phrase
difficile.

P. 271, n. 1. — « le mensonge », τὸ φεῦδος.

Mot lourd de sens, dont la portée a été excellemment
dégagée par un maître des études gnostiques dans une page
qu'on nous pardonnera de citer tout entière :

« Platon, dans son *Timée*, représente, comme on sait, le
Démiurge modelant l'univers les yeux fixés sur le monde
transcendant des Idées afin d'en donner l'imitation la plus
parfaite possible. De même, l'auteur marcosien prête à son
Démiurge l'intention d'imiter le Plérôme et d'en reproduire,
à sa manière, la vie infinie et intemporelle. Dans les deux
cas, l'opération donne naissance au temps cosmique. Mais
il y a une différence radicale : tandis que, chez Platon, le
Démiurge connaît exactement et directement le Modèle
intelligible et éternel, il n'en a, pour le théologien gnostique,
qu'une connaissance affaiblie et lointaine, qu'une très
vague notion suggérée par sa mère, la Sophia déchue.
Étant lui-même « le fruit de la déchéance », du « défaut »
ou de l'« absence », il est séparé du Plérôme par un écart,
une coupure profonde. Aussi la vérité lui échappe-t-elle, et,
dans la réplique qu'il prétendait et croyait produire,
l'éternité, la stabilité, l'infinité de l'Ogdoade supérieure
prennent la forme dégradée d'une multiplicité mouvante
faite de la succession des moments, des années, des siècles,
qui composent et divisent la durée. En d'autres termes,
entre l'intemporel et le temporel il n'y a plus, comme chez
Platon, continuité, mais décalage, et le temps qui résulte
de l'œuvre démiurgique n'est plus l'image la plus parfaite
qui soit, l'imitation — à son rang — la plus fidèle de
l'éternité, mais un ψεῦδος, un « mensonge », une imposture
et une caricature : à la limite, une illusion. Un temps

menteur : jusque sur le terrain de la spéculation, cette conception, dont on pourrait aussi relever les traces dans l'hermétisme ou dans le mandéisme, reflète le dégoût et la haine que le temps inspire au gnostique » (H.-Ch. Puech, « La Gnose et le temps », dans *Eranos Jahrbuch* 20 [1951], p. 98-99. Repris dans *En quête de la Gnose*, I, *La Gnose et le temps et autres essais*, Paris, 1978, p. 255-256).

P. 277, n. 1. — « tentures », αὐλαῖαι : conjecture. Les manuscrits d'Épiphane ont la leçon αὐλαί, et c'est cette leçon même que suppose le latin « atria ». Holl adopte purement et simplement la leçon αὐλαί. Nous croyons plutôt à une confusion survenue de bonne heure dans le texte grec entre les mots αὐλή (= cour de maison) et αὐλαία (= rideau, tenture), et nous rétablissons la leçon αὐλαῖαι en conformité avec le grec de la Septante (cf. *Ex.* 26, 1-6 ; 37, 1-14). Le contexte impose d'ailleurs cette leçon dans le présent passage : seule une « tenture » peut être « faite de lin fin, d'hyacinthe, de pourpre et d'écarlate ».

Nous rétablissons de même, dans le paragraphe suivant, la leçon αὐλαῖαι, là où le grec a de nouveau la leçon αὐλαί, et le latin, la leçon « atria ».

P. 277, n. 2. — « rangées », στοίχοις : latin. Une confusion de mots a fait substituer στοιχείοις (= éléments) à στοίχοις (= rangées) dans le grec. C'est sûrement ce dernier mot qu'a lu le traducteur latin, et c'est ce terme qu'on trouve en *Ex.* 28, 17-20 et 36, 17-20 pour désigner les « rangées » de pierres précieuses qui ornaient le pectoral des prêtres.

P. 283, n. 1. — « douze clochettes », τοὺς δώδεκα κώδωνας. Ce nombre n'est donné nulle part par l'Écriture. On le trouve chez Justin, *Dial.* 42, 1 : « De même les douze clochettes (δώδεκα κώδωνας) qu'il était de tradition de suspendre à la longue robe du grand prêtre symbolisaient les douze apôtres suspendus à la puissance du Prêtre éternel, le Christ ».

P. 285, n. 1. — « en tête des trente invités », ἐν τοῖς τριάκοντα κλητοῖς πρῶτον : grec. Un saut du même au même a provoqué une lacune dans le texte latin. La Septante

mentionne 70 invités (l'édition de Cambridge signale toutefois un manuscrit parisien qui a le nombre 30). La vulgate
latine et la Bible arménienne, conformément à l'hébreu,
donnent le nombre 30.

P. 285, n. 2. — « pendant trente jours », ἐπὶ τριάκοντα
ἡμέραις. D'après *I Sam.* 20, David demeura caché dans le
champ jusqu'au troisième jour seulement.

P. 285, n. 3. — « par les trente hommes qui entrèrent
avec lui dans la caverne », διὰ τῶν συνεισελθόντων αὐτῷ
εἰς τὸ σπήλαιον λ'. Nouvelle inexactitude : d'après *II Sam.*
23, 13, trois seulement d'entre les trente capitaines vinrent
auprès de David dans la caverne d'Odollam.

P. 285, n. 4. — « ils prétendent prouver par eux leur
Triacontade », τὴν Τριακοντάδα αὐτῶν διὰ τῶν τοιούτων
ἐπιδεικνύναι φιλεριστοῦσιν : grec.
Le latin actuel n'est guère satisfaisant. Sans doute
correspondait-il primitivement au grec et avait-il : « Triacontadem ipsorum per huiusmodi ostend<ere> adseue-
ra<nt> ». Sur le sens de φιλερεστέω, cf. Lampe.

P. 289, n. 1. — « Dans le même but, ils ajoutent encore —
sous la figure de la lettre alpha », Προσλαμβάνουσι δὲ εἰς
τοῦτο — ἐν τῷ τύπῳ τοῦ ἄλφα.
L'anecdote ici rapportée se retrouve, avec des variantes,
dans la plupart des Évangiles apocryphes de l'Enfance :
Évangile de Thomas, c. VI et XIV ; *Évangile du Pseudo-
Matthieu*, c. XXXI et XXXVIII ; *Évangile arabe de
l'Enfance*, c. XLVIII et XLIX. Même récit dans l'*Epistula
Apostolorum*, c. IV. Cf. A. ORBE, *Cristologia gnostica*, t. I,
Madrid, 1976, p. 467-469.

P. 291, n. 1. — « De même encore, le Seigneur ne répondit
pas », Καὶ διὰ τοῦ μὴ ἀποκριθῆναι : grec. Littéralement :
« Par le fait qu'il ne répondit pas..., mais plongea dans
l'embarras..., il montra... » L'incohérence de la phrase latine
s'explique du fait que le traducteur a lu διὰ τοῦτο au lieu de
διὰ τοῦ.

P. 291, n. 2. — « en ne répondant pas, expliquent-ils, le Seigneur montra le caractère inexprimable du Père », τὸ ἄρρητον τοῦ Πατρός, ἐν τῷ μὴ εἰπεῖν, δεδειχέναι αὐτὸν ἐξηγοῦνται. Le grec et le latin s'étant fourvoyés, il faut les redresser l'un par l'autre : en accord avec « in eo quod *non* dixerit », on restituera ἐν τῷ μὴ εἰπεῖν dans le grec, et, en accord avec δεδειχέναι, on restituera « [non] ostendisse » dans le latin.

P. 291, n. 3. — « Souvent ils ont désiré entendre une seule de ces paroles, et ils n'ont eu personne qui la leur dise », Πολλάκις ἐπεθύμησαν ἀκοῦσαι ἕνα τῶν λόγων τούτων, καὶ οὐκ ἔσχον τὸν ἐροῦντα : restitution conjecturale.

Telle qu'elle se lit dans les manuscrits d'Épiphane et telle que la suppose la version latine, cette phrase se traduirait comme suit : « Souvent j'ai désiré (ἐπεθύμησα) entendre une seule de ces paroles, et je n'ai eu (ἔσχον) personne qui me la dise ».

Préoccupés avant tout de rapprocher cette phrase d'autres phrases plus ou moins similaires qu'on trouve dans les écrits gnostiques ou extracanoniques, les critiques qui se sont penchés sur elle se sont le plus souvent bornés à la prendre telle quelle, sans se demander quel rôle elle joue dans l'ensemble du passage de l'œuvre irénéenne où elle figure et dans quelle mesure elle s'harmonise ou non avec ce contexte.

Or, un regard attentif vers ce contexte oblige à reconnaître que la phrase en question, telle du moins qu'elle figure dans les manuscrits d'Épiphane et dans la version latine, est incompatible avec lui.

D'une part, en effet, la phrase dont il s'agit ne peut être mise que sur les lèvres du Christ. Le chap. 20 tout entier est constitué par une série de paroles du Christ, vraies ou supposées, par lesquelles les Marcosiens prétendaient prouver que le seul vrai Dieu, le « Père », aurait été totalement ignoré sous l'Ancien Testament. Bien mieux, les quelques mots qui suivent immédiatement la phrase citée et qui disent la manière dont les Marcosiens la comprenaient, précisent qu'elle « est le fait de quelqu'un qui manifeste... le seul vrai Dieu qu'on ne connaissait pas ». Impossible de dire plus clairement que c'est le Christ qui parle.

Mais, d'autre part, voit-on le Christ, le Révélateur d'un « Père » inconnu jusqu'à lui, dire qu'il aurait lui-même désiré entendre une seule parole — quelle parole, sinon une parole qui lui révélerait ce « Père » ? car il n'est question que de cela dans le chap. 20 tout entier —, et qu'il ne se serait trouvé personne pour la lui dire ?

La contradiction est flagrante : telle qu'elle se lit dans Épiphane et dans la version latine, la phrase dont il s'agit ne peut être mise sur les lèvres du Christ. Pour qu'elle puisse être dite par lui, il faut qu'il y parle, non de lui-même, mais des hommes antérieurs à sa venue. Autrement dit, il faut admettre que ἐπεθύμησα soit la corruption de ἐπεθύμησαν et que ἔσχον soit une 3ᵉ personne du pluriel et non une 1ʳᵉ personne du singulier. La phrase mise sur les lèvres du Christ signifie alors : « Souvent ils (= les hommes antérieurs à ma venue) ont désiré entendre une seule de ces paroles (que les hommes entendent maintenant de ma bouche et par lesquelles je leur révèle le « Père »), mais ils n'ont eu personne qui la leur dise, (car les prophètes ne connaissaient d'autre Dieu que le Démiurge).

Le mérite d'avoir, le premier, proposé la conjecture ci-dessus développée revient à H. HAYD, *Ausgewählte Schriften des hlg. Irenäus*, Erster Band, Kempten, 1872, p. 134. Conjecture identique sous la plume de B. F. WEST-COTT, *Introduction to the study of the gospels*, Cambridge, 1881, p. 463, note 7.

Cette conjecture reçoit une confirmation des plus intéressantes de l'*Évangile selon Thomas* découvert à Nag Hammadi. La première partie du logion 38 s'y présente comme suit : « Jésus a dit : ‘ Bien des fois vous avez désiré entendre ces paroles que je vous dis, et vous n'avez nul autre de qui les entendre ’ ». (A. GUILLAUMONT, H.-Ch. PUECH, G. QUISPEL, W. TILL et Y. ʿABD AL MASĪḤ, *L'Évangile selon Thomas*, Paris, 1959, p. 22-25). Comme on le voit, ce n'est pas Jésus, mais ce sont les hommes qui ont désiré entendre des paroles qu'ils ne pouvaient entendre que de Jésus lui-même. Et ce logion, aussi bien que la parole figurant dans Irénée — telle, du moins, que nous croyons devoir la restituer —, apparaît comme un écho déformé de la parole du Christ en *Matth.* 13, 17 : « Beaucoup de prophètes et de justes ont désiré... entendre (ἐπεθύμησαν ... ἀκοῦσαι) ce que vous entendez et ne l'ont pas entendu ».

P. 293, n. 1. — « comme preuve », ἀπόδειξιν : restitution conjecturale basée sur le latin. Cf. I, 14, 8 : Τὴν δὲ ἀπόδειξιν φέρει... = « *Ostensionem* autem adfert... »

P. 293, n. 2. — « des Cieux et de la Terre », τῶν Οὐρανῶν καὶ τῆς Γῆς. La leçon τῶν Οὐρανῶν est étrangère au Nouveau Testament, qui ne connaît que la leçon τοῦ οὐρανοῦ, mais elle est confirmée par la leçon « caelorum » de la version latine. Il s'agit des Éons du Plérôme, comme il résulte de cette phrase qu'on a pu lire au paragraphe précédent à propos d'une autre parole du Christ : « ' ... Un seul est bon, le Père qui est parmi les Cieux ' : les ' Cieux ' dont il est ici question, ce sont, disent-ils, les Éons ». Quant à la « Terre », on a vu, en I, 5, 3, qu'elle n'est autre qu'Achamoth : « Cette (Mère), ils l'appellent aussi Ogdoade, Sagesse, Terre, Jérusalem, Esprit Saint... » Voir, pour plus de détails, p. 196, *note justif. P. 81, n. 3.*

P. 293, n. 3. — « nul n'a connu le Père sinon le Fils, ni le Fils sinon le Père, et celui à qui le Fils les a révélés », οὐδεὶς ἔγνω τὸν Πατέρα εἰ μὴ ὁ Υἱός, καὶ τὸν Υἱὸν εἰ μὴ ὁ Πατήρ, καὶ ᾧ ἂν ὁ Υἱὸς ἀποκαλύψῃ.
Première rencontre de ce texte fondamental sous sa forme hérétique. En IV, 6, 1 figureront côte à côte les deux formes de ce texte, d'abord l'orthodoxe : « Nemo cognoscit Filium nisi Pater, neque Patrem quis cognoscit nisi Filius, et cui Filius uoluerit reuelare », puis l'hérétique : « Nemo cognouit Patrem nisi Filius, nec Filium nisi Pater, et cui uoluerit Filius reuelare ». En quoi consiste formellement la falsification reprochée par Irénée aux hérétiques ? Dans une note justificative du Livre IV (*SC* 100, p. 207), nous avons montré qu'elle ne consiste ni dans la substitution de l'ordre Père-Fils à l'ordre Fils-Père, ni dans la substitution de ἀποκαλύψῃ (I, 20, 3) à βούληται ἀποκαλύψαι. Irénée lui-même, citant le verset en question sous une forme qu'il estime orthodoxe, ne craint pas de faire l'une et l'autre de ces substitutions (cf. II, 6, 1 ; IV, 6, 3 ; IV, 6, 7), ce qui prouve qu'il ne leur attache aucune importance. L'altération dont il s'agit ne peut consister que dans la substitution de l'aoriste ἔγνω au présent ἐπιγίνωσκει. Grâce à cette substitution, les gnostiques pouvaient, avec quelque apparence de raison, recourir à la parole du Seigneur pour étayer leur thèse selon laquelle le vrai Dieu aurait été totalement inconnu jusqu'à la venue du Christ : c'est ce que souligne Irénée dans le bref commentaire dont il fait suivre la citation sous sa forme hérétique, tant en I, 20, 3 qu'en IV, 6, 1.

Reste à savoir comment il convient de traduire les mots καὶ ᾧ ἂν ὁ Υἱὸς ἀποκαλύψῃ. En effet, si le verbe grec ἀποκαλύπτω s'accommode d'un usage intransitif, il en va différemment dans le français, où le verbe « révéler » ne paraît pas pouvoir être employé sans que soit explicité l'objet de la révélation.

Grammaticalement parlant, la phrase citée par les gnostiques est susceptible d'être comprise de deux manières :

a) On peut considérer les mots καὶ ᾧ ἂν ὁ Υἱὸς ἀποκαλύψῃ comme se rattachant exclusivement au membre de phrase καὶ τὸν Υἱὸν εἰ μὴ ὁ Πατήρ. On devra alors comprendre : « et (nul n'a connu) le Fils, sinon le Père et celui à qui le Fils a révélé (le Fils) ». En effet, puisque c'est le Fils qui est objet de connaissance dans ce membre de phrase, c'est nécessairement aussi le Fils qui sera objet de révélation.

b) On peut aussi considérer les mots καὶ ᾧ ἂν ὁ Υἱὸς ἀποκαλύψῃ comme se rattachant simultanément aux deux membres de phrase qui les précèdent. On comprendra alors : « Nul n'a connu le Père sinon le Fils ni le Fils sinon le Père, et celui à qui le Fils a révélé (le Père et le Fils) ». Cette fois, c'est de connaître le Père et le Fils qu'il est indivisiblement question : c'est donc de révéler l'un et l'autre qu'il sera nécessairement aussi question.

Il saute aux yeux que les gnostiques ne pouvaient comprendre que de la seconde manière la phrase citée par eux : pour pouvoir y lire une révélation du Père par le Fils, il leur fallait nécessairement rattacher les mots καὶ ᾧ ἂν ὁ Υἱὸς ἀποκαλύψῃ à la totalité de ce qui les précède, ce qui les amenait à concevoir la révélation faite par le Fils comme portant sur le Père et le Fils. D'où la traduction « ... et celui à qui le Fils *les* a révélés », qui nous a paru expliciter ce que la phrase dit de façon implicite.

Quoi qu'il en soit de l'interprétation gnostique, nous savons que cette manière de comprendre le verset évangélique était, sans aucun doute possible, celle d'Irénée : pour lui, *le Fils se révèle lui-même et, en se révélant, révèle en lui le Père*, comme il ressort de l'argumentation développée tout au long du chap. 6 du Livre IV (cf. *SC 100, p. 206, note justif. P. 439, n. 1*). Cette manière de comprendre *Matth.* 11, 27 paraît avoir été plutôt exceptionnelle à l'époque patristique, car les Pères coupaient plus habituellement le verset en deux membres distincts et comprenaient : « Nul ne connaît le Fils, sinon le Père ; nul non plus ne connaît le Père, sinon le Fils et celui à qui le Fils voudra révéler (le Père) ». Il s'en faut néanmoins qu'Irénée ait été le seul à maintenir l'unité du verset évangélique avec la richesse de signification qu'il contient, et nous voudrions, en manière de complément à notre note justificative du Livre IV, attirer l'attention sur deux auteurs anciens, un prédécesseur et un successeur d'Irénée, chez qui se retrouve une exégèse identique à la sienne.

On lit sous la plume de Justin : « Et Jésus-Christ, reprochant pareillement aux Juifs de n'avoir connu ni ce qu'est le Père ni ce qu'est le Fils, leur disait lui aussi : ' Nul n'a connu le Père sinon le Fils, ni le Fils sinon le Père, et ceux à qui le Fils (les) a révélé(s) ' » (*I Apol.* 63, 3). Les Juifs, en refusant d'admettre que Dieu ait un Fils, qui est son Verbe et qui lui-même est Dieu, ont méconnu et le Père et le Fils (cf. *ibid.* 63, 14-15) : s'il en est ainsi, c'est parce qu'ils ont rejeté Celui qui seul pouvait leur révéler et le Père et le Fils. On aura noté que le texte cité par Justin est matériellement identique à celui des hérétiques, sans que, pour autant, Justin donne à l'aoriste ἔγνω la signification que prétendaient lui imposer les gnostiques.

Mais c'est sans doute saint Augustin qui a formulé avec le maximum de clarté et de décision l'interprétation qui refuse de disloquer l'unité du verset évangélique. Voici ce qu'on lit dans les *Quaestiones Evangeliorum*, I, 1 (*PL* 35, 1323) — nous traduisons d'une façon volontairement très littérale — : « Après avoir dit : ' Nul ne connaît le Fils sinon le Père ', le (Christ) n'a pas dit : ' et celui à qui le Père voudra révéler ', de la même manière que, après avoir dit : ' nul ne connaît le Père sinon le Fils ', il a ajouté : ' et celui à qui le Fils voudra révéler '. Cela ne doit pas être entendu en ce sens que le Fils ne puisse être connu de personne d'autre que du Père seul, tandis que le Père serait connu non seulement du Fils mais aussi de ceux à qui le Fils révélerait. La phrase doit en effet plutôt s'entendre en ce sens que et le Père et le Fils lui-même sont révélés par l'entremise du Fils *(ut intelligamus et Patrem et ipsum Filium per Filium reuelari)*, car le Fils est lui-même la lumière pour notre esprit. Ainsi les mots ' et celui à qui le Fils voudra révéler ' sont à comprendre comme concernant non seulement le Père mais aussi le Fils, car ces mots se rattachent à la totalité de ce qui les précède. En effet, par sa Parole, le Père lui-même est exprimé ; de son côté, cette Parole n'exprime pas seulement ce qui est exprimé par son entremise, mais aussi elle-même *(Verbo enim suo ipse Pater declaratur; Verbum autem non solum id quod per Verbum declaratur, sed etiam seipsum declarat)* ».

La même interprétation sera reprise par saint Augustin dans le *De Trinitate*, VII, 3, 4 *(CCL* 50, p. 251) : « Le Père ' dit ' sa (Sagesse), afin que sa ' Parole ' soit. Il n'en est pas d'elle comme de la parole qui sort de la bouche en résonnant ou qui est pensée avant d'être prononcée. En effet, celle-ci s'effectue dans des laps de temps, mais cette Parole-là est éternelle, et c'est en illuminant qu'elle nous dit, tant au sujet d'elle-même qu'au sujet du Père *(et de se et de Patre)*, ce qui doit être dit aux hommes. Aussi déclare-t-elle : ' Nul ne connaît le Fils sinon le Père, et nul ne connaît le Père sinon le Fils, et celui à qui le Fils voudra (les) révéler ', puisque c'est par le Fils, autrement dit par sa Parole, que le Père révèle. Car si cette parole temporelle et transitoire que nous proférons fait connaître et elle-même et ce dont nous parlons, combien plus la Parole de Dieu par qui tout a été fait *(Si enim hoc uerbum quod nos proferimus temporale et transitorium et seipsum ostendit et illud de quo loquimur, quanto magis Verbum Dei per quod facta sunt omnia)* ? ».

L'interprétation développée par saint Augustin dans les *Quaestiones Euangeliorum* se retrouvera textuellement sous la plume de Bède le Vénérable, dans ses Commentaires sur s. Matthieu *(PL* 92, 59 D) et sur s. Luc *(CCL* 120, p. 220).

P. 295, n. 1. — « Quant à la tradition concernant leur ' rédemption ' — insaisissables et invisibles », Τὴν δὲ ἀπολυτρώσεως αὐτῶν παράδοσιν — μητέρα ὑπάρχουσαν.

En disant que la tradition des gnostiques relative à leur « rédemption » est « invisible et insaisissable », Irénée veut souligner la difficulté qu'il y a à la découvrir et de la formuler de façon tant soit peu nette du fait que chaque secte l'entend à sa façon. Si cette « rédemption » est telle, ironise-t-il, c'est sans doute parce qu'elle est « mère d'êtres insaisissables et invisibles » : allusion à la persuasion dans laquelle se trouvaient les gnostiques que les rites de « rédemption » les rendraient « insaisissables et invisibles » au Démiurge après leur mort et leur permettraient de s'élever sans encombre jusqu'au Plérôme (cf. I, 13, 6 : Διὰ γὰρ τὴν ἀπολύτρωσιν ἀκρατήτους καὶ ἀοράτους γίνεσθαι τῷ Κριτῇ... ; I, 21, 5 : « ... ut incomprehensibiles et inuisi-

biles Principibus et Potestatibus fiant et ut superascendat
super inuisibilia interior ipsorum homo... »).

P. 295, n. 2. — « envoyée en sous-main », ὑποβέβληται :
grec. Le traducteur latin paraît avoir lu ἀποβέβληται. Quoi
qu'il en soit, la leçon du grec est pleinement en situation.
La même idée se retrouvera en III, 16, 1 : « ... qui inciperent
talia docere, *submissi a Satana* ut quorumdam *fidem*
euerterent et abstraherent eos a uita ».

P. 299, n. 1. — « Au nom du Père inconnu — et la communion des Puissances », Εἰς ὄνομα ἀγνώστου Πατρὸς — καὶ
κοινωνίαν τῶν δυνάμεων.
Eusèbe (*Hist. eccl.* IV, 11, 5) a omis, sans doute pour
faire court, les mots εἰς ἕνωσιν καὶ ἀπολύτρωσιν καὶ κοινωνίαν
τῶν δυνάμεων, mais l'accord d'Épiphane et du latin ne
permet pas de douter que ces mots n'appartiennent au
texte d'Irénée. On reconnaît sans peine, dans la formule
gnostique, une déformation de la formule trinitaire du
baptême chrétien : le Père est devenu le Père de « toutes
choses », c'est-à-dire des Éons ; le Fils est devenu le
« Monogène », cité lui-même sous le nom de « Vérité »,
c'est-à-dire de l'Éon féminin qui lui est uni en syzygie ;
quant à l'Esprit, il est devenu le « Sauveur » descendu sur
« Jésus » lors du baptême du Jourdain.

P. 299, n. 2. — « des mots hébreux », Ἑβραϊκὰ ὀνόματα.
Ce qu'Irénée appelle ici de l'hébreu était sans doute de
l'araméen ou du syriaque. Les deux formules transcrites
par Irénée ont pâti d'erreurs de transmission. Néanmoins,
en recourant tour à tour au grec et au latin et moyennant
quelques corrections, il est possible d'atteindre à deux
phrases syriaques offrant, non seulement une certaine
cohérence, mais des points de contact avec l'une ou l'autre
formule grecque du présent paragraphe. Voici la reconstitution que propose le P. François Graffin :

ba-šema dᵉ-ḥekmᵉṭa aba wᵉ-nūhra meštamhya rūḥa
dᵉ-qūšta bᵉ-fūrqana mala'kūta.

« Au nom de la Sagesse, Père et Lumière, appelée Esprit
de Sainteté, pour la rédemption de la nature angélique ».

mᵉšiḥa wa-mᵉfareq ena men nafša wᵉ-men kul dayna
ba-šᵉmeh dᵉ-yah ; fᵉraq nafša o iēšuᶜ nesraya.

« Je suis oint et racheté de moi-même et de tout jugement par le nom de Yahvé ; rachète-moi, ô Jésus de Nazareth ».

Les derniers mots de la première formule syriaque évoquent les derniers mots d'une des formules grecques :

| ... Esprit de Sainteté pour la rédemption de la nature angélique. | ... διὰ Πνεύματος ἁγίου εἰς λύτρωσιν ἀγγελικήν. |

Quant à la seconde formule syriaque, elle fait manifestement pendant à la formule grecque qui est mise sur les lèvres de l'initié un peu avant la fin du présent paragraphe :

Je suis oint et racheté	Ἐστήριγμαι καὶ λελύτρωμαι
	καὶ λυτροῦμαι
de moi-même	τὴν ψυχήν μου ἀπὸ τοῦ αἰῶνος τούτου
et de tout jugement par le Nom de Yahwé ; rachète-moi,	καὶ πάντων τῶν παρ' αὐτοῦ ἐν τῷ ὀνόματι τοῦ Ἰαώ, ὃς ἐλυτρώσατο τὴν ψυχὴν αὐτοῦ εἰς ἀπολύτρωσιν
ô Jésus de Nazareth.	ἐν τῷ Χριστῷ τῷ ζῶντι.

P. 303, n. 1. — « sur les Éons », ὑπὲρ τὰ ὅλα. Sur l'expression τὰ ὅλα en tant que désignation des Éons du Plérôme, cf. *supra*, p. 176, *note justif. P. 41, n. 1.*

P. 303, n. 2. — « puisque c'est de l'ignorance que sont sorties la déchéance et la passion », ἀπ' ἀγνοίας γὰρ ὑστερήματος καὶ πάθους γεγονότων : grec.
Le grec est très clair et ne fait qu'exprimer ce qui est affirmé partout dans la gnose : c'est de l'ignorance que proviennent la déchéance et la passion. Mais, pour autant qu'il soit possible d'en juger par l'état actuel du texte latin, le traducteur a considéré πάθους comme dépendant de ἀπό au même titre que ἀγνοίας et il a vu dans ὑστερήματος le complément déterminatif de ἀγνοίας, ce qui rend son texte totalement incohérent. Il eût fallu traduire : « Cum enim ab ignorantia labes et passio factae sint, per agnitionem dissolui uniuersum quod ex ignorantia est statum ».

P. 305, n. 1. — « D'autres pratiquent le rite de la
' rédemption ' sur les mourants à leur dernier moment »,
Ἕτεροι δέ τινες τοὺς τελευτῶντας λυτροῦνται πρὸς τῇ τελευτῇ :
restitution hypothétique.

Le latin « mortuos » ne paraît guère en situation : il ne
s'agit pas de morts, mais de mourants, car c'est aussitôt
avant qu'ils ne rendent le dernier soupir qu'on leur confiait
les formules qui devaient leur permettre de traverser sans
encombre le domaine des Puissances cosmiques et du
Démiurge. Cf. Épiphane, *Panarion*, haer. 36, 2 (Holl,
p. 45, 19-23) : Τοὺς τελευτῶντας ἀπ' αὐτῶν καὶ ἐπὶ αὐτὴν
τὴν ἔξοδον φθάνοντας, ἀπὸ τοῦ προειρημένου Μάρκου τὰς προ-
φάσεις εἰληφὼς οὐκέτι κατ' ἐκεῖνον λυτροῦται, ἀλλὰ ἄλλως οὗτος
(= Ἡρακλέον) μεταχειρίζεται, λυτρούμενος δῆθεν πρὸς τῇ τελευτῇ
τοὺς ἀπ' αὐτοῦ ἀπατηθέντας.

La suite du texte d'Épiphane contient de nombreux
éléments empruntés au présent passage de l'*Aduersus
haereses*. En prenant pour base la version latine et en
s'aidant d'Épiphane, on peut restituer conjecturalement
le texte d'Irénée de la manière suivante — nous donnons
en caractères gras les mots figurant tels quels ou ayant
quelque appui chez Épiphane — :

Ἕτεροι δέ τινες **τοὺς τελευτῶντας λυτροῦνται πρὸς τῇ
τελευτῇ**, ἐπιβάλλοντες αὐτῶν ταῖς κεφαλαῖς ἔλαιον καὶ ὕδωρ
ἤτοι τὸ προειρημένον μύρον μετὰ τοῦ ὕδατος καὶ τῶν προειρημένων
ἐπικλήσεων, ἵνα ἀκράτητοι γένωνται καὶ ἀόρατοι ταῖς
Ἀρχαῖς καὶ Ἐξουσίαις, εἰς τὸ ὑπεραναβῆναι τῶν ἀοράτων
τὸν ἔσω αὐτῶν ἄνθρωπον, ὡς τοῦ μὲν σώματος αὐτῶν ἐν τῇ
κτίσει καταλιμπανομένου, τῆς δὲ **ψυχῆς παρισταμένης τῷ
Δημιουργῷ. Καὶ ἐγκελεύονται** αὐτοῖς ἐλθοῦσιν ἐπὶ τὰς
Ἐξουσίας τάδε εἰπεῖν μετὰ τὴν τελευτήν...

P. 307, n. 1. — « Je suis un fils issu du Père — d'où je suis
venu », Ἐγὼ υἱὸς ἀπὸ Πατρός, Πατρὸς προόντος, υἱὸς δὲ
ἐν τῷ προόντι. Ἦλθον δὲ πάντα ἰδεῖν, τὰ ἴδια καὶ τὰ ἀλλότρια
— καὶ οὐκ ἀλλότρια δὲ παντελῶς, ἀλλὰ τῆς Ἀχαμώθ, ἥτις
ἐστὶν θήλεια καὶ ταῦτα ἑαυτῇ ἐποίησεν, κατάγει δὲ τὸ γένος
ἐκ τοῦ προόντος — καὶ πορεύομαι πάλιν εἰς τὰ ἴδια ὅθεν
ἐλήλυθα : restitution basée sur les données complémentaires
du latin et du grec.

Le latin et le grec sont en conflit sur plusieurs points
importants pour le sens. Pour dirimer ces conflits, en même
temps que pour dissiper certaines obscurités du texte, nous

avons la bonne fortune de disposer d'un passage parallèle
figurant dans la *Première Apocalypse de Jacques* découverte
à Nag Hammadi. Texte copte accompagné d'une traduction
allemande dans A. Böhlig et P. Labib, *Koptisch-gnostischen
Apokalypsen aus Codex V von Nag Hammadi*, Halle-
Wittenberg, 1963, p. 43-44. Traduction française par
R. Kasser, « Bibliothèque gnostique VI. Les deux Apoca-
lypses de Jacques », dans *Rev. de Philos. et de Théol.* 101
(1968), p. 170-171. Traduction anglaise dans J. M. Robinson
Dr., *The Nag Hammadi Library in english translated*,
Leiden, 1977, p. 246.

Voici d'abord ce qu'on lit dans la *Première Apocalypse
de Jacques* — à cet endroit, c'est le Seigneur lui-même qui
parle et qui fait connaître à Jacques ce qu'il devra répondre
aux gardiens des sphères planétaires lorsque, après sa mort
prochaine, il aura à se présenter à leurs portes — :

« [Jacques], voici, je te révélerai ta rédemption... Si donc
tu viens en leur pouvoir, l'un d'eux... te dira : ' Qui es-tu,
ou (ἤ) d'où es-tu ? ' — Tu lui diras : ' Je suis un fils, et je
suis (issu) du Père '. — Il te dira : ' Quelle sorte de fils es-tu,
et à quel Père appartiens-tu ? ' — Tu lui diras : ' Je suis
(issu) du Père préexistant, et (δέ) un fils dans le Préexistant '... — [Il] te [dira encore : ' ...] de (choses)
étrangères ? ' — Tu lui diras : ' Elles ne sont pas étrangères
totalement, mais (ἀλλά) elles sont (issues) d'Achamoth, qui
est la Femme. Et ces (choses), elle les produisit alors qu'elle
faisait descendre cette race (γένος) du Préexistant. Ainsi
donc (ἄρα) elles ne sont pas étrangères, mais (ἀλλά) elles sont
nôtres. Elles sont en vérité (μέν) nôtres, parce que celle qui
est leur Seigneur est (issue) du Préexistant. Mais en même
temps (δέ) elles sont étrangères, selon (κατά) que le Préexistant n'eut pas commerce (κοινωνεῖν) avec elle lorsque cette
(dernière) les produisit '. — Il te dira encore : ' Où iras-tu ? '
— Tu lui diras : ' Au lieu d'où je suis venu, là je retournerai '.
— Et (δέ), si tu dis ces (choses), tu échapperas à leurs
attaques (πόλεμος) ».

Nous pouvons à présent revenir au texte d'Irénée et
l'expliquer, partie par partie, à la lumière du texte copte.

— « Je suis un fils issu du Père, du Père préexistant, et
un fils dans le Préexistant ». C'est bien en effet du « Père
préexistant » que, en dernier ressort, le gnostique tient la
nature pneumatique qui est son véritable moi. Cette nature
étant incorruptible et inamissible, le gnostique peut se

flatter de n'avoir jamais cessé d'être « dans le Préexistant »,
lors même qu'un mystérieux concours de circonstances
l'aurait amené à sortir momentanément du Plérôme, son
lieu natif. Ici, le copte donne raison au latin « in eo qui ante
fuit » (= « dans le Préexistant ») contre le grec ἐν τῷ παρόντι
(= « dans le présent »).

— « Je suis venu pour tout voir, ce qui m'est propre
et ce qui m'est étranger ». Il faut comprendre : Je suis
venu du Plérôme en ce monde, et cela pour « voir » non
seulement « ce qui (m')est propre », c'est-à-dire ce qui est
d'essence pneumatique et constitue mon vrai moi, mais
aussi « ce qui m'est étranger », c'est-à-dire ce qui est
d'essence psychique ou hylique et n'a rien à voir avec mon
être véritable.

— « non entièrement étranger, il est vrai ». Ici s'ouvre
une parenthèse destinée à préciser en quel sens les éléments
psychique et hylique doivent être dits étrangers à l'élément
pneumatique. Même au milieu de ceux-là, en effet, celui-ci
n'est pas dans quelque chose de totalement étranger, car
les éléments psychique et hylique proviennent d'Achamoth,
eux aussi, quoique d'une manière toute différente de
l'élément pneumatique.

— « mais appartenant à Achamoth ». Telle est la signification du grec ἀλλὰ τῆς Ἀχαμώθ, et le latin « sed sunt
Achamoth » ne suppose pas une autre leçon. Cependant le
copte nous invite à nous demander si le grec n'avait pas
primitivement ἀλλ' ἐκ τῆς Ἀχαμώθ (= « mais provenant
d'Achamoth »), ce qui offrirait un sens incontestablement
meilleur.

— « qui est Femme et a fait cela par elle-même ». Les
éléments psychique et hylique proviennent respectivement
de la « conversion » et des « passions » d'Achamoth. Autrement dit, Achamoth les a tirés de sa substance féminine et
informe, alors qu'elle se trouvait abandonnée, seule, hors
du Plérôme dont elle avait été expulsée. Le texte copte
souligne qu'elle les a produits sans que le Préexistant ait
eu « commerce » avec elle.

— « mais n'en tire pas moins sa race du Préexistant ».
Toute féminine et informe qu'elle fût par elle-même,
Achamoth n'en était pas moins originaire du Plérôme et,
par là, d'essence pneumatique. C'est pour cela qu'elle était
susceptible d'être « formée ». Cette formation, elle la reçut
du Sauveur venu à elle avec toute la vertu du Plérôme

qu'il concentrait en lui. Ainsi fécondée, Achamoth put
enfanter la semence pneumatique constitutive des gnostiques.
On voit de la sorte comment le pneumatique peut considérer
les éléments psychique et hylique comme lui étant fonciè-
rement — encore que non totalement — étrangers. Au plan
textuel, le copte donne raison, ici encore, au latin « deducit...
genus » (= « elle tire sa race ») contre le grec κατάγω τὸ
γένος (= « je tire ma race »). Par ailleurs, le grec δέ, confirmé
par le copte, invite à considérer le latin « enim » comme une
corruption de « autem ».

— « et je m'en retourne vers mon domaine propre d'où
je suis venu ». Par-delà la longue parenthèse, ce membre de
phrase se rattache de la façon la plus naturelle au début de
la période : « Je suis venu tout voir... et je m'en retourne
vers mon domaine propre... »

P. 307, n. 2. — « Je suis un vase précieux — j'invoque la
Mère de celle-là », Σκεῦός εἰμι ἔντιμον — ἐγὼ δὲ ἐπικα-
λοῦμαι αὐτῆς τὴν Μητέρα.

Nous avons la bonne fortune de posséder, ici encore, un
passage parallèle dans la *Première Apocalypse de Jacques*
(cf. note précédente). Texte copte et traduction allemande
dans A. Böhlig et P. Labib, *o. c.*, p. 44-45. Traduction
française par R. Kasser, *o. c.*, p. 171-172. Traduction
anglaise dans J. M. Robinson, *o. c.*, p. 246-247.

Voici la partie du texte copte correspondant au texte
d'Irénée — c'est toujours le Seigneur qui s'adresse à
Jacques — :

« Tu [leur diras (?) : '...] un vase [...] beaucoup plus que
[...] de celle que vous [...] car (γάρ) [...] sa racine. Vous aussi
serez sobres (νήφειν) [...] Mais (δέ) moi, j'invoquerai l'impérissable gnose (γνῶσις), qui est Sophia, laquelle est dans le
Père, laquelle est la Mère d'Achamoth. Achamoth n'eut
pas de Père ni (οὔτε) de conjoint (σύζυγος) mâle, mais (ἀλλά)
elle est une Femme (issue) de Femme. Elle vous produisit
sans mâle, puisqu'elle était seule, qu'elle ignorait les (choses)
qui [vivent par] sa Mère (et) qu'elle pensait qu'elle seule
existait. Mais (δέ) [moi], je crierai vers sa Mère '. Et alors
(τότε) ils se troubleront (et) s'en prendront à leur racine et à
la race (γένος) [de] leur Mère. [Mais (δέ)] toi, tu monteras
vers les (choses) qui sont tiennes ».

Il n'y a pas lieu d'expliquer longuement le texte reproduit
par Irénée, car il dit en clair cela même que le texte précédent

disait déjà à mots couverts. On notera seulement, dans le copte, la phrase : « elle vous produisit *sans mâle*, puisqu'elle était seule... » Rien de plus éclairant : le Démiurge et ses comparses sont bien l'ouvrage d'Achamoth, mais provenant de sa « conversion », c'est-à-dire de quelque chose qu'Achamoth a tiré d'elle-même, alors qu'elle était seule, hors du Plérôme, plongée dans les passions et l'ignorance. Le « pneumatique », par contre, tire son origine d'une Achamoth « formée » par le Sauveur et fécondée par la contemplation de ses Anges.

P. 307, n. 3. — « quant à l'initié, il s'en ira vers son domaine propre, en rejetant son lien, c'est-à-dire son âme », αὐτὸν δὲ πορευθῆναι εἰς τὰ ἴδια, ῥίψαντα τὸν δεσμὸν αὐτοῦ, τουτέστιν τὴν ψυχήν : grec. Le latin a mis, accidentellement sans doute, tout cela au pluriel. Il faut donner raison au grec, car, une dizaine de lignes plus haut, grec et latin s'accordaient sur le singulier : Καὶ ταῦτα εἰπόντα διαφεύγειν τὰς ἐξουσίας λέγουσι = « Et haec *dicentem* euadere et effugere potestates dicunt ».

P. 309, n. 1. — « ' il existe un seul Dieu ' tout-puissant ' qui a tout créé ' par son Verbe, ' a tout organisé et fait de rien toutes choses pour qu'elles soient ' », « εἷς ἐστι Θεὸς » παντοκράτωρ « ὁ τὰ πάντα κτίσας » διὰ τοῦ Λόγου αὐτοῦ « καὶ καταρτίσας καὶ ποιήσας ἐκ τοῦ μὴ ὄντος εἰς τὸ εἶναι τὰ πάντα » : restitution basée sur le latin.

Nous avons ici une citation tout à fait littérale, encore qu'implicite, de la première partie d'une phrase figurant dans le *Pasteur* d'Hermas, *Mand.* 1, 1 (*GCS* 48, p. 23, 5-8 ; *SC* 53 bis, p. 144). Cette phrase revient, en tout ou en partie, en plusieurs autres endroits de l'œuvre irénéenne, notamment en IV, 20, 2, où elle figure en son intégralité et sous forme de citation explicite, avec texte grec partiellement conservé par Eusèbe (cf. *SC* 100, p. 248-250, *note justif. P. 629, n. 1*).

Cette phrase soulève un problème de traduction. En IV, 20, 2 (cf. *SC* 100, p. 629), nous avons traduit les mots ὁ... ποιήσας ἐκ τοῦ μὴ ὄντος εἰς τὸ εἶναι τὰ πάντα par : « qui a tout *fait exister* à partir du néant ». A la réflexion, cette traduction nous paraît affaiblir la portée du passage. En effet, tout d'abord, le texte ne comporte pas simplement ποιήσας ... εἶναι, mais ποιήσας ... εἰς τὸ εἶναι. Ensuite, et

surtout, les expressions du *Pasteur* sont un écho manifeste
de *Sag.* 1, 13-14, où il est dit que « Dieu n'a pas fait la mort
et ne prend pas plaisir à la perte des vivants, car il a créé
toutes choses *pour qu'elles soient* (ἔκτισεν γὰρ εἰς τὸ εἶναι
τὰ πάντα) ». On n'hésitera donc pas à rendre toute sa force
au texte d'Irénée, en traduisant : « ... qui a ... fait de rien
toutes choses *pour qu'elles soient* ».

Ainsi rendue à son authentique signification, cette phrase
revêt une portée considérable dans la polémique anti-
gnostique d'Irénée.

On sait en effet que, pour les gnostiques, notre monde de
matière et de chair, en tant que fruit de déchéance, était
voué à l'anéantissement ; seule la substance pneumatique
— et, dans une certaine mesure, la substance psychique —
pouvaient se promettre une durée sans fin.

A cette conception qui identifiait l'esprit avec le divin
et la matière avec le mal, Irénée oppose le premier article
de la « Règle de vérité », par lequel l'Église exprime sa foi
en un seul Dieu Créateur de toutes choses, D'un côté, donc,
« un seul Dieu » (εἷς ... Θεός) avec son Verbe et son Esprit.
De l'autre, « toutes choses » (τὰ πάντα) sans exception. Tous
les êtres existants, aussi bien les êtres spirituels que notre
monde de matière, Dieu les a faits « de rien » (ἐκ τοῦ μὴ
ὄντος). Et tous ces êtres, aussi bien notre monde de matière
que les êtres spirituels, Dieu les a faits, non pour les laisser
retomber à plus ou moins brève échéance dans leur néant
originel, mais « pour qu'ils soient » (εἰς τὸ εἶναι) au sens le
plus plein du terme, c'est-à-dire définitivement et éternellement.

Car, pour Irénée tout comme pour l'Écriture, les dons
de Dieu sont sans repentance : Dieu ne donne pas pour
reprendre. Ce caractère d'irrévocabilité qui marque tous
les bienfaits de Dieu éclate d'une manière particulière pour
le don fondamental qui appelle tous les autres, celui de
l'existence : *rien de ce que Dieu a créé ne retombera dans le
néant.*

Cela vaut, d'abord, pour tous les esprits créés, y compris
l'âme humaine : Irénée suppose partout l'immortalité
naturelle des esprits créés, et il l'affirme avec toute la clarté
désirable dans plusieurs passages du Livre V (cf. V, 4, 1 ;
V, 7, 1 ; V, 13, 3). Sans doute, en accord avec la foi de
l'Église, reconnaît-il un abîme entre l'éternelle « vie » des
créatures spirituelles qui auront accueilli la communion

divine et l'éternelle « mort » de celles qui l'auront refusée ;
mais pour ce qui est du don fondamental de l'existence,
Irénée sait que Dieu ne le retirera jamais à une seule d'entre
elles (cf. I, 10, 1 ; II, 33, 5 ; IV, 39, 4 ; V, 28, 1, etc.).

Cela vaut également pour notre monde, qui, si humble
que soit la matière dont il est pétri, est destiné à demeurer
sans fin, lui aussi : seule passera la « figure » (σχῆμα) du
monde présent, non le monde comme tel ; notre monde se
dépouillera du mode d'existence précaire qui est présentement le sien, mais ce ne sera que pour revêtir un nouveau
mode d'existence, parfait, définitif et éternel. Dans les
dernières pages du Livre V, là où il évoque — avec une
discrétion exemplaire — l'ultime consommation de toutes
choses, Irénée est on ne peut plus explicite : « Ni la substance
ni la matière de la création ne seront anéanties (οὐ γὰρ ἡ
ὑπόστασις οὐδὲ ἡ οὐσία τῆς κτίσεως ἐξαφανίζεται), car véri-
dique et stable est Celui qui l'a établie, mais (seule) ' la
figure de ce monde-ci passera ' (I Cor. 7, 31)... Lorsque
cette figure-ci aura passé..., ' ce seront le ciel nouveau et la
terre nouvelle ' (Is. 65, 17), en lesquels l'homme nouveau
demeurera, conversant avec Dieu d'une manière toujours
nouvelle » (V, 36, 1. Cf. aussi IV, 3, 1 ; IV, 4, 3...)

Telle est la signification très riche que, à la lumière de
l'ensemble de l'œuvre d'Irénée, nous sommes en droit de
reconnaître aux mots ποιήσας ... εἰς τὸ εἶναι τὰ πάντα.

P. 309, n. 2. — « De ce ' tout ', rien n'est excepté —
soit temporelles en vue d'une ' économie ', soit éternelles »,
ἐκ δὲ τῶν πάντων οὐδὲν ὑφήρηται, ἀλλὰ τὰ πάντα δι' αὐτοῦ ἐποίησεν
ὁ Πατήρ, εἴτε ὁρατὰ εἴτε ἀόρατα, εἴτε αἰσθητὰ εἴτε νοητά, εἴτε
πρόσκαιρα διά τινα οἰκονομίαν εἴτε αἰώνια : restitution basée sur
le latin.

Nulle difficulté en ce qui concerne la restitution du grec
sous-jacent au latin : en particulier, les mots « sempiterna
et aeonia » ne sont, de toute évidence, qu'un doublet
traduisant αἰώνια. Le même binôme πρόσκαιρος - αἰώνιος s'est
déjà rencontré en I, 10, 3 : ... καὶ διὰ τί τὰ μὲν πρόσκαιρα,
τὰ δὲ αἰώνια... εἷς καὶ ὁ αὐτὸς Θεὸς πεποίηκεν, ἀπαγγέλλειν.

Mais quelle est la raison d'être des mots διά τινα οἰκονομίαν ?
Les six adjectifs sont en effet manifestement disposés
deux par deux pour caractériser les deux grandes catégories
d'êtres créés : d'un côté, ceux qui sont « visibles », « sensibles »
et « temporels » ; de l'autre, ceux qui sont « invisibles »,

« intelligibles » et « éternels ». Pourquoi les mots en question, qui rompent la symétrie?

On a vu (cf. note précédente) que, pour Irénée l'existence est un don octroyé par Dieu de façon irrévocable : non seulement les esprits sont naturellement immortels, mais notre monde de matière lui-même, considéré dans sa substance, demeurera à jamais. Reste cependant que notre monde, en son état présent, est constitué d'êtres qui naissent et meurent sans cesse. D'où l'inéluctable question : Pourquoi ces êtres transitoires, au nombre desquels se trouve l'homme lui-même en tant qu'être corporel? Pourquoi notre monde n'a-t-il pas reçu d'emblée sa forme d'existence parfaite et définitive au lieu de la forme d'existence précaire qui est présentement la sienne?

C'est précisément à cette question qu'Irénée entend, dès ce passage du Livre I, apporter un premier élément de réponse. Que Dieu, ayant librement décidé d'appeler des êtres à l'existence, ait créé des êtres spirituels, constitués de telle sorte qu'une durée sans fin soit inscrite dans leur nature même, rien que de normal à cela, et c'est la raison pour laquelle Irénée peut se borner à énoncer la chose comme allant de soi et ne nécessitant aucune justification : « omnia... fecit Pater... inuisibilia... intelligibilia... sempiterna... » Mais que Dieu ait créé également des êtres composés de matière et mortels par nature, cela ne va pas de soi, cela fait problème, et c'est parce qu'il est conscient de ce problème qu'Irénée éprouve le besoin de justifier d'un mot son assertion, quitte à bousculer quelque peu l'élégante symétrie des adjectifs : « omnia ... fecit Pater ... uisibilia... sensibilia ... temporalia PROPTER QVANDAM DISPOSITIO-NEM ... » Si Dieu a fait de l'homme un être mortel par nature et s'il l'a placé dans un monde où tout meurt et se corrompt, ce n'est pas sans une raison digne de sa bonté, de sa sagesse et de sa puissance, mais c'est, dit ici Irénée, EN VUE D'UN MYSTÉRIEUX DESSEIN DE SALUT — car tel est bien le sens du mot οἰκονομία —.

En quoi consiste-t-il, ce dessein de salut? Irénée n'en dit rien encore pour l'instant, mais l'*Aduersus haereses* sera tout entier, d'une certaine manière, l'exposé de ce dessein d'amour de Dieu. On pourrait tenter d'en esquisser comme suit les toutes grandes lignes. Tout part de la prescience divine : c'est parce qu'il savait, d'une science infaillible, que l'homme allait pécher, que Dieu l'a créé naturellement mortel au sein d'un monde où tout meurt. Par là, en effet,

Dieu se ménageait la possibilité de reprendre son œuvre à
nouveaux frais : moyennant la descente de son propre Fils
dans notre mort et grâce à la victoire que celui-ci rempor-
terait sur elle par sa résurrection — ou, si l'on veut,
moyennant la « récapitulation » de notre monde de péché
dans la sainteté du Fils de Dieu —, Dieu ferait finalement
aboutir son œuvre, d'une manière plus magnifique encore,
à l'unique but fixé par Lui dès le principe : la pleine
communion de l'homme à l'éternelle vie de Dieu dans un
monde à jamais à l'abri du vieillissement. Cf. plus particulièrement III, 20, 1-2 ; III, 23, 6-7 ; IV, 3-4 ; IV, 38, 4 ;
V, 36, 1.

Telle est — dans ses toutes grandes lignes, répétons-le —
la manière dont Irénée répondra, et dont il répond déjà de
quelque manière ici même, à la question posée par lui en
I, 10, 3 : « faire connaître pourquoi un seul et même Dieu a
fait certaines choses temporelles et d'autres éternelles ».
Pour plus de détails sur tout cet aspect, non toujours
suffisamment perçu, de la pensée d'Irénée, nous nous
permettons de renvoyer à notre article « L'éternité des
peines de l'enfer et l'immortalité naturelle de l'âme selon
saint Irénée », dans *Nouv. Rev. Théol.* 99 (1977), p. 834-864.

P. 309, n. 3. — « ni par des ' Puissances ' séparées de sa
volonté », οὐδὲ διὰ δυνάμεών τινων κεχωρισμένων αὐτοῦ τῆς
γνώμης : latin. Comparer avec II, 2, 1 : « Qui autem ab
Angelis mundum dicunt fabricatum uel ab alio quodam
mundi Fabricatore praeter *sententiam* eius qui super omnia
Pater est (παρὰ τὴν γνώμην τοῦ ἐπὶ πάντων Πατρός) ...

P. 309, n. 4. — « car Dieu n'a nul besoin de quoi que ce
soit », ἀπροσδεὴς γὰρ τῶν ἁπάντων ὁ Θεός.

A ne considérer que le latin, on pourrait être tenté de
rattacher « omnium » à « Deus » et de traduire : « le Dieu
de toutes choses ». Mais l'expression « Deus omnium » paraît
absente dans l'*Aduersus haereses* (elle se rencontre bien en
II, 10, 4, mais on peut se demander s'il ne faudrait pas
plutôt lire à cet endroit : « ... eius qui est omnium
D <omin >us ». D'autre part, l'expression παντὸς (ἁπάντων,
τῶν ἁπάντων, τῶν ὅλων ...) ἀπροσδεής se rencontre couramment
pour exprimer l'absolue transcendance de Celui « qui n'a nul
besoin de quoi que ce soit ». Cf. *II Macc.*, 14, 35 : Σύ, Κύριε,

τῶν ὅλων ἀπροσδεὴς ὑπάρχων … ; *III Macc.*, 2, 9 : … σοι τῷ
τῶν ἁπάντων ἀπροσδεεῖ … ; Fl. Josèphe, *Ant. Jud.*, VIII, 4, 3 :
ἀπροσδεὲς γὰρ τὸ θεῖον ἁπάντων ; *I Clém.* 52, 1 : ἀπροσδεὴς … ὁ
Δεσπότης ὑπάρχει τῶν ἁπάντων ; Athénagore, *Rés.* 12 : παντὸς
γάρ ἐστιν ἀπροσδεής ; Origène, *Contre Celse*, VIII, 62 : τῷ
ἀπροσδεεῖ γε παντὸς οὐτινοσοῦν … C'est cette expression
même, semble-t-il, qu'Irénée utilise dans le présent passage,
et l'on comprendra « nihil … indiget omnium » comme la
traduction de ἀπροσδεὴς (sous-entendu ἐστιν) … τῶν ἁπάντων.
La même expression se retrouvera en II, 2, 4.

P. 315, n. 1. — « C'est ainsi qu'il fut glorifié — dont
l'appelaient les hommes ».

En complétant les unes par les autres les indications
d'Hippolyte (*Elenchos* VI, 19. *GCS* 26, p. 147, 5-8), de
Théodoret (*Haer. fab.* I, 1. *PG* 83, 344 D) et du latin, on peut
reconstituer comme suit le texte de cette phrase : Οὗτος
οὖν ὑπὸ πολλῶν ὡς Θεὸς **ἐδοξάσθη** καὶ **ἐδίδαξεν ἑαυτὸν εἶναι τὸν ἐν**
μὲν Ἰουδαίοις ὡς Υἱὸν φανέντα, ἐν δὲ τῇ Σαμαρείᾳ ὡς Πατέρα
κατεληλυθότα, ἐν δὲ τοῖς λοιποῖς ἔθνεσιν ὡς Πνεῦμα ἅγιον
ἐπιφοιτήσαντα · εἶναι δὲ αὐτὸν τὴν πανυπερτάτην **δύναμιν,** τουτέστι
τὸν **ὑπὲρ πάντα** Πατέρα, καὶ **ὑπομένειν αὐτὸν καλεῖσθαι** ὁ
ἂν καλῶσιν **οἱ ἄνθρωποι.** Les mots en caractères gras sont
attestés plus ou moins directement par les deux témoins
grecs.

P. 315, n. 2. — « Simon de Samarie, de qui dérivèrent
toutes les hérésies, édifia sa secte sur le système que voici »,
Σίμων δὲ ὁ Σαμαρίτης, ἐξ οὗ πᾶσαι αἱ αἱρέσεις συνέστησαν, ἔσχε
τὴν τοιαύτην τῆς αἱρέσεως ὑπόθεσιν : restitution conjecturale.

P. 315, n. 3. — « Ayant acheté à Tyr — et les Archanges ».
Les données complémentaires d'Hippolyte (*Elenchos*, VI, 19.
GCS 26, p. 146, 3-6), de Théodoret (*Haer. fab.*, I, 1. *PG* 83,
344 D) et du latin permettent la reconstitution suivante :
Οὗτος Ἑλένην τινὰ **ἐν Τύρῳ τῆς Φοινίκης πόλει** πόρνην **λυτρω-**
σάμενος ἅμα ἑαυτῷ περιῆγε, **φάσκων** ταύτην **εἶναι τὴν πρώτην**
αὐτοῦ Ἔννοιαν καὶ Μητέρα τῶν ὅλων, δι' ἧς ἐν ἀρχῇ ἐνενοήθη
καὶ τοὺς Ἀγγέλους ποιῆσαι **καὶ τοὺς Ἀρχαγγέλους.**
Le latin « mentis … Conceptionem » traduit certainement
Ἔννοιαν, tout comme « mente concepit » traduit ἐνενοήθη. Le

mot Ἔννοια est attesté par Eusèbe (*Hist. eccl.*, II, 13, 4),
Épiphane (*Panarion*, haer. 21, 2) et Théodoret (cf. *supra*).
Hippolyte y a substitué le terme Ἐπίνοια, parce que c'est ce
mot qu'il a trouvé dans l'extrait de l'« Apophasis » reproduit
par lui dans *Elenchos* VI, 18.

P. 317, n. 1. — « et à être comme transvasée… dans
différents corps de femme », καὶ … μεταγγίζεσθαι εἰς ἕτερα
γυναικεῖα σώματα. Sur ce verbe, cf. Épiphane, *Panarion*,
haer. 21, 2 (*GCS* 25, p. 241, 6) : … μεταγγιζομένης αὐτῆς
(= Hélène) … εἰς σώματα διάφορα …

P. 317, n. 2. — « Elle fut, entre autres, en cette Hélène
qui causa la guerre de Troie », Γεγονέναι δὲ αὐτὴν **καὶ ἐν**
ἐκείνῃ τῇ Ἑλένῃ, δι' ἣν ὁ Τρωϊκὸς ἐγένετο πόλεμος :
restitution basée sur les données complémentaires du latin
et de Théodoret (*Haer. fab.*, I, 1. *PG* 83, 345 A).

P. 317, n. 3. — « Tout en passant ainsi de corps en corps
— la 'brebis perdue' », **Μετενσωματουμένην** δὲ αὐτὴν ἑξῆς καὶ
ἀεὶ ὑβριζομένην, **ὕστερον καὶ ἐπὶ τέγους στῆναι, καὶ τοῦτο εἶναι**
τὸ ἀπολωλὸς πρόβατον : restitution basée sur les données
complémentaires du latin et d'Hippolyte (*Elenchos* VI, 19.
GCS 26, p. 146, 1-4 et 6-7).

P. 317, n. 4. — « C'est pourquoi il vint en personne, afin
de la recouvrer la première et de la délivrer de ses liens »,
Διὸ καὶ αὐτὸν **παραγεγονέναι ὅπως** αὐτὴν ἀναλάβῃ **πρώτην καὶ**
ῥύσηται αὐτὴν τῶν δεσμῶν : restitution basée sur les
données complémentaires du latin et d'Hippolyte (*Elenchos*,
VI, 19. *GCS* 26, p. 146, 4-5).

P. 319, n. 1. — « ce qui sauvait les hommes — des Auteurs
du monde », **κατὰ γὰρ τὴν αὐτοῦ χάριν σώζεσθαι** τοὺς ἀνθρώπους, ἀλλὰ μὴ κατὰ πράξεις δικαίας. Μηδὲ **γὰρ εἶναι φύσει** πράξεις
δικαίας, **ἀλλὰ θέσει**, καθὼς **ἔθεντο** οἱ κοσμοποιοὶ **Ἄγγελοι, διὰ**
τῶν τοιούτων λογίων δουλαγωγήσαντες τοὺς ἀνθρώπους. Διὸ
καὶ λυθῆναι **τὸν κόσμον** καὶ ἐλευθερωθῆναι τοὺς ἰδίους τῆς
τῶν Κοσμοποιῶν ἀρχῆς ἐπηγγείλατο. Restitution basée sur les
données complémentaires du latin et d'Hippolyte (*Elenchos*,
VI, 19. *GCS* 26, p. 147, 12-17). Sur le binôme φύσει - θέσει,
cf. Lampe, *s. v.* θέσις.

P. 319, n. 2. — « Leurs mystagogues vivent — et ils les adorent », Οἱ οὖν τούτων μυσταγωγοὶ ἀσελγῶς μὲν βιοῦσι, **μαγείας δὲ ἐπιτελοῦσι,** καθὼς δύναται εἷς ἕκαστος αὐτῶν. Ἐξορκισμοῖς καὶ ἐπαοιδαῖς χρῶνται, φίλτρα τε καὶ ἀγώγιμα καὶ τοὺς λεγομένους παρέδρους καὶ ὀνειροπόμπους καὶ εἴ τινα ἄλλα περίεργα παρ' αὐτοῖς ἀσκοῦσιν. Εἰκόνα τε τοῦ Σίμωνος ἔχουσι κατεσκευασμένην εἰς Διὸς μορφὴν καὶ τῆς Ἑλένης ἐν μορφῇ Ἀθηνᾶς, καὶ ταύτας προσκυνοῦσιν. Restitution basée sur les données du latin et d'Hippolyte (*Elenchos*, VI, 20. *GCS* 26, p. 148, 1-5).

P. 321, n. 1. — « de Simon, l'initiateur de leur doctrine impie », ἀπὸ τοῦ ἀρχηγοῦ τῆς ἀσεβοῦς γνώμης Σίμωνος. Cf. Eusèbe, *Hist. eccl.*, II, 13, 6 (*SC* 31, p. 68) : « Nous avons appris (dans le premier des livres d'Irénée *Contre les Hérésies*) que Simon fut le premier initiateur de toute hérésie (πάσης ... ἀρχηγὸν αἱρέσεως) ... »

P. 321, n. 2. — « et, c'est d'eux que tire son origine la ' gnose ' au nom menteur » ἀφ' ὧν ἡ ψευδώνυμος γνῶσις ἔλαβε τὰς ἀρχάς. L'expression ἡ ψευδώνυμος γνῶσις désigne ici les « Gnostiques » au sens strict dont Irénée a déjà dit, en I, 11, 1, que c'est à eux que Valentin a emprunté les lignes maîtresses de son système, et dont il reparlera longuement en I, 29-30. C'est ce qui ressort de la comparaison de la présente phrase avec les premières lignes du chap. 29 :

I, 23, 4	I, 29, 1
... *Simoniani*,	... ex his qui praedicti sunt *Simoniani*
a quibus *falsi nominis scientia* accepit initia...	multitudo *Gnosticorum* [ ] exsurrexit...

P. 321, n. 3. — « Prenant comme point de départ — inconnu de tous », Ἀπὸ τούτων Σατορνῖνος ὁ ἀπὸ Ἀντιοχείας τῆς πρὸς Δάφνην καὶ Βασιλίδης ἀφορμὰς λαβόντες διάφορα διδασκαλεῖα ἔδειξαν, ὁ μὲν ἐν Συρίᾳ, ὁ δὲ ἐν Ἀλεξανδρείᾳ. Σατορνῖνος μὲν ὁμοίως τῷ Μενάνδρῳ ἕνα Πατέρα ἄγνωστον τοῖς πᾶσιν ὑπέθετο ... Restitution basée sur les indications complémentaires du latin, d'Épiphane (*Panarion*, haer. 23, 1. *GCS* 25, p. 247, 15 - 248, 3), d'Hippolyte (*Elenchos*, VII, 28.

GCS 26, p. 208, 8-11) et d'Eusèbe (*Hist. eccl.*, IV, 7, 3. *SC* 31, p. 167).

On pourrait hésiter sur l'interprétation des mots ἀπὸ τούτων, par lesquels s'ouvre le paragraphe. A ne considérer que la pure logique grammaticale, on serait tenté d'y voir les hommes dont il a été question dans la dernière phrase de I, 23, 5, c'est-à-dire les disciples de Ménandre. Mais il semble plus conforme au vrai mouvement de la pensée de voir sous cette désignation les deux hommes qui ont fait l'objet de tout le chap. 23, c'est-à-dire Simon et Ménandre.

P. 323, n. 1. — « le mit debout », καὶ ἀνώρθωσε : restitution hypothétique. Le texte d'Hippolyte comporte seulement ὃς διήγειρε τὸν ἄνθρωπον καὶ ζῆν ἐποίησε, mais la chute des mots καὶ ἀνώρθωσε s'explique le plus naturellement par un saut du même au même — à moins qu'Hippolyte n'ait estimé que ἀνώρθωσε faisait double emploi avec διήγειρε et ne l'ait délibérément omis —. D'autre part, le latin « articulauit » n'est guère satisfaisant : on voit mal comment une « étincelle de vie » purement spirituelle aurait pu « pourvoir d'articulations » un corps. La leçon « articulauit » s'expliquerait au mieux, semble-t-il, si l'on admettait que le traducteur ait sous les yeux un manuscrit en lequel la forme primitive ἀνώρθωσε se serait corrompue en ἤρθρωσε ou διήρθρωσε.

Cette conjecture reçoit un appui remarquable d'auteurs qui ont eu, directement ou indirectement, connaissance du texte d'Irénée :

a) Épiphane, *Panarion*, haer. 23, 1 (*GCS* 25, p. 249, 6-12) : « Ayant fait l'homme, les Anges, dit (Saturnin), étaient incapables, à cause de leur faiblesse, de le mener à terme, mais il demeurait étendu et se tortillait, gisant à terre et rampant à la façon d'un ver, et il ne pouvait ni se tenir debout (ἀνορθοῦσθαι) ni rien faire d'autre, jusqu'à ce que la Puissance d'en haut, l'ayant aperçu et l'ayant pris en pitié à cause de son image à elle et de sa forme, eût, par compassion, envoyé une étincelle de sa puissance et eût, par elle, mis l'homme debout (ἀνώρθωσε τὸν ἄνθρωπον) et l'eût ainsi rendu vivant... »

b) Tertullien, *De anima*, 23, 1 (*CCL* 2, p. 815, 3-10) : «... ut Saturninus Menandri Simoniani discipulus induxit, hominem affirmans ab Angelis factum primoque opus

futtile et inualidum et instabile in terra uermis instar
palpitasse, quod consistendi uires deessent, dehinc ex
misericordia Summae Potestatis, ad cuius effigiem, nec
tamen plene perspectam, temere structus fuisset scintillulam
uitae consecutum, quae illud exsuscitarit *et erexerit* et
constantius animarit et post decessum uitae ad matricem
relatura sit ».

c) Filastre de Brescia, *Diuersarum hereseon liber*, 31, 1-4
(*CSEL* 38, p. 16, 1-15) : « Post istum Saturnilus quidam ...
adserebat dicens mundum ab Angelis factum ... et cogitasse
eos ut facerent hominem... Et facto homine, quia impotens
erat, saluari (?) non potuit. Videns itaque Virtus superna
quod illi hoc fecerunt, misit scintillam, quae *correxit* hominem
et suscitauit et fecit eum uiuere ».

Comme on le voit, Hippolyte atteste la présence de la
forme διήγειρε, et Épiphane, celle de la forme ἀνώρθωσε. De
leur côté, Tertullien et Filastre — de même que la version
latine d'Irénée, à sa manière — supposent la présence de
l'un et l'autre de ces deux verbes.

P. 325, n. 1. — « Parce que le Père voulait détruire tous
les Archontes », Καὶ διὰ τὸ βούλεσθαι τὸν Πατέρα καταλῦσαι
πάντας τοὺς Ἄρχοντας : grec. Mis à part le mot « eius »
déterminant « Patrem » (= le Père du Sauveur, ou du
Christ), le latin suppose exactement le texte grec ci-dessus.
Mais — pour autant, du moins, que le texte latin des
manuscrits soit bien celui qu'a écrit le traducteur — il
semble que ce dernier ait fait un contresens en prenant
Πατέρα pour le complément direct de καταλῦσαι et Ἄρχοντας
pour le sujet de celui-ci : une oreille grecque comprendra
spontanément τὸν Πατέρα comme le sujet de l'infinitif
βούλεσθαι qu'il suit immédiatement. Ainsi l'a compris
Théodoret, qui écrit dans la notice qu'il consacre à Saturnin
et dans laquelle il résume Irénée : « ... il dit que le Père du
Christ, voulant détruire, avec les autres Anges, également
le Dieu des Juifs, envoya le Christ dans le monde pour le
salut des hommes qui espéreraient en lui » (*Haer. fab.* I, 3.
PG 83, 348 B).

P. 325, n. 2. — « En effet, dit-il, deux races d'hommes
ont été modelées par les Anges », Δύο γὰρ γένη τῶν ἀνθρώπων ὑπὸ τῶν Ἀγγέλων πεπλάσθαι ἔφη : grec. Nous suivons

le texte d'Hippolyte. Le latin y correspond mot pour mot,
sauf qu'il ajoute les mots « hic primus ». Le sens devient
alors : « Ce (Saturnin) est le premier à avoir dit que deux
races d'hommes... » Sans doute les mots « hic primus » ne
sont-ils qu'une glose marginale introduite indûment dans le
texte.

P. 327, n. 1. — « voyant la perversité des Archontes »,
ἰδόντα τὴν διαστροφὴν αὐτῶν : restitution conjecturale. Le latin
« uidentem perditionem ipsorum » est énigmatique. Traduire :
« voyant les (Juifs) perdus » ne satisfait pas : le Père
inengendré n'a pas pour intention de défendre le Dieu des
Juifs contre les autres Archontes, mais de libérer du joug
de tous les Archontes, Dieu des Juifs compris, les hommes
qui croiront en lui. On comprendra donc le mot « perditionem » au sens moral (= « perversité », « dépravation »,
« corruption »...), et l'on traduira : « voyant la corruption
des (Archontes) », c'est-à-dire la domination tyrannique
qu'ils faisaient peser sur les hommes.

P. 329, n. 1. — « On doit mépriser... », Ἀθετεῖν δὲ χρῆναι ... :
restitution conjecturale. Il semble qu'un verbe soit tombé
dans le latin. On attendrait, par exemple : « Contemnere
autem <oportere> et idolothyta... » Cf. Théodoret : Τῶν
δὲ εἰδωλοθύτων ἀδεῶς μεταλαμβάνειν προσέταξε καὶ τὰς ἀπειρη-
μένας πράξεις ἀδιακρίτως ἐπιτελεῖν (*Haer. fab.*, I, 4. *PG* 83,
349 B).

P. 331, n. 1. — « De même, ils disent que le nom sous
lequel est descendu et remonté le Sauveur est Caulacau ».
Traduction quelque peu tâtonnante. Le texte des manuscrits
latins est manifestement inacceptable (cf. apparat critique),
mais toute correction ne peut être que conjecturale. De
toute façon, une chose du moins semble assurée : le nom de
« Caulacau » ne peut être celui du monde, comme Grabe l'a
cru, mais seulement celui du « Sauveur » descendu des
suprêmes hauteurs jusqu'à notre monde à travers les
365 cieux et remonté ensuite par le même chemin. C'est ce
qui résulte de la première phrase du paragraphe suivant,
où il est dit que celui qui connaîtra le nom de tous les
Anges occupant les 365 cieux leur deviendra invisible et
insaisissable, « comme le fut aussi Caulacau » lors de sa

descente et de sa remontée : il ne peut évidemment s'agir
que du Sauveur. Cela est confirmé par Théodoret qui,
résumant notre passage, écrit : Τὸν δὲ Σωτῆρα καὶ Κύριον
Καυλακαύαν ὀνομάζουσι (*Haer. fab.*, I, 4. *PG* 83, 349 C). Sur
la signification de ce nom, qui provient de *Is.* 28, 10
(hébreu), voir les notes des Éditeurs.

P. 331, n. 2. — «'Pour toi', disent-ils, 'connais-les
tous, mais qu'aucun ne te connaisse'», Σὺ γάρ, φασίν, **πάντας
γίνωσκε, σὲ δὲ μηδεὶς γινωσκέτω** : phrase intégralement
conservée dans Épiphane, *Panarion*, haer. 24, 5 (*GCS* 25,
p. 262, 18-19).

P. 331, n. 3. — «pour le Nom», ὑπὲρ τοῦ Ὀνόματος. Sur
le «Nom» comme titre du Fils de Dieu, cf. J. Daniélou,
Théologie du Judéo-Christianisme, Paris, 1958, p. 199-216.

P. 333, n. 1. — «il fut supérieur à tous», διαφορώτερον τῶν
λοιπῶν γενέσθαι : latin. Le latin «distasse a reliquis»
suppose en effet le grec διαφορώτερον τῶν λοιπῶν γενέσθαι,
comme il résulte de l'équivalence «distantes amplius quam
illius discipuli» = διαφορωτέρους τῶν ἐκείνου μαθητῶν que
l'on rencontre dans le paragraphe suivant. La leçon διαφορώτερον cadre parfaitement avec la suite de la phrase autant
qu'avec tout l'ensemble du contexte. Au contraire, la leçon
δικαιότερον, qui figure dans Hippolyte, s'accorde mal avec
le mépris de la Loi juive dont le «Jésus» des Carpocratiens
va faire montre quelques lignes plus loin. La leçon διαφορώτερον trouve une certaine confirmation dans Épiphane :
Εἶναι δὲ αὐτὸν (= τὸν Ἰησοῦν) ὅμοιον τοῖς πᾶσι, βίῳ δὲ διενηνοχέναι (*Panarion*, haer. 27, 2. *GCS* 25, p. 301, 12-13).

P. 333, n. 2. — «dans la sphère du Père inengendré»,
ἐν τῇ τοῦ ἀγεννήτου Θεοῦ περιφορᾷ. On lit dans Hippolyte :
ἐν τῇ μετὰ τοῦ ἀγεν⟨ν⟩ήτου Θεοῦ περιφορᾷ (*Elenchos*, VII,
32. *GCS* 26, p. 218, 5-6). Mais on lit dans le passage correspondant d'Épiphane : ἐν τῇ περιφορᾷ τοῦ ἀγνώστου
(mauvaise lecture pour ἀγεννήτου ?) Πατρός (*Panarion*,
haer. 27, 2. *GCS* 25, p. 301, 15-16). Cette leçon d'Épiphane
semble plus plausible. En son sens premier, περιφορά signifie
«mouvement circulaire», «révolution» (des sphères célestes).

Par métonymie, ce mot peut désigner la sphère elle-même qui a ce mouvement circulaire. Sans doute s'agit-il ici de la sphère céleste la plus élevée, dans laquelle Dieu trône et de laquelle les âmes sont censées tirer leur origine.

P. 333, n. 3. — « ayant traversé tous leurs domaines », διὰ πάντων χωρήσασαν : grec et latin. Ces mots ne posent pas de problème textuel, mais leur interprétation peut faire difficulté. Faut-il voir dans la forme πάντων un masculin ou un neutre ?

1. Avec raison, semble-t-il, le latin a mis πάντων en rapport avec τοὺς κοσμοποιούς qui précède immédiatement : échapper aux Anges qui régissent les sept cieux, qu'est-ce que cela peut être, pour l'âme qui remonte vers le Dieu supra-céleste, sinon traverser sans encombre leurs domaines respectifs (littéralement : « s'avancer à travers eux tous ») ? C'est cette interprétation toute simple que suggère le contexte immédiat.

2. Cependant on peut être tenté de mettre en rapport la « libération » (ἐλευθερωθεῖσαν) dont il est question dans cette même phrase avec celle dont Irénée parlera dans la suite de ce chapitre, au paragraphe 4, notamment par ces mots : « et cum nihil defuerit ei, tum *liberatam* (ἐλευθε-ρωθεῖσαν) eius animam eliberari (ἀπαλλαγῆναι) ad illum Deum qui est supra Angelos mundi fabricatores... » Il s'agit alors de la « libération » que les Carpocratiens prétendent conquérir à l'égard des Anges démiurges par le rejet délibéré de toutes les lois établies par ceux-ci et par la pratique de toutes les turpitudes possibles. On comprendra alors les mots διὰ πάντων χωρήσασαν de la façon suivante : « s'étant avancée à travers tous (les comportements possibles) ». Ainsi l'a compris Épiphane dans son *Panarion*, haer. 27, 2 (*GCS* 25, p. 302, 6-7) : Ἵνα διὰ πασῶν τῶν πράξεων χωρήσασα καὶ ἐλευθερωθεῖσα διέλθοι πρὸς αὐτόν (= τὸν Πατέρα) ἄνω.

P. 335, n. 1. — « L'âme de Jésus — les a méprisées », Τὴν δὲ τοῦ Ἰησοῦ λέγουσι ψυχὴν ἐν τοῖς τῶν Ἰουδαίων ἔθεσιν ἀνατραφεῖσαν καταφρονῆσαι αὐτῶν : restitution basée sur les données complémentaires d'Hippolyte, d'Épiphane et du latin. Tandis qu'Hippolyte a : ἐννόμως ἠσκημένην ἐν Ἰουδαϊκοῖς ἔθεσι, Épiphane (p. 302, 12) a les mots ἐν τοῖς τῶν Ἰουδαίων ἔθεσιν ἀνατραφεῖσαν. Cette leçon d'Épiphane

correspond mot pour mot au latin « in Iudaeorum consue-
tudine nutritam », à la seule réserve du singulier « consue-
tudine » au lieu du pluriel « consuetudinibus ». On aura noté
que, pour traduire correctement le grec, le latin aurait dû
comporter : « ... in Iudaeorum *consuetudinibus* nutritam
contempsisse *eas* ». Contresens du traducteur, ou accident
de transmission?

P. 335, n. 2. — « Aussi en sont-ils venus à un tel degré
d'orgueil », Διὸ καὶ εἰς τοσοῦτον τῦφον ἐληλάκασιν. Il semble
que tel soit le texte qu'a eu sous les yeux le traducteur
latin. On lit dans Hippolyte (*Elenchos*, VII, 32. *GCS* 26,
p. 218, 15) : Διὸ καὶ εἰς τοῦτο τὸ τῦφος κατεληλύθασιν. Ne
serait-ce que parce que τῦφος est un substantif masculin, on
est conduit à voir dans les mots τοῦτο τὸ τῦφος une banale
corruption de τοσοῦτον τῦφον, parfaitement traduit en latin
par « tantum elationis ». Quant au verbe κατεληλύθασιν
(= « ils sont descendus »), il est en situation, certes, mais il
ne paraît pas pouvoir correspondre au latin « prouecti sunt » :
ce dernier verbe paraît plutôt traduire ἐληλάκασιν, dont on
retrouve l'équivalent dans le passage parallèle d'Épiphane :
Ὅθεν εἰς τῦφον μέγαν οὗτοι ἐληλακότες ... ἑαυτοὺς προ-
κριτέους ἡγοῦνται καὶ αὐτοῦ τοῦ Ἰησοῦ (*Panarion*, haer.
27, 2. *GCS* 25, p. 302, 19 - 303, 2).

La restitution proposée est confirmée par le fragment
arménien : ի յայսպիսի սնբարձրացատեդիթիւն traduit mot pour mot
εἰς τοσοῦτον τῦφον ; quant au doublet էկեալ համբ, s'il n'exclut
pas absolument κατεληλύθασιν (= « ils sont descendus »),
il correspond mieux à ἐληλάκασιν (= « ils sont parvenus »,
« ils en sont venus »).

P. 335, n. 3. — « que certains d'entre eux se disent égaux
à Jésus », ὥστε τοὺς μὲν ὁμοίους ἑαυτοὺς εἶναι λέγειν τῷ Ἰησοῦ :
latin. Le texte d'Hippolyte est manifestement endommagé
(cf. apparat du texte grec), mais il se rectifie sans peine
grâce au latin. En particulier, la restitution τοὺς μὲν ὁμοίους
est exigée par le parallélisme avec les mots τοὺς δὲ ...
δυνατωτέρους qui viennent ensuite. L'arménien confirme, à
sa manière, la restitution proposée. En effet, les mots սրս զի
զնմանսն զոլ աւեն զիւրեանս յիսուսի, traduits en latin, donne-
raient : « ut (eos qui sunt) similes esse dicant seipsos Iesu ».
Cela n'offre assurément pas grand sens, mais, si l'on tente

de retrouver le grec sous-jacent aux mots arméniens, on
obtient : ὥστε τοὺς <μὲν> ὁμοίους εἶναι λέγειν ἑαυτοὺς τῷ Ἰησοῦ.
On voit ce qui s'est passé : traduisant mot à mot et de façon
généralement très mécanique, le traducteur arménien a pris
τοὺς μὲν ὁμοίους pour un tout ; il a vu dans ὁμοίους un adjectif
employé substantivement et dans τούς un article s'y
rapportant, et il a compris : « les semblables », « ceux qui
sont semblables » ; quant à la particule μέν, il l'a négligée
selon son habitude — on sait, en effet, que ce mot n'est
pratiquement jamais traduit dans la version arménienne
de l'*Aduersus haereses*, si bien qu'il n'y a aucune raison de
supposer que le traducteur arménien ne l'ait pas lue dans
le présent passage —.

P. 335, n. 4. — « encore plus forts que lui », καὶ ἔτι
δυνατωτέρους : grec. Le latin a : « adhuc et secundum aliquid
illo fortiores ». Pour se conformer au latin, Wendland a cru
devoir restituer le texte d'Hippolyte comme suit : τοὺς δὲ καὶ
ἔτι ⟨κατά τι⟩ δυνατωτέρους (*Elenchos*, VII, 32. GCS 26,
p. 219, 1-2). Mais les mots κατά τι semblent bien être le
résultat d'une dittographie. Sans doute figuraient-ils dans
le manuscrit que le traducteur latin a eu sous les yeux, tout
comme ils paraissent avoir été lus également par le traducteur
arménien. Cependant nous hésitons à les mettre sur le
compte d'Irénée lui-même, et nous donnons la préférence à
la leçon d'Hippolyte.

P. 335, n. 5. — « et que d'autres », τινὰς δέ : grec. La
leçon « qui sunt », qui se lit dans les manuscrits latins, n'est
sans doute que la corruption de « quidam autem et » ou
d'une locution équivalente.

P. 335, n. 6. — « de la même sphère », ἐκ τῆς αὐτῆς
περιφορᾶς. Ces mots figurent dans le passage parallèle
d'Épiphane (*Panarion*, haer. 27, 2. GCS 25, p. 303, 7), et
sont confirmés par le latin « ex eadem circumlatione »,
autant que par l'arménien ի նոյն ի նմէ շրջանակէ. Hippolyte a
délibérément modifié l'expression et écrit : ἐκ τῆς ὑπερ-
κειμένης ἐξουσίας (= « de la Puissance qui est au-dessus
de tout »).

P. 337, n. 1. — « les choses d'ici-bas », τῶν ἐνταῦθα :
grec. Le traducteur latin a considéré le mot τῶν comme un
neutre et a traduit : « *ea quae* sunt hic ». Grammaticalement
parlant, ce pourrait être aussi un masculin, et c'est ainsi
que le comprend A. Siouville, qui traduit : « ... les (Archontes)
de ce monde » (Hippolyte de Rome, *Philosophumena uo
Réfutation de toutes les hérésies*, t. II, Paris, 1928, p. 140).
Cette dernière traduction semble quelque peu forcée.
L'expression τὰ ἐνταῦθα paraît devoir être rapprochée
plutôt du passage du paragraphe précédent où il est dit que
« l'âme de Jésus, éduquée dans les coutumes des Juifs
(ἐν τοῖς τῶν Ἰουδαίων ἔθεσιν), les a méprisées » : les « choses
d'ici-bas » sont alors les lois et réglementations établies par
les Anges démiurges et plus particulièrement par le premier
d'entre eux, le Dieu des Juifs.

P. 337, n. 2. — « vers les païens », πρὸς τὰ ἔθνη : grec. Le
traducteur latin a lu ὡς (ou ὡς καί) au lieu de πρός. La
leçon du grec est seule en situation : Satan n'est nulle part
représenté par Irénée comme envoyant les païens, mais il
envoie les hérétiques au milieu des païens, afin que ceux-ci,
faute de les distinguer des chrétiens authentiques, en
viennent à envelopper pêle-mêle dans le même mépris tout
ce qui offre une apparence chrétienne. Cf. Épiphane,
Panarion, haer. 27, 3 (*GCS* 25, p. 304, 2-8).

P. 339, n. 1. — « qui vivent dans la débauche et professent
des doctrines impies ». On est contraint de supposer que
quelque chose est tombé dans le latin. Nous proposons de
lire : « Sed uitam quidem luxoriosam, sententiam autem
impiam <habentes>... »

P. 341, n. 1. — « Quant à la parole — en ce monde »,
Καὶ τὸ « οὐ μὴ ἐξέλθῃς ἐκεῖθεν ἕως ἂν ἀποδῷς τὸν ἔσχατον κοδράντην »
ἐξηγοῦνται ὡς μὴ ἐξερχομένου τινὸς ἐκ τῆς ἐξουσίας τῶν κοσμοποιῶν
Ἀγγέλων, ἀλλὰ μετενσωματουμένου ἀεί, ἕως ἂν ἐν πάσῃ ὅλως πράξει
τῇ ἐν τῷ κόσμῳ γένηται : restitution conjecturale fondée sur le
latin. On trouve un écho du dernier membre de phrase dans
ces mots d'Hippolyte : Εἰς τοσοῦτον δὲ μετενσωματοῦσθαι
φάσκουσι τὰς ψυχάς, ὅσον πάντα τὰ ἁμαρτήματα πληρώσωσιν
(*Elenchos*, VII, 32. *GCS* 26, p. 220, 2-3).

P. 343, n. 1. — « tantôt bon, tantôt mauvais », πῇ μὲν
ἀγαθά, πῇ δὲ κακά : grec. Au lieu de πῇ μὲν..., πῇ δὲ..., le
traducteur latin paraît avoir lu τὰ μὲν..., τὰ δὲ... Le sens
est pratiquement identique.

P. 345, n. 1. — « et il l'a emporté sur tous par la justice,
la prudence et la sagesse », καὶ διενηνοχέναι δικαιοσύνῃ
καὶ σωφροσύνῃ καὶ συνέσει ὑπὲρ πάντας : grec.
Cette phrase soulève plusieurs problèmes du fait des
divergences entre témoins.

1. La restitution de διενηνοχέναι semble certaine. Cette
forme se lit dans Hippolyte, *Elenchos*, X, 21 (*GCS* 26,
p. 281, 9-10). Elle s'accorde pleinement avec le latin « plus
potuisse » et avec le doublet arménien *ʃnuſhↄↄʃↄↄ l <q>ſuↄↄⁿↄↄ.
A ce propos, nous voudrions faire une rectification. En
V, 22, 1, on lit : « Neque enim a minori neque ab aequali
fortis uinci potest, sed ab eo qui *plus potest*. *Plus* autem
potest super omnia Verbum Dei... » Nous modifierions notre
rétroversion comme suit : Οὔτ' ἂν γὰρ ὑπὸ τοῦ ἥττονος οὔτε
ὑπὸ τοῦ ἴσου ὁ ἰσχυρὸς νικηθείη, ἀλλ' ὑπὸ τοῦ διαφέροντος. Δια-
φέρει δὲ τῶν ἁπάντων ὁ Λόγος τοῦ Θεοῦ ... Et nous traduirions : « Car un homme fort ne peut être supplanté ni par
un plus faible, ni par un égal ; il ne peut l'être que par
quelqu'un *qui l'emporte sur* lui. Or, à *l'emporter sur* tous, il
n'y a que le Verbe de Dieu... »

2. La restitution de δικαιοσύνῃ ne fait pas difficulté, non
plus que celle de σωφροσύνῃ. Mais il est permis d'hésiter
sur celle de συνέσει : c'est ce vocable qui se lit sous la plume
d'Hippolyte dans *Elenchos*, X, 21 (*GCS* 26, p. 281, 10),
mais le latin et l'arménien s'accommoderaient tout autant,
sinon plus, de la restitution σοφίᾳ, et on lit le mot σοφώτερον
dans *Elenchos* VII, 33 (*GCS* 26, p. 221, 1-2). La différence
de sens n'est, il est vrai, guère appréciable.

3. En ce qui concerne ὑπὲρ πάντας, la chose est moins
claire. Le latin est divergent : « ab omnibus » (C AQSε)
— « ab hominibus » (V). L'arménien *ſuↄↄ ſↄↄↄↄ coïncide
avec la leçon de V, mais le grec ὑπὲρ πάντας τοὺς λοιπούς
(*Elenchos*, X, 21. *GCS* 26, p. 281, 10-11) semblerait donner
raison aux autres manuscrits latins. Nous optons, en fin de
compte, pour la restitution ὑπὲρ πάντας (= « ab omnibus »),
qui paraît plus naturelle.

P. 347, n. 1. — « il s'est de nouveau envolé », πάλιν ἀποπτῆναι : latin et arménien. Le mot πάλιν ne figure dans aucune des deux notices d'Hippolyte. Cependant, le fait qu'il soit attesté à la fois par le latin et l'arménien ne laisse pas de doute sur son appartenance au texte irénéen primitif. Une confirmation est fournie par un texte parallèle en III, 11, 1 : « ... alterum uero de superioribus Christum, quem et impassibilem perseuerasse, descendentem in Iesum filium Fabricatoris, et *iterum* reuolasse (καὶ π ά λ ι ν ἀποπτῆναι) in suum Pleroma ».

P. 347, n. 2. — « par le vrai Dieu », ὑπὸ τοῦ ὄντως Θεοῦ : grec. Le latin a simplement : « a Deo », « par Dieu ».

P. 347, n. 3. — « les mêmes opinions », ὁμοίως : grec. On sait que, pour les Ébionites, Jésus n'était qu'un homme ordinaire, né du mariage de Marie et de Joseph. On lira donc ὁμοίως avec le grec, et on considérera la leçon « non similiter » du latin comme ne pouvant refléter le texte irénéen.

P. 349, n. 1. — « qui furent constitués », χειροτονηθέντων. Cf. *II Cor.* 8, 19 : χειροτονηθεὶς ὑπὸ τῶν ἐκκλησιῶν συνέκδημος ἡμῶν, que la vulgate a traduit par : « *ordinatus est* ab ecclesiis comes peregrinationis nostrae ». Sur la signification de ce verbe, cf. Lampe.

P. 349, n. 2. — « la fornication », ἐν τῷ πορνεύειν : conjecture. Le latin « in moechando » est plutôt inattendu : d'après *Apoc.* 2, 14-15, auquel Irénée semble se rapporter, c'est de fornication (... καὶ πορνεῦσαι) qu'il s'agit. Sans doute le traducteur latin a-t-il eu sous les yeux un texte dans lequel πορνεύειν s'était corrompu en μοιχεύειν. Cf. Hippolyte, *Elenchos*, VII, 36 (*GCS* 26, p. 223, 9-11) : ... οὗ (= Nicolas) τοὺς μαθητὰς ἐνυβρίζοντας τὸ Ἅγιον Πνεῦμα διὰ τῆς Ἀποκαλύψεως Ἰωάννης ἤλεγχε πορνεύοντας καὶ εἰδωλόθυτα ἐσθίοντας.

P. 349, n. 3. — « le neuvième à détenir la fonction de l'épiscopat par succession à partir des apôtres », ἔνατον

κλῆρον τῆς ἐπισκοπῆς κατὰ διαδοχὴν ἀπὸ τῶν ἀποστόλων
ἔχοντος : latin et arménien.

Au lieu de τῆς ἐπισκοπῆς κατὰ διαδοχήν, on lit dans les
manuscrits d'Eusèbe : τῆς ἐπισκοπικῆς διαδοχῆς. L'arménien (cf. *supra*, p. 107) confirme le latin : les mots *q*...
վիճակ զեպիսկոպոսութեան sont la traduction de τὸν ... κλῆρον
τῆς ἐπισκοπῆς. Il est vrai que l'arménien n'a rien qui corresponde à κατὰ διαδοχήν, mais, comme il s'agit d'un simple
centon, on peut penser que son auteur a délibérément omis
ces deux mots qui étaient sans intérêt à ses yeux. Autre
argument en faveur de la leçon du latin et de l'arménien :
l'expression ὁ κλῆρος τῆς ἐπισκοπῆς (= « la fonction de l'épiscopat ») est plus naturelle, et c'est elle que nous trouverons
sous la plume d'Irénée, p. ex., en III, 3, 3 : δεκάτῳ τόπῳ τὸν
τῆς ἐπισκοπῆς ἀπὸ τῶν ἀποστόλων κατέχει κλῆρον Ἐλεύθερος
(texte grec conservé par Eusèbe). Voir encore Eusèbe,
Hist. eccl., IV, 10 : ... Ὑγῖνος τὸν κλῆρον τῆς Ῥωμαίων
ἐπισκοπῆς παραλαμβάνει. Voir aussi l'expression courante τὴν
ἐπισκοπὴν κληροῦσθαι : Irénée, *Adu. haer.*, III, 3, 3 ; Eusèbe,
Hist. eccl., III, 2 ; III, 4, 8. III, 36, 2, etc.

Un problème d'un autre ordre est soulevé par les mots
ἔνατον κλῆρον. Le mot ἔνατον est attesté par Eusèbe et
confirmé par le latin. L'arménien *զտասներորդ վիճակ* traduit
τὸν δέκατον κλῆρον, mais, les formes ἔνατον et δέκατον. étant
proches, on peut penser que la substitution de la seconde
à la première dans le grec sous-jacent a été purement
accidentelle, si bien que l'arménien lui-même confirmerait
indirectement le grec d'Eusèbe. Il semble donc difficile de
récuser la leçon ἔνατον à ne considérer que la tradition
manuscrite.

Mais cette donnée est contredite, de façon flagrante, par
le contenu de III, 3, 3, où Irénée donne la liste des douze
premiers évêques qui ont succédé à Pierre et Paul à la tête
de l'Église de Rome. Ce sont Lin, Anaclet, puis, « en troisième
lieu », Clément ; ensuite Évariste, Alexandre, puis « sixième
à partir des apôtres », Xyste ; ensuite Télesphore, Hygin,
Pie, Anicet, Soter et enfin, « en douzième lieu », Éleuthère.
Il saute aux yeux que, dans cette liste, Hygin occupe la
huitième, et non la neuvième place. Et c'est ce qu'Irénée
dit expressément en III, 4, 3, du moins d'après la version
latine, qui est seule à nous avoir conservé ce passage :
« Cerdo autem ... sub Hygino qui fuit octauus episcopus... »

Pour résoudre la difficulté soulevée par le texte de I, 27, 1,
nous ne voyons que deux solutions :

a) ou bien admettre que, de très bonne heure, la leçon
ἔνατον, ait été substituée, accidentellement ou non, à la
leçon ὄγδοον en I, 27, 1. C'est la solution à laquelle s'est
rallié un Massuet.

b) ou bien admettre que, en I, 27, 1, Irénée compte, non
à partir du premier successeur de Pierre, mais en considérant Pierre lui-même comme le premier évêque de Rome.
Sur l'ensemble de la question, cf. E. Caspar, *Die älteste
römische Bischofsliste*, Berlin, 1926.

P. 349, n. 4. — « car le premier a été connu et le second
est inconnaissable », τοῦτον μὲν γὰρ ἐγνῶσθαι, ἐκεῖνον δὲ
εἶναι ἄγνωστον.

On lit dans Eusèbe : τὸν μὲν γὰρ γνωρίζεσθαι, τὸν δὲ
ἀγνῶτα εἶναι, et dans Hippolyte : τοῦτον μὲν γὰρ ἐγνῶσθαι,
τὸν δὲ τοῦ Χριστοῦ Πατέρα εἶναι ἄγνωστον. La parfaite
concordance du latin « hunc enim..., illum autem... », d'une
part, et de l'arménien ևս ,...,ևս... , d'autre part,
contraint d'admettre que le grec sous-jacent comportait
τοῦτον μὲν γὰρ..., ἐκεῖνον δὲ..., et c'est bien ce que confirme
le texte d'Hippolyte à l'encontre de celui d'Eusèbe. Nous
croyons pouvoir emprunter aussi au texte d'Hippolyte les
leçons ἐγνῶσθαι et ἄγνωστον, plus conformes au vocabulaire
habituel d'Irénée que les leçons γνωρίζεσθαι et ἀγνῶτα qui
se lisent sous la plume d'Eusèbe et ne sont peut-être que
des corruptions accidentelles des premières. Cf. *Adu. haer.*,
I, 20, 3 : Καὶ κατασκευάζειν θέλουσιν ὡς τοῦ Ποιητοῦ καὶ
Κτίστου ἀεὶ ὑπὸ πάντων ἐγνωσμένου, καὶ ταῦτα τὸν
Κύριον εἰρηκέναι περὶ τοῦ ἀγνώστου τοῖς πᾶσι Πατρός...

P. 351, n. 1. — « retranchant aussi nombre de passages
des enseignements du Seigneur », τῶν διδασκαλικῶν λόγων τοῦ
Κυρίου πολλὰ ἀφελών : arménien.

L'arménien ի վարդապետականս բանիցն est le décalque du grec
τῶν διδασκαλικῶν λόγων, et il semble que tel soit bien l'original
irénéen. L'expression λόγος διδασκαλικός signifie « discours
contenant un enseignement » ou, tout simplement, « enseignement ». Peut-être le latin avait-il primitivement : « et
de *doctrinalibus sermonibus* Domini multa auferens ».

P. 355, n. 1. — « quittant... », ἀφιστάμενοι μὲν ... :
conjecture. Les manuscrits latins ont la leçon « abscedere »,

mais la corrélation « quidem ... autem » suggère que, primitivement, le texte comportait : « et abscede <ntes>
quidem..., aliud autem dogma ... componentes, noue docere
insistunt... »

P. 357, n. 1. — « il s'inscrivit en faux contre le salut
d'Adam », τῇ δὲ τοῦ Ἀδὰμ σωτηρίᾳ... τὴν ἀντιλογίαν ποιη-
σάμενος : latin. Quoi qu'il en soit du flottement que l'on
trouve dans la tradition grecque d'Eusèbe à propos du mot
ἀντιλογίαν — cette tradition pratiquement unanime, a
αἰτιολογίαν —, la restitution ἀντιλογίαν est assurée par
l'accord de la version latine d'Irénée et de la version syriaque
d'Eusèbe et est confirmée par ce qu'Irénée a dit quelques
lignes plus haut dans ce paragraphe même : Ἀντιλέγουσί
τε τῇ τοῦ πρωτοπλάστου σωτηρίᾳ..., Τατιανοῦ τινος πρώτως
ταύτην εἰσενέγκαντος τὴν βλασφημίαν...

P. 359, n. 1. — « la multitude des ' Gnostiques ' », τὸ
πλῆθος τῶν Γνωστικῶν : restitution conjecturale.

Les manuscrits latins ont les mots « multitudo Gnosticorum
Barbelo », que l'on traduit tout naturellement par : « la
multitude des Gnostiques *de Barbélo* ».

Mais la présence du mot « Barbelo » à cet endroit fait
difficulté à plusieurs titres :

1. L'expression « les Gnostiques de Barbélo » ne laisse pas
d'être quelque peu étrange : quelle est la portée de ce
complément déterminatif? On dira : il s'agit de ceux d'entre
les Gnostiques qui posent « Barbélo » comme Éon primordial.
Soit, mais, si Irénée avait voulu dire cela, on se défend mal
du sentiment qu'il l'aurait dit d'une façon moins alam-
biquée. Le voit-on parler de « Gnostiques de l'Abîme » ou de
« Gnostiques du Premier Homme » ?

2. Si l'on examine de près les divers emplois du terme
« Barbelo » dans la version latine, on relève une curieuse
anomalie. Le terme en question se rencontre cinq fois dans
l'*Aduersus haereses*, et cela en I, 29, 1. Voici ces emplois :

— multitudo Gnosticorum *Barbelo* exsurrexit
— Aeonem quendam..., quem *Barbelon* nominant
— uoluisse ... hunc manifestare se ipsi *Barbeloni*
— in quibus gloriantem *Barbelon* et prospicientem
— et magnificabant hi magnum Lumen et *Barbelon*

Dans les 4 derniers exemples, le mot est décliné. Dans les exemples 2, 4 et 5, nous trouvons l'accusatif « Barbelon ». Dans l'exemple 3, nous avons le datif « Barbeloni ». Comment expliquer la forme « Barbelo » qui se rencontre dans le premier exemple ? Puisqu'il s'agit d'un génitif — et l'on ne voit pas qu'il pourrait s'agir d'autre chose — ne devrions-nous pas avoir la forme « Barbelonis », et non la forme « Barbelo », qui a toutes les apparences d'un nominatif ? Une telle constatation invite déjà à se demander si le mot « Barbelo » figurait primitivement dans le texte. N'aurions-nous pas affaire à un mot écrit d'abord dans la marge en manière de glose, puis introduit indûment tel quel dans le texte lui-même ? Ainsi s'expliquerait fort bien la forme nominative inattendue à cet endroit ?

3. Si nous analysons les chap. 29 et 30 du Livre I, nous faisons les constatations suivantes. Dans les quatre premières lignes de I, 29, 1, Irénée annonce son intention de présenter une nouvelle famille d'hérétiques issus, eux aussi, des Simoniens (« ... ex his qui praedicti sunt Simoniani ... multitudo ... exsurrexit ... ») et de décrire les grandes lignes de leurs systèmes (« ... quorum principales apud eos sententias enarramus »). Cela dit, il entreprend de présenter *une première branche* de cette famille : « QVIDAM enim EORVM (οἱ μὲν γὰρ αὐτῶν) Aeonem quendam ... subiciunt, quem Barbelon nominant ... » Il s'agit de ceux qui posent Barbélo comme Éon primordial. L'exposé de leur système occupe tout le chapitre 29. Vient ensuite, à partir du début du chapitre 30, la présentation d'*une seconde branche* de la famille susdite : « ALII AVTEM RVRSVS (ἄλλοι δὲ πάλιν) portentuosa loquuntur ... » Il s'agit de ceux qui seront désignés par les hérésiologues postérieurs sous le nom d'Ophites à cause du rôle important qu'ils assignent au « Serpent » dans leur système. Pas la moindre mention du nom de « Barbélo » n'intervient dans l'exposé de ce second système. Cet exposé, très détaillé, remplit tout le chapitre 30.

Si telle est la structure des chap. 29-30, il saute aux yeux que le texte des manuscrits latins contient une incohérence de dimension : une famille d'hérétiques caractérisés comme « Gnostiques *de Barbélo* » se subdiviserait en deux branches dont l'une verrait effectivement en « Barbélo » l'Éon primordial, tandis que l'autre ne ferait même pas mention de ce nom dans son système.

Veut-on restituer sa cohérence au texte d'Irénée, on

considérera la forme « Barbelo » du début de I, 29, 1 comme
une glose indûment insérée dans le texte. La vaste famille
(« multitudo ») d'hérétiques dont il est question dans les
chap. 29-30 sera celle des « Gnostiques ». Cette famille
comptera deux branches : d'une part, ceux qui se caractérisent par la place qu'ils donnent à « Barbélo » ; d'autre part,
ceux qui se caractérisent par le rôle qu'ils assignent au
Serpent.

4. Serait-il interdit de chercher une confirmation de
notre hypothèse dans la Préface du Livre II, où, comme on
sait, Irénée dresse une sorte de nomenclature des questions
traitées dans le Livre I ? Or nous lisons en II, Pr., 1 : « Et
progenitoris ipsorum (= des Valentiniens) doctrinam Simonis
magi Samaritani et omnium eorum qui successerunt ei
manifestauimus, diximus quoque multitudinem eorum qui
sunt ab eo Gnostici (τὸ πλῆθος τῶν ἀπ' αὐτοῦ Γνωστικῶν) ». La
première de ces phrases concerne la section I, 23-28 ; la
seconde a trait à la section I, 29-30. Ne peut-on, dès lors,
voir dans les mots τὸ πλῆθος τῶν ἀπ' αὐτοῦ Γνωστικῶν la
reprise tout à fait littérale de l'expression qui figurait au
début de I, 29, 1 ?

5. Autre confirmation de l'hypothèse proposée. En I, 11, 1,
résumant le système de Valentin, Irénée mentionne, entre
autres, la thèse d'après laquelle la « Mère » aurait émis
simultanément le « Démiurge » et un « Archonte de la
gauche ». Or, note Irénée à cet endroit, cette thèse est
tout à fait semblable à une thèse déjà antérieurement
professée par des hérétiques auxquels il donne le nom de
« Gnostiques » et dont il se propose de parler *ex professo*
dans la suite de son ouvrage. Où donc trouvons-nous
exposé ce point de la doctrine des « Gnostiques » auquel
Irénée fait allusion en I, 11, 1 ? Très précisément en
I, 30, 2-3, c'est-à-dire au cours de la description qu'Irénée
fait du système des Ophites : la « Première Femme » ou
« Mère des Vivants » y apparaît comme incapable de
contenir la surabondance de la Lumière déversée en elle
par le « Premier Homme » et par le « Second Homme », si
bien qu'une partie de cette Lumière déborde « du côté
gauche » et qu'ainsi, de la « Première Femme », naissent
simultanément un Éon de droite, le « Christ », et une
Puissance de gauche, « Sagesse » ou « Prounikos », appelée
aussi « Gauche » tout simplement. Ce rapprochement de
I, 11, 1 et de I, 30, 2-3 est des plus éclairants : il prouve que

les hérétiques dont il est question dans le chap. 30 sont, aux yeux d'Irénée, des « Gnostiques » au même sens strict que ceux dont il traite le chap. 29. Autrement dit, Barbéliotes et Ophites sont bien, pour Irénée, les deux branches principales d'une même famille d'hérétiques qu'il désigne sous le nom de « Gnostiques ».

6. Une confirmation de tout point semblable peut encore être tirée de la section II, 35, 2-3. A cet endroit, Irénée revient, pour la réfuter plus directement, sur une thèse qu'il attribue expressément aux « Gnostiques ». D'après cette thèse, les prophètes auraient prophétisé de la part de « Dieux » différents, Sabaoth, Éloé, Adonaï, Jao, etc. Irénée montre qu'il s'agit là de dénominations diverses ne désignant qu'un seul et même Dieu, le Dieu Créateur de toutes choses. Or, cette réfutation que fait Irénée en II, 35, 2-3 renvoie très précisément à I, 30, 10-11 : en ce dernier passage, Irénée a rapporté de façon détaillée, liste à l'appui, la thèse des Ophites selon laquelle les sept « Dieux », à savoir Jaldabaoth, Jao, Sabaoth, Adonaï, Éloé, Hor et Astaphée, se seraient choisi chacun ses propres hérauts ou prophètes, chargés de prêcher chacun son propre « Dieu ». Ainsi donc, nous voyons une fois encore que les hérétiques dont il est question dans le chap. 30 du Livre I sont bel et bien désignés par Irénée sous le nom de « Gnostiques » au sens strict.

De tous ces arguments il résulte, à l'évidence, que les chap. 29 et 30 traitent des deux branches principales d'une même famille bien caractérisée d'hérétiques qu'Irénée désigne du nom de « Gnostiques ». On n'hésitera donc pas à considérer comme indûment introduit dans le texte latin le mot « Barbelo » qui figure à la deuxième ligne de I, 29, 1, et l'on rétablira comme suit le début de ce chapitre : « Super hos autem ex his qui praedicti sunt Simoniani multitudo Gnosticorum exsurrexit... »

Note sur l'emploi du terme γνωστικός *dans le Livre I.*

Comme la signification précise du terme γνωστικός chez Irénée a fait l'objet de discussions entre critiques — pour un état de la question, cf. N. Brox, « Γνωστικοί als Häresiologischer Terminus », dans *ZNTW* 57 (1966), p. 105-114 —, nous croyons utile de donner, en manière de récapitulation, un bref aperçu de l'emploi qu'Irénée fait de ce terme dans le Livre I.

1. Les « Gnostiques » au sens strict. — A trois endroits

du Livre I, le mot Γνωστικός — que nous écrivons avec
une majuscule — désigne un groupement bien déterminé
d'hérétiques, ceux que nous prenons une fois pour toutes
le parti d'appeler les « Gnostiques » : ces hérétiques sont
nommément désignés en I, 11, 1 dans les expressions ἀπὸ
τῆς λεγομένης Γνωστικῆς αἱρέσεως (lignes 4-5) et τοῖς
ῥηθησομένοις ὑφ' ἡμῶν ψευδωνύμοις Γνωστικοῖς (lignes 29-
30), ainsi qu'en I, 29, 1 dans l'expression τὸ πλῆθος τῶν
Γνωστικῶν (ligne 2). A ces trois emplois pour ainsi dire
techniques du terme Γνωστικός peut se rattacher l'expression
ἡ ψευδώνυμος γνῶσις qui s'est rencontrée en I, 23, 4
(ligne 90) et qui, à cet endroit, désigne manifestement la
doctrine des « Gnostiques » au sens strict (cf. *supra*, p. 283,
note justif. P. 321, n. 2).

2. L'appellation de « gnostique ». — En dehors des trois
cas susmentionnés, le terme γνωστικός (avec le comparatif
γνωστικώτερος et le superlatif γνωστικώτατος) est employé
plusieurs fois dans le Livre I au sens courant de « qui sait »,
« sage », « savant ». En I, 25, 6 (ligne 100), dans la phrase
γνωστικοὺς δὲ ἑαυτοὺς προσαγορεύουσι, il s'agit d'un titre
que les Carpocratiens se décernent à eux-mêmes : ils
s'appellent γνωστικοί, « savants », tout comme, en I, 13, 6
(ligne 104), les Marcosiens s'appelaient τέλειοι, « parfaits ».
En I, 11, 5, Irénée se moque des docteurs hérétiques qui,
renchérissant les uns sur les autres, veulent paraître « plus
parfaits que les ' parfaits ' et plus savants que les ' savants '
(τελείων τελειότεροι ... καὶ γνωστικῶν γνωστικώτεροι) ».
En I, 11, 3, il se gausse de même d'un maître qui « s'étend
vers quelque chose de plus élevé et de plus ' savant ' (ἐπὶ
τὸ ὑψηλότερον καὶ γνωστικώτερον) ». Enfin, en I, 13, 1,
nous voyons Marc le Magicien faire en sorte qu'on s'attache
à lui « comme à l'homme le plus ' savant ' et le plus ' parfait '
qui soit (ὡς γνωστικωτάτῳ καὶ τελειοτάτῳ) ». Dans toute
cette deuxième série d'exemples, le terme γνωστικός a une
signification générale ; il ne désigne pas une secte particulière
ou un groupe particulier de sectes.

Telles sont les deux acceptions que revêt le terme
γνωστικός dans le Livre I. Le Livre II nous fournira l'occasion
de revenir sur ce même terme et sur les problèmes qu'il
soulève. Nous tenterons alors de préciser la signification
de ce terme dans le restant de l'œuvre d'Irénée.

P. 359, n. 2. — « Certains d'entre eux posent à la base
de leur système un Éon étranger à tout vieillissement,
dans un Esprit virginal qu'ils nomment Barbélo : car en
cet Esprit existait, disent-ils, un Père innommable », Οἱ μὲν
γὰρ αὐτῶν Αἰῶνά τινα ἀγήρατον ἐν παρθενικῷ Πνεύματι ὑπο-
τίθενται, ὃ Βαρβηλὼθ ὀνομάζουσιν · ὅπου ὑπάρχειν Πατέρα τινὰ
ἀνονόμαστον λέγουσιν. Restitution conjecturale d'après le latin.

On aura noté que, dans le latin, la relative « quem
Barbelon nominant » peut, grammaticalement parlant, se
rapporter à « Aeonem » aussi bien qu'à « Spiritu ». Mais le
passage parallèle de Théodoret lève l'équivoque : Ὑπέθεντο
γὰρ Αἰῶνά τινα ἀνώλεθρον ἐν παρθενικῷ διάγοντα Πνεύματι, ὃ
Βαρβηλὼθ ὀνομάζουσιν, « Ils ont mis à la base un Éon impérissable, vivant dans un Esprit virginal qu'ils nomment
Barbélo » (*Haer. fab.*, I, 13. Cf. *infra*, p. 329).

Compris à la lumière de tout ce qui vient ensuite, ce
passage revient à affirmer l'existence d'un premier couple
constitué d'une entité masculine, l'« Éon étranger à tout
vieillissement » ou « Père innommable », et d'une entité
féminine, « Barbélo ». Dans la suite de la notice, le « Père »
en question sera désigné sous les expressions de « Grandeur »,
« Grande Lumière », « Grand Éon ». Quant à Barbélo, elle
sera désignée une nouvelle fois sous l'expression d'« Esprit
virginal », ainsi que sous le nom de « Mère ».

Il existe un parallélisme remarquable entre le présent
chapitre de l'*Aduersus haereses* et l'écrit gnostique copte
intitulé *Apocryphon de Jean*, dont nous ne possédons pas
moins de quatre témoins : Papyrus copte Berolinensis 8502,
Codices II, 1, III, 1 et IV, 1 de Nag Hammadi. Cf. W. C. Till
u. H.-M. Schenke, *Die gnostischen Schriften des koptischen
Papyrus Berolinensis 8502* (*TU* 60²), Berlin, 1972 ;
M. Krause u. P. Labib, *Die drei Versionen des Apokryphon
des Johannes im koptischen Museum zu Alt-Kairo*, Wiesbaden,
1962 ; R. Kasser, « Bibliothèque gnostique I-IV : Le Livre
secret de Jean », dans *Rev. de Théol. et de Philos.*, 97 (1964),
p. 140-150, 98 (1965), p. 129-155, 99 (1966), p. 163-181 et
100 (1967), p. 1-30 ; F. Wisse, « The Apocryphon of John
(II, 1, III, 1, IV, 1 and BG 8502, 2) », dans J. Robinson,
Dr., *The Nag Hammadi Library in english*, Leyde, 1977,
p. 98-116. Excellente analyse de l'ensemble du traité dans
Y. Janssens, « L'Apocryphon de Jean », dans *Le Muséon* 83
(1970), p. 157-165, et 84 (1971), p. 43-64 et 403-432.

P. 359, n. 3. — « eut la pensée », ἐννοηθῆναι. En I, 1, 1, dans un contexte tout semblable, on trouve par deux fois l'équivalence ἐννοέομαι = « uolo ». On y lit en effet : « ... et aliquando *uoluisse* (ἐννοηθῆναι) a semetipso emittere hunc Bythum Initium omnium, et uelut semen prolationem hanc, <quam> emitt<ere> *uoluit* (ἐνενοήθη), [ ] deposuisse quasi in uulua eius quae cum eo erat Sige » (grec conservé par Épiphane). Dans le présent passage, la restitution ἐννοηθῆναι est, de surcroît, confirmée par la phrase qui vient ensuite : « Ennoeam (Ἔννοιαν) autem hanc progressam stetisse in conspectu eius... »

P. 359, n. 4. — « étant apparue », προελθοῦσαν. Traduction approximative. Dans le présent paragraphe, on a affaire aux deux verbes corrélatifs προβάλλω (= « emitto ») et προέρχομαι (= « progredior », « prodeo »). Le premier exprime l'action d'« émettre », de « produire hors de soi » ; le second exprime le fait de « provenir » d'un principe émetteur, de « procéder » de lui, de « surgir dans l'existence » en qualité de terme ainsi produit.

P. 359, n. 5. — « elle conçut, dans la joie de la voir », καὶ ἐγκισσήσασαν εἰς αὐτό : restitution conjecturale. Rapprocher de I, 4, 5 : ... καὶ ἐγκισσήσασαν εἰς αὐτούς, κεκυηκέναι καρποὺς κατὰ τὴν ἐκείνων εἰκόνα..., traduit par : « et delectatam in conceptu eorum, peperisse fructus secundum ill<orum> imaginem... » Cf. *supra*, p. 193, *note justif.*, *P. 75, n. 3.*

P. 359, n. 6. — « Le Père alors, voyant cette Lumière, l'oignit de son excellence afin qu'elle devînt parfaite : c'est là le ' Christ ', disent-ils », Καὶ ἰδόντα τὸν Πατέρα τὸ Φῶς τοῦτο χρῖσαι τῷ ἑαυτοῦ χρηστῷ, ὥστε τέλειον γενέσθαι · τοῦτον δὲ λέγουσιν εἶναι Χριστόν. On aura remarqué le jeu de mots χρηστός (= « excellent ») - Χριστός (= « Oint »), intraduisible en français.

P. 359, n. 7. — « le Vouloir et le Logos », τὸ Θέλημα καὶ τὸν Λόγον. La phrase qui vient ensuite nomme, outre l'« Intellect » et le « Logos », le « Vouloir » (Θέλημα). Si l'on veut que le texte soit cohérent, on doit supposer que la présente phrase a mentionné, d'une manière ou d'une autre, l'apparition de

ce « Vouloir » en même temps que celle du « Logos ».
L'*Apocryphon de Jean* mentionne effectivement cette
émission : au Noûs, le Père « voulut » ajouter le Logos, et
c'est ainsi qu'il y eut le Noûs, le Vouloir et le Logos.

P. 361, n. 1. — « qu'ils appellent ' Adamas ', parce que
ni lui-même n'a été dompté ni ceux de qui il est issu », ὃν
καὶ Ἀδάμαντα καλοῦσι, ὅτι μήτε αὐτὸς ἐδαμάσθη μήτε οὗτοι ἐξ
ὦν ἦν : restitution basée sur le latin et sur quelques mots
conservés par Théodoret. On aura noté le nouveau jeu de
mots Ἀδάμ - Ἀδάμας (= l'« Indomptable »).

P. 363, n. 1. — « Prounikos », Προύνικος. Première apparition
de ce vocable plutôt curieux — l'adjectif προύνικος signifie
« indécent », « lascif » — comme désignation de Sophia. On
notera que, dans le Livre I de l'*Aduersus haereses*, ce mot
ne se rencontre pas ailleurs que dans les deux notices
consacrées aux « Gnostiques » : I, 29, 4 (= Barbéliotes) ;
I, 30, 3.7 (2 fois). 9 (2 fois). 11 (= Ophites). Ce mot se
retrouvera en IV, 35, 1 (dans un passage où il est fait
expressément mention des « Gnostiques »), en V, 18, 2 et
en V, 35, 2 (aucune mention d'hérétiques déterminés).

P. 363, n. 2. — « La Discorde », Ἔριν. Nous nous rangeons
à l'avis de G. ZUNTZ, « *Erynis in Gnosticism?* », dans
Journal of theol. Studies 6 (1955), p. 243-244 : cet auteur
estime qu'il faut lire « Erin » au lieu de la forme « Erinnyn »
qui se lit chez tous les éditeurs.

P. 367, n. 1. — « La vraie, la sainte Église — que nous
venons de dire », Εἶναι δὲ ταύτην ἀληθινήν τε καὶ ἁγίαν
Ἐκκλησίαν τὴν κλῆσιν καὶ συνοδίαν καὶ ἕνωσιν τοῦ Πατρὸς τῶν
ἁπάντων τοῦ πρώτου Ἀνθρώπου καὶ τοῦ Υἱοῦ τοῦ δευτέρου Ἀνθρώπου
καὶ τοῦ Χριστοῦ τοῦ υἱοῦ αὐτῶν καὶ τῆς προειρημένης Θηλείας.

P. 367, n. 2. — « en emportant avec elle la rosée de
lumière », ἔχουσαν τὴν ἰκμάδα τοῦ φωτός : restitution et traduction incertaines. En traduisant « habentem » par « en
emportant avec elle », nous traduisons fort largement, de
façon à assurer au mieux la cohérence de la pensée. Toutefois
la répétition des mots « habentem humectationem luminis »

presque coup sur coup, dans la même phrase, ne laisse pas
d'être étrange : aurions-nous affaire à une dittographie?
Mais en ce cas, quel est celui des deux groupes de mots qui
est interpolé?

P. 367, n. 3. — « Parvenue en haut, elle se déploya, fit
ce ciel visible, qu'elle tira de son corps, et demeura d'abord
sous ce ciel qu'elle venait de faire, ayant encore la forme
d'un corps aqueux », Καὶ γενομένη ἐν ὕψει **ἐξέτεινεν ἑαυτήν,**
καὶ κατεσκεύασε τὸν οὐρανὸν τοῦτον τὸν φαινόμενον ἐκ τοῦ σώματος
αὐτῆς, καὶ ἔμεινεν ὑπὸ τὸν οὐρανὸν ὃν κατεσκεύασεν ἔτι ἔχουσα
ὑδατοειδοῦς σώματος τύπον.

Le latin « dilatauit et cooperuit » fait difficulté. L'un et
l'autre de ces verbes voudrait un complément direct, que
l'on cherche en vain. De surcroît, le second verbe ne semble
guère en situation. Nous proposons de résoudre la difficulté
en lisant : « dilatauit semetipsam ». Hypothèse fragile sur
le plan paléographique, nous le reconnaissons. Nous croyons
cependant pouvoir lui trouver un certain appui dans une
phrase d'Épiphane correspondant assez étroitement à ce
passage d'Irénée : Ἐπῆρεν δὲ ἑαυτὴν κατὰ βίαν εἰς τὰ ἀνώτερα
καὶ ἐξέτεινεν ἑαυτὴν καὶ οὕτως γέγονεν <ὁ> ἀνώτερος οὐρανός,
« Elle s'éleva vigoureusement vers les régions supérieures et
s'y déploya, et c'est ainsi que fut fait le ciel supérieur »
(*Panarion, haer.* 37, 3. *GCS* 25, p. 54, 7-8).

Il semble qu'on puisse concevoir le dégagement progressif
de Sophia-Prounikos par rapport à son corps de la manière
suivante : — dans un premier temps, elle se débarrasse des
éléments lourds et opaques de ce corps, dont elle fait la
voûte du ciel visible, mais elle est contrainte de demeurer
sous cette voûte, car elle n'est point encore dégagée de tout
élément corporel, existant encore sous la forme d'un « corps
aqueux », c'est-à-dire d'une substance que le contexte nous
invite à concevoir comme subtile, légère et invisible, sans
être spirituelle pour autant ; — dans un second temps, ce
corps plus subtil sera rejeté à son tour par Sophia-Prounikos,
qui recouvrera ainsi la pure spiritualité de son être primitif.

P. 369, n. 1. — « Ce corps, ils le disent son fils ; quant
à elle, ils la nomment ' Femme issue de Femme ' », Τὸ δὲ
σῶμα τοῦτο **υἱὸν** αὐτῆς λέγουσιν, αὐτὴν δὲ θήλειαν ἀπὸ θηλείας
ὀνομάζουσιν.

Telle qu'elle se lit dans les manuscrits latins, la présente phrase est incohérente. Grabe et Massuet ont cru lui trouver un sens moyennant une correction relativement minime. Ils proposent de lire : « Corpus autem hoc <quod> exuisse dicunt eam, feminam a femina nominant », « Ce corps, dont ils disent qu'elle s'est dépouillée, ils l'appellent ' Femme issue de Femme ' ». Mais, rectifiée de la sorte, la phrase contient une assertion qu'il est impossible de faire cadrer avec l'ensemble de la notice : car la « Femme issue de Femme » ne peut être que Sophia elle-même, qui est issue, ainsi qu'on l'a vu plus haut, de la « Première Femme » ou « Esprit Saint ». De plus, la correction proposée par Grabe et Massuet laisse inexpliquée la brusque apparition, dans la phrase suivante, d'un « fils » de Sophia dont rien ne nous a été dit jusqu'ici et dont nous ne savons ni qui il est ni quand ou comment il est né de Sophia.

Pour rendre sa cohérence à l'ensemble du passage, nous croyons qu'il convient de lire comme suit la présente phrase : « Corpus autem hoc *filium eius* dicunt, eam *autem* feminam a femina nominant », « Ce corps, ils le disent son fils ; quant à elle, ils la nomment ' Femme issue de Femme ' ».

Notre conjecture se fonde sur les considérations suivantes :

1. Elle fait retrouver, comme désignation de Sophia, une expression s'harmonisant pleinement avec tout le système décrit dans ce chap. 30 : Sophia, étant fille de la « Première Femme » ou « Esprit Saint », peut, de la façon la plus naturelle, être appelée « Femme issue de Femme ». Éclairante, au surplus, est la comparaison avec le système valentinien, dans lequel l'expression « Femme issue de Femme » est applime (cf.Achamoth, issue de la Sagesse intérieure au Plérôàquée   I, 25, 5 ; II, 10, 3 ; II, 12, 3 ; III, 25, 6).

2. Grâce à la conjecture proposée, le début de I, 30, 4 cesse de faire problème. On a vu Sophia, dans son effort pour se dégager des eaux avec le corps qu'elle avait pris d'elles, bondir vers les régions supérieures, s'y déployer et faire, au moyen des éléments les plus matériels de son corps, la voûte du ciel visible. Une fois rejetés ces éléments, il lui restait encore un « corps » d'une nature plus subtile, dont elle demeure prisonnière un moment, mais qu'elle finit par rejeter à son tour, non sans laisser en lui quelque chose de sa puissance spirituelle. Ainsi séparé de Sophia, ce « corps » devient un être vivant d'une vie autonome : c'est lui le

« fils » de Sophia. Il a pour nom Jaldabaoth et occupe le
ciel supérieur. Il va lui-même engendrer un fils, lequel en
engendrera un autre, et ainsi de suite jusqu'à ce que soit
constituée la « Sainte Hebdomade » des « Puissances »
ou « Anges » occupant les sept cieux : Jaldabaoth, Iao,
Sabaoth... (cf. I, 30, 4-5). Comme on le voit, tout s'enchaîne
de façon harmonieuse.

3. La conjecture ci-dessus proposée nous paraît trouver
un appui dans un texte parallèle de Théodoret. Comme
d'habitude, Théodoret résume à grands traits la notice
d'Irénée. Voici ce qu'il écrit : « En nageant dans les eaux,
(Sophia) prit d'elles un corps, s'alourdit et fut en danger
d'être engloutie. Elle émergea cependant et, du corps qui
l'entourait, elle fit le ciel ; puis, *après avoir rejeté tout le
reste* (τὸ λοιπὸν ἀπορρίψασα), elle s'envola auprès de sa Mère.
Ce (reste ainsi rejeté), ils l'appellent Fils de Prounikos
(ἐκεῖνο δὲ υἱὸν τῆς Προυνίκου καλοῦσιν). Ce (Fils), à son tour,
émit un autre Fils, puis, de ce dernier, en naquit un autre,
disent-ils, et les émissions progressèrent de la sorte jusqu'au
nombre de sept. Par chacun d'eux fut produit un ciel, et
chacun habite le sien » (*Haer. fab.*, I, 14. Cf. *infra*, p. 333).
La correspondance entre Irénée et Théodoret est parfaite,
comme on peut le voir. Sans doute, si nous n'avions que le
texte de ce dernier, nous ne saurions guère ce qu'est ce
« reste » que rejette Prounikos et qui devient son « Fils » ;
mais un tel problème ne se pose pas pour nous, le récit plus
détaillé d'Irénée ayant éclairé par avance le bref résumé de
Théodoret.

P. 371, n. 1. — « Venez, faisons un homme selon l'image »,
Δεῦτε, ποιήσωμεν ἄνθρωπον κατ' εἰκόνα : restitution conjecturale.

Tous les manuscrits latins ont les mots : « Venite, faciamus
hominem ad imaginem *nostram* ». Et, dans le passage
correspondant de la notice de Théodoret, on lit : Δεῦτε
ποιήσωμεν ἄνθρωπον κατ' εἰκόνα ἡμῶν (*Haer. fab.*, I, 14.
Cf. *infra*, p. 332). Mais, prise telle quelle, cette parole est
incompatible avec le contexte. En effet, Sophia vient tout
juste de révéler à Jaldabaoth qu'il y a, au-dessus de lui, le
« Premier Homme » et l'« Homme, Fils de l'Homme ». Dès
lors, l'invitation adressée par Jaldabaoth aux six autres
Archontes pourrait-elle être autre chose que : « Faisons un
homme à l'image (de cet *Homme* d'en haut dont l'existence

vient de nous être révélée) »? Il s'impose donc de lire :
« Venite, faciamus hominem ad imaginem ». La même
citation s'est rencontrée déjà en I, 24, 1, dans un passage
étrangement semblable à celui qui nous occupe : là aussi,
une Puissance supérieure se manifestait aux sept Anges
démiurges, et ceux-ci s'écriaient : « Faisons un homme à
l'image et à la ressemblance (de cette Puissance) »,
Ποιήσωμεν ἄνθρωπον κατ᾽ εἰκόνα καὶ καθ᾽ ὁμοίωσιν (texte
grec conservé par Hippolyte et confirmé par le latin).

Ce qui confirme que l'homme a bien été fait à l'image de
l'« Homme » d'en haut, et non à celle des Archontes, c'est
que, aussitôt créé, il rend grâces au « Premier Homme »
— auquel il comprend qu'il est apparenté — et qu'il ne fait
pas le moindre cas de ceux qui l'ont créé (cf. les deux
dernières lignes du présent paragraphe). On reconnaît le
mépris des gnostiques à l'égard des Puissances planétaires
et démiurgiques : dans la conviction qu'ils ont d'appartenir
à un autre monde, supérieur à ces Puissances, les gnostiques
croient avoir déjà triomphé de celles-ci.

P. 375, n. 1. — « Prounikos, voyant que ceux-ci — copie
frelatée », Τὴν δὲ Προύνικον, ἰδοῦσαν ὅτι καὶ διὰ τοῦ ἰδίου πλάσματος
ἐνικήθησαν, σφόδρα χαρῆναι καὶ πάλιν ἐπιβοῆσαι ὅτι, ὄντος Πατρὸς
ἀφθάρτου πάλαι, οὗτος ἑαυτὸν καλέσας Πατέρα ἐψεύσατο, καί,
Ἀνθρώπου πάλαι ὄντος καὶ Πρώτης Θηλείας, τούτους παραχαράξας
ἥμαρτεν : restitution conjecturale.

L'interprétation des derniers mots de cette phrase « et
haec adulterans peccauit » est quelque peu délicate.
H. Hayd, *Ausgewählte Schriften des hlg. Irenäus*, I. Band,
Kempten, 1872, p. 172, E. Klebba, *Des hlg. Irenäus...
Gegen die Haeresien*, Buch I-III, Kempten, 1912, p. 87, et
W. Foerster, *Die Gnosis*, I. Band, Zurich, 1969, p. 119,
veulent que « haec » soit un pronom féminin singulier
désignant Ève : ce serait Ève qui aurait péché en commettant
un adultère (par son union avec les Archontes, dont il a été
question au début du présent paragraphe). Toutefois — et
les auteurs cités en conviennent — une telle interprétation
ne cadre guère avec le contexte. Toute la phrase citée
ci-dessus se présente en effet comme un réquisitoire prononcé
par Sophia à l'adresse de Jaldabaoth. Il est donc normal que
ce soit Jaldabaoth qui « ait péché » — et non Ève, qui n'a
rien à voir ici ! —, tout comme c'est Jaldabaoth qui « a
menti ».

La structure de la phrase apparaît dès lors en pleine clarté : 1) Puisqu'il existait déjà un « Père incorruptible » — c'est le « Premier Homme » ou « Père de toutes choses » (cf. I, 30, 1) — Jaldabaoth a menti en se décernant à lui-même le titre de Père : le seul vrai « Père » n'est pas Jaldabaoth, mais le « Premier Homme ». 2) De même, puisqu'existaient déjà l'« Homme » et la « Première Femme » — il s'agit de l'« Homme, Fils de l'Homme » et de l'« Esprit Saint » (cf. I, 30, 1) —, Jaldabaoth a péché en faisant un homme et une femme — Adam et Ève — qui ne pouvaient être que des copies frelatées du seul « Homme » et de la seule « Première Femme » véritables.

Le participe « adulterans » se rapporte donc à Jaldabaoth. Ce verbe signifie ici : « altérer », « corrompre », « falsifier ». Sans doute faudrait-il lire « hos » au lieu de « haec ». Quoi qu'il en soit, le mouvement de la pensée invite à comprendre de la manière qui vient d'être dite : il s'agit de « faire une mauvaise imitation » d'une chose, d'en « faire une copie frelatée »... (cf. νόμισμα παραχαράσσειν = « faire une fausse monnaie »). Nous retrouvons ainsi la thèse déjà rencontrée chez les Marcosiens (I, 17, 2), selon laquelle l'œuvre du Démiurge, loin d'être une authentique imitation du monde supérieur, n'est qu'un « mensonge » (ψεῦδος), une imposture et une caricature. Cf. *supra*, p. 261, *note justif. P. 271, n. 1.*

P. 377, n. 1. — « le Serpent déchu », ὁ ἔκβλητος ὄφις. L'adjectif « deiectibilis », ainsi que l'adjectif « proiectibilis » (fin du présent paragraphe), ne peut traduire que ἔκβλητος. Ce mot signifie d'abord : « qui a été rejeté ». C'est en ce sens qu'il faut le comprendre ici : il s'agit tout simplement du Serpent qui a été précipité du ciel sur la terre par Jaldabaoth (« ... Serpentem ... *deiectum* ab eo in deorsum mundum », I, 30, 8). Le mot ἔκβλητος peut signifier aussi « qui mérite d'être rejeté », « méprisable », et c'est en ce sens que paraît l'avoir compris le traducteur latin.

P. 379, n. 1. — « C'est parmi eux que les sept Dieux — les prophètes », Ἐξ ὧν ἐκλέξασθαι τοὺς ἕπτα Θεούς, οὓς καὶ ἁγίαν Ἑβδομάδα καλοῦσιν, ἕνα ἕκαστον αὐτῶν ἰδίους κήρυκας εἰς τὸ αὐτὸν δοξάσαι καὶ θεὸν κηρύξαι, ἵνα καὶ οἱ λοιποὶ ἀκούοντες τὰς δόξας λατρεύωσι καὶ αὐτοὶ τοῖς ὑπὸ τῶν προφητῶν κηρυσσομένοις Θεοῖς : restitution conjecturale.

Si l'on veut donner à la phrase un sens cohérent, on est
acculé à corriger le latin sur plusieurs points. Tout d'abord,
la leçon « septem dies » est manifestement inacceptable.
L'ensemble du contexte suggère qu'il s'agit plutôt des sept
« Dieux » ou Archontes constituant la « Sainte Hebdomade »
(cf. paragraphe précédent). Chacun de ces « Dieux » — lire
« unumquemque » au lieu de « unusquisque » — se choisit
ses propres hérauts — lire « suos praecones » au lieu de
« suum praeconem » — dont la liste sera donnée au début
du paragraphe suivant. Chacun des prophètes aura pour
mission de prêcher son propre « Dieu ». De la sorte, le
peuple entier sera amené à servir les sept « Dieux » ainsi
prêchés. Tel nous paraît être — saluo meliore iudicio — le
sens du passage.

Une intéressante confirmation de la restitution ci-dessus
proposée vient de II, 35, 2 : « Et reliqui autem qui falso
nomine Gnostici dicuntur, qui prophetas ex diuersis
Diis prophetias fecisse dicunt, facile destruentur ex hoc
quod omnes prophetae unum Deum et Dominum praedi-
cauerint... » Dans ce passage du Livre II, Irénée réfute
expressément la thèse des Ophites d'après laquelle les
sept « Dieux » se seraient choisi chacun leurs propres
prophètes : en II, 35, 3, il montre que les noms Éloé,
Adonaï, Sabaoth, Jao, etc., ne désignent pas des « Dieux »
différents, mais un seul et même Dieu, Créateur de toutes
choses.

P. 381, n. 1. — « et que, grâce à son fils Jaldabaoth, la
Femme fût annoncée par le Christ », καὶ ἵνα διὰ τοῦ υἱοῦ
αὐτῆς Ἰαλδαβαὼθ ἡ Θηλεία ὑπὸ τοῦ Χριστοῦ κηρυχθῇ.

Comprendre comme suit : par son fils Jaldabaoth — voir
la fin du paragraphe précédent —, Sophia procure la
naissance de « Jésus », c'est-à-dire du « vase pur » en lequel
pourra descendre le « Christ » lors du baptême du Jourdain ;
une fois descendu de la sorte en « Jésus », le « Christ »
pourra, à travers ce « Jésus », annoncer la « Femme » dont
Sophia est la fille, c'est-à-dire la « Première Femme » ou
« Esprit Saint » — voir le début du présent paragraphe —.

P. 383, n. 1. — « ne le connurent pas », οὐκ αὐτὸν ἔγνωσαν.
Comprendre de la façon suivante : non seulement les
disciples ignorèrent la présence du « Christ » d'en haut en

« Jésus » et prirent ce dernier pour un homme semblable à tous les autres — voir début du paragraphe —, mais, quand ils le virent ressuscité, ils ne surent pas qu'il était ressuscité dans un corps « psychique et pneumatique » n'ayant plus rien de commun avec notre monde de matière ; ils s'imaginèrent, au contraire, qu'il était ressuscité dans son corps de chair.

P. 383, n. 2. — « ceux-ci ignoraient que Jésus avait été uni au Christ et l'Éon incorruptible à l'Hebdomade », ἀγνοοῦντες ἡνῶσθαι τὸν Ἰησοῦν τῷ Χριστῷ καὶ τὸν ἄφθαρτον Αἰῶνα τῇ Ἑβδομάδι.
On a soupçonné dans les derniers mots une corruption textuelle. A tort, semble-t-il. D'une part, l'« Éon incorruptible » n'est sans doute qu'une autre expression désignant le « Christ », puisque, comme on sait, le « Christ » en question fait partie de l'« Éon incorruptible » ou « Église d'en haut » (cf. I, 30, 1-2). D'autre part, l'« Hebdomade » n'est, selon toute probabilité, rien d'autre qu'un vocable désignant ici « Jésus », puisqu'il a pour père Jaldabaoth (cf. I, 30, 11-13). Donc, dire que l'Éon incorruptible avait été uni à l'Hebdomade revient à dire une seconde fois — en l'agrémentant d'un chiasme — que « Jésus » avait été uni au « Christ ». Le présent membre de phrase doit naturellement être compris de la façon suivante : les disciples ignoraient que « Jésus » avait été uni au « Christ » *durant la période comprise entre le baptême du Jourdain et le début de la Passion* et qu'ainsi s'expliquait le fait qu'il n'ait rien pu faire de « grand » ni avant ni après cette période.

P. 383, n. 3. — « et ils prenaient son corps psychique pour un corps cosmique », καὶ κοσμικὸν σῶμα τὸ ψυχικὸν λέγοντες. Littéralement : « et ils disaient corps cosmique le (corps) psychique ». A rapprocher de la phrase du paragraphe précédent disant que les disciples prirent pour un corps « cosmique » le corps « psychique et pneumatique » en lequel « Jésus » avait été ressuscité. Nous proposons de lire « dicentes » au lieu de « dicunt ».

P. 383, n. 4. — « et, lorsque l'intelligence fut descendue en lui, il apprit l'exacte vérité », καὶ τῆς νοήσεως εἰς αὐτὸν κατελθούσης μεμαθηκέναι τὸ ἀκριβές. Il semble que « sensibi-

litas » traduise ici, non αἴσθησις, mais νόησις : c'est la faculté
de percevoir par l'esprit, la faculté de comprendre,
l'« intelligence ».

P. 385, n. 1. — « Jésus », Ἰησοῦ. C'est évidemment « Jésus »,
et non le « Christ », qui siège à la droite de son Père
Jaldabaoth. Voir d'ailleurs la suite de la phrase : « ... uti
animas ... recipiat in se, ditans semetipsum..., uti, in
quantum *Iesus* semetipsum ditat in sanctis animabus, in
tantum Pater eius ... deminoretur... »

P. 385, n. 2. — « Telles sont les doctrines de ces gens,
doctrines dont est née, telle une hydre de Lerne, la bête
aux multiples têtes qu'est l'école de Valentin », Τοιαῦται
μὲν οὖν αἱ κατ᾽ αὐτοὺς γνῶμαι, ἀφ᾽ ὧν, καθάπερ ἡ Λερναία ὕδρα,
τὸ πολυκέφαλον θηρίον ἡ Οὐαλεντίνου σχολὴ ἐγεννήθη : restitution
hypothétique.

Le latin « *de* Valentini scola » fait difficulté. Au plan
grammatical, d'abord : comment le verbe « generata est »,
qui a déjà un complément circonstanciel d'origine (« a
quibus »), pourrait-il en avoir un second (« de ... scola »)?
Au plan de la pensée, ensuite : nous savons déjà (cf. I, 11, 1)
que Valentin a emprunté les principes de son système
précisément aux « Gnostiques » dont il vient d'être question
dans les chap. 29 et 30. Le sens de la phrase ne peut donc
être que celui-ci : « Telles sont les doctrines de ces gens
(= les « Gnostiques »), (doctrines) desquelles est née... la
bête aux multiples têtes, (à savoir) l'école de Valentin ».
Une bête n'est pas née de l'école de Valentin — quel sens
cela pourrait-il avoir? —, mais l'école de Valentin, comparée
ici à l'hydre aux multiples têtes à cause des divergences
sans nombre de ses docteurs, est née des doctrines des
« Gnostiques ». On lira donc le latin : « ... multiplex capitibus
fera, [de] Valentini scola... »

P. 385, n. 3. — « Certains, cependant, disent que c'est
Sagesse elle-même qui fut le Serpent », Τινὲς δὲ αὐτὴν τὴν
Σοφίαν τὸν Ὄφιν γεγονέναι λέγουσιν : restitution conjecturale.

1. Tous les manuscrits latins ont : « Quidam *enim* ipsam
Sophiam... » Impossible de justifier la présence d'une
particule causative à cet endroit. Sans doute n'avons-nous

affaire qu'à une banale confusion « enim-autem » dont il
existe maint autre exemple. Moyennant cette correction,
le sens redevient limpide : Telles sont, d'une part (μέν), les
doctrines de ces gens... ; toutefois (δέ), il en est qui, tout en
assignant au Serpent une place dans leur système, le
conçoivent d'une façon quelque peu différente : ce serpent,
d'après eux, n'aurait été que Sophia elle-même.

2. Tous les manuscrits latins ont : «... ipsam Sophiam
Serpentem *factam* (esse) dicunt ». On pourrait être tenté de
comprendre : « ils disent que Sagesse elle-même *serait
devenue* Serpent ». Mais il paraît plus simple et plus en
harmonie avec la suite du texte de supposer comme substrat
grec : αὐτὴν τὴν Σοφίαν τὸν Ὄφιν γεγονέναι λέγουσιν, ce que
l'on traduira tout normalement par : « ils disent que (c'est)
Sagesse elle-même (qui) *fut* le Serpent ». Pour être correcte,
la traduction latine aurait dû être : « ipsam Sophiam
Serpentem *fuisse* dicunt ». On aura noté la similitude
morphologique des termes σοφία et ὄφις : peut-être n'est-elle
pas étrangère à cette curieuse identification de Sophia et du
Serpent par certains « Gnostiques ».

P. 385, n. 4. — « Il n'est pas jusqu'à la place de nos
intestins — à forme de Serpent ». Traduction des plus
incertaines. On lit chez Théodoret ces lignes parallèles :
« (C'est) aussi (pour cette raison que) les multiples enroulements de nos intestins (τὴν πολυέλικτον ... τῶν ἡμετέρων
ἐντέρων θέσιν) présentent l'aspect (τὸ σχῆμα) du Serpent,
montrant ainsi la sagesse génératrice de vie (τὴν ζωόγονον
σοφίαν) du Serpent » (*Haer. fab.*, I, 14. Cf. *infra*, p. 335). On
devine l'idée sous-jacente, mais les textes latin et grec sont
à la fois trop divergents et trop peu sûrs pour autoriser un
quelconque essai de rétroversion.

P. 387, n. 1. — « D'autres encore — lui appartenait en
propre », Ἄλλοι δὲ πάλιν τὸν Κάϊν ἐκ τῆς ἄνωθεν Αὐθεντίας
λέγουσι, καὶ τὸν Ἠσαῦ καὶ τὸν Κορὲ καὶ τοὺς Σοδομίτας καὶ
πάντας τοὺς τοιούτους συγγενεῖς ἰδίους ὁμολογοῦσι, καὶ
διὰ τοῦτο ὑπὸ τοῦ Ποιητοῦ πολεμηθέντας μηδεμίαν βλάβην
εἰσδέξασθαι · ἡ γὰρ Σοφία ὅπερ ἴδιον αὐτῆς ἦν ἀνήρπαζεν ἐξ
αὐτῶν πρὸς ἑαυτήν : texte présumé d'Irénée reconstitué sur
la base du latin à l'aide de Théodoret, *Haer. fab.*, I, 15
(*PG* 83, 368 B).

P. 389, n. 1. — « Voilà de quels pères et de quels ancêtres — de produire au grand jour leurs enseignements », Ἐκ τοιούτων γεγονέναι πατέρων τε καὶ προγόνων τοὺς ἀπὸ Οὐαλεντίνου, ὡς αὐταὶ αἱ γνῶμαι καὶ ὑποθέσεις ἀποδεικνύουσιν αὐτούς, ἀναγκαῖον ἦν φανερῶς ἐλέγξαι καὶ εἰς τὸ μέσον ἐνεγκεῖν τὰ δόγματα αὐτῶν : restitution conjecturale.

Telle qu'elle se lit dans les manuscrits latins, la présente phrase ne donne pleine satisfaction ni au plan grammatical ni au plan de la pensée. Pour avoir le plus de chances de résoudre correctement les problèmes qu'elle pose, nous tenterons de progresser du plus certain vers le moins certain.

1. Ce qui ne saurait faire de doute, c'est qu'Irénée commence ici la conclusion de la 3e partie en même temps que du Livre I tout entier. Il jette un regard en arrière et mesure le chemin parcouru : « Voilà de quels... pères et de quels ancêtres... » — il s'agit des hérétiques mentionnés tout au long de la 3e partie — « ... (sont issus) les disciples de Valentin, tels que les révèlent leurs doctrines elles-mêmes et leurs systèmes » — l'école de Valentin a été décrite tout au long des deux premières parties —.

2. Peut-on préciser davantage ceux que vise Irénée par les termes « pères » et « ancêtres »? Il semble que oui.

D'une part, dans la Préface du Livre II, Irénée écrit : « Et *progenitoris ipsorum* (τοῦ προγόνου αὐτῶν) doctrinam Simonis magi Samaritani et omnium qui successerunt ei manifestauimus ». Ici, c'est Simon qui est présenté comme l'« ancêtre » des Valentiniens, mais non sans que lui soient associés tous ceux qui sont issus de lui et dont il est question en I, 23-28. On peut donc estimer que, dans la pensée d'Irénée, tous ces hérésiarques, avec Simon comme chef de file, sont les ascendants éloignés des Valentiniens.

D'autre part, en II, 13, 10, Irénée écrira : « De ... emissione Hominis et Ecclesiae, ipsi *patres eorum* (οἱ πατέρες αὐτῶν) falso cognominati Gnostici pugnant aduersus inuicem... » Ceux qu'Irénée appelle ici les « pères » des Valentiniens, ce sont les « Gnostiques » dont il a longuement exposé les théories en I, 29-30, et, plus particulièrement, ceux du chap. 30, qui posent précisément l'« Homme » comme Éon fondamental. Les « Gnostiques » en question apparaissent donc bien comme les ascendants immédiats des Valentiniens. C'est ce qu'Irénée vient d'ailleurs de dire déjà en I, 30, 15 : « ... a quibus (= les « Gnostiques »), uelut

Lernaea hydra, multiplex capitibus fera, [ ] Valentini
scola, generata est ».

Ainsi donc, nous trouvons, dans les premiers mots de
I, 31, 3, un coup d'œil rétrospectif précis sur les deux
sections constituant la 3ᵉ partie du Livre : d'abord les
« pères » ou ascendants proches (I, 29-31) ; ensuite les
« ancêtres » ou ascendants éloignés (I, 23-28).

3. Nous avons, jusqu'ici, délibérément fait abstraction
du mot « matribus ». Ce mot ne soulève, certes, aucune
difficulté au plan grammatical, mais, au plan de la pensée,
il se révèle difficilement justifiable. Que peut désigner ce
terme ? La 3ᵉ partie du Livre I est occupée tout entière par
les « ancêtres » et par les « pères » des Valentiniens, ainsi
qu'on l'a vu. Où trouver les « mères » ? Dira-t-on qu'Irénée
pourrait faire allusion à des personnages tels que l'Achamoth
des Valentiniens ou la Sophia-Prounikos des « Gnostiques »,
auxquelles nous savons qu'était décerné le titre de « Mère » ?
Mais nous sortons alors totalement du contexte : dans le
coup d'œil rétrospectif qu'il jette ici sur toute la 3ᵉ partie
du Livre, Irénée n'a en vue que les hérésiarques de chair et
d'os qui sont, de loin ou de près, à l'origine des doctrines
professées par les Valentiniens. Ainsi, nous ne voyons pas
comment entendre le mot « matribus » de façon satisfaisante : ce mot ne serait-il pas le résultat d'une altération
accidentelle ?

Mais ce n'est pas tout. Sur ce premier problème s'en
greffe un second, d'ordre grammatical, celui-ci. En effet,
si le sens général de la phrase se laisse deviner sans trop de
peine, il s'en faut que sa construction soit satisfaisante. Or,
lorsqu'on tente de retrouver cette construction, on songe
spontanément à la disposition suivante, simple et cohérente
à souhait :

il a été nécessaire
{
— de prouver avec évidence que
(c'est) de tels pères et ancêtres
(que) <sont issus> les disciples
de Valentin...

— et de produire au grand jour leurs
enseignements.
}

Comme on le voit, il manque un infinitif dans la proposition infinitive dépendant de « arguere » : cet infinitif ne
serait-il pas justement le mot même auquel un accident
aurait fait substituer la forme « matribus » qui se lit
maintenant ?

Nous en venons de la sorte à proposer la restitution
suivante pour le grec : Ἐκ τοιούτων ⟨γεγονέναι⟩ πατέρων τε
καὶ προγόνων τοὺς ἀπὸ Οὐαλεντίνου ... ἀναγκαῖον ἦν ... ἐλέγξαι ...
Ce que, conformément à sa manière la plus habituelle, le
traducteur latin a dû rendre par : « A talibus ⟨natos⟩ et
patribus et proauis eos qui a Valentino sint ... necessarium
fuit ... arguere ... » On devine ce qui s'est passé ensuite :
encadré par les formes « talibus » et « patribus », le mot
« natos » a dû, de bonne heure, se déformer en « matribus »,
une certaine similitude morphologique ayant pu faciliter
l'accident.

P. 389, n. 2. — « Car les avoir démasqués, c'est bien
cela : c'est les avoir déjà vaincus, que de les avoir fait
connaître », Ὁ γὰρ ἔλεγχος αὐτῶν τοιοῦτος · ἤδη κατ' αὐτῶν νίκη
ἡ τῆς γνώμης αὐτῶν φανέρωσις : restitution incertaine à plusieurs titres. Le mouvement général de la pensée paraît
postuler la correction (déjà proposée par Feuardent) de
« delectatio » en « detectio » (= ἔλεγχος). Nous proposons de
corriger « autem » en « enim », plus en situation. Enfin, les
restitutions de τοιοῦτος et de ἤδη sont tout à fait conjecturales.

Quoi qu'il en soit de ces incertitudes, le sens général de la
phrase est d'une parfaite clarté et s'harmonise pleinement
avec le contexte. Dans la longue période qui précède, Irénée
a dit pourquoi il n'a pas hésité à consacrer un Livre entier
à démasquer les Valentiniens et à produire au grand jour
leurs enseignements si soigneusement tenus secrets : il
espère que l'un ou l'autre hérétique, mieux disposé, se
convertira ; mais, surtout, il sait que l'hérésie, une fois
démasquée et connue sous son vrai jour, perdra tout pouvoir
de séduction auprès de la masse des gens simples et ne
pourra plus que s'éteindre d'elle-même, faute d'adhérents.
C'est la justification de cette assertion qu'apporte notre
phrase, que l'on peut paraphraser ainsi : « Telle est bien, en
effet, la portée d'une 'dénonciation' (ἔλεγχος) telle que celle
qui vient de faire l'objet de notre premier Livre : c'est déjà
une véritable victoire remportée sur les hérétiques que la
simple mise au jour (φανέρωσις) de leur doctrine jusqu'ici
tenue secrète ».

Sur l'importance capitale qu'attache Irénée à une
connaissance exacte des doctrines hérétiques et sur la
conscience qu'il a d'avoir, dans son premier Livre, atteint
un objectif que n'avait pu atteindre aucun de ses prédé-

cesseurs, voir IV, Pr., 2 : « Celui qui veut convertir les
(hérétiques) doit connaître *exactement* leurs systèmes.
Impossible, en effet, de guérir des malades, si l'on ignore le
mal dont ils souffrent. Telle est la raison pour laquelle nos
prédécesseurs, pourtant bien supérieurs à nous, n'ont pas
réussi à s'opposer de façon satisfaisante aux disciples de
Valentin : ils ignoraient leur système. C'est précisément ce
système que, pour notre part, nous t'avons communiqué
avec toute l'exactitude possible dans notre premier Livre... »

P. 391, n. 1. — « et de montrer que leurs opinions ne
s'accordent pas avec la vérité », καὶ ἀνάρμοστα τῇ ἀληθείᾳ
ἐπιδεικνύναι τὰ δόγματα : restitution hypothétique.

D'après le latin des manuscrits, le destinataire d'Irénée
serait à même «... de renverser les doctrines perverses et
informes des (hérétiques) et de montrer (quelles sont) les
croyances s'accordant avec la vérité », «... et apta ueritati
ostendere dogmata ».

Mais tout indique que, dans sa teneur primitive, la
phrase comportait « <non> apta » au lieu de « apta » :

1. Tout d'abord, il n'a été question, jusqu'ici, que de
faire connaître les doctrines hérétiques telles qu'elles sont
dans leur teneur réelle ; la démonstration de la vraie doctrine
viendra seulement dans la suite.

2. Le présent passage correspond, pour ainsi dire mot
pour mot, à un passage de la Préface du Livre : «... et nous
fournirons... les moyens de les réfuter, en *montrant* que
leurs dires sont absurdes, inconsistants et *en désaccord
avec la vérité* (ἀλλόκοτα καὶ ἀσύστατα καὶ ἀνάρμοστα τῇ
ἀληθείᾳ ἐπιδεικνύντες τὰ ὑπ' αὐτῶν λεγόμενα) ».

3. Dans l'*Aduersus haereses*, on relève, en dehors du
présent passage, au moins onze emplois certains du mot
δόγμα au sens de « opinion », « doctrine ». Or, dans tous ces
cas, ce mot sert à désigner les opinions fausses, qu'il s'agisse
de celles des philosophes païens (II, 14, 2) ou qu'il s'agisse
de celles des hérétiques (I, 28, 1 ; I, 31, 3 ; II, Pr., 1 ; II,
11, 2 ; II, 24, 4 ; II, 27, 1 ; II, 30, 2 ; IV, 32, 1 ; V, Pr., 2 ;
V, 1, 1). N'est-il pas probable *a priori* que, dans le passage
qui a fait l'objet de cette note, le mot δόγμα désigne également les opinions fausses des gnostiques ?

APPENDICES

Appendice I

LE « CODEX PASSERATII »

On sait que Massuet avait utilisé, pour le texte de l'*Adversus haereses*, un document particulier, qu'il a appelé le *codex Passeratii*. C'était une édition d'Érasme sur les marges de laquelle Passerat avait reporté, sans aller au delà du chapitre VIII du Livre II, les variantes d'un manuscrit. Massuet ignorait l'identité du manuscrit, mais il l'avait jugé « perantiqu(us) ac bonae notae ». Ces variantes ont donc passé dans son édition, à la suite de quoi on a tenu longtemps pour réelle l'existence du manuscrit de Passerat. F. Loofs, en 1888, s'est occupé de la question et il a conclu, assez facilement d'ailleurs, que le « *codex Passeratii* » n'était autre que le « *codex Vossianus* », notre V.

Il n'y aurait pas à revenir là-dessus si, en 1966, dans un article de *Studia Patristica* (*TU* 92), M.-L. Guillaumin n'avait mis en doute le bien-fondé de l'étude de Loofs. Une recherche dans les brouillons de Massuet, conservés à la B.N. sous la cote *Suppl. gr. 278*, lui avait montré que Massuet n'avait signalé dans son édition qu'une partie des variantes de Passerat et que l'étude de Loofs, très incomplète, était sujette à révision : les papiers de Massuet permettaient en effet de relever 527 variantes, tandis que Loofs n'avait raisonné que sur 173. Loofs, comme il convenait, avait écarté les leçons conformes au *Vossianus* et avait retenu dix-huit variantes propres à Passerat ou opposant Passerat au *Vossianus* ; il en éliminait huit qui pouvaient provenir de l'accord avec l'édition d'Érasme sur laquelle travaillait Passerat et n'en gardait finalement que dix, qu'on pouvait considérer comme récalcitrantes. Il les expliquait de différentes manières, plausibles, mais ces exceptions ne pouvaient aucunement infirmer à ses yeux le fait massif de la similitude, de l'identité même du *codex Passeratii* et du *Vossianus*. M.-L. Guillaumin, pour sa part, trouve 105 leçons propres à Passerat et 62 qui l'opposent à V. Nous passons de 18 à 167 : cela demande considération.

J'ai donc fait appel à M.-L. Guillaumin, qui m'a communiqué aussitôt ses notes avec le plus grand désintéressement. Qu'elle en soit remerciée. Sa coopération est précieuse, ses relevés ont été faits avec beaucoup de soin. Mais je dois tout de suite dire qu'à l'inverse de ce qu'elle suggérait, ses notes m'ont fourni tout au long des raisons d'abonder dans le sens de Loofs. Au terme de l'étude que j'ai faite, je n'ai qu'à confirmer les conclusions de Loofs et à reléguer dans un passé imaginaire le prétendu codex de Passerat. Cependant, n'anticipons pas.

La première observation que nous pouvons faire, ayant la photographie du ms. V sous les yeux, alors que Loofs ne le connaissait que par Stieren et M.-L. G. que par Massuet, lequel ne le connaissait lui-même que par Grabe, qui de son côté s'en était remis à une collation faite par Dodwell, ou plutôt mal faite par celui à qui il s'en était remis (Stieren I, p. xx), sur les marges d'une édition tardive et fautive de Feuardent (Massuet, *PG* 7, 714, n. 40), — notre première observation est donc qu'à l'exception de quelques cas que nous aurons à envisager tout à l'heure, la plupart des variantes de Passerat apportées par les brouillons de Massuet sont des leçons du *Vossianus*. Beaucoup de ces leçons ont passé dans le texte de Massuet, ordinairement à la faveur du texte du *Claromontanus*, et l'on comprend que Massuet, en dehors de ce qu'il jugeait plus important, n'ait pas signalé *toutes les fois* l'accord Pass.-CV, dès lors que le texte allait de soi. Les leçons de Passerat qui ne s'expliquent pas de la sorte ou par un accord avec Érasme, texte de base de Passerat, sont en nombre infime. J'en compte au plus une vingtaine, si bien que sur les 167 précitées, plus de 140 sont à éliminer du premier coup.

La deuxième observation — toujours en dépendance des photographies que nous avons sous les yeux — est celle d'une dizaine de cas où la similitude relève en quelque sorte du décalque, à tel point qu'on ne peut leur imaginer une autre origine que le *Vossianus* lui-même. Celui-ci, en effet, lu matériellement, présente comme tout manuscrit des vestiges d'étourderie, des mots déformés ou aberrants, des petits mots ajoutés par distraction, dont la critique se débarrassait alors facilement sans les mentionner. Passerat, à toute fin, les a notés ; il ne se doutait pas qu'il indiquait par là pour nous l'origine de ses variantes. Voici neuf cas (nous indiquons les leçons de tous les mss que nous connaissons aujourd'hui) :

1) — **4, 25** (deux fois) : *ioath* V Pass., *iaoth* CA, *iam ioth*
Q, *iaioth* Sε, *iao* Feu. et edd. après lui. En note, Feu.
mentionne que son « Vetus codex » donne *ioath*.

2) — **5, 113** : *ecclesiae site* V (indubitable) Pass., *ecclesiae*
(sans rien) CAQSε Feu.

3) — **12, 4** : *quiddam emittere* Pass. Feu.[mg], *quid emittere*
CAQε Feu.[tx], *quid emitteret* S, *quid' mittere* V. Ici, pour
quid' (= *quidem* ordinairement en V), Passerat a cru pouvoir
lire légitimement *quiddam* (que Massuet a incorporé à son
texte) et il a gardé *emittere* de son Érasme.

4) — **14, 182** : *autem idem* (*id est* V) *adfert* V Pass.,
autem adfert CAQSε Feu. Ici, dans V, le mot *adfert* est écrit
entre les lignes au-dessus de *id ē*, que Passerat a lu *idem*
(nous, plutôt, *id est*).

5) — **21, 21** : *in paenitentia in* V Pass., *in paenitentia*
CAε Feu. (Q a ici une longue omission, S manque désormais).
Massuet considère *in*₂ de Pass. comme une corruption de *m*,
ce qui le porte à écrire, et nous avec lui, *in paenitentiam*.
Pour bien justifier la lecture *in* de Passerat, il faut observer
que V sépare *paenitentia* de *in* par un point.

6) — **24, 102** : *non* (*nō* V) V Pass., *nomen* (*nom̄*) CAQε
Feu. Le cas est exemplaire : Pass. a trébuché sur l'abréviation
de V, qu'il a interprétée comme un *non*, contre Érasme qui
avait bien lu *nomen* dans ses mss (sur la confusion *non/
nomen*, cf. *SC* 210, p. 31-34).

7) — **28, 31** : *et quid demum* Pass., *et qui demum* V
Feu.[mg], *et quid enim* CAQε, *et quid etenim* Feu.[tx].

8) — **30, 71** : *artapheum* V Pass., *adstapheum* C, *astha-
phaeum* AQ, *aschaphaeum* ε, *astapheum* Feu.

9) — **30, 197** : *oseam* V Pass. Feu.[mg], *esaiam* Cε Feu[tx],
eseiam A, *ysaiam* A₂, *ysayam* Q.

Quiconque veut bien étudier, sur ces exemples, les
ressemblances entre Pass. et V ne doutera pas que Pass.
a eu V entre les mains, qu'il en a reproduit très exactement
les noms propres erronés *(ioath, artapheum, oseam)*, qu'il en a
lu mais mal interprété les abréviations *(quiddam, idem, non)*,
qu'il en a recopié un mot énigmatique *(site)*.

On ne voit pas quel autre document que V lui-même aurait
pu présenter un ensemble de variantes aussi caractéristiques,
surtout quand on songe que, sur les 167 variantes qui
faisaient difficulté à M.-L. Guillaumin, près de 140, comme

nous l'avons dit, se sont automatiquement identifiées aux leçons de V. Voudrait-on concevoir, dans la lignée de la première famille, un autre document, il faudrait, à la vérité, lui donner toutes les caractéristiques de V, moins quelques-unes dont nous allons essayer d'expliquer pourquoi V, précisément, ne les a pas.

L'intention de Passerat, en inscrivant des variantes sur les marges d'un Érasme, n'apparaît pas clairement. Veut-il simplement relever un document original dont il a l'usage ou se propose-t-il en même temps d'améliorer un texte dont plus d'un endroit lui paraît douteux? Il semble qu'il ait poursuivi les deux buts à la fois, avec une certaine constance pour le premier et sporadiquement pour le second. Comment expliquer sans cela les variantes de Passerat inexistantes dans V, mais dont l'origine peut se déceler dans l'édition de Feuardent? Voici quelques cas :

1) — 5, 41 : *archangelum quartum* Pass. Feu., *archangeli nun* ε, *archangelum* CV AQS. Passerat trouvait ici à l'accusatif le nom propre *Nus* (Νοῦς), Éon de la tétrade fondamentale (cf. 1, 12-20), accolé à la fonction d'archange, ce qui ne pouvait convenir. Aucune des sept éditions d'Érasme (la dernière est de 1567) n'avait laissé percevoir la difficulté. Ce n'est que lorsque Des Gallards (1570) eut imprimé en regard du texte latin d'Irénée le texte grec d'Épiphane que l'incompatibilité fut perçue et la difficulté levée : le grec portait τέταρτον ἄγγελον. Des Gallards inscrit dans son texte latin *archangeli IIII*. Feuardent, qui avait lu Tertullien (cf. p. 47, note 55 de son édition de 1596) et citait aussi Épiphane, acheva de restituer en toutes lettres la lecture véritable *archangelum quartum*. Comment, dans ces conditions, ne pas attribuer à Feuardent l'origine de la variante de Passerat?

2) — 14, 145-146 : *hominem factum et dispositionem autem in sexta die* est un membre de phrase qu'un homoiotéleute a fait omettre par AQSε. Mais Feuardent le trouve dans V et l'insère à sa place en oubliant *et*. Passerat omet aussi *et*. N'est-on pas en droit de considérer qu'il a suivi l'édition de Feuardent, sans regarder ici de près le *Vossianus* qui porte bien *et*?

3) — 16, 23 : *et amen* Feu. Pass., *tamen* CV AQSε. Feuardent, d'après le grec, a rétabli la lecture correcte de ce passage. Passerat s'est écarté de V pour suivre Feuardent.

4) — 16, 50 : *ad similis sui* Feu. Pass., *ad similis eorum*
CAQSε, *ad similem eorum* V. Encore l'autorité de Feuardent.

5) — 30, 225 : *sensim eos euacuasse uirtutem* CVᵖᶜ AQε,
sensim eorum euacuasse uirtutem Vᵃᶜ Feu. Pass. L'influence
de Feu. sur Pass. est ici probable — à moins qu'ils n'aient
eu tous deux le même comportement vis-à-vis de V (ce qui
appuierait en définitive la thèse que Passerat lisait V) —,
car le ms. V présente *eos* avec le *s* final empâté, servant de
correction (même main) à une autre finale, à peine lisible
en dessous : *nx* (= *rum*). Passerat, qui lisait *eos* sur son
Érasme et, clairement, sur la correction de V, aura été porté
à noter *eorum*, qui ne s'imposait pas à lui, par la lecture
de Feuardent...

6) — II, 3, 5 (Hv 257, 9) : *maius pleromate* CVAQSε
Feu.ᵐᵍ, *magis pleromate* Feu.ᵗˣ Pass. Ici, Passerat n'avait
qu'un modèle, le texte de Feuardent. Il faut noter que, si
la marge de Feu.-1575 porte *maius*, celle de l'édition de 1596
ne le porte plus.

7) — II, 8, 30 (Hv 271, 8) : *id est* CV AQSε Feu.ᵗˣ, *idem*
Feu.ᵐᵍ Pass. Seule la marge de Feuardent pouvait ici
fournir la variante de Passerat. Notons la même lecture
erronée de *id est* en *idem* comme, plus haut, en 14, 182.

Passerat, pour autant, ne s'en est pas toujours laissé
imposer par Feuardent. En plus d'un cas, il s'est écarté de
lui, soit qu'il reste fidèle à son Érasme, soit qu'il adopte V
lorsque Feuardent ne le fait pas. Qu'il suffise d'évoquer
brièvement les quelques cas suivants : 5, 103 *spiritalis*
Vε Pass., *spiritalem* Feu. ‖ 6, 1 *tres* Vε Pass., *tria* Feu. ‖ 11, 89
est V Pass., *esse* Feu. ‖ 14, 32 *unum sonum* V Pass., *suum
sonum* Feu. ‖ 29, 37 *solum opinantem* V Pass., *se solum
opinatum* Feu. ‖ etc.

De toute cela il ressort qu'il est difficile, sinon impossible,
de dissocier les variantes de Passerat du manuscrit V ;
il ressort aussi que Passerat ne s'est pas astreint à n'inscrire
dans les marges de son Érasme que les variantes de V ;
il en a emprunté, nous l'avons vu, à Feuardent et il en a tiré
de lui-même : ce sont alors ses propres conjectures. Si celles-ci
étaient nombreuses, on aurait quelque raison de soupçonner
un document à leur origine, mais elles ne sont en réalité
que quatre ou cinq et s'expliquent fort bien par les réactions
d'un humaniste du xviᵉ siècle en face d'un texte à propos
duquel il jugeait qu'il pouvait — car après tout l'exemplaire
d'Érasme lui appartenait — librement s'exprimer. Ainsi,

d'après les brouillons de Massuet, en **31, 47**, Passerat inscrit
perduxit, mais V donne *perducit* et Feu. avec ε *adduxit*.
Passerat a-t-il forgé la forme nouvelle et exacte, ou cru bien
lire le ms. V ? Ainsi encore en **14, 204**, les mss donnent
dicuntur CV, *discuntur* AQ, mais Passerat inscrit dans sa
marge *discurrunt* ; en **18, 68**, Pass. est seul à écrire *et in
circumcisionem*, tous les autres documents suppriment *in*.

C'est dans cette catégorie de conjectures qu'il faut ranger,
pensons-nous, deux des variantes récalcitrantes de Loofs :
27, 3 (Loofs 105[1]) *octauum* Pass. (suivi par Massuet), *nonum*
CVAQε Feu. ‖ **30, 125** (Loofs 110°) *suum blasphema* Pass.,
suum plasma CV, *sua blasphema* A, *suam blasphema* Q,
suam blasphemiam ε Feu. La première est une pure conjecture
et l'on ne s'en étonne pas quand on connaît l'érudition latine
de Passerat ; la seconde est plus étonnante, mais, puisque
Passerat a montré par ailleurs qu'il relevait les variantes
de V, on peut attribuer à une distraction le fait d'avoir écrit
blasphema : le mot jure en effet à côté de *suum* et nous avons
le droit de penser que le latiniste Passerat avait l'intention
d'écrire *plasma*, comme le lui indiquait V.

Avant d'en finir avec cette analyse de cas, nous pouvons
revenir sur les dix que Loofs réservait et qu'il expliquait
un peu vite au gré de M.-L. Guillaumin. Chemin faisant,
nous en avons rencontré et résolu le plus grand nombre :
1) 25[a] **5, 41** *archangelum quartum* Pass. 2) 28[a] **5, 113**
ecclesiae+site Pass. 3) 56[1] **12, 4** *quiddam emittere* Pass. 4) 67[f]
14, 32 *unum sonum* Pass. 5) 105[1] **27, 3** *octauum* Pass. 6) 110°
30, 125 *suum blasphema* Pass. 7) 118° II, **3, 5** *magis pleromati*
Pass. — Il ne nous reste à envisager que trois cas : 36°, 65[h],
94[1].

En 36° **8, 10** Passerat porte *supergredientes*, mais V aussi
(cf. l'apparat : -*gre*- CVAQS Feu.[mg], -*gra*- ε Feu[tx]). Ici, pas
de difficulté, Pass. suit V, mais Loofs a été trompé par le
silence de Massuet et de Stieren sur V.

En 65[h] **14, 4** Passerat porte, selon Massuet, *unctus*, ce qui
est étrange, car les deux lectures possibles sont *unigenitus*
AQSε Feu. et *unitus* CV. On peut se demander lequel de
Passerat ou de Massuet s'est trompé dans sa lecture. V en
effet présente à la photographie un *i* légèrement effacé, mais
bien net, qu'on ne peut prendre pour un *c* : Passerat, sur
l'*unigenitus* d'Érasme, n'a pu que vouloir reporter la
variante de V, *unitus*. S'est-il trompé en l'écrivant ou
Massuet en le lisant ? De toute façon, l'origine de cette
ivarante est en V.

En 94¹ 21, 34 Passerat porte *adaptant*. D'après Massuet,
ce serait une lecture de V. Mais V porte *adoptant*. Il faut
donc considérer qu'ici Passerat emprunte à Érasme et à
Feuardent la syllabe -*dap*- et à V la terminaison -*tant*.
Contamination. L'apparat se présente ainsi : *adaptant* Pass.
Grabe et edd. post., *adoptant* CV, *adaptante* AQ, *adaptantes*
ε Feu.

Au terme de toutes ces analyses, nous ne pouvons que
répéter ce que disait Loofs, p. 88 : « Aucune hésitation :
le codex de Passerat n'est pas autre chose que le Vossianus »
(« So zweifle ich nicht daran, dass der cod. Pass. kein andrer
ist als der Voss. »).

D'autre part, historiquement, le *Vossianus* se trouve au
carrefour des relations et des occupations érudites de
Passerat.

Passerat ne fut en mesure de collationner le manuscrit
qu'à partir de 1569, date à laquelle, après avoir étudié
le droit à Bourges, il s'installe à Paris. Il a 35 ans. Il est
le protégé du Conseiller d'État Henri de Mesmes, dans
l'Hôtel de qui il est logé comme précepteur de son fils
Jean-Jacques. Il utilise la riche bibliothèque du Conseiller,
qu'il a louée dans ses vers en 1571, et consacre son temps
à l'érudition, principalement dans la langue latine. En 1572,
il s'est suffisamment fait connaître pour être nommé
professeur d'éloquence au Collège de France (alors Collège
Royal). Nous savons qu'il posséda personnellement des
manuscrits, puisque plusieurs d'entre eux passèrent au
médecin Jacques Mentel avant que celui-ci ne vendît les
siens à la Bibliothèque du Roi (cf. Delisle). Sur la fin de sa
vie, vers les années 1596, Passerat devint aveugle — nous
avons à ce sujet une pièce de lui de 1597, « De caecitate
oratio » — et les infirmités le clouèrent dans son lit jusqu'à
sa mort en 1602, toujours à l'Hôtel de Mesmes. Ce rappel
de dates nous permet de situer la collation de Passerat
après l'édition de Feuardent de 1575 et avant celle de 1596.
A ce moment, le manuscrit d'Irénée se trouve chez Jean
de Saint-André, Conseiller au Parlement et Chanoine de
Notre-Dame de Paris. Celui-ci le tenait de son père, mort en
1571, François de Saint-André, qui dut l'acquérir lui-même
des Carmes de la place Maubert, vendeurs empressés,
à certain moment, de leurs livres anciens. Jean de Saint-
André passe pour avoir généreusement prêté ses manuscrits
à ses amis et aux érudits. Nous savons que c'est lui qui
prêta le *Vossianus* à Feuardent dans les années qui

précédèrent 1575. Comme il fréquentait l'Hôtel de Mesmes, il n'y a pas de raison de s'opposer à ce que ce soit lui aussi qui l'ait prêté à nouveau à Passerat, après qu'il eut servi à Feuardent. Jean de Saint-André en effet vécut jusqu'en 1614. Très peu de ses manuscrits avaient alors passé à Paul Petau, qui n'avait, du reste, commencé à acquérir les siens qu'en 1590 et qui mourut la même année 1614. Ce fut Alexandre Petau, son fils, qui acquit les manuscrits laissés par Jean de Saint-André, parmi lesquels il faut compter notre futur *Vossianus*, qui porta chez Petau le n° 598.

Dans ces conditions, il apparaît que Passerat ne pouvait ignorer que le *Vossianus* avait été utilisé par Feuardent pour établir son édition. Quel mobile a donc pu pousser Passerat à collationner sur les marges d'un Érasme — probablement celui de 1560, d'après quelques indices tirés des variantes — un manuscrit connu et déjà utilisé ? Voulait-il refaire une édition ? contrôler le travail de Feuardent ? ou simplement avoir des éléments pour corriger son édition d'Érasme, notoirement insuffisante ? Ce dernier motif nous paraît le plus vraisemblable, étant donné la curiosité critique de l'époque et les goûts de latiniste de Passerat — on sait qu'il écrivit des *Orationes* sur Plaute, Ovide, Catulle, Properce, Cicéron. D'autre part, pourquoi le travail commencé a-t-il été interrompu au chapitre VIII du Livre II ? Manque d'intérêt du sujet traité par Irénée ? Prise de conscience que le livre de Feuardent remplaçait valablement celui d'Érasme ? Insécurité des conditions de travail sous l'empire des luttes de religion ? Retour du manuscrit à son propriétaire ? Nous n'avons aucun document pour nous renseigner.

L'intérêt de toutes ces questions est mince, car elles n'apportent rien à la connaissance d'Irénée : tout au plus confirment-elles à leur façon que le travail de Passerat consigné par Massuet n'est d'aucun secours à qui veut établir le texte irénéen. Il est piquant de savoir que Massuet s'en est servi comme d'un véritable manuscrit « bonae notae » : il lui aura servi, du moins, à confirmer les leçons du *Claromontanus*. Mais, deux siècles et demi plus tard, pour nous, mieux renseignés sur la tradition manuscrite d'Irénée et pourvus des moyens de reproduction que Massuet n'avait pas, le « codex Passeratii » n'est plus qu'une illusion du passé. Celle-ci dissipée, nous pouvons aujourd'hui établir le texte de l'*Aduersus haereses* avec des matériaux d'une tout autre solidité.

L. D.

A consulter :

Préfaces, Prolegomena et notes des éditions de Feuardent, Grabe, Massuet, Stieren.

F. Loofs, *Die Handschriften ... des Irenaeus*, Leipzig 1888, p. 84-88.

M.-L. Guillaumin, « A la recherche des manuscrits d'Irénée », dans *Studia Patristica* VII, 1966 (*TU* 92), p. 65-70.

K. A. de Meyier, *Paul en Alexandre Petau en de Geschiedenis van hun Handschriften*, Leiden 1947 (F. et J. de Saint-André, H. de Mesmes, p. 37-41, 188 s.).

K. A. de Meyier, *Codices Vossiani Graeci et Miscellanei*, Leiden 1955.

L. Delisle, *Le Cabinet des Manuscrits* (Passerat..., p. 287, *passim*).

J. Jehasse, *La renaissance de la critique. L'essor de l'humanisme érudit de 1560 à 1614*. Publications de l'Université de Saint-Étienne, 1976 (Passerat, son esprit, le milieu, la critique, *passim*, p. 231, 324, 439, 674-676...).

Appendice II

THÉODORET

Haereticarum fabularum compendium

XIII. — Περὶ Βαρβηλιωτῶν ἤγουν Βορβοριανῶν.

Ἐκ τῶν Βαλεντίνου σπερμάτων τὸ τῶν Βαρβηλιωτῶν ἤγουν Βορβοριανῶν ἢ Ναασσηνῶν ἢ Στρατιωτικῶν ἢ Φημιονιτῶν καλουμένων ἐβλάστησε μύσος. Ὑπέθεντο γὰρ
4 Αἰῶνά τινα ἀνώλεθρον ἐν παρθενικῷ διάγοντα Πνεύματι, ὃ Βαρβηλὼθ ὀνομάζουσι, τὴν δὲ Βαρβηλὼθ αἰτῆσαι Πρόγνωσιν παρ' αὐτοῦ. Προελθούσης δὲ ταύτης, εἶτ' αὖθις αἰτησάσης, προελήλυθεν Ἀφθαρσία, ἔπειτα αἰωνία Ζωή.
8 Εὐφρανθεῖσαν δὲ τὴν Βαρβηλὼθ ἐγκύμονα γενέσθαι καὶ ἀποτεκεῖν τὸ Φῶς. Τοῦτό φασι τῇ τοῦ Πατρὸς χρισθὲν τελειότητι ὀνομασθῆναι Χριστόν. Οὗτος πάλιν ὁ Χριστὸς ἐπήγγειλεν Νοῦν καὶ ἔλαβεν. Ὁ δὲ Πατὴρ προσέθεικε
12 καὶ Λόγον. Εἶτα συνεζύγησαν Ἔννοια καὶ Λόγος, Ἀφθαρσία καὶ Χριστός, Ζωὴ αἰώνιος καὶ τὸ Θέλημα, ὁ Νοῦς καὶ ἡ Πρόγνωσις. Ἔπειτα πάλιν ἐκ τῆς Ἐννοίας καὶ τοῦ Λόγου προβληθῆναί φασι τὸν Αὐτογενῆ καὶ σὺν αὐτῷ τὴν Ἀλήθειαν
16 καὶ γενέσθαι πάλιν συζυγίαν ἑτέραν Αὐτογενοῦς καὶ Ἀληθείας.

Καὶ τί δεῖ λέγειν καὶ τὰς ἄλλας προβολὰς τὰς ἐκ τοῦ Φωτὸς καὶ τῆς Ἀφθαρσίας; Μακρὸς γὰρ ὁ μῦθος καὶ
20 πρὸς τῷ δυσσεβεῖ καὶ τὸ ἀτερπὲς ἔχων. Ἐπιτεθείκασι δὲ τούτοις καὶ Ἑβραϊκὰ ὀνόματα, καταπλήττειν τοὺς ἁπλου-στέρους πειρώμενοι.

Τὸν δὲ Αὐτογενῆ φασι προβαλέσθαι Ἄνθρωπον τέλειον
24 καὶ ἀληθῆ, ὃν καὶ Ἀδάμαντα καλοῦσι · προβεβλῆσθαι δὲ

---

*Les leçons nouvelles par rapport à Migne (M), PG 83, 361 ss.,
sont tirées du Vaticanus gr. 2210, s. ix, f. 16ᵛ-18ʳ (A).*

THÉODORET

Compendium des fables hérétiques

13. Les Barbéliotes ou Borboriens.

De la semence de Valentin est issue la souillure de ceux que l'on appelle Barbéliotes ou Borboriens ou Naassènes ou Stratiotiques ou Phémionites. Ils ont posé à la base de leur système un « Éon » impérissable, vivant dans un Esprit virginal qu'ils nomment « Barbélo ». Cette Barbélo lui demanda la « Prégnose ». Celle-ci étant apparue et ayant demandé à son tour, l'« Incorruptibilité » apparut, puis la « Vie éternelle ». De joie, Barbélo devint enceinte et enfanta la « Lumière ». Celle-ci, disent-ils, pour avoir été ointe de la perfection du Père, reçut le nom de « Christ ». Le Christ, à son tour, requit l'« Intellect » et le reçut. Le Père y ajouta le « Logos ». Ensuite s'unirent en syzygies la Pensée et le Logos, l'Incorruptibilité et le Christ, la Vie éternelle et le Vouloir, l'Intellect et la Prégnose. Puis, de la Pensée et du Logos fut émis, disent-ils, l'«Autogénès », et avec lui la « Vérité », et il y eut ainsi encore une autre syzygie, celle de l'Autogénès et de la Vérité.

Mais qu'est-il besoin de dire aussi les autres émissions, celles qui furent le fait de la Lumière et de l'Incorruptibilité ? Car elle est longue, cette fable, et, à l'impiété, elle unit l'insipidité. Ils plaquent, au surplus, sur tout cela des vocables hébraïques, pour tenter de faire impression sur les gens simples.

L'Autogénès, disent-ils, émit l'« Homme » parfait et vrai, qu'ils appellent aussi l'«Indomptable ». Avec lui fut émise

XIII, 2 ναασσηνῶν A : ναασινῶν M ‖ 9 πατρὸς A : πνεύματος M

σὺν αὐτῷ καὶ ὁμόζυγα Γνῶσιν τελείαν. Ἐντεῦθέν φασιν
ἀναδειχθῆναι Μητέρα, Πατέρα, Υἱόν. Ἐκ δὲ τοῦ Ἀνθρώπου
καὶ τῆς Γνώσεως βεβλαστηκέναι Ξύλον · Γνῶσιν δὲ καὶ
28 τοῦτο προσαγορεύουσιν.

Ἐκ δὲ τοῦ πρώτου Ἀγγέλου προβληθῆναι λέγουσι
Πνεῦμα ἅγιον, ὃ καὶ Σοφίαν καὶ Προύνικον προσηγόρευσαν.
Ταύτην φασὶν ἐφιεμένην ὁμόζυγος ἔργον ἀποκυῆσαι ἐν ᾧ
32 ἦν Ἄγνοια καὶ Αὐθάδεια. Τὸ δὲ ἔργον τοῦτο Πρωτάρχοντα
καλοῦσι, καὶ αὐτὸν εἶναι λέγουσι τῆς κτίσεως ποιητήν.
Τοῦτον δὲ τῇ Αὐθαδείᾳ συναφθέντα τὴν Κακίαν ἀπογεννῆσαι
καὶ τὰ ταύτης μόρια.

36 Ταῦτα μὲν οὖν ἐν κεφαλαίῳ διῆλθον, ὑπερβὰς τὸ τοῦ
πλάσματος μῆκος. Τὰς δὲ μυστικὰς αὐτῶν τελετὰς τίς
οὕτω τρισάθλιος, ὥστε διὰ γλώττης προενεγκεῖν τὰ τελού-
μενα ; Πάντα γὰρ λογισμὸν πονηρὸν ὑπερβαίνει καὶ πᾶσαν
40 ἔννοιαν μυσαρὰν τὰ παρ᾽ ἐκείνων ὡς θεῖα πραττόμενα.
Ἀρκεῖ δὲ καὶ ἡ ἐπωνυμία τὸ παμμίαρον αὐτῶν αἰνίξασθαι
τόλμημα · Βορβοριανοὶ γὰρ τούτου χάριν ἐπωνομάσθησαν.

XIV. — Περὶ Σηθιανῶν ἢ Ὀφιανῶν ἢ Ὀφιτῶν.

Οἱ δὲ Σηθιανοί, οὓς Ὀφιανοὺς ἢ Ὀφίτας τινὲς ὀνομάζουσιν,
Ἄνθρωπον καλοῦσι τὸν τῶν ἁπάντων Θεόν, Φῶς αὐτὸν
πάλιν ἐπονομάζοντες, καὶ μακάριον καὶ ἄφθαρτον ἀποκα-
4 λοῦντες, καὶ ἐν Βυθῷ τὴν οἴκησιν ἔχειν διαβεβαιούμενοι ·
τὴν δὲ Ἔννοιαν αὐτοῦ Υἱὸν Ἀνθρώπου καλοῦσι καὶ δεύτερον
Ἄνθρωπον. Μετὰ δὲ τοῦτον ὑπάρχειν τὸ ἅγιον Πνεῦμα,
κάτω δὲ τούτων τέσσαρα στοιχεῖα, ὕδωρ, σκότος, ἄβυσσον,
8 χάος · Θῆλυ δὲ τὸ Πνεῦμα καλοῦσι καὶ τοῖς στοιχείοις
ἐπιφέρεσθαι λέγουσιν.

Ἐρασθῆναι δέ φασι τὸν πρῶτον Ἄνθρωπον καὶ τὸν
δεύτερον τῆς ὥρας τοῦ Πνεύματος καὶ παιδοποιῆσαι Φῶς,
12 ὃ καλοῦσι Χριστόν. Μὴ δυνηθεῖσαν δὲ βαστάσαι τὴν Θήλειαν
τοῦ φωτὸς τὴν ὑπερβολήν, ὑπερβλύσαι · καὶ τὸν μὲν Χριστὸν
σὺν τῇ Μητρὶ εἰς τὸν ἄφθαρτον ἀνασπασθῆναι Αἰῶνα, ἣν
καὶ ἀληθινὴν Ἐκκλησίαν καλοῦσι · τὴν δὲ ἀναβλυσθεῖσαν
16 τοῦ φωτὸς ἰκμάδα ἐκπεσεῖν κάτω φασὶ καὶ κληθῆναι

---

25 φασιν nos : πάλιν φασιν A πάλιν M ‖ 26 υἱόν A : καὶ υἱόν
M ‖ 30 καὶ σοφίαν καὶ nos : καὶ σοφίαν A σοφίαν καὶ M

également, comme compagne, la « Gnose » parfaite. C'est ainsi, disent-ils, qu'apparurent la Mère, le Père et le Fils. De l'Homme et de la Gnose naquit l'« Arbre ». A cet Arbre, ils donnent également le nom de Gnose.

Par le premier Ange fut émis, disent-ils encore, l'« Esprit Saint », qu'ils appellent aussi « Sagesse » et « Prounikos ». Celle-ci, toute tendue par le désir d'un compagnon, enfanta une œuvre dans laquelle il y avait l'« Ignorance » et l'« Infatuation ». Cette œuvre, ils l'appellent le « Protarchonte », et c'est lui qu'ils disent être l'Auteur de la création. Celui-ci, s'étant uni à l'Infatuation, engendra le « Vice » et ses ramifications.

J'ai exposé tout cela en résumé, en passant par-dessus la longueur de leur fiction. Pour ce qui est de la célébration de leurs mystères, quel homme serait assez misérable pour exprimer de bouche ce qu'ils y accomplissent? Car ce que ces gens célèbrent comme prétendument divin dépasse tout ce qu'on peut concevoir comme dépravé et tout ce qu'on peut imaginer comme infâme. Leur surnom suffit à suggérer leur audace scélérate, car, à cause d'elle, on les surnomme « Borboriens » (= « gens du bourbier »).

14. Les Séthiens ou Ophiens ou Ophites.

Les Séthiens, que certains nomment Ophiens ou Ophites, appellent « Homme » le Dieu de toutes choses. Ils le désignent aussi sous le nom de « Lumière », le proclament bienheureux et incorruptible et affirment qu'il avait sa demeure dans l'Abîme. Ils appellent sa Pensée « Fils de l'Homme » et « Second Homme ». Après celui-ci, il y avait le « Saint-Esprit », et, au-dessous d'eux, les quatre éléments : eau, ténèbres, abîme, chaos. Ils appellent « Femme » l'Esprit et disent qu'il était porté sur les éléments.

Le Premier Homme et le Second, disent-ils, s'éprirent de la beauté de l'Esprit et en engendrèrent une Lumière, qu'ils appellent « Christ ». Mais, comme la Femme ne put porter la surabondance de la lumière, celle-ci déborda. Le Christ, avec sa Mère, fut attiré dans l'Éon incorruptible, qu'ils appellent aussi la véritable « Église ». Quant à la rosée de lumière qui avait débordé, elle se précipita vers le bas, disent-ils, et fut appelée « Sagesse », « Prounikos » et Mâle-

XIV, 9 λέγουσιν A : om. M

Σοφίαν καὶ Προύνικον καὶ Ἀρσενόθηλυ. Διανηχομένην δὲ
ἐν τοῖς ὕδασι, προσλαβεῖν μὲν ἐξ αὐτῶν σῶμα καὶ βαρυνθῆναι
καὶ ὑποβρύχιον κινδυνεῦσαι γενέσθαι, ἀναδῦναι δὲ καὶ ἐκ
20 τοῦ περικειμένου σώματος κατασκευάσαι τὸν οὐρανόν, εἶτα
τὸ λοιπὸν ἀπορρίψασαν ἀναπτῆναι πρὸς τὴν Μητέρα ·
ἐκεῖνο δὲ υἱὸν τῆς Προυνίκου καλοῦσι.

Κἀκεῖνος δὲ πάλιν ἄλλον υἱὸν προεβάλετο, καὶ ἐξ ἐκείνου
24 συστῆναι λέγουσιν ἕτερον, καὶ μέχρι τοῦ ἑπτὰ ἀριθμοῦ
προβῆναι τὰς προβολάς · ὑφ᾿ ἑκάστου δὲ τούτων ἕνα οὐρανὸν
δημιουργηθῆναι καὶ ἕκαστον οἰκεῖν τὸν οἰκεῖον. Ἐπέθεσαν
δὲ καὶ ὀνόματα τοῖς προειρημένοις υἱοῖς, τῇ Ἑβραίων
28 χρησάμενοι γλώττῃ, ὧν ἐπιμνησθῆναι περιττὸν ἄγαν ὑπέ-
λαβον. Διαστασιάσαι δέ φασι τοὺς ἄλλους πρὸς τὸν πρῶτον,
τῶν μὲν ὄντα πάππον, τῶν δὲ ἐπίπαππον, ἐνίων δὲ πρόγονον.
Τὸν δὲ ἀθυμήσαντα εἰς τὴν τρύγα τῆς ὕλης ἐρεῖσαι τὴν
32 ἔννοιαν καὶ γεννῆσαι υἱὸν ἐξ αὐτῆς ὀφιόμορφον. Εἶτα
καυχώμενον τὸν τοῦ ὀφιομόρφου πατέρα εἰπεῖν · « Ἐγὼ
Θεὸς καὶ Πατήρ, καὶ ὑπὲρ ἐμὲ οὐδείς ». Τὴν δὲ Μητέρα
δυσχεράνασαν ἐπιβοῆσαι αὐτῷ · « Μὴ ψεύδου · ἔστι γὰρ
36 ὑπὲρ σὲ Πατὴρ ἁπάντων, πρῶτος Ἄνθρωπος, <καὶ
Ἄνθρωπος>, Υἱὸς Ἀνθρώπου ». Τούτων δέ, φησίν, ἀκούσας
τῶν λόγων τοῦ ὄφεως ὁ πατὴρ ἔφη · « Δεῦτε, ποιήσωμεν
ἄνθρωπον κατ᾿ εἰκόνα ἡμῶν ».
40 Καὶ ἕτερα δὲ πάμπολλα προστιθέασι δυσσεβείας ὁμοῦ
καὶ ἀηδίας μεστά. Καὶ τὸν ὀφιόμορφον δὲ ἐκεῖνον Μιχαὴλ
καὶ Σαμαὴλ ὀνομάζουσι. Καὶ τοὺς προφήτας διαιροῦσι καὶ
τοῖς ἑπτὰ υἱοῖς ὡς θέλουσιν ἀπονέμουσι. Καὶ τὸν Σὴθ
44 θείαν τινὰ δύναμιν εἶναί φασι · διὸ καὶ Σηθιανοὶ προσηγο-
ρεύθησαν. Τὸν Ἰησοῦν δὲ λέγουσιν ἄλλον παρὰ τὸν Χριστόν,
καὶ τὸν μὲν Ἰησοῦν ἐκ τῆς παρθένου γεννηθῆναι, τὸν δὲ
Χριστὸν οὐρανόθεν εἰς αὐτὸν κατελθεῖν. Φασὶ δὲ καὶ τοὺς
48 ἀποστόλους πλανηθῆναι, νενομικότας τοῦ Σωτῆρος ἀναστῆναι
τὴν σάρκα. Τινὲς δὲ ἐξ αὐτῶν φασιν εἰς ὄφεως εἶδος ἑαυτὸν
ἐκτυπώσαντα τὸν Χριστὸν εἰς τὴν τῆς παρθένου μήτραν
εἰσδῦναι. Καὶ οὕτω νοοῦσιν οἱ δείλαιοι τὴν ἀποστολικὴν
52 ῥῆσιν · « Ὃς ἐν μορφῇ Θεοῦ ὑπάρχων οὐχ ἁρπαγμὸν

17 ἀρσενόθηλυ A : ἀρσενόθηλυν M ǁ 20 κατασκευάσαι A : κατα-
σκευάσθαι M ǁ 21 τὸ λοιπὸν A : λοιπὸν M ǁ 22 ἐκεῖνο A : ἐκεῖνον M

Femelle ». En nageant dans les eaux, elle prit d'elles un corps, s'alourdit et fut en danger d'être engloutie. Elle émergea cependant et, du corps qui l'entourait, elle fit le ciel ; puis, après avoir rejeté tout le reste, elle s'envola auprès de sa Mère. Ce reste, ils l'appellent Fils de Prounikos.

Ce Fils, à son tour, émit un autre Fils, puis de ce dernier en naquit un autre, disent-ils, et les émissions progressèrent de la sorte jusqu'au nombre de sept. Par chacun d'eux fut produit un ciel, et chacun habite le sien. Ils ont apposé des noms aux Fils susdits, en recourant à la langue hébraïque, mais je crois tout à fait superflu de les mentionner. Une rivalité les fit se dresser, disent-ils, contre le premier d'entre eux, qui était tour à tour leur grand-père, leur arrière-grand-père et leur ancêtre. En proie à l'abattement, il fixa sa pensée sur la lie de la matière et engendra d'elle un fils en forme de Serpent. Alors, poussé par la vantardise, le Père de cet être en forme de Serpent dit : « C'est moi qui suis Dieu et Père, et il n'y en a point au-dessus de moi ». Mais sa Mère, indignée, lui cria : « Ne mens pas : il y a au-dessus de toi le Père de toutes choses, Premier Homme, <et l'Homme>, Fils de l'Homme ». En entendant ces paroles, disent-ils, le Père du Serpent dit : « Venez, faisons un homme à notre ressemblance ».

Et ils ajoutent quantité d'autres choses pleines d'impiété autant que d'insipidité. Ils donnent à cet être en forme de Serpent les noms de « Michel » et de « Samael ». Ils divisent les prophètes et les répartissent entre les sept Fils comme bon leur semble. Seth était, disent-ils, une Puissance divine : c'est pour ce motif qu'on les a appelés Séthiens. Ils disent que « Jésus » était autre que le « Christ » : d'une part, Jésus naquit de la Vierge ; d'autre part, le Christ descendit du haut du ciel sur Jésus. Les apôtres tombèrent dans l'erreur, disent-ils encore, en s'imaginant que la chair du Sauveur était ressuscitée. Certains d'entre eux disent que le Christ se moula lui-même en la forme d'un Serpent et qu'il se glissa de la sorte dans le sein de la Vierge. C'est ainsi que ces malheureux comprennent la parole de l'Apôtre : « Alors qu'il était dans la forme de Dieu, il ne considéra pas comme une

‖ τῆς A : τοῦ M ‖ 27 ὀνόματα A : τὰ ὀνόματα M ‖ 31 ἐρεῖσαι nos : ἐρισαι A ἐρεῖσθαι M ‖ 32 ἐξ αὐτῆς ὀφιόμορφον A : ὀφ. ἐξ α. ∼ M ‖ 42 σαμαὴλ A : σαμαννὰ M ‖ 45 ἰησοῦν δὲ λέγουσιν ἄλλον A : δὲ ἰησοῦν ἄλλον λέγουσι ∼ M

ἡγήσατο τὸ εἶναι ἴσα Θεῷ, ἀλλ' ἑαυτὸν ἐκένωσε μορφὴν δούλου λαβών ».

Τινὲς δὲ αὐτὸν τὸν ὄφιν τῆς Σοφίας υἱὸν εἶναί φασι,
56 καὶ ὡς ἐναντίῳ Θεῷ τῷ ποιητῇ πολεμοῦντα τὸν Ἀδὰμ ἐξαπατῆσαι, καὶ δεδωκέναι τὴν γνῶσιν, καὶ τούτου χάριν εἰρῆσθαι φρονιμώτατον πάντων εἶναι τὸν ὄφιν, καὶ τὴν πολυέλικτον δὲ τῶν ἡμετέρων ἐντέρων θέσιν τοῦ ὄφεως
60 περικεῖσθαι τὸ σχῆμα, δεικνῦσαν τὴν ζωογόνον σοφίαν τοῦ ὄφεως. Διά τοι τοῦτο καὶ προσκυνοῦσι τὸν ὄφιν. Ὃν ἐπῳδαῖς τισι καταθέλξαντες ἐν κίστῃ τρέφουσι, καὶ τῇ τελετῇ τῶν μυσαρῶν αὐτῶν μυστηρίων τοῦτον τῇ τραπέζῃ προσφέ-
64 ρουσιν · ἐπιβάντος δὲ αὐτοῦ, τῶν ἀρτῶν ὡς ἡγιασμένων μεταλαγχάνουσιν.

55 τῆς σοφίας υἱὸν εἶναι A : τῇ σοφίᾳ συνεῖναι M ‖ 58 πάντων εἶναι A : εἶναι πάντων ~ M ‖ 60 σχῆμα A : σῶμα M ‖ 62 κίστῃ nos : κίστει A σκότει M

proie d'être l'égal de Dieu, mais il s'anéantit lui-même en prenant la forme de l'esclave ».

D'autres disent que le Serpent lui-même était le Fils de Sagesse et que, en combattant comme son ennemi le Dieu Créateur, il trompa Adam et lui donna la « gnose » : c'est pour cette raison qu'il a été dit que le Serpent était le plus intelligent de tous les êtres ; c'est aussi pour cette raison que les multiples enroulements de nos intestins présentent l'aspect du Serpent, montrant ainsi la sagesse génératrice de vie du Serpent. Aussi adorent-ils le Serpent : après l'avoir charmé par des chants magiques, ils le nourrissent dans une corbeille, puis, lors de la célébration de leurs infâmes mystères, ils l'approchent de la table ; lorsqu'il a rampé sur celle-ci, ils sont persuadés que les pains sont sanctifiés et ils y prennent part.

A. R. et L. D.

Appendice III

LES NOUVEAUX FRAGMENTS ARMÉNIENS
DU LIVRE III

Nous avons dit plus haut — cf. *supra*, p. 101 et suiv. —
le très grand intérêt qu'offre, pour une meilleure connaissance
de l'œuvre d'Irénée, la récente édition, par le P. Charles
Renoux, des fragments irénéens du *Galata 54*.

Des cinq Livres de l'*Aduersus haereses*, le Livre III est
— et de loin — celui qui a fourni la plus ample matière
à l'auteur du florilège. Rien que de normal à cela. Un
simple coup d'œil suffit en effet à faire voir que le centre
d'intérêt du compilateur est la doctrine christologique des
auteurs qu'il cite. Or c'est dans le Livre III, et plus
particulièrement dans la deuxième partie de ce Livre,
qu'Irénée a été amené à exposer et à défendre l'authentique
doctrine de la foi relative à l'Incarnation du Fils de Dieu :
à l'encontre des gnostiques autant que des ébionites, Irénée
y a prouvé, Écritures en main, qu'il n'y a qu'un seul Christ,
lequel n'est autre que le propre Fils de Dieu véritablement
devenu Fils de l'homme pour récapituler en lui et, par là
même, sauver sa propre création tombée au pouvoir du
péché et de la mort. Rien d'étonnant donc que cette partie
de l'œuvre irénéenne ait été mise à contribution d'une façon
massive par un compilateur des alentours du viie siècle
soucieux de recueillir la doctrine christologique des Pères
des siècles antérieurs.

Cet appoint combien précieux des textes irénéens du
Galata 54, nous n'avons malheureusement pu l'utiliser dans
notre édition du Livre III. Aussi voudrions-nous compléter
ici cette édition, dans la mesure du possible, par une
présentation du contenu des nouveaux fragments arméniens
accompagnée d'un relevé des divers amendements que ces
fragments permettent d'apporter à notre précédent travail.

Il s'agit des fragments 10 à 25 de la série des fragments
irénéens du *Galata 54*. Signalons tout de suite que les
fragments 17 à 20 offrent une disposition assez particulière.

Deux d'entre eux, en effet, le 17ᵉ et le 19ᵉ, sont constitués par la réunion de textes provenant d'endroits différents du Livre III ; il en résulte, à cet endroit du florilège, une certaine perturbation dans la suite du texte de l'*Aduersus haereses*. Il va de soi que, nous intéressant par priorité au texte même d'Irénée, nous rétablirons l'ordre normal, en n'hésitant pas à disloquer les deux fragments composites. C'est ainsi que, à cet endroit du florilège, nous aborderons successivement les fragments 17 a, 19 b, 20, 17 b, 18 et 19 a (voir, ci-contre, le tableau complet des fragments du Livre III).

RENOUX PO 39, 1		ADV. HAER. Livre III	SC 211 pages et lignes
fr. 10	p. 40	9, 1	p. 102, 36-44
fr. 11	p. 40	9, 2-3	p. 104, 56 - 108, 78
fr. 12	p. 42	11, 7	p. 158, 164 - 160, 168
fr. 13	p. 44	12, 9	p. 216, 294 - 218, 305
fr. 14	p. 44	12, 13	p. 236, 463 - 238, 469
fr. 15	p. 46	16, 1-4	p. 288, 20 - 304, 143
fr. 16	p. 52	16, 6	p. 312, 202 - 314, 223
fr. 17a	p. 54	16, 8-9	p. 320, 272 - 326, 324
fr. 19b	p. 60	16, 9	p. 326, 324-329
fr. 20	p. 62	18, 1	p. 342, 1-11
fr. 17b	p. 58	18, 2	p. 344, 19 - 346, 31
fr. 18	p. 60	18, 3	p. 348, 52 - 352, 72
fr. 19a	p. 60	18, 6	p. 362, 155-157
fr. 21	p. 62	18, 7	p. 364, 163 - 366, 178
fr. 22	p. 64	18, 7	p. 370, 202-209
fr. 23	p. 66	19, 1-3	p. 374, 18 - 380, 69
fr. 24	p. 68	20, 3 - 21, 1	p. 394, 88 - 398, 4
fr. 25	p. 72	21, 4-5	p. 412, 107 - 414, 126

Pour chaque fragment, notre examen comportera deux moments successifs :

a) Nous présenterons d'abord le contenu du fragment : comme la traduction arménienne est très littérale et permet à tout instant une confrontation précise avec le texte latin, cette présentation pourra se faire de la façon la plus commode sous la forme d'un apparat comparatif établi sur la base du texte latin des « Sources chrétiennes ».

b) Viendra ensuite un relevé des amendements que la confrontation du latin et de l'arménien invite à apporter à la rétroversion grecque et, le cas échéant, à la traduction française. La plupart des corrections proposées s'imposent d'elles-mêmes, croyons-nous. Dans quelques cas particuliers, des notes plus ou moins étendues justifieront les options auxquelles nous aurons cru devoir nous arrêter.

Fragment 10

III, 9, 1 (p. 102, 36-44 unus — donat).

38 se *om.* ‖ salutarem suum : salutem eius ‖ 39 suum *om.* ‖ uisibile : inuisibile ‖ fieri carni : carni fieri ‖ 40 ipsum *add.* insuper ‖ 40-41 ut — eorum : πρὸς τὸ πᾶσιν φανερὸν γενέσθαι αὐτῶν τὸν βασιλέα ‖ 41 <iudica>ntur ‖ oportebat : oportet ‖ 42 hunc : eum ‖ 43 gloriam consequuntur : glorificantur ‖ oportebat : oportet ‖ scire (= εἰδέναι) : uidere (= ἰδεῖν) ‖ donat : donabat

Rétroversion :

— ligne 41 : πρὸς τὸ πᾶσιν φανερὸν γενέσθαι αὐτῶν τὸν βασιλέα (traduire : « afin *qu'à tous les êtres fût manifesté leur Roi* »).

— ligne 42 : εἰδέναι τὸν ὑφ' οὗ...

— ligne 43 : καὶ τὰ δοξαζόμενα ἔδει (traduire : « et il fallait aussi que ceux qui *seraient glorifiés* connussent... »).

Fragment 11

III, 9, 2-3 (p. 104, 56 - 108, 78 unus — ostendimus).

57 adnuntiatus *add.* deus ‖ 59 dauid : dauidica ‖ et *om.* ‖ 60 quidem *om.* ‖ 61 ex iacob : iacob *(genit.)* ‖ in israel : israelis ‖ 64 deductosque : deductique (ὁδηγέω) ‖ 65-66 per — adorabatur : per <ea quae> obtulerunt munera <ostenderunt quis> (erat) adoratus ‖ 66 murra : obtulerunt murram ‖ quidem *om.* ‖ quod : quoniam ‖ 67 mortali *om.* ‖ humano genere : hominibus ‖ moreretur : moriebatur ‖ sepeliretur : sepeliebatur ‖ 69 est : erit ‖ 70 factus est et *om.*

72-73 dei — super : descendentem quasi columbam desuper in ‖ 73 ecce *om.* ‖ dicens *om.* ‖ hic est : tu es ‖ 74 meus dilectus *om.* ‖ mihi complacui : εὐδόκησα ‖ 74-75 christus tunc : tunc christus ‖ 75 quidem : est ‖ 76 uero *add.* est ‖ qui est *om.* ‖ 77 dominator : dominus

Rétroversion :

— lignes 60-61 : ὁ ἐκ καρποῦ τῆς κοιλίας τοῦ Δαυίδ, τουτέστι τῆς δαυϊτικῆς **παρθένου**, Ἐμμανουήλ (traduire : «... ainsi que son Fils, qui est *l'Emmanuel*, ' *fruit du sein* ' *de David, c'est-à-dire de la Vierge issue de David* »).

Le texte latin paraît avoir été primitivement : « qui ex fructu uentris Dauid, hoc est ex dauid<ica> Virgine, [et] Emmanuel ». En ce qui concerne l'absence de « et », cf. formule totalement identique en III, 16, 3 (lignes 101-102 du texte latin) : « qui ex fructu uentris Dauid Emmanuel ». Pour la leçon « dauidica », cf. III, 21, 5 (ligne 5 du fragment grec de Théodoret) : ὁ ἐκ τῆς δαυϊτικῆς παρθένου γεννώμενος (la rétroversion devra être corrigée à cet endroit). Par ailleurs, dans le présent passage, le traducteur latin et le traducteur arménien ont fait un contresens identique en voyant dans παρθένου l'explicitation de καρποῦ plutôt que de κοιλίας. Il eût fallu traduire : « qui ex fructu uentris Dauid, hoc est *dauidicae Virginis*, Emmanuel ». Pour plus de détails, cf. *SC* 210, p. 265-266, *notes justif. P. 105, n. 2 et 3*.

— lignes 66-67 : ὁδηγηθέντας τε ὑπὸ τοῦ ἀστέρος (traduire : « Puis, ayant été *guidés* par l'étoile... »).

— ligne 71 : οὐκ ἔσται τέλος ...

Fragment 12

III, 11, 7 (p. 158, 164-160, 168 qui — possunt).

166 (id) quod secundum marcum (est) ‖ praeferentes : gloriantur (se) habere ‖ 167 cum amore ueritatis (= φιλαλήθως) : uere (= ἀληθῶς) ‖ illud *om.* ‖ 168 corrigi : σωφρονισθῆναι

Rétroversion :

— ligne 162 : τὸ κατὰ Μάρκον καυχώμενοι εὐαγγέλιον (traduire : « ... *vantent* l'Évangile selon Marc »).

— ligne 163 : ἀναγινώσκοντες σωφρονισθῆναι δύνανται (traduire : « ils ont la possibilité de *revenir à des idées saines* »).

Fragment 13

III, 12, 9 (p. 216, 294 - 218, 305 paulus — crucis).

294 quoque (= τε) : autem (= δέ) ‖ ipse *om.* ‖ 294-295 postea-

quam — dominus : de caelo loquente cum eo domino ‖ 295 ostendit :
ostendisse ‖ 296 persequeretur persequens : persequens perse-
qu <ebatur> ‖ 297 misit : misisse ‖ ut iterum uideret : et dedisse
uidere ‖ baptizaretur : baptizari ‖ 298 synagogis *add.* iudaeorum ‖
299 iesum *add.* christum ‖ quoniam — dei : filium dei christum ‖
300 per reuelationem : reuelatione ‖ 301 sibi : ei ‖ quoniam *add.* ille
est ‖ 303 est *om.* ‖ deus *om.* ‖ 304 quoniam : et ‖ subiectus : obaudiens ‖
factus est : factus ‖ 304-305 mortem autem *om.*

Pas de modifications dans la rétroversion.

Fragment 14

III, 12, 13 (p. 236, 463 - 238, 469 sed — adnuntiantes).

463 sed *add.* et ‖ 464 graecis : gentibus ‖ iudaeis quidem *om.* ‖
466 accepisse : accipientem (λαβόντα) ‖ 467 in : super ‖ 468 graecis :
gentibus ‖ qui omnia fecit : factorem omnium ‖ 468-469 huius —
adnuntiantes : hunc iesum christum filium dei adnuntiabant

Rétroversion :

— ligne 474 : ἐπὶ τὸν Ἰσραήλ ...

Fragment 15

III, 16, 1-4 (p. 288, 20 - 304, 143 lingua — uiam).

20 lingua — confitentes : unum esse christum iesum confitentes
lingua ‖ 21 diuisi : diuidentes *uel* diuisi ‖ uero *add.* et ‖ etenim : nam ‖
haec est *om.* ‖ regula : ὑπόθεσις ‖ 22 praediximus (= προειρήκαμεν) :
praeostendimus (= προεδείξαμεν) ‖ ut *om.* ‖ quidem *om.* ‖ 23 fuisse
dicant *om.* ‖ qui : eum qui ‖ correctionem : ἐπανόρθωσιν ‖ 24 prae-
missus : emissus ‖ est *add.* dicunt ‖ 25 esse : eum quem ‖ glorifica-
tionem : gloriam ‖ emissum : emisit ‖ uero *add.* eum qui ‖ 26 passum :
passum esse ‖ recurrente : et recurrisse ‖ 27 saluatore — portabat :
eum qui christum portabat saluatorem ‖ 28 habemus : est ergo ‖
uniuersam : omni modo ‖ 29 adhibere : ἐπαγαγεῖν ‖ eos : quoniam ‖
30 sensisse : sentiebant ‖ amplius et *om.* ‖ significasse : significauerunt
(σημαίνω) ‖ 32 submissi : neque missi ‖ a satana *om.* ‖ 32-33 ut...
euerterent et abstraherent : euertere et abstrahere

34 nouit : cognoscebat ‖ 35 et *om.* ‖ hunc₁ : illum ‖ et hunc₂ *om.* ‖
36 incarnatum esse : incarnatum ‖ christum *add.* filium dei ‖ 37
ipsius *om.* ‖ sermone : sermonibus ‖ 39 et *om.* ‖ matthaeus *add.*
rursus ‖ 40 cognoscens : cognoscit ‖ hominem : humanitatem ‖ 41
<sicut> ‖ 42-43 excitaturum — regem : in aeternum sedere-

facere in throno || 43 multo : adhuc || 44 iesu christi *om.* || 46 qu <ae> ||
est *om.* || 47-58 cum — deus *om.* || 59 adimpletam : adimpletam
esse || ex : et ex || 60 natum : natum esse || ipsum *om.* || esse : exsis-
tentem || 61 christum — praedicauerunt : et hunc <a> prophetis
praedicatum (προκηρύσσω) christum || sed : et || 62 iesum — esse :
quoniam iesus is est || 63 sit natus : natus est || christum : christus ||
qui : is qui || 64 potuerat : poterat || iesu *add.* christi || uero *om.* || 65
prouidens : praeuidens || sanctus *om.* || deprauatores : uersutos ||
66 contra fraudulentiam : a calumnia || 67 christi : iesu christi ||
68 forte *om.* || 71 quidem *om.* || 73 sciremus esse *om.*

74 ipsum *om.* || interpretatus — scribens : exponens scribit paulus ||
75 apostolus : seruus || christi iesu : iesu christi || 75-79 praedes-
tinatus — sanctificationis *om.* || 79 <ex> || 81 ad romanos scribens
om. || dicit : dicens || quorum : ex quibus || 82 et *om.* || 82-83 deus super
omnes : super omnia deus || 83-84 iterum — est *om.* || 84 autem *om.* ||
85 temporis : temporum || factum : qui factus est || 86 factum : et
ingressus est || ut₂ *add.* nos || 87 percipiamus : ἀπολάβωμεν || 88 quidem
om. || <promissionem> || 91-92 iesum christum *om.* || 93 mortuorum :
ex mortuis || 96 percipiamus : ἀπολάβωμεν || 97 <filium> || 99
quemadmodum *add.* et || scriptum est : scripta sunt || 101 christum
om. || qui — est : <a> prophetis praenuntiatum (προκηρύσσω) ||
qui : eum qui || 102 dauid *add.* erat || 102-103 magni — nuntius : qui
magni consilii angelus erat || 104 oriri-fecit || 105 et₁ *om.* || ei *om.* ||
106 in *om.* || 107 in *om.* || 108 ut : ὅπως || cognoscat : cognoscant || ex
his *om.* || 109 ipsi *om.* || exsurgentes : exsurgent et || 110 rursus *om.* ||
112 dominus *add.* deus || 113 eum — altissimi : altissimi filium ||
114 et₁ *om.* || confitens : confiteri || <cuius> || 116 dominans est *om.* ||
117-118 sedentem — altissimi : ad dexteram altissimi sedentem
patris

119 autem *om.* || responsum acceperat : euangelizatus fuit || 120
eum *om.* || nisi prius : priusquam || 121 iesum — accipiens : hunc
accipiens in ulnas || 123 seruum tuum domine : domine seruum
tuum || 124 pace : pacem || uiderunt — quod : uidi salutem tuam
quam || 125 ante — populorum : omnibus populis || 126 gloriam :
gloria || tui *om.* || 127 in manibus portabat : in-ulnis-portauit (ἀγκαλί-
ζομαι) || natum ex maria (= τὸν γεννηθέντα ἐκ Μαρίας) : genera-
tionem mariae (= τὸ γέννημα τῆς Μαρίας) || 128 confitens : confessus
est || 129 ipsius *om.* || 130 spoliabat : spoliauit || 131 auferens : et
auferens || ignorantiam : ignorantias || 132 dispartionem : spolium ||
faciens : accipiebat *uel* <faciebat> || eorum : eos || 133-134 uoca
inquit : dicit uoca || 134 dispartire : praedare || 135 autem *om.* || 136
quem : et hic quem || 137 cum uidissent *om.* || glorificabant : glorifi-
cauerunt || 138 cum *om.* || esset *om.* || 138-139 et ille in uulua mariae :
illum qui in uentre mariae erat || 139 dominum : deum || 140 quem

add. et ‖ et₂ *om.* ‖ adferentes : offerentes ei ‖ 141 munera quae praediximus : praedicta ‖ 142-143 per₂ — uiam : ad assyriorum reuersi sunt regem

Rétroversion :

— lignes 19-23 : τοῦτο γὰρ αὐτῶν ἡ ὑπόθεσις, καθὼς προειρήκαμεν, ἄλλον μὲν τὸν Χριστὸν τὸν ὑπὸ τοῦ Μονογενοῦς εἰς ἐπανόρθωσιν τοῦ Πληρώματος προβεβλημένον λέγειν, ἄλλον δὲ τὸν Σωτῆρα τὸν εἰς δοξολογίαν προβεβλημένον τοῦ Πατρός, …

— lignes 26-29 : ἀνάγκη πάντως τὴν τῶν ἀποστόλων περὶ τοῦ Κυρίου ἡμῶν Ἰησοῦ Χριστοῦ γνώμην ἐπαγαγεῖν καὶ ἐπιδεῖξαι ὅτι οὐ μόνον οὐδὲν τοιοῦτον ἐφρόνησαν περὶ αὐτοῦ, ἀλλὰ καὶ ἐσήμηναν διὰ τοῦ Πνεύματος … (traduire : « … *il nous faut, de toute nécessité, présenter* la doctrine des apôtres… *et* montrer… »).

— lignes 36-37 : ἱκανῶς ἐκ τῶν αὐτοῦ τοῦ Ἰωάννου λόγων ἐπεδείξαμεν.

— ligne 45 : τῆς περὶ Ἰωσὴφ ὑπολήψεως …

— lignes 60-61 : τὸν Σωτῆρα καὶ τὸν ὑπὸ τῶν προφητῶν κεκηρυγμένον Χριστόν (traduire : « … et que celui-ci même est le *Sauveur et le Christ annoncé par* les prophètes »).

— lignes 86-87 : φανερῶς σημαίνων ἕνα …

— lignes 90-94 : τοῦτον ὁρισθέντα Υἱὸν Θεοῦ ἐν δυνάμει κατὰ Πνεῦμα ἁγιωσύνης ἐξ ἀναστάσεως νεκρῶν, ἵνα ᾖ πρωτότοκος τῶν νεκρῶν καθάπερ καὶ πρωτότοκος ἐν πάσῃ τῇ κτίσει ὁ Υἱὸς τοῦ Θεοῦ ἀνθρώπου Υἱὸς γενόμενος … (traduire : « … et constitué *Fils de Dieu dans la puissance*…, comme il était déjà le Premier-né *dans toute la création*… »).

— lignes 100-102 : τὸν ὑπὸ τῶν προφητῶν προκεκηρυγμένον, τὸν « ἐκ καρποῦ τῆς κοιλίας » τοῦ Δαυὶδ Ἐμμανουήλ, τὸν τῆς « μεγάλης βουλῆς » τοῦ Πατρὸς « ἄγγελον » (traduire : « … qui fut annoncé *à l'avance* par les prophètes : c'est lui *l' Emmanuel, ' fruit du sein '* de David, *c'est lui* le ' Messager du grand dessein ' du Père »).

— lignes 103-104 : Δι' οὗ ἀνέτειλεν ὁ Θεὸς « οἴκῳ Δαυὶδ » « Ἀνατολὴν δικαίαν » καὶ … (traduire : « C'est aussi Celui en la personne de qui Dieu a fait se lever ' sur la maison de David ' un ' Rejeton juste '… »).

Nous sommes en présence d'un jeu de mots qu'il est impossible de rendre en français : Irénée fait incontestablement allusion à *Lc* 1, 78, où le mot ἀνατολή signifie « Soleil levant », mais, ce texte de Luc, il le projette sur l'arrière-plan des prophéties véterotestamentaires, notamment de *Jér.* 23, 5

et de *Zach.* 6, 12, où le même mot ἀνατολή signifie « Rejeton ».
Pour plus de détails, cf. *SC* 210, p. 317, *note justif. P. 299,
n. 4.* Dans cette note, nous nous demandions si le texte latin
de l'*Aduersus haereses* n'aurait pas eu primitivement
« Orientem iustum ». A cette question, le fragment arménien
du *Galata 54* permet, semble-t-il, de donner une réponse
affirmative, car on ne voit pas comment le traducteur latin
aurait pu rendre les mots ἀνατολὴν δικαίαν, clairement attestés
par l'arménien, autrement que par « Orientem iustum » :
l'addition de « et » ne peut donc avoir été le fait que d'un
copiste postérieur.

— ligne 113 : Κύριος ὁ Θεὸς τὸν θρόνον ... (traduire : « le
Seigneur *Dieu* lui donnera... »).

— ligne 116 : διὰ τοῦ Πνεύματος ἐγνωκώς ...

— lignes 117-118 : ὡμολόγησεν ἐκ δεξιῶν τοῦ ὑψίστου καθή-
μενον Πατρός.

— lignes 120-122 : ... τὸν Χριστόν», τοῦτον εἰς τὰς ἀγκάλας
λαβὼν τὸν τῆς παρθένου πρωτότοκον ... (traduire : « ... lorsqu'il
eut reçu dans ses *bras ce* Premier-né de la Vierge... »).

— lignes 131-133 : τὴν δὲ ἑαυτοῦ ἐπίγνωσιν αὐτοῖς χαριζόμενος
προνομὴν ἐποίει τοὺς ἐπιγινώσκοντας αὐτόν ... (traduction inchangée).

La comparaison avec l'arménien invite à se demander
si le texte latin n'aurait pas eu primitivement : « [et]
dispartionem facie <bat> eo <s> qui cognoscebant eum »
(le mot « dispartionem » étant à entendre au sens concret
de « part de butin », « butin »).

Quoi qu'il en soit de ce point, la restitution des mots
προνομὴν ἐποίει τοὺς ἐπιγινώσκοντας αὐτόν nous paraît assurée.
D'une part, les mots τοὺς ἐπιγινώσκοντας αὐτόν sont sous-
jacents à l'arménien զայնոսիկ որ ճանաչէին զնա (signalons
une coquille dans la traduction latine du P. Renoux :
à la ligne 80 de celle-ci, c'est « *eos* qui cognoscebant eum »
qu'il faut lire). D'autre part, les mots προνομὴν ἐποίει sont
également sous-jacents à l'arménien, pourvu que, au lieu
de առնոյր (= ἐλάμβανε), on accepte de lire առնէր (= ἐποίει).
La confusion de certaines formes des verbes առնում et առնեմ
est relativement aisée : ainsi, dans un fragment arménien
du Livre II de l'*Aduersus haereses* (Jordan, *TU* 36, 3, p. 2,
ligne 12), on lit առնելով pour առնլով ; dans la version arménienne de l'*Aduersus haereses*, en IV, 13, 4 (*TU* 35, 2, p. 44,
ligne 9), on trouve la forme առնէն pour առնուն. L'expression

προνομὴν ποιεῖν a d'autant plus de chances d'avoir figuré dans le présent passage du Livre III, qu'on la rencontre en *Is.* 8, 1, c'est-à-dire quelques lignes à peine avant les mots Κάλεσον τὸ ὄνομα αὐτοῦ · « Ταχέως σκύλευσον, ὀξέως προνόμευσον » (*Is.* 8, 3) que cite ici Irénée. On lit en effet en *Is.* 8, 1 : ... γράψον ... · « Τοῦ ὀξέως προνομὴν ποιῆσαι σκύλων ».

Ainsi restituée, la présente phrase d'Irénée retrouve une limpidité parfaite : « Déjà l'Enfant nouveau-né ' dépouillait '... et ' faisait du butin '..., conformément à la prophétie : ' Dépouille... fais du butin ' ». La suite du texte montrera la réalisation de ce programme dans le cas de Siméon, de Jean-Baptiste et des mages : l'Enfant nouveau-né les « dépouillait » de leur ignorance et, en les amenant, par la puissance invisible de sa grâce (χαριζόμενος), à le reconnaître et à se donner à lui comme à leur Seigneur, il « faisait » d'eux « son butin ».

— lignes 137-139 : ὃν Ἰωάννης, ἔτι ὢν ἐν τῇ κοιλίᾳ τῆς μητρὸς αὐτοῦ, ἐν τῇ μήτρᾳ τῆς Μαρίας ὄντα Κύριον ἐπιγνοὺς ἀγαλλιώμενος ἠσπάζετο ...

— lignes 142-143 : δι' ἄλλης ἐπορεύθησαν ὁδοῦ, μηκέτι πρὸς τὸν τῶν Ἀσσυρίων ἀνακάμψαντες βασιλέα (traduire : « ... s'en *allèrent* par un autre chemin au lieu de *retourner vers le roi des Assyriens* »).

C'est sans regret que nous verrons disparaître l'énigmatique « chemin des Assyriens » dont nous avait gratifiés la version latine. La leçon de l'arménien est autrement limpide : conformément à un procédé dont il use fréquemment, Irénée annonce, par l'expression « le roi des Assyriens », la citation d'*Is.* 8, 4 qui vient aussitôt après et dans laquelle cette même expression désigne de façon symbolique le roi Hérode. Cf. *SC* 210, p. 320, *note justif. P. 305, n. 1.*

Fragment 16

III, 16, 6 (p. 312, 202 - 314, 223 eo quod — tempore).

202 absistat : separata est ‖ 202-203 ab eo qui est uere deus : ἀπὸ τοῦ ὄντος θεοῦ ‖ 203 nescientes : et nescientes ‖ 204 humano generi : cum humanitate ‖ adest *om.* ‖ 205 suo plasmati : cum suo plasmate ‖ 206 ipse : hic ‖ et *om.* ‖ 207 propter nos *om.* ‖ uenturus *add.* est ‖ 209 ad *om.* ‖ ostensionem : spem *uel* <ostensionem> ‖ iusti - iudicii (δικαιοκρισία) ‖ 210 omnibus : in omnes ‖ sub : ab ‖ 212-213 ueniens — dispositionem : per uniuersas transiens disposi-

tiones || 214 dei *om.* || 215 ergo *add.* etiam || semetipso : semetipsum || 216 factus₂ *om.* || 218 supercaelestibus : caelestibus || et *add.* in || 219 princeps est : est principans (πρωτεύω) || 220 et₂ *add.* in || principatum-habeat (πρωτεύω) || 221 et₁ *om.* || 222 uniuersa : et uniuersa

Rétroversion :

— ligne 200 : διὰ τὸ ἀφίστασθαι …

— ligne 205 : οὗτός ἐστιν …

— ligne 211 : ὁ Κύριος ἡμῶν, κατὰ πάσας διελθὼν οἰκονομίας … (traduire : « … notre Seigneur, qui est *passé* à travers *toutes les économies*… »).

— lignes 214-216 : ὁ ἀόρατος ὁρατὸς γενόμενος, καὶ ὁ ἀκατάληπτος καταληπτός, καὶ ὁ ἀπαθὴς παθητός, καὶ ὁ Λόγος ἄνθρωπος …

— lignes 218-221 : οὕτως καὶ ἐν τοῖς ὁρατοῖς καὶ σωματικοῖς πρωτεύσῃ, εἰς ἑαυτὸν τὰ πρωτεῖα προσλαβὼν προθέμενός τε ἑαυτὸν κεφαλὴν τῆς ἐκκλησίας, ἵνα τὰ πάντα ἑλκύσῃ πρὸς ἑαυτὸν ἐν ἁρμόζοντι καιρῷ (traduire : « … il l'ait aussi sur les êtres visibles et corporels, *assumant* en lui cette primauté et *se constituant lui-même la tête de l'Église, afin d'attirer* tout à lui au moment opportun »).

On rectifiera comme suit les lignes 220-223 du texte latin correspondant : « sic… principatum habeat, in semetipsum primatum adsumens et apponens semetipsum caput Ecclesiae, <ut> uniuersa adtrahat… ».

Fragment 17 a

III, 16, 8-9 (p. 320, 272 - 326, 324 omnis — mortuis).

273 uenisse : uenientem || 274 sed : hic est is qui || 277 rursus *om.* || clamat : ait || 278 natus est : est || unum : quoniam unum || 279 caeli : caelorum

283 autem *om.* || consentiens : consentit || 284 multo magis : praesertim || hi *om.* || 285 iustitiae : iustitiam || accipiunt : acceperunt || uitam : uita || 285-286 per — christum : cum domino uno iesu christo || 286 nescit : nesciuit || euolauit : sursum uolauit || 287 nouit *om.* || 288 quem *add.* et || dicunt : uocant || quidem *om.* || 289 quidem *om.* || 291 rursus : deinde || reliquit : abiit relinquens || <unus sed> || 292-293 quoniam — est : unum autem et eum qui natus est et eum qui passus est || 295 christo iesu : christum iesum || morte : mortem || 296 uti : et || a mortuis *om.* || 297 ambulemus : ambulabimus || 298 passum et : et passum || 299 mortuus est : passus est || 300 ut quid

(= εἰς τί) : si (= εἰ) ‖ 300-301 cum — infirmi : dum infirmi eramus ‖ 301 secundum tempus : in tempore ‖ 302 autem *om.* ‖ 303 nobis : nos *uel* nobis ‖ cum — peccatores : dum peccatores eramus ‖ 304 multo magis : quanto <magis> ‖ iustificati : in eo quod iustificati sumus (*litter.* : in iustificari nos) ‖ 304-305 nunc in sanguine eius *om.* ‖ 305 per ipsum : in christum iesum ‖ 305-308 ab ira — ipsius *om.* ‖ 308-309 hunc — suum : eum qui mortuus est ‖ 310 manifestissime : manifeste ‖ adnuntians : praedicans (κηρύσσω) ‖ qui : eum qui ‖ etiam *om.* ‖ 311 quemadmodum *add.* et ‖ 312 autem *om.* ‖ mortuus est : ἀποθανών ‖ 313 resurrexit : ἐγερθείς ‖ qui : et ‖ 315 subdiuisiones : diuisiones ‖ 316 malorum : et malorum ‖ <occasionem> ‖ 317 ait : dixit ‖ 318 si : et iterum ait si ‖ 318-319 eius — uobis *om.* ‖ 320-321 unum quod non : μονονουχί ‖ 321 exclamat : exclamans ‖ ad eos : eis ‖ 322 nolite errare : ne erraueritis ‖ unus : quoniam unus ‖ iesus *om.*

Rétroversion :

— lignes 273-274 : ... ἐν τῇ ἐπιστολῇ φησιν (traduire : « C'est pourquoi il *dit* encore... »).

— ligne 281 : ... ἐν ζωῇ βασιλεύσουσιν (traduire : «... et de la justice *régneront-ils dans la vie* par l'unique Jésus-Christ »).

— ligne 306 : φανερώτατα κηρύσσων (traduire : «... Paul *proclame* par là... »).

— lignes 308-309 : « Χριστὸς ὁ ἀποθανών, μᾶλλον δὲ ἐγερθείς, ... » (traduire : « Le Christ, *qui* est mort, bien plus, *qui* est ressuscité, *qui* est à la droite de Dieu »).

— lignes 312-314 : καὶ πᾶσαν αὐτῶν τὴν ἀφορμὴν βουληθεὶς ἐκκόψαι τῆς διχοστασίας, ἔφησε τὰ προειρημένα. Καὶ πάλιν φησίν · ...

— ligne 317 : ... ὑμῶν », μονονουχὶ ἐπιβοῶν πρὸς τοὺς ἀκοῦσαι βουλομένους ...

Fragment 19 b

III, 16, 9 (p. 326, 324-329 et perfectus — noster).

324 perfectus *add.* dominus ‖ 325 omnibus *add.* christus ‖ qui cum uapularet : uapulans ‖ 325-326 qui cum pateretur : patiens ‖ 326 est minitatus : minitabatur ‖ 326-327 et cum tyrannidem pateretur : crucifixus ‖ 327 <patrem> ‖ ut ignosceret : ignosci *uel* ignosc<ere> ‖ his qui se crucifixerant : clauis-adfigentibus eum ‖ 328-329 ipse — noster : idem ergo ipse qui crucifixus est uere, hic est qui natus est et hic est uerbum dei, unigenitus a patre, iesus christus dominus noster

Rétroversion :

— lignes 321-323 : ὃς δερόμενος οὐκ ἀντέτυπτεν, « πάσχων οὐκ ἠπείλει », σταυρούμενος ἠρώτα τὸν Πατέρα ἀφεῖναι τοῖς προσηλῶσιν αὐτόν (traduire : « ... *crucifié*, il priait son Père de pardonner à ceux qui le *clouaient à la croix* »).

Fragment 20

III, 18, 1 (p. 342, 1-11 ostenso — praestans).

1-2 ostenso — exsistens : quoniam igitur ostensus fuit firmiter (*uel* <manifeste>) is qui in principio uerbum erat ‖ 2 qui *om.* ‖ 3 aderat generi humano : cum genere hominum est ‖ hunc : hic ‖ 4 praefinitum : definitum ‖ 5 unitum — factum : unitus cum suo plasmate passibilis homo factus ‖ 6 exclusa est : ablata est ‖ ergo : enim ‖ 8 coepit *add.* esse ‖ 8-9 exsistens — patrem : quippe qui erat a principio in patre ‖ quando incarnatus : tunc incarnatus est ‖ 10 expositionem : historiam ‖ seipso : seipsum ‖ 11 <praestans>

Rétroversion :

— lignes 1-2 : ἐν ἀρχῇ Λόγον ὄντα ...

— ligne 3 : συμπαρόντα τῷ γένει τῶν ἀνθρώπων ...

— ligne 4 : τὸν ὡρισμένον ὑπὸ τοῦ Πατρὸς καιρὸν ...

— ligne 6 : πᾶσα ἡ ἀντιλογία ...

— ligne 7 : οὐκ ἄρα προῆν ὁ Χριστός ...

— lignes 8-9 : οὐ τότε ἤρξατο εἶναι ὁ Υἱὸς τοῦ Θεοῦ, συνυπάρχων ἀεὶ τῷ Πατρί (traduire : « le Fils de Dieu n'a pas commencé *d'exister* à ce moment-là, puisqu'il existe depuis toujours *avec le* Père... »).

Cette phrase pose un délicat problème du fait de la divergence existant entre le latin, d'une part, le syriaque et l'arménien, d'autre part : d'après le latin, le Fils « existe depuis toujours auprès du Père » ; d'après le syriaque, il « est depuis le commencement avec le Père » ; d'après l'arménien, il « est depuis le commencement dans le Père ».

Il paraît évident que les trois traducteurs ont eu affaire à trois textes grecs partiellement différents, la divergence fondamentale entre ceux-ci étant née d'une confusion entre une forme de ὑπάρχω (ou de συνυπάρχω) et l'expression courante ἀπ' ἀρχῆς. En réunissant tous les indices susceptibles d'être fournis par les trois traductions, il semble qu'on soit en droit de restituer comme suit les trois textes grecs sous-jacents :

> latin : συνυπάρχων ἀεὶ τῷ Πατρί.
> arm. : ὢν ἀπ᾽ ἀρχῆς ἐν τῷ Πατρί.
> syr. : ὢν ἀπ᾽ ἀρχῆς σὺν τῷ Πατρί.

Nous sommes porté à croire que le latin avait primitivement « exsistens semper cum Patre » et que les mots « apud Patrem » ont été substitués aux mots « cum Patre » sous l'influence des premiers versets de l'Évangile johannique auxquels fait allusion le début du paragraphe.

Mais, cela dit, la question demeure entière de savoir laquelle des deux leçons en présence — car il n'y en a, en fin de compte, que deux — est primitive : le Fils est-il avec le Père *depuis toujours,* ou seulement *depuis le commencement* ? Pour nous permettre de trancher cette question, une indication décisive nous vient de la présente phrase elle-même, qui commence par ces mots : « *Ostendimus* enim quia... » Ainsi, au témoignage d'Irénée lui-même, la phrase qui nous occupe est le simple écho d'une doctrine déjà formulée par lui antérieurement. Quand donc et en quels termes Irénée a-t-il touché au mystère de la préexistence du Fils de Dieu ? Un relevé minutieux des textes nous mène à cette double constatation : nulle part, nous ne trouvons de texte en lequel Irénée aurait dit que le Fils est depuis le commencement avec le Père ; en revanche, dans deux passages explicites à souhait, il a affirmé que le Fils est depuis toujours avec le Père. Voici ces deux passages auxquels, à n'en pouvoir douter, Irénée renvoie ici son lecteur :

II, 25, 3 (Hv 344, 9) : « Non enim infectus es, o homo, neque *semper coexsistebas* Deo (ἀεὶ συνυπῆρχες τῷ Θεῷ), sicut proprium eius Verbum... »

II, 30, 9 (Hv 368, 26) : « *Semper* autem *coexsistens* Filius Patri (ἀεὶ συνυπάρχων ... τῷ Πατρί) ... »

La conclusion s'impose donc : dans la présente phrase de III, 18, 1, il faut, sans hésiter, donner raison au latin malgré le témoignage concordant du syriaque et de l'arménien. On notera que la certitude de cette conclusion est indépendante du plus ou moins grand degré de probabilité des restitutions que nous avons proposées.

Fragment 17 b

III, 18, 2 (p. 344, 19 - 346, 31 a patre — dominetur).

19 a patre descendens : qui desuper a patre omnium descendit uerbum ‖ incarnatus : incarnatus est ‖ 20 descendens : humiliatus est ‖ consummans : consummauit ‖ 22 nos — adhortans : indubitate adhortans nos ‖ 23 ne — tuo *om.* ‖ caelum : caelos ‖ 25 eliberare : ἀναγαγεῖν ‖ 26 quoniam *om.* ‖ 26-27 in — credideris *om.* ‖ 27-28 deus — mortuis : dominus iesus christus filius dei ‖ 29 dicens *om.* ‖ 30 et₁ *om.*

Pas de modifications dans la rétroversion.

Fragment 18

III, 18, 3 (p. 348, 52 - 352, 72 et ubique — spiritus).

52 et₁ *om.* ‖ in : ἐπί ‖ 53 usus est nomine : nomine utitur apostolus ‖ 54 in : ἐπί ‖ 54-55 noli ... perdere : ne ... perd<as> ‖ 55-61 et iterum — mortuus est *om.* ‖ 62 descendit : descenderat ‖ 62-63 cum esset : erat ‖ 63 pro nobis *om.* ‖ qui : et ‖ 65 et *om.* ‖ 66 in : cum ‖ subauditur : auditur ‖ 67 <qui> ‖ ipsa *om.* ‖ <in> qua ‖ et₂ : nam ‖ 68 quidem *om.* ‖ 70 dei : domini ‖ quod *add.* et ‖ et *om.*

Rétroversion :

— lignes 66-67 : ὁ χρίσας καὶ αὐτὸς ὁ χρισθεὶς καὶ ἡ χρῖσις ἐν ᾗ ἐχρίσθη. Καὶ γὰρ ἔχρισε ... (traduire : «... est sous-entendu Celui qui a oint, *Celui-là même* qui a été oint et l'*Onction dont* il a été oint... »).

— ligne 69 : Πνεῦμα Κυρίου ἐπ' ἐμέ ... (traduire : « L'Esprit *du Seigneur* est sur moi... »).

Dans la ligne 70 du texte latin, on corrigera « Dei » en « Domini ». Il s'agit d'une confusion fréquente, facilitée par les abréviations dont usaient les copistes. Sans doute conviendrait-il de faire la même correction en III, 9, 3 (ligne 88 du texte latin).

Fragment 19 a

III, 18, 6 (p. 362, 155-157 sed quoniam — patris).

155 uere : uerus ‖ magister *add.* est ‖ 156 bonus uere : uere (ὄντως) bonus est dominus ‖ 157 dei *om.*

Pas de modifications dans la rétroversion.

Fragment 21

III, 18, 7 (p. 364, 163 - 366, 178 haerere — communionem).

163 haerere... fecit : commiscuit ‖ aduniuit : uniuit ‖ 164 deo : cum deo ‖ 165 inimicum : aduersarium ‖ non$_2$: uidelicet non ‖ 166 autem *om.* ‖ 167 non : uidelicet non ‖ 167-168 homo — deo : unitus esset homo cum deo ‖ 168 particeps fieri : participationem habere ‖ 169 oportuerat : oportebat ‖ 170 domesticitatem : similitudinem et domesticitatem ‖ 171 reducere : συναγαγεῖν ‖ 171-172 et$_1$ — deo : καὶ θεῷ μὲν παραστῆναι τὸν ἄνθρωπον, ἀνθρώπῳ δὲ γνωρίσαι τὸν θεόν ‖ 172 qua : quomodo ‖ 173 ratione : aliter ‖ participes esse : participationem accipere ‖ 174 recepissemus : ἀπειλήφαμεν ‖ 175 ab eo *om.* ‖ communionem *add.* quomodo autem (*h*) reciperemus (eam quae est) ad ipsum communionem ‖ 176 nobis : nobiscum ‖ uenit : transiit

Rétroversion :

— ligne 169 : Συνέκρασεν **οὖν** καὶ **ἥνωσεν...** (traduire : « Il a donc *mélangé* et uni... »).

Nul doute que ce soit cette forme συνέκρασεν que le traducteur arménien ait eu sous les yeux. Quant à l'expression latine « haerere... fecit », nous persistons à croire qu'elle traduit la forme συνῆψεν (cf. le Thesaurus d'Estienne, qui donne « haereo » comme une des significations possibles du verbe συνάπτω pris intransitivement). La leçon συνῆψεν pourrait assurément se réclamer de la phrase de IV, 20, 4 que nous avons citée en *SC* 210, p. 338, *note justif. P. 365, n. 2.* Mais la leçon συνέκρασεν nous paraît bien davantage en situation. En effet, le verbe συγκεράννυμι et le substantif correspondant σύγκρασις — souvent accouplés respectivement à ἑνόω et à ἕνωσις — sont employés à maintes reprises dans les trois derniers Livres de l'*Aduersus haereses* pour suggérer l'intimité inouïe de l'union des hommes avec Dieu qui est le fruit de la venue humaine du Verbe et du salut accompli par lui (voir notamment III, 19, 1 ; IV, 20, 4 ; IV, 31, 2 ; V, 1, 3 ; V, 6, 1...). C'est précisément cette union des hommes avec Dieu, réalisée par Dieu lui-même, qu'exprime le passage qui nous occupe, et la présence du binôme συγκεράννυμι - ἑνόω y est on ne peut plus dans la manière d'Irénée.

— lignes 177-178 : ... ὥστε Θεὸν **μὲν** παραλαβεῖν **τὸν** **ἄνθρωπον,** ἄνθρωπον δὲ παραστῆναι τῷ Θεῷ (traduction inchangée).

Exemple de conflit particulièrement spectaculaire entre la version latine et un fragment grec de Théodoret auquel, pour corser les choses, le *Galata 54* est venu apporter sa caution. Il saute aux yeux que l'origine du désaccord est à chercher dans la tradition grecque : autre est le texte qu'a eu sous les yeux le traducteur latin, autre celui qu'ont eu sous les yeux Théodoret et le traducteur arménien.

Première question : peut-on préciser quels sont ces textes ? Nous pensons que oui. Un nouvel examen de tous les éléments susceptibles d'apporter de la lumière nous a convaincu que ces textes sont les suivants (nous les disposons en parallèle pour plus de clarté) :

Latin	Théodoret	Arménien
Ἔδει γὰρ τὸν	Ἔδει γὰρ τὸν	Ἔδει γὰρ τὸν
μεσίτην...	μεσίτην...	μεσίτην...
εἰς φιλίαν...	εἰς φιλίαν...	εἰς φιλίαν...
τοὺς ἀμφοτέρους	τοὺς ἀμφοτέρους	τοὺς ἀμφοτέρους
ἀναγαγεῖν,	συναγαγεῖν,	συναγαγεῖν,
ὥστε	καὶ	καὶ
Θεὸν μὲν	Θεῷ μὲν	Θεῷ μὲν
παραλαβεῖν	παραστῆσαι	παραστῆσαι
τὸν ἄνθρωπον,	τὸν ἄνθρωπον,	τὸν ἄνθρωπον,
ἄνθρωπον δὲ	ἀνθρώποις δὲ	ἀνθρώπῳ δὲ
παραστῆναι	γνωρίσαι	γνωρίσαι
τῷ Θεῷ.	τὸν Θεόν.	τὸν Θεόν.

L'arménien ne s'écarte de Théodoret que pour la leçon ἀνθρώπῳ, plus naturelle que la leçon ἀνθρώποις : variante minime, sans importance pour le sens de la phrase qui est identique de part et d'autre. Mais il en va autrement du latin, qui s'écarte substantiellement des deux autres témoins : nous avons souligné au moyen d'un trait les éléments propres au latin. On aura noté que la restitution ici proposée corrige sur deux points celle que nous avons donnée en *SC* 211, p. 367 ; le sens de la phrase demeure néanmoins inchangé.

Deuxième question : de ces deux textes en présence, lequel est primitif ? Il est clair, pour nous, que c'est celui qui est sous-jacent au latin : lui seul est pleinement cohérent et lui seul s'harmonise avec l'ensemble de la pensée d'Irénée connue par ailleurs ; l'autre texte n'est qu'une déformation, sans doute accidentelle, du premier. C'est ce que nous avons longuement prouvé en *SC* 210, p. 338-341, et nous ne pouvons que prier le lecteur de se reporter à cette note, à l'argumentation de laquelle nous ne voyons rien à changer. En somme, l'intérêt du présent conflit est de nous rappeler que, en matière de critique textuelle, c'est la valeur des témoins qui importe, et non leur nombre. Le fragment arménien du *Galata 54* est venu confirmer l'existence d'une leçon particulière au sein de la tradition grecque, mais il n'a pas, pour autant, établi si peu que ce soit le caractère primitif de cette leçon.

— lignes 178-181 : Πῶς γὰρ ἄλλως τῆς υἱοθεσίας αὐτοῦ μετασχεῖν ἠδυνάμεθα, εἰ μὴ διὰ τοῦ Υἱοῦ τὴν πρὸς αὐτὸν ἀπειλήφειμεν κοινωνίαν ; Πῶς δὲ ἀπελαμβάνομεν τὴν πρὸς αὐτὸν κοινωνίαν, εἰ μὴ ὁ Λόγος αὐτοῦ συγκεκοινωνήκει ἡμῖν σὰρξ γενόμενος ; (traduire : « Comment aurions-nous pu en effet avoir part à la filiation adoptive à l'égard de Dieu, si nous n'avions pas *reçu, par le Fils*, la communion avec *Dieu*? *Et comment aurions-nous reçu cette communion avec Dieu*, si son Verbe n'était pas entré en communion avec nous en se faisant chair? »).

— lignes 181-182 : Διὸ καὶ κατὰ πᾶσαν διῆλθεν ἡλικίαν ...

Fragment 22

III, 18, 7 (p. 370, 202-209 sic — eius).

202 sic (= οὕτως) : uere (= ὄντως) ‖ 202-203 uerbum dei homo : homo uerbum dei ‖ 204 uera : et uera sunt ‖ 205 quasi *om.* ‖ erat uerum opus : uera erant opera ‖ autem (= δέ) : igitur (= δή)‖ 206 hominis : homo ‖ 207 ut occideret : ad occidendum ‖ quidem *om.* ‖ 208 euacuaret : euacuandam ‖ uiuificaret : uiuificandum ‖ 209 hoc : illud ‖ uera *add.* sunt

Rétroversion :

— lignes 208-209 : Ὄντως οὖν ἄνθρωπος ὁ Λόγος τοῦ Θεοῦ γέγονεν (traduire : « C'est donc *en toute vérité* que le Verbe de Dieu s'est fait homme... »).

— lignes 211-212 : Εἰ δὲ μὴ γενόμενος σὰρξ ἐφαίνετο σάρξ, ...

— lignes 213-215 : ... ἀνακεφαλαιούμενος, πρὸς τὸ ἀποκτεῖναι μὲν τὴν ἁμαρτίαν, καταργῆσαι δὲ τὸν θάνατον καὶ ζωοποιῆσαι τὸν ἄνθρωπον ...

Fragment 23

III, 19, 1-3 (p. 374, 18 - 380, 69 propter — plasma).

18 dei *om.* ‖ 18-19 qui — est₂ : filius hominis (is qui est) filius dei ‖ 19-20 ut — percipiens : ut homo perfectus et percipiens a uerbo adoptionem ‖ 20-21 non enim poteramus : impossibile est enim ‖ 21 et immortalitatem *om.* ‖ 22 nisi aduniti fuissemus : non consimiles facti ‖ 22-24 et — immortalitati *om.* ‖ 24-25 et immortalitas *om.* ‖ 25 id quod (= ὅπερ) : sicut (ὥσπερ) ‖ 26-27 quod — immortalitate : mortale ab incorruptela ‖ 28 perciperemus : <ἀπο>λάβωμεν

29 hoc : illud ‖ generationem : γενεάν ‖ 30 et *om.* ‖ 30-31 cognoscit — is : is cognoscet illum ‖ 31 reuelauit : reuelauerit ‖ 31-32 ut intellegat *om.* ‖ 34 enim : autem (*l.*) ‖ nemo *add.* est ‖ 35 appellatur : dicitur ‖ secundum eum : sicut ille ‖ 35-36 aut dominus nominatur : neque ‖ 37 quoniam autem ipse : hic autem (*l.*) ‖ proprie : ἰδίως ‖ praeter — fuerunt : erat ‖ 38 tunc (= τότε) : unquam (= ποτέ) ‖ et₂ *om.* ‖ 39 et₁ *om.* ‖ incarnatum *add.* manifeste ‖ et₂ *om.* ‖ 40 ab ipso spiritu : idem a spiritu sancto ‖ <adest> ‖ 43 ut omnes : omnibus ‖ 43-44 sed quoniam praeclaram *om.* ‖ 44 habuit — est : accepit ‖ 45 genituram : γενεάν ‖ 45-46 praeclara — generatione : praeclaram autem (*l.*) et eam (quae est) ex uirgine generationem (γέννησιν) fecit ‖ 46 utraque : et utraque haec ‖ 47 diuinae *om.* ‖ 48 indecorus : uilis ‖ et₂ *om.* ‖ pullum asinae : asinum ‖ 49 qui et spernebatur : et spretus ‖ 50 descendit : descendens ‖ 52 <ueniens> ‖ 53 omnia — prophetabant *om.*

55 quidem *om.* ‖ 55-56 ut posset : ἐν τῷ ‖ 57 absorto : adsimila-<to> ‖ 57-58 in — adsumitur : ἐν τῷ uincere et sustinere et benefacere et resurgere et adsumi ‖ 58 hic (= οὗτος) : sic (= οὕτως) ‖ 59 uerbum exsistens : quippe qui uerbum est ‖ 60 hominibus : homine ‖ 61 quae — homo : quippe quae homo erat et ipsa ‖ habuit : accepit ‖ secundum hominem : (eam quae est) secundum humanitatem ‖ 62 factus — hominis *om.* ‖ 63 et *om.* ‖ 64 profundum *add.* et ‖ susum *om.* ‖ 64-65 postulauit — sperauit : postulauerat nec sperauerat humanitas ‖ 66 posse *om.* ‖ quae erat (= οὖσαν) uirgo : et uirginem manere (= μένουσαν) ‖ partum *add.* quippe qui deus erat ‖ 68 quaerentem : et quaerere ‖ quae perierat : perditam ‖ 69 quidem *om.*

Rétroversion :

— ligne 22 : εἰ μὴ ἡνωμένοι ἦμεν τῇ ἀφθαρσίᾳ ...

— ligne 23 : Πῶς δὲ ἡνῶσθαι ἠδυνάμεθα ...

— ligne 25 : ἐγεγόνει ὅπερ καὶ ἡμεῖς (traduire : « ... ne s'étaient préalablement faites *ce* que nous sommes »).

— lignes 29-30 : Γνώσεται δὲ αὐτὸν ᾧ ἐὰν ὁ Πατὴρ ὁ ἐν τοῖς οὐρανοῖς ἀποκαλύψῃ ὅτι ὁ « οὐκ ἐκ θελήματος σαρκὸς ... (traduire : « Seul le *connaîtra*, celui à qui le Père qui est dans les cieux *aura révélé que* ' le Fils de l'homme '... »).

— lignes 36-37 : ὅτι δὲ αὐτὸς ἰδίως παρὰ πάντας ποτὲ ἀνθρώπους Θεὸς καὶ Κύριος καὶ αἰώνιος Βασιλεὺς καὶ ... (traduire : « mais que le Christ, *d'une manière qui lui est propre*, à l'exclusion de tous les hommes *de tous les temps*, soit proclamé Dieu... »).

— lignes 42-46 : Ἀλλ' ἐπειδὴ ἐκλεκτὴν παρὰ τοὺς πάντας ἔλαβε τὴν ἀπὸ τοῦ Ὑψίστου Πατρὸς γενεάν, ἐκλεκτὴν δὲ καὶ τὴν ἐκ τῆς παρθένου γέννησιν ἐπετέλεσεν, ἀμφότερα ταῦτα αἱ γραφαὶ περὶ αὐτοῦ μαρτυροῦσιν ... (traduire : « Mais parce que, seul entre tous, il a *reçu la* génération éclatante qui lui vient du Père Très-Haut et parce qu'il a *accompli* aussi *la* naissance éclatante qui lui vient de la Vierge, *les Écritures* rendent de lui ce double témoignage... »).

— lignes 51-52 : supprimer ταῦτα — ἐπροφήτευον (dans la traduction, supprimer la phrase : « C'est tout cela que les Écritures prophétisaient de lui »).

— lignes 58-61 : Οὕτως οὖν ὁ Υἱὸς τοῦ Θεοῦ ὁ Κύριος ἡμῶν, Λόγος ὢν τοῦ Πατρός, καὶ Υἱὸς ἀνθρώπου ... (traduire : « *Ainsi* donc, *le* Fils de Dieu, notre Seigneur, *tout* en étant le Verbe du Père, était aussi Fils de l'homme... »).

— lignes 61-62 : supprimer les mots γενόμενος Υἱὸς ἀνθρώπου (dans la traduction, supprimer les mots : « et était ainsi devenu Fils de l'homme »).

— lignes 65-66 : ... ἐγκύμονα γενέσθαι, παρθένον μένουσαν, καὶ τεκεῖν υἱὸν ... (traduire : « ... à ce qu'une Vierge *devînt enceinte*, tout en *demeurant* vierge, et *mît* au monde un Fils... »).

Fragment 24

III, 20, 3 - 21, 1 (p. 394, 88 - 398, 4 ecce — scripturam).

89 retributurus est : retribuet ‖ 90 hoc *add.* est ‖ habuimus (= ἔσχομεν) : habebamus (= εἴχομεν) ‖ 91 rursus : et rursus ‖ 92 erit *add.* hic ‖ saluat : saluet ‖ carne$_1$ *add.* ad carnem ‖ 93 praedicauit enim dicens : dicit ‖ 93 neque : non ‖ senior : legatus ‖ 94 quoniam diligit : διὰ τὸ ἀγαπᾶν ‖ 95 parcet : φείδεσθαι ‖ et$_2$ *om.* ‖ 96 ipse *om.* ‖ incipiet : incipiebat ‖ 99 qui moriebatur : moriens ‖

esaias : ieremias ǁ 100 israel *om.* ǁ 101 qui dormierant : praedor-
mientium ǁ terra sepultionis : limo terrae ǁ 102 quae est ab eo :
suam ǁ uti saluaret : saluare ǁ 103 autem *om.* ǁ 104 miserebitur nostri :
uiuificabit nos et ǁ dissoluet (= κaταλύσει) : demerget (= κaταδύσει) ǁ
105 proiciet : cadent ǁ altitudinem : profunda ǁ peccata nostra :
omnia peccata eorum ǁ 106 significans : σημαίνων ǁ 108-109 ea —
ueniet : austri regione quae iudae regio et hereditas erat uenturus
erat ǁ 109-111 qui — sic : quippe qui deus ex qua erat bethleem ex
qua natus est dominus omnis terrae mittens laudationem ǁ 112
propheta *om.* ǁ africo : austro ǁ 113 effrem : pharan ǁ 113 <caelum> ǁ
115 progredientur : egredientur ǁ campis : nubibus ǁ 116 deus *add.*
est ǁ 116-117 quoniam₂ — eius : aduentum eius in bethleem ǁ 117
effrem : pharan ǁ 117-118 secundum africum : ex austri regione ǁ
118 hereditatis : ex hereditate ǁ homo *add.* est ǁ 118-119 progredientur enim inquit : et quoniam egredientur ǁ 119 campis : nubibus ǁ
signum *add.* est

2 ipse : a semetipso ǁ 2-3 non — audent : sed non sicut quidam
ex iis qui nunc audent aliter

Rétroversion :

— ligne 95 : οὔτε ἄνευ σαρκός —

— ligne 108 : ... ἡμᾶς, καὶ καταδύσει τὰς ἀδικίας ἡμῶν καὶ
ἀπορρίψει εἰς τὰ βάθη τῆς θαλάσσης πάσας τὰς ἁμαρτίας ἡμῶν
(traduire : «... il *immergera* nos iniquités et jettera au
fond de la mer *tous* nos péchés »).

— ligne 110 : τὸν τόπον σημαίνων ...

— lignes 112-116 : Καὶ ὅτι ἐκ τοῦ κατὰ λίβα τῆς κληρονομίας
τοῦ Ἰούδα ἐλεύσεται ὁ Υἱὸς τοῦ Θεοῦ, Θεὸς ὤν, ἐξ οὗ ἦν Βηθλέεμ,
ὅπου ἐγεννήθη ὁ Κύριος, εἰς πᾶσαν τὴν γῆν πέμψας τὴν αἴνεσιν αὐτοῦ,
οὕτως φησὶν Ἀμβακοὺμ ὁ προφήτης (traduire : « Et que de cette
région qui est au midi de l'héritage de Juda viendrait le
Fils de Dieu, qui *serait* Dieu — *région à laquelle appartenait*
Bethléem, où est né le Seigneur, *qui a répandu de la sorte*
sa louange sur toute la terre —, c'est ce que dit en ces
termes le prophète Habacuc »).

Le mauvais état du texte latin de cette phrase (cf. apparat
critique) a acculé les éditeurs d'Irénée à des conjectures
inégalement heureuses. Il est désormais possible, grâce
à l'arménien, de la corriger d'une manière plus sûre. Son état
primitif paraît avoir été le suivant : « Et quoniam ex ea
parte... ueniet Filius Dei, qui est Deus, ex qu<a> erat et
Bethleem, ubi natus est Dominus, in omnem terram *immit-
te<ns>* laudationem eius, sic ait Ambacum propheta ».

Signalons que la conjecture « ex qua erat et », légère correction de la leçon du *Claromontanus*, avait été proposée par
le P. Sagnard à la suite de dom B. Botte (*SC* 34, p. 346).

Fragment 25

III, 21, 4-5 (p. 412, 107 - 414, 126   diligenter   —   praegnantis).

107 significauit : ἐμήνυσε ‖ 109 quae est (= ἥτις) : quoniam
(= ὅτι) ‖ 110 deus *add.* est ‖ 111 manifestat : manifestationem ‖
homo *add.* est ‖ 112 nominat : uocat ‖ 113 et₂ : uel ‖ 114 haec...
omnia : omnia... haec ‖ infantis : νεοτόκου ‖ 114-115 quod... non
consentiet : τὸ ... ἀπειθεῖν ‖ 115 ut eligat : ad eligendum ‖ 116
proprium *add.* rursus ‖ <non> ‖ per hoc quod manducabit : διὰ τὸ
φάγεσθαι αὐτόν ‖ 118 rursus — emmanuel : per emmanuelis rursus
nomen
     121 quoniam *om.* ‖ dauid *om.* ‖ 122 se *om.* ‖ 123-125 hic — promisit
om. ‖ 125 erat : est ‖ 126 praegnantis : parientis

Rétroversion :

— lignes 104-115 : Ἀκριβῶς τοίνυν ἐμήνυσε τὸ Πνεῦμα τὸ
ἅγιον διὰ τῶν εἰρημένων τήν τε γέννησιν αὐτοῦ, ὅτι ἐκ τῆς παρθένου,
καὶ τὴν οὐσίαν, ὅτι Θεός, τὸ γὰρ τοῦ Ἐμμανουὴλ ὄνομα τοῦτο
σημαίνει, καὶ τὴν φανέρωσιν, ὅτι ἄνθρωπος, ἐν τῷ εἰπεῖν « βούτυρον
καὶ μέλι φάγεται » καὶ ἐν τῷ καλέσαι « παιδίον » αὐτὸν καὶ « πρὶν
ἢ γνῶναι ἀγαθὸν ἢ κακόν », πάντα γὰρ ταῦτα σύμβολα ἀνθρώπου
νεοτόκου · τὸ δὲ ἀπειθεῖν πονηρίᾳ τοῦ ἐκλέξασθαι τὸ ἀγαθόν, ἴδιον
πάλιν τοῦτο τοῦ Θεοῦ, ἵνα μὴ διὰ τὸ φάγεσθαι αὐτὸν βούτυρον καὶ
μέλι ψιλῶς μόνον αὐτὸν ἄνθρωπον νοήσωμεν, μηδὲ διὰ τὸ τοῦ
Ἐμμανουὴλ πάλιν ὄνομα ἄσαρκον αὐτὸν Θεὸν ὑπολάβωμεν (traduire :
« De façon précise l'Esprit Saint a fait connaître par ces
paroles *trois* choses : — sa génération : *elle* lui vient de la
Vierge ; son être : il est Dieu, *car son nom d'Emmanuel
signifie cela même ; sa manifestation, enfin : il est* homme,
ce qu'indiquent la phrase ' il mangera du beurre et du miel ',
l'appellation d'" enfant ' et les mots ' avant qu'il ne
connaisse le bien *ou* le mal ', car ce sont là autant de traits
qui caractérisent un homme *venu depuis peu à l'existence*.
Quant *au fait de repousser* le mal afin de choisir le bien, *c'est
là, en revanche, le propre de* Dieu : *l'Écriture souligne ce trait*
pour que *le fait que l'enfant* mangera du beurre et du miel
ne nous *incite* pas à voir en lui simplement un homme, et

pour qu'à l'opposé le nom d'Emmanuel ne nous fasse pas supposer un Dieu non revêtu de chair »).

Nous n'avons pas cru superflu de reprendre en son entier cette page importante, pour l'intelligence de laquelle l'arménien apporte un ensemble de données nouvelles du plus haut intérêt.

Mais c'est surtout sur le début de cette page que nous voudrions attirer l'attention du lecteur. Ce début, à la suite du P. Sagnard (cf. *SC* 34, p. 361), nous l'avions compris de la manière suivante : « L'Esprit Saint a indiqué par ces paroles (d'Isaïe relatives à la venue du Seigneur) : 1º sa ' génération ', qui lui vient de la Vierge ; 2º son ' être ', à savoir : *a)* qu'il est Dieu... ; *b)* qu'il est homme... » Comprise de la sorte, la phrase irénéenne pouvait apparaître comme une annonce plus ou moins lointaine de la formulation qui serait celle de la dogmatique postérieure à partir du Concile de Chalcédoine : une « personne » en deux « natures ».

L'arménien est venu modifier ces perspectives. Tout d'abord, il permet de repérer de façon certaine le grec τὴν οὐσίαν sous le latin « substantiam ». Surtout, il révèle que l'énigmatique « manifestat » — dont on voit mal la raison d'être dans la phrase et que nous avions cru devoir mettre entre crochets — n'est autre chose que la déformation de la leçon primitive « manifestationem ». Nous retrouvons alors l'authentique contenu de la phrase irénéenne, qui est le suivant : « L'Esprit Saint a indiqué par ces paroles (d'Isaïe relatives à la venue du Seigneur) : 1º sa *génération* (γέννησις) : elle lui vient de la Vierge ; 2º son *être* (οὐσία) : il est Dieu... ; 3º sa *manifestation* (φανέρωσις) : il est homme... »

On aura noté la manière dont Irénée exprime ici la réalité paradoxale de l'Incarnation, en vertu de laquelle le Christ appartient simultanément au monde de Dieu et à notre monde humain : Irénée met en parallèle, non deux οὐσίαι distinctes dont l'une serait divine et l'autre humaine, mais une οὐσία divine et une φανέρωσις humaine.

a) L'ensemble de la phrase montre que l'οὐσία dont il parle n'est pas autre chose que la réalité concrète, individuelle et autonome. Il est clair que, en ce sens, il ne peut y avoir dans le Christ, comme en tout être, qu'une seule οὐσία : le Christ est — et n'est personne d'autre que — le Dieu Verbe, le propre Fils de Dieu né du Père éternellement.

b) Mais le Christ n'est pas le Dieu Verbe sans plus, il est le Dieu Verbe devenu visible et palpable, « manifesté » — voilà la φανέρωσις — dans une humanité de chair en tout semblable à la nôtre. Cette humanité du Verbe incarné est tout ce qu'il y a de plus réel, car le Verbe s'est réellement fait cela même qu'est tout homme, un être de chair et un fils d'Adam ; néanmoins cette humanité n'est pas une οὐσία distincte, au sens qu'Irénée donne à ce mot, car, lors même qu'il est homme, le Verbe incarné ne cesse d'être Celui qu'il est éternellement, le Dieu Verbe.

On voit à quel point, cette formulation du mystère christologique se situe dans la ligne du Prologue de l'Évangile johannique.

A. R.

TABLES

INDEX SCRIPTURAIRE

Les chiffres droits indiquent les citations littérales ; les chiffres en italique, les citations accommodées et les allusions. On renvoie aux chapitres et aux paragraphes de cette édition.

.*.

Citations non bibliques

INDEX DES MANUSCRITS CITÉS

Les chiffres renvoient aux pages du présent volume.

I. GRECS

II. LATINS

Berlin

INDEX DE MOTS GRECS

Cet index comprend un choix limité de mots grecs. Les noms propres, toutefois, y figurent dans leur totalité. Les chiffres renvoient aux chapitres et aux lignes de la version latine.

Chiffres en italique : mots attestés par un fragment grec. Chiffres en italique suivis d'une apostrophe : mots appartenant à une citation scripturaire. Chiffres en caractère ordinaire : mots restitués de façon conjecturale.

ἀκατάληπτος incomprehensibilis 2, *3.37.42.79.82* ; 21, *2*
ἀκατασκεύαστος incompositus 18, *14*
ἀκατονόμαστος inenarrabilis 1, *1* ; 13, *6* — innominabilis 14, *5*
'Ακίνητος Acinetos 1, *40*
ἀκίνητος immobilis 30, 32
ἀκολουθέω sequor 3, *72.73* ; 8, *64.66.71*
ἀκράτητος incomprehensibilis 7, *33* ; 13, *111* ; 21, *3*.90 ; 24, 105
ἀκρατήτως incomprehensibiliter 7, *8*
ἀκριβής, τὸ ἀκριβές quod liquidum est 30, 261
ἀκριβῶς diligenter 8, *183* ; 17, *8* ; 31, 6 — pro certo 13, 70 —
      ἀκριβέστατα diligenter 9, *123*
'Αλεξάνδρεια Alexandria 24, 4
'Αλήθεια Veritas 1, *17* ; 3, *48* ; 8, *177.180.183.185.187* ; 11, 35.*38* ;
      14, *74.83.89.91.97.110.196* ; 15, *61.99.106.112* ; 18, *41* ; 20, *37.*
      48 ; 21, *39.49* — Alethia 1, *20* ; 2, *20.90* ; 9, *42* ; 11, *10* ; 12, 7.
      10.36 ; 14, *119* ; 15, *94* ; 29, 28.29 — 'Αλήθεια 15, *13.16* —
      Alethia, id est Veritas 1, *32*
ἀλήθεια ueritas Pr., *1.20.48* ; 3, *97* ; 6, *76.77.78* ; 8, *11* ; 9, *38.109.*
      116.124 ; 10, *40.42.*56 ; 11, *66* ; 15, *145* ; 17, *51* ; 19, *11* ; 20, *4* ;
      21, *56* ; 22, 1.22 ; 25, *40* ; 27, 39.60 ; 28, 33 ; 31, 8.57
ἀληθής uerus Pr., *17.20* ; 12, 36 ; 14, *176* ; 21, *86* ; 29, 41 — uerax
      27, 25
ἀληθινός uerus 2, *87* ; 9, *27* ; 30, 23
ἀληθῶς uere Pr., *61* ; 9, *67* ; 10, *89* ; 16, 64.*67* ; 20, *20.30* — ὡς
      ἀληθῶς uere 11, *57* — ὡς ἀληθῶς quasi uere 13, *7*
ἀλληγορία allegoria 3, *94*
ἄλογος mutus 5, *65*
ἄλφα alpha 16, *28.46* ; 20, *12* — a 20, *7.8.9* — α 15, *41* ; 16, *31.65* —
      A 14, *62*
ἀλφάβητος alphabeta 15, *99* — alphabetum 15, *130* — AB 15, *38*
ἀλώπηξ uulpecula 8, *18.26* ; 31, 41 — uulpes 9, *114*
'Αμβακούμ Ambacum 30, 195
ἀμέριστος indiuisibilis 15, *139*
ἀμέτρητος immensus 2, *5*
ἀμήν amen 14, *38* ; 16, *23* ; 25, *65'*
ἀμηχανία inconstabilitas 4, *64* — inconstantia 4, *73* — aporia 5, *81*
ἄμορφος informis 2, *43.68* ; 4, *6*
'Αμώς Amos 30, 194
ἀναγεννάω regenero 21, *14*
ἀναγέννησις regeneratio 14, *148.152.153* ; 21, *9*
ἀναιδής inuerecundus 13, *57* — impudens 13, *85*
ἀναιδῶς impudorate 27, 54
ἀνακεφαλαιόομαι recapitulo 3, *62* ; 9, *48* ; 10, *12*

ἀποκυέω genero 1, *13* ; 5, *102* ; 15, *7.49* ; 16, *7.41* ; 29, 61 ; 30, 133
— enitor 5, *4* ; 11, *22* ; 14, *4*
ἀπολαμβάνω recipio 7, *3* ; 25, 46
ἀπόλλυμι perdo Pr., *14* ; 8, *106* ; 16, *19* ; 23, 60 ; 30, 179 —
ἀπόλλυμαι pereo 3, *84* ; 6, *2* ; 16, *18* — ἀπολωλώς perditus
3, *2* — ἀπολωλώς qui periit 25, 69
ἀπόλυσις redemptio (= ἀπολύτρωσις) 9, 118
ἀπολύτρωσις redemptio 13, *111.113* ; 21, *1.8.18.22.27.30.40.61.70.*
76.80.114
ἀπορέω consterno 20, *25* — aporior, id est confundor 2, *47*
ἀπορία consternatio 4, *31* — aporia 5, *62* — aporia, id est consternatio 8, *59*
ἀπορρέω emano 14, *129* ; 15, *69* — defluo 18, *31*
ἀπόρρητος absconditus 1, *60*
ἀπόρροια emanatio 14, *107.114* — diriuatio 24, 47.49 — defluitio
5, *97* — distillatio 17, *40*
ἀποσκήπτω diriuo 2, *20*
ἀποστασία apostasia 3, *35* ; 10, *59* ; 27, 69 ; 30, 170 — ἐν ἀποστασίᾳ
γίνομαι apostata fio 10, *18*
ἀποστάτης apostata 26, 21
ἀποσταυρόω crucifigo 2, 66
ἀποστολικός apostolicus 3, *91* ; 8, *8*
Ἀπόστολος Apostolus Pr., *3* ; 9, *45.58* ; 10, *81* ; 27, 29.32.57
ἀπόστολος apostolus 3, *24.25.36.82* ; 8, *3* ; 10, *2* ; 13, *106* ; 18, *82.*
95 ; 23, 2.9.14.22 ; 25, *23.90* ; 26, 20.28 ; 27, *4.26.28*
ἀποτελέω perficio 16, *35* — explico 14, *157*
ἀποφαίνομαι ostendo 3, *66* ; 7, *18* — respondeo 6, *29* ; 11, *4*
ἀπώλεια perditio 13, *85* ; 23, *17'*
ἀριθμός numerus 1, 57 ; 5, 36 ; 14-18 *passim* ; 24, 54 ; 28, 31
Ἀριστερά Sinistra 30, 30
ἀριστερός sinister 5, *13.18.31* ; 6, *2* ; 11, *28.41* ; 16, *58* ; 21, *26* —
sinisterior 30, 19
Ἀριστοτέλης Aristoteles 25, 106
Ἀρμοζήλ Armozel 29, 36.44
ἀρρενόθηλυς masculo-feminus 1, *29* ; 18, *61* — masculus et femina
11, *100*
Ἄρρην Masculus 30, 13
ἄρρην masculus 9, *17* ; 11, *23.99* ; 12, *11* ; 21, *108* — ἄρρεν masculus
2, *59* ; 14, *12* ; 28, *11* — ἄρρεν masculinum 3, *54* ; 14, *7*
Ἄρρητος Arretos 11, *88.91* ; 15, *93* — Ἄρρητος 15, *13.15* —
Inenarrabile 11, *8*
ἄρρητος inenarrabilis 2, *33* ; 5, *110* ; 6, *16.70* ; 7, *30* ; 9, *65* ; 11, *48* ;
13, *25.108* ; 14, *13.86.111.130* ; 15, *21.23.26.115.134* ; 16, *64* ;
18, *43* ; 20, *26* ; 21, *72.77*

'Αρσενόθηλυ Masculo-femina 30, 31

ἀρσενικῶς masculiniter 5, *56*

'Αρχάγγελος Archangelus 5, *25.41* ; 23, 40 ; 24, *6* ; 30, 77

ἀρχέγονος primogenitus 1, *18.25* ; 5, *36* ; 7, *27* ; 9, *69* — archegonos 11, *85*

'Αρχή Principium 8, *132.138.140.141.142.146.147.149.151* ; 9, *33* ; 11, *51* — Initium 1, *10.16* ; 22, 18 — Arche 11, *52.89* — ἡ 'Αρχή et non in initio 10, *71*

ἀρχή initium Pr., *64* ; 1, *23* ; 2, *53* ; 4, *40* ; 5, *53* ; 6, *61* ; 10, *22* ; 13, *86* ; 14, *85.149* ; 15, *100* ; 23, 39.91 ; 29, 14 — principium 9, *48* ; 18, *8.9.10* — imperium 23, 80 — principatus 30, 79 — ἀρχή 14, *18* — antiquus (= ἀρχαῖος) 11, *5*

ἀρχηγός princeps 23, 89 ; 27, 69

"Αρχων Princeps 11, *29* ; 24, *25*.45.52.61.79.90 ; 25, *33*.69 ; 30, 206. 240 — Archon 25, *17*

ἄρχων princeps 24, 58.91.122

'Ασία Asia 13, *94* ; 26, 1

'Ασταφαιός Astaphaeus 30, 71.200

ἀσύζυγος sine coniuge 2, *57* — sine, coniugatione 29, 55

ἀσώματος incorporalis 4, *104.105* ; 5, *29* ; 15, *116.135* ; 21, *75* ; 24, 74 — incorporatus 24, *22*

ἀτελής inconsummatus 2, *45*

ἄτονος, ἀτονώτερος superior (= ἀνώτερος) 5, *66*

αὐθάδεια audacia 30, 164

Αὐθαδία Audacia 29, 62 — Authadia 29, 69

Αὐθεντία Principalitas 26, *3.10* ; 30, 137 ; 31, 1 — summa Potestas 24, *9*

αὐλαία atrium (= αὐλή) 18, 48.80

αὐτεξούσιος suae potestatis 6, *11*

αὐτοβούλητος ab se cogitatus 14, *160*

Αὐτογενής Autogenes 29, 25.29.31.41.45

αὐτογεννήτωρ autogenitor 14, *88*

Αὐτοφυής Autophyes 1, *39*

ἄφεσις remissio 21, *17*

'Αφθαρσία Incorruptela 29, 11.30 — Aphtharsia 29, 21

ἀφθαρσία incorruptela 6, *3* ; 10, *23.76* ; 30, 55 — immortalitas (= ἀθανασία) 4, *15*

ἄφθαρτος incorruptibilis 21, *105* ; 30, 3.13.22.127.203.205.242.258. 276

ἀφίημι remitto 8, *73* ; 9, *21* ; 30, 246

ἀφίπταμαι reuolo 26, 13

ἀφίσταμαι abscedo 13, *133* ; 16, 17 ; 28, 4 ; 30, 124 — absisto 16, *42.66* ; 29, 64 — discedo 11, *15.41*

ἀφορίζω separo 2, *66.71* ; 4, *3* ; 11, *19*

ἐκφώνησις enuntiatio 14, *16.23.25.29.55.71*; exclamatio 14, *37*; 15,
   96 — consonatio 14, *37*
ἐλαττονέω deminoro 10, *48*
ἐλαττόω deminoro 10, *45*
ἔλεγχος arguitio 18, *6* — detectio 31, 38 — detectio atque conuictio
   22, 33
ἐλέγχω arguo 21, *11*; 22, 22; 27, 56; 31, 26 — manifesto 6, *62*
'Ελελέθ Eleleth 29, 39
'Ελένη Helena 23, 36.53.73.87
ἔλευσις aduentus 10, *8*
'Ελισάβετ Elisabeth 30, 210
"Ελλην Graecus 15, *38.101.106*
'Ελπίς Elpis 1, *44*
'Ελωαῖος Eloeus 30, 69.198
ἐμβάλλω immitto 15, *143*; 30.164.169.282
ἐμμελῶς diligenter (= ἐπιμελῶς) 2, *98*
ἐμπαθής passibilis 4, *109*
ἔμπειρος sciens 12, *1* — qui scit 9, *103* — peritus 13, *3* — cognitor
   15, *148*
ἔμφρων sensatus 4, *19*
ἐμφυσάω insufflo 5, *91*; 30, 107
ἐμφύσημα insufflatio 5, *110*; 30, 153.273
ἔμψυχος animalis 24, *34*; 28, *13*
"Εν Hen 11, *54.56*; 15, *4*
ἐνέργεια operatio 3, *66.70.78*; 17, *6*; 30, 231
ἐνεργέω operor 30, 208 — agito 16, *82*
'Ενθύμησις Enthymesis 4, *2.61*; 5, *19*; 10, *84*; 14, *170* — Intentio
   2, *37.63*; 8, *106* — Excogitatio 3, *56* — Concupiscentia 2, *65*
ἐνθύμησις enthymesis 30, 109.113
ἐνθύμιος, τὸ ἐνθύμιον intentio 13, *119*
ἐννοέομαι cogito 12, *13.15.16.22.23.24.34* — uolo 1, *9.11*; 29, 8 —
   mente concipio 12, *4*; 23, 39
"Εννοια Ennoea 12, *3.12.13.30*; 23, 47; 29, 9; 30, 4 — Ennoia
   1, *8*; 12, *6.10*; 23, 40.98; 29, 21.25 — Ennoea, id est Cogitatio
   1, *30* — Intentio 15, *141* — Mentis Conceptio 23, 38
ἔννοια cogitatio 4, *46* — cogitatus 12, *24* — mens 6, *66* — intellectus
   2, *11* — mentis conceptio 25, 55
'Ενότης Henotes 11, *50.55.63* — Vnitas 15, *3*
ἑνότης unitas 9, *18*; 14, *122*
ἑνόω unio 8, *143*; 15, *87*; 16, *39* — aduno 16, *2* — in unum adapto
   2, *98* — ἑνόομαι coeo 1, *29*; 30, 161 — ἑνόομαι unio 13, *63*
ἔνσαρκος in carne 10, *10*
"Ενωσις Henosis 1, *39*
ἕνωσις unio 8, *145* — unitas 18, *98* — unitio 21, *40* — adunatio 30, 24

'Ενώχ Enoch 27, 44

ἐξάγωνος ex agonia (= ἐξ ἀγῶνος) 3, 5

ἐξαπατάω seduco 8, 12 ; 13, 21.103.129 — suadeo 6, 56 — extermino 13, 32 — ἐξαπατηθείς seducibilis 13, 66

ἐξαπάτησις seductio 13, 85 ; 27, 63

ἐξηγέομαι expono 7, 51 ; 15, 115 ; 20, 10 ; 25, 89 ; 26, 22 — interpretor 16, 25 ; 20, 27 — refero 8, 100

ἐξήγησις expositio 3, 93.95 ; 9, 23.31

ἐξηγητής interpretator Pr., 7

ἐξίσταμαι expauesco 2, 47 — ecstasin patior 4, 48

ἐξομολογέομαι confiteor 6, 58 ; 10, 16 ; 13, 91 ; 20, 40 — exomologesim facio 13, 131 — ἐξομολογούμενος in exomologesi 13, 99

ἐξορίζω separo 3, 57

ἐξορκισμός exorcismus 23, 83

'Εξουσία Potestas 21, 91.95.101 ; 23, 42.48.67 ; 24, 7.106 ; 29, 67 ; 30, 77 ; 31, 20

ἐξουσία potestas 4, 91 ; 7, 70 ; 23, 15 ; 25, 33.75

ἐπανόρθωσις emendatio 9, 36 ; 23, 65

ἐπεκτείνω extendo 4, 8 ; 7, 42 ; 8, 40 ; 11, 46 ; 29, 57

ἐπεξηγέομαι insuper expono 9, 49

ἐπέχω abstineo (= ἀπέχω) 2, 35

ἐπιβάλλω adgredior 2, 27 — impono 8, 67 — mitto super (aliquid) 21, 69 — mitto (alicui) 21, 88

ἐπίγειος terrenus 10, 61 ; 29, 68 ; 31, 9 — terrestris 10, 15 ; 30, 74

ἐπιγενητός aduenticius 12, 11

ἐπιθυμέω concupisco 20, 28.117

'Επιθυμία Epithymia 29, 70

ἐπιθυμία concupiscentia 6, 78 ; 13, 80 ; 30, 50.82

ἐπίκλησις inuocatio 13, 13.16.48 ; 21, 90 ; 24, 16

ἐπιμέλεια diligentia atque cura 7, 14

ἐπιμελῶς diligenter 8, 15 ; 10, 27

ἐπινοέω adinuenio 3, 90 ; 4, 69

ἐπίρρησις profana dictio 21, 35.69

ἐπίσαθρος terrenus 13, 84

ἐπισημειόομαι significo 8, 52

ἐπίσημον episemum 16, 27.29.32.47 — episemon 16, 8.13 — insigne 14, 162 ; 15, 53

ἐπίσημος insignis 14, 100.142.154.155.156.160 — pretiosus 8, 15

ἐπισήμως signanter 18, 88

ἐπισκοπή episcopatus 27, 3

ἐπιστολή epistola 8, 47 ; 27, 28

ἐπιστρέφω conuertor 6, 56 ; 13, 91 — conuerto 13, 99 ; 31, 28 — reuertor 2, 36

29, 36 ; 30, 58.133.175.254 — doceo 7, *55* — οὐ θέλω nolo
8, *71* ; 22, 28

θεός deus 14, *9*

Θεός Deus *passim*

θεόσδοτος a Deo traditus 13, *73*

θεοσέβεια religio 16, *63*

Θεότης Diuinitas 4, *93* — Deitas 21, *49*

Θεότης diuinitas 3, *62*

θέσις positio 30, 283 — θέσει ex accidentia 23, 76

θεωρία uisio 4, *112* — inspectio 5, *101*

Θήλεια Femina 21, *99.103.108* ; 30, 9.12.15.16.26.27.53.129.214.223

θῆλυς femineus 2, *70* — femininus 12, *12* — femina 11, *99* — θήλεια
femina 2, *44.90* ; 30, 113.114 — θῆλυ femina 2, *59* ; 14, *13* ;
28, *11*

θηρίον fera 18, *25* ; 30, 278 ; 31, 47.48 — bestia 31, 45.51.64 —
om. 5, *65*

θνητός mortalis 10, *75*

Θρόνοι Throni 4, *93*

Θωμᾶς Thomas 18, *83*

Ἰακώβ Iacob 18, *81.89* ; 22, 18

Ἰαλδαβαώθ Ialdabaoth 30, 67.75.80.90.93.98.112.120.130.177.184.
194.208.223.264

Ἰαώ Iao 4, *25* ; 21, *60* ; 30, 68.195

Ἰβηρία Hiber 10, *35*

ἰδέα figura 5, *49* ; 8, *16.26* — forma 10, *64*

Ἰεζεκιήλ Ezechiel 30, 197

Ἰερεμίας Hieremias 30, 198

ἱερεύς sacerdos 7, *49* ; 18, *49*

Ἰεροβοάμ Hieroboam 18, 79

Ἰερουσαλήμ Hierusalem 5, *55* ; 20, *32* — Hierosolyma 26, 25

Ἰησοῦς Iesus 2, *101* ; 3, *99* ; 7, *56* ; 9, *25.40.44.46.54.62* ; 10, *5.10.13* ;
11, *30* ; 14, *93.99* ; 15, 21.*26.35.37.40.46.54.70.85.86.89* ; 18,
92 ; 21, *17.30.40.50* ; 22, 20 ; 23, 12 ; 24, 72.73.81 ; 25, *3.11.*
16.*20.24.*62.*89.*103 ; 26, *5.13* ; 27, *6.*13.31.50.64 ; 30, 194.222.
230.234.237.240.243.248.258.264 — DCCCLXXXVIII nume-
rus 15, *48*

ἰκμάς humectatio 30, 28.29.34.45.105.136.155.173.181.217.226.275

Ἰουδαία Iudaea 23, *69* ; 27, 15.17

Ἰουδαϊκός iudaicus 26, 24

Ἰουδαῖος Iudaeus 23, 28 ; 24, *23.26.39.*59.60.116 ; 25, *12* ; 30, 188

Ἰούδας Iudas 3, *36* ; 31, 6.10

Ἰουστῖνος Iustinus 28, *17*

καταληπτός comprehensibilis 2, *83* — οὐ καταληπτός incomprehensibilis 2, *9*

κατάληψις comprehensio 2, *77* ; 8, *24*

κατάλυσις destructio 17, *51* ; 24, *25* — dissolutio 24, *31*

καταλύω dissoluo 21, *79* ; 24, *24*.83 ; 31, 9.13

κατανοέω considero 2, *5* ; 9, *5* — conspicio 16, *26* — in (aliquod) intendo 2, *44*

καταπίνω absorbeo 2, *31* ; 30, 36 — ebibo 13, *108*

κατάπληξις stupor 13, *49* ; 20, *3*

καταπλήσσω stupori sum uel deterreo 21, *42*

καταργέω euacuo 25, *14*

κατέχω teneo 18, *78* ; 24, *10*.77 — detineo 23, 44.47 — contineo 2, *10* ; 24, 118 — habeo 9, *110*

Καυλακαῦ Caulacau 24, 103.107

καυτηριάζω cauterio 13, *129* — signo cauterians 25, *96*

Κελτός Celtus Pr., 56 ; 10, *36*

κενός uacuus 13, *58* ; 30, 138 — *om.* 13, *56*

κενόω euacuo 4, *20* ; 11, *25* ; 30, 101.105.108.113.115.135.225.270

κένωμα uacuitas 4, *4* — uacuum 4, *45*

κενῶς uacue 13, *55*

κεράννυμι misceo 6, 77.79 ; 13, *12.19* — coniungo 6, 76

Κέρδων Cerdon 27, *1*

κεφαλή caput 5, *52* ; 8, *48.64* ; 14, *78* ; 21, *70*.88

Κήρινθος Cerinthus 26, *1.18*

κήρυγμα praedicatio 10, *25.40* — praeconium 25, *40* ; 27, 61

κῆρυξ praeco 13, *120* ; 15, *145* ; 30, 190

κηρύσσω adnuntio 9, *25* ; 20, *19* ; 26, *11* ; 27, *5*.11 ; 28, *9* — praedico 3, *28* ; 8, *2* ; 9, *124* ; 10, *7.30* — praecono 10, *79* ; 27, 48 — dico 8, *114*

Κλαύδιος Claudius 23, 25

κληρονομέω heredito 6, 46 — apprehendo 30, *252′*

κληρονομία hereditas 30, 186

κλῆρος sors 13, *78* ; 23, *18′* — locus 27, *3*

κλῆσις uocatio 14, *101* ; 30, 24

κλητός *om.* 18, *100*

κοινωνία communio 8, *162* ; 21, *41* — copulatio 13, *63*

Κολάρβασος Colarbasus 14, *2*

Κολόκυνθα Cucurbita 11, 71.72.78

Κορέ Core 31, 2

Κορίνθιος Corinthius 8, *44*

κοσμικός mundialis 16, *90* ; 30, 85.145.153.163.246.251.259.265

Κοσμοκράτωρ Cosmocrator 5, *71.73.74.79* ; 27, 19

κοσμοποιός mundi fabricator 23, *70* ; 24, *38.78.83.90* ; 25, *9.17.26*.

126.142 ; 15, *29.31.34.47.132* ; 18, *34.54* — Δεκὰς καὶ Ὀγδοάς,
XVIII 15, *30*

Ὀδυσσεύς Vlixes 9, *105*

οἴημα praesumptio 28, *20*

οἴησις operatio (= ποίησις) 5, *51*

οἰκονομία dispositio 6, *15* ; 7, *30.40* ; 9, *64* ; 10, *7.56* ; 14, *138.146.*
149.201 ; 15, *74.88.90* ; 16, *46.64* ; 18, *64.*74 ; 22, 11 ; 24, 82.
86 — creatio 7, *42*

οἰκτείρω misereor 4, *7* ; 24, *15* ; 30, 154

οἰκτίρμων misericors 21, *56*

ὅλος totus 12, *24.25* ; 14, *30.32.67.72* ; 18, *37.39* ; 30, 36.274 —
uniuersus 2, *32* ; 4, *97* ; 5, *54* ; 10, *1.26.39* ; 14, *23.53.108* ; 20,
226 ; 31, 40 — *om.* 12, *25* — οἱ ὅλοι reliqui (= οἱ λοιποί)
11, *32*

ὅλος, τὰ ὅλα omnia 2, *34.82.91* ; 8, *131.156* ; 12, *56.59* ; 13, *15.*
25.40 ; 14, *117* ; 15, *75* ; 16, *4* ; 18, *8* ; 19, *20* ; 21, *39* ; 23, 39 ;
24, 114 ; 26, *10* ; 29, 48 — uniuersa 12, *21* ; 14, *35* ; 15, *27.*
61 ; 17, *18* ; 21, *65.85* ; 26, *4*

Ὁμηρικός homericus 9, *86.103* ; 12, 17 ; 13, *123*

Ὅμηρος Homerus 9, *82.84.102* — Ὁμήρου homericus 9, *80*

ὁμοιότης similitudo 14, *133* ; 15, *121* ; 21, *37*

ὁμοίωμα similitudo 14, *139* ; 24, *16*

ὁμοίωσις similitudo 4, *115* ; 5, *92.95* ; 18, *61* ; 24, *13*

ὁμολογέω confiteor 8, *70* ; 11, *64* ; 12, *50* ; 15, *85.101* ; 20, *21* ; 24,
79.83 ; 27, 24.62 ; 30, 239 ; 31, 3 — consentio 26, *16*

ὁμοούσιος eiusdem substantiae 5, *6.11.94.102* ; 11, *54* — eiusdem
potestatis 11, 77

Ὄνομα Nomen 24, 113

ὁρατός uisibilis 4, *92* ; 6, *17* ; 9, *65* ; 11, 75 ; 12, *9* ; 21, *73* ; 22, 9

ὁρίζομαι definio 11, 6 — praefinio 11, *69*

ὁρμάω egredior 4, *21* — impetum facio 31, 45

ὁρμή impetus 2, *68* ; 8, *56* ; 29, 60 ; 31, 49 — irruo 4, *24*

Ὁροθέτης Horothetes 2, *61* ; 3, *5*

Ὅρος Horos 2, *35.56.60.62.66* ; 3, *4.51.65.69.78* ; 4, *23.24.26* ; 8, *56* ;
17, *23* — Terminus 11, *16*

Οὐαλεντῖνος Valentinus Pr., *45* ; 11, *6.*79 ; 28, *23* ; 30, 279 ; 31, 25

οὐράνιος caelestis 5, *30* ; 10, *61*

Οὐρανός Caelum 5, *46* ; 20, *22.41* ; 30, 71

οὐρανός caelum Pr., *12* ; 5, *34.37.41.46* ; 8, *68* ; 10, *4.10.11* ; 14,
170.189 ; 15, *129* ; 16, *75* ; 17, *10.11.20.25.39* ; 18, *9.10* ; 22,
5′ ; 24, 46.48.50.53.54.55.99.100.119 ; 29, 65 ; 30, 47.73.89.139.
213.224.264 ; 31, 14

οὐσία substantia 2, *32.43.54.67* ; 3, *47.50* ; 4, *9.37.41.53.107* ; 5, *8.*

πᾶς *passim* — τὸ πᾶν uniuersitas Pr., *10* ; 10, *53* ; 19, *5* ; 27, 24 ;
    31, 29
πάσχω patior 2, *18* ; 3, *2.37.40.44.45.56* ; 4, *29.62* ; 7, *33.37.39* ; 8,
    51 ; 9, *54* ; 10, *69* ; 13, *100.135* ; 23, *69.70* ; 24, 69.113 ; 26,
    13 — *om.* 2, *74*
Πατήρ Pater *passim* — *om.* 2, *96* ; 8, *132* — Πατήρ 15, *13.16*
πατήρ pater 1, *22* ; 4, *17* ; 9, *121* ; 15, *152* ; 30, 59.104.147 ; 31, 24
Πατρικός Patricos 1, *44*
πατροδότωρ patrodotor 14, *89*
πατρωνυμικῶς patronymice 2, *102* — paternaliter 4, *17*
Παῦλος Paulus 3, *15.59.82* ; 8, *43.81.91.124.125.166* ; 13, *105* ; 16,
    68 ; 21, *29* ; 25, *23* ; 26, 20 ; 27, 28
πείθω suadeo 6, *74* ; 8, *25* ; 19, *3.15* ; 27, 26 ; 30, 121 — πείθομαι
    credo 2, *36* ; 15, *143* ; 24, *26* — adsentio 16, *67* ; 25, *91*
πέμπω mitto 1, *53.54* ; 9, *86* ; 10, *20* ; 18, *77.82* ; 30, 216 — emitto
    24, *17*
Πέπων Pepo 11, 77.79.80
πέπων pepo 11, 96
περιεργία periergia 24, 97
περίεργος periergus 23, 86
περιστερά columba 7, *24.32* ; 14, *144* ; 15, *78* ; 26, *11* — περιστερά
    15, *24*
περίτμημα circumcisio 18, *69*
περιτομή circumcisio 18, *68*
Περσείδης prosapia Persei 9, *93*
Πέτρος Petrus 13, *106* ; 23, 16 ; 25, *22*
πιθαναλογία suadela Pr., *73* — quasi uerisimilis suasio 31, 31
πιθανός uerisimilis 9, *31* ; 24, 40 — suasorius Pr., *19* — πιθανώτερος
    magis suadibilis 4, *79*
πιθανότης uerisimilitudo Pr., *5* — suadela Pr., *60*
πιθανῶς suadenter Pr., *13*
Πιλᾶτος Pilatus 7, *35* ; 25, 103 ; 27, 15
πιστεύω credo 10, *28.35* ; 23, 11 ; 24, 66 ; 25, 55.*87* ; 27, 50 — spem
    habeo 23, *73*
Πίστις Pistis 1, *43*
πίστις fides Pr., *4* ; 3, *98* ; 6, *26* ; 10, *3.25.46.91* ; 13, *86* ; 15, *12* ;
    21, *10* ; 23, 9 ; 25, *92*
πιστός credibilis 11, 83 — πιστότερος fidelissimus 13, 65
πλανάω seduco 15, *150* — πλανάομαι erro 8, *96.99* ; 10, *85* —
    oberro 16, *16*
πλάνη error Pr., *17* ; 1, *46* ; 6, *57* ; 8, *101* ; 9, *6.122* ; 15, *55.149* ,
    16, *1* ; 24, 71 ; 30, 250
πλάσις plasmatio 9, *67*

Σίκυος Cucumis 11, 76.78
Σίμων Simon 23, 1.*3'*.8.34.87.90.98 ; 24, 69.73 ; 27, *2*.61.65 — is 23,
   72
Σιμωνιανός Simonianus 23, 90 ; 29, 2
σκία umbra 4, *4* ; 11, *22.24.25*
Σοδομίτης Sodomita 27, 40 ; 31, 2
Σοφία Sophia 1, *45* ; 2, *18.41.63* ; 4, *2.17.33* ; 5, *55.110* ; 7, *5.11* ; 8,
   55.79.105 ; 21, *106* ; 24, 44.45 ; 29, 53.70 ; 30, 31.104.160.180.
   201.219.228.233.242.280 ; 31, 4 — Sapientia 8, *123.124*
σοφία sapientia 10, *81*
Σοφονίας Sophonias 30, 200
σοφός sapiens 8, *16.20* ; 20, *41* ; 30, 231.283
σπείρω semino 5, *106* ; 8, *101*
σπέρμα semen Pr., *64* ; 1, *10.13* ; 2, *14* ; 5, *112* ; 6, *68.84* ; 7, *1.26*.
   37.45.50.55.91.92 ; 8, *88* ; 13, *45.136* ; 14, 3.*43* ; 15, *79.82* ; 30,
   185
σπερματικῶς seminaliter 8, *135*
Σταυρός Crux 3, *4.68.79.83* ; 4, *8* ; 7, *42* — Stauros 2, *60*
σταυρός crux 3, *71.73.84.86* ; 8, *53* ; 24, 70
σταυρόω crucifigo 3, *87* ; 24, 71.80.81.84 ; 30, 243
στερεόω firmo 15, *129* ; 22, *5'*
στήριγμα firmamentum 12, *52*
στηριγμός om. 2, *75*
στηρίζω confirmo 2, *33.35.62.91* ; 21, *58* ; 29, 40 — constabilio 3, *68*
Στησίχορος Stesichorus 23, *54*
στοιχεῖον elementum 4, *43.52.65* ; 5, *82* ; 14, *24.27.34.42.46.48.54.*
   60.65.70.83.84.108.127.134.142.156.174.184 ; 15, *2.19.109.120.*
   122.128 ; 17, *4* ; 30, 8.44 — littera 14, *18.20.21.22.23.129.135* ;
   15, *14* ; 16, *27.29.32.34.53.55*
Σύγκρασις Syncrasis 1, *40*
συζεύγνυμι coniungo 6, *7* ; 29, 22.45 — adiungo 29, 35
συζυγία coniugatio 1, *24.30.36* ; 2, *73.76* ; 8, *121.125.126* ; 9, *15.*
   16 ; 11, *103* ; 12, *7* ; 14, *128* ; 21, *37* ; 29, 20.28.55 — synzygia
   6, *71.73* ; 7, *5* ; 8, *155.162* ; 9, *45* — coniux 2, *63*
σύζυγος coniux 2, *19.59* ; 9, *21* ; 12, *2* ; 21, *107* ; 29, 58 — coniugatio
   (= συζυγία) 9, *19*
συλλαβή syllaba 14, *18.23.52* ; 15, *120.123.127*
συλλαμβάνω concipio 4, *111*
Συμεών Symeon 8, *109*
συμπαιδεύω coerudio 6, *7*
συμπροβάλλω coemitto (alicui) 11, *28* ; 29, 28 — una cum (aliquo)
   emitto 1, *17* — cum (aliquo) profero 2, *105*
συνείδησις conscientia 13, *129*
συνερανίζω collationem facio 2, *97*

τελευτή finis defunctionis 21, 87 — defunctio 24, *19* — morior 21, 95

τελέω sacro 21, *35.43.57.58.63.*70 — praesto 4, *56* — perficio 7, *71*

τέλος finis 2, *46* ; 8, *36* ; 10, *70.71* ; 14, *149* ; 20, *12*

τερατολογέω portentuosa loquor 30, 1

τερατοσκόπος portentorum inspector 15, *147*

τερατώδης portentuosus Pr., *37* ; 4, *58*

Τετρακτύς Quaternatio 1, *18* ; 7, *28* ; 14, *73.95.203* ; 18, *11.54*

Τετράς Quaternatio 8, *170.184* ; 9, *8.14* ; 11, *11.40.46.81* ; 14, *5.130* ; 15, *8.14.18.28.43.67.68.131* ; 17, *6* ; 18, *14.15.46.51* — Tetras 3, *48* ; 8, *171* ; 18, *32*

τέχνη ars Pr., *13.25.49.58* ; 6, *17* ; 7, *30* ; 15, *148* ; 25, *30* — artificium Pr., *26*

τεχνίτης artifex 8, *16.20.21*

Τιβήριος Tiberius 27, 16

τίκτω genero 12, *33* ; 16, *22* ; 17, *40* — pario 2, *43.44* — creo 12, *30*

τόπος locus 4, *4* ; 5, *57.78.79* ; 6, *82* ; 7, *3.11.13.75.81.89.90.91.92* ; 13, *7.41* ; 14, 5.*125* ; 15, *71.73* ; 16, *28* ; 18, *21.31* ; 21, *11* ; 30, 64

Τριακοντάς Triacontas 16, *30.37* ; 17, *32* ; 18, 27.*38.98.105* — XXX numerus 16, 11

Τροϊκός Troianus 23, 53

Τροφεύς Nutritor 10, *52*

τύπος typus 7, *27.41* ; 8, *39.112* ; 12, *8* ; 14, *103* ; 16, *43.58* ; 17, *30.41* ; 20, *12* ; 21, *64* ; 30, 49 — exemplum 7, *44*

Τύρος Tyrus 23, 36

Τωβίας Tobias 30, 198

Ὑγῖνος Hyginus 27, *3*

ὕδωρ aqua 4, *68.71.75.78.81* ; 5, *84* ; 7, *22* ; 15, *77* ; 17, *5* ; 18, *17* ; 21, *38.67.68.*88.89 ; 30, 8.32.39.57

Υἱός Filius 2, *84* ; 3, 48.51.*99* ; 5, *23* ; 8, *64.134.139.144.148.177* ; 9, *59.71* ; 10, *6.70* ; 12, *40.50.60* ; 15, *10.49.82.85* ; 20, *45* ; 23, 28 ; 24, 107 ; 29, 50 ; 30, 6.11.16.25.95.120.239 — Υἱός 15, *22.50*

υἱός filius 5, *73* ; 7, *20* ; 9, *35* ; 11, *26* ; 14, *152* ; 15, *54* ; 18, *81.89* ; 21, *25.96* ; 26, *7* ; 30, 5.14.20.25.54.57.58.61.76.79.117.133.143. 162.222.224 — exeo 30, 52

ὕλη materia 2, *54* ; 3, *3* ; 4, *37.105* ; 5, *2.13.90.116* ; 7, *16* ; 8, *103* ; 25, 101 ; 30, 37.38.81.157 — hylicon 6, *19*

ὑλικός materialis 3, *80* ; 5, *60.106* ; 6, *1.5.40* — hylicus 5, *18.28.31. 93* ; 6, *18* ; 8, *63*

ὑπερουράνιος supercaelestis 15, *37* ; 21, *55* — caelestis 5, *77*

ψυχικός animalis 5, *3.8.10.12.62.65.76* ; 6, *4.7.9.11.16* ; 7, *20.29.39.
80 ; 8, *65.80.82.84.85* ; 9, *64* ; 21, *20.81* ; 30, 246.259 —
psychicus 5, *17.28.31.73.91.95* ; 6, *80* ; 7, *13.77* ; 8, *72.87.93*
— psychicus, id est animalis 6, *14.24.25*
ψυχόω animo 14, *166*

ὥρα hora 1, *55.57.59* ; 14, *150* ; 17, *29.31* — formositas 30, 11.116
'Ὡραῖος Horeus 30, 70.199
'Ὡσηέ Osee 19, *10*

TABLE DES MATIÈRES

NIHIL OBSTAT
Lyon, le 2 octobre 1979
C. Mondésert, *s.j.*
B. de Vregille, *s.j.*

IMPRIMI POTEST
Orval, le 20 octobre 1979
É. Gillard, *o.c.s.o.*
Abbé d'Orval

IMPRIMI POTEST
Paris, le 19 octobre 1979
H. Madelin, *s.j.*
Praep. Prov. Gall.

IMPRIMATUR
Lyon, le 1er novembre 1979
Alexandre, Cardinal Renard
Archevêque de Lyon

IMPRIMERIE   A.   BONTEMPS

LIMOGES (FRANCE)

Éditeur nº 7131 - Imprimeur nº 1530
Dépôt légal : 4ᵉ trimestre 1979

21